中小企業法務の
すべて

〔第2版〕

日本弁護士連合会
日弁連中小企業法律支援センター[編]

商事法務

第2版発刊にあたって

　本書の初版は、日本弁護士連合会が2009年に設置した「日弁連中小企業法律支援センター」（以下「中小センター」といいます）による中小企業支援活動全体を整理するとともに、同センターに蓄積された法的支援のノウハウを、全国の中小企業支援に携わる弁護士その他の士業および関係団体の皆様に対し提供することを目的に、2017年3月に発刊されました。

　それから約6年が経過いたしましたが、当時から喫緊の課題となっていた中小企業の事業承継問題（後継者不在等）は一層深刻さを増すとともに、新型コロナウイルス感染症の感染拡大やウクライナ侵攻による影響等により社会情勢も大きく変化し、中小企業は構造変化の大波にさらされています。人口急減・超高齢化の進行による国内市場の縮小・労働力人口の減少に伴い生じてくる新たな課題や、今般の新型コロナウイルス感染症の影響による新しい生活様式・働き方の変化への対応、デジタルトランスフォーメーション（DX）やSDGs（持続可能な開発目標）、脱炭素（カーボンニュートラル）といった変貌し続ける社会経済環境への対応、グローバル化への対応など、今後中小企業が対応していかなければならない課題は山積しており、弁護士が中小企業に対して行うべき法的支援や課題も数多くあります。

　このように著しく変化し続けていく中小企業の経営環境を受け、法令の改正や各種ガイドラインの策定・変更等も数多く行われており、本書の第2版においてはこれらの情報につきアップデートするとともに、新たな法的課題について項目を追加するなどの改訂を行いました。好評をいただいた初版同様、中小センターに蓄積された法的支援のノウハウを、全国の中小企業支援に携わる弁護士その他の士業および関係団体の皆様に対し提供するものであり、中小企業に対する全国的な法的支援体制のさらなる発展への一助になるものと自負しております。

　中小センターは設置より10年以上が経過しましたが、当連合会では、これからも同センターを通じて中小企業に対する法的支援に力を尽くして参ります。本書が活用されることにより、中小企業が受ける法的支援がますます充実したものとなり、全国の中小企業の健全な発展、ひいてはその経営者・事業者、従業員、取引先、その家族等の全ての関係者の暮らしと権利が守られる社会が実現されることを祈念しております。

2023年1月吉日

　　　　　　　　　　　　　　　日本弁護士連合会　会長　小林元治

発刊にあたって（初版）

　日本弁護士連合会では、2009年10月に「日弁連中小企業法律支援センター」を設置いたしました。当時、日本の企業の99％以上を占める中小企業の多くは、法的サービスを受ける機会が十分にあるとはいえない状況にありました。同センターは、このような状況を踏まえ、中小企業による法的サービスの利用を促進するとともに、組織的かつ全国的な法的サービスの提供による中小企業支援態勢を確立・発展させることを目的として設立したものです。

　同センターは、創業から廃業までの各場面や事業再生、事業承継等において中小企業が直面するさまざまな課題について、プロジェクトチームを編成して検討するとともに、各種セミナー・シンポジウムの実施や書籍の発行等多様な方法を通じて、各方面に対し、中小企業への法的支援のノウハウを含む有益な情報の提供に努めてまいりました。結果として、本書中でもふれられている通り一定の成果を得ているものの、日々変化する社会情勢の中で、中小企業に対する法的支援のあり方については、なお一層の検討と周知が望まれているところです。

　このたび発刊される本書は、これまでの同センターによる中小企業支援活動全体を整理するとともに、同センターに蓄積された法的支援のノウハウを、全国の中小企業支援に携わる弁護士その他の士業および関係団体の皆様に対し提供するものです。本書は、これを手にした全国の弁護士や中小企業支援にかかわる皆様の参考となるものであり、中小企業に対する全国的な法的支援体制のさらなる発展への一助になるものと自負しております。

　当連合会では、これからも同センターを通じて中小企業に対する法的支援に力を尽くして参ります。本書が活用されることにより、中小企業が受ける法的支援がますます充実したものとなり、全国の中小企業の成長・発展、ひいては日本経済の成長・発展につながることとなれば望外の幸せです。

2017年1月吉日

　　　　　　　　　　　　　　日本弁護士連合会　会長　**中本和洋**

「中小企業支援に関する書籍」発刊にあたって(初版)

　わが国の企業数の99.7％を占め、雇用の7割、付加価値の過半を生み出す中小企業・小規模事業者は、まさしく日本経済の基盤といえる存在です。また、事業環境の変化に柔軟に対応し、新しい事業に挑み続ける、その活力こそが、日本経済の原動力となってきました。

　中小企業・小規模事業者を取り巻く昨今の環境をみますと、少子高齢化の進展に伴う経営者の高齢化や人手不足、国内市場の縮小、大企業との生産性格差の拡大など構造的な課題が山積しており、さらには、東日本大震災や熊本地震、大型台風等の自然災害、Brexit等の国際経済の混乱などの危機も頻発しています。その一方で、インバウンドを含む海外需要へのアクセス拡大や第4次産業革命の進展など、中小企業・小規模事業者にとってビジネスチャンスも拡大しており、現に大企業に勝る生産性を誇る事業者も多数存在します。

　中小企業庁では、こうした中小企業・小規模事業者が抱える課題を少しでも解消し、その成長に向けたチャレンジを後押ししたいと考えております。そのため、中小企業等経営強化法やIT導入支援等を通じた「稼ぐ力」の強化、事業承継支援体制の整備、海外展開に向けた一貫した支援、持続的な発展や経営改善を促す金融支援など、さまざまなツールを用いて中小企業・小規模事業者の発展を支援しております。

　このように中小企業・小規模事業者を支援する中で、弁護士の方々が果たされる役割は大きなものがあると思います。弁護士の方々とのかかわりについては、紛争処理や訴訟対応が中心と考えられがちですが、創業から事業再生や承継、さらには国際展開など、中小企業・小規模事業者のライフステージに応じて、その知識や経験が活かされる場面は多々あります。中小企業・小規模事業者の直面する課題が多様化する中で、弁護士の皆様によるサポートが今後ますます重要となってくるでしょう。

　本書では、中小企業・小規模事業者の抱える課題、それらに対する弁護士および弁護士会による支援方法やその活用のポイント等について、詳細に、かつ、わかりやすく記述されております。多くの弁護士の皆様が本書を活用され、中小企業・小規模事業者に対する支援の意義やそのニーズに的確に対応した支援のあり方についてご理解を深められることを期待しております。

2017年1月吉日

中小企業庁長官　宮本　聡

初版はしがき

　本書は、中小企業・小規模事業者の法務全般に関し、主に弁護士や法務担当者、さらには日頃法務にはあまり携わっていない中小企業支援担当者の方にも手をとっていただければと考えて作成した手引書です。また、弁護士による中小企業支援の内容を中小企業支援機関に是非知っていただきたいとも考え、企画をいたしました。

　中小企業・小規模事業者（以下、まとめて「中小企業等」という）は、年々減少傾向にあり、総務省・経済産業省による2009年から2014年の経済センサス基礎調査によれば、事業者数は2009年に420万1000であったところ、2012年には385万3000、2014年には380万9000にまで減少してしまっています。さらに、中小企業等の経営者は高齢化を迎えており、今後10年間で約半数の中小企業等が経営交代を行わざるを得ない状況といわれているほか、経営環境の厳しさから毎年平均24万から26万が廃業に至っています。他方で、最近は政府において創業を支援する方針を打ち出していることもあり、毎年10万を超える中小企業等が起業しているなど、地域経済の新たな担い手が新しい価値を創造する局面も多くなってきています。このように中小企業等は厳しい環境の中で、さまざまな局面にてさまざまな課題に直面しておりますが、まだまだ法務対応は不十分な状況にあるため、弁護士を中心として法務支援担当者による支援の必要性は高まるばかりかと思います。

　本書では、個々の弁護士による支援、弁護士会による支援、日弁連による支援の概要を冒頭に記載しています。これは弁護士が個々の業務として中小企業等支援に携わるばかりではなく、弁護士会として取り組む課題としても重要であるため、あえて記載したものです。各地の弁護士会の担当部門の方々に参考としていただきたく思います。各論においては、中小企業等のライフステージごとに課題を整理して概説しています。中小企業等の創業時の支援、日常業務における法務支援、事業拡大時の支援、海外展開における支援、事業承継や事業再生・廃業における支援というように多岐にわたって解説をしているため、テーマごとの説明においては紙面の関係から概説にとどまらざるを得なかったものもあります。そのようなテーマについては、詳細は専門書を当たっていただくことになりますが、その導入となる最低限の事項は網羅したつもりです。他方、最近においてトピックスとなっている事項については、紙面を使って詳しく説明しました。

　日本弁護士連合会の日弁連中小企業法律支援センターは、全国の弁護士会から委員の派遣を受け、中小企業法務支援を担っています。本書は、よ

り多くの弁護士等がより広い分野で中小企業法務支援を行うことができるための手引きとなるよう、同センター委員・幹事が中心となって執筆をしました。同センターでは、重要課題ごとにプロジェクトチームを組成しており、そのプロジェクトチーム内において執筆課題について協議をしながら執筆を進めました。

　本書により、1人でも多くの弁護士が中小企業の法務支援に踏み出し、また数多くの関係諸機関に弁護士による中小企業法務支援の重要性をご理解いただき、中小企業等の成長・発展、さらには地域経済の活性化や雇用の維持の一助となることを心から願ってやみません。

　最後に、短い期間の中で本執筆や原稿の精査を快く引き受けて下さった執筆者の方々に心より感謝申し上げるとともに、本書の迅速な発刊に多大なご配慮やご支援をいただいた株式会社商事法務書籍出版部の吉野祥子氏はじめ関係者の方々には厚く御礼申し上げます。

2017年1月

編者一同

凡　例

1　法令・省令・ガイドライン等の略記

一般法人法	一般社団法人及び一般財団法人に関する法律
会社法整備法	会社法の施行に伴う関係法律の整備等に関する法律
金融円滑化法	中小企業等に対する金融の円滑化を図るための臨時措置に関する法律
経営者保証GL	「経営者保証に関するガイドライン」（経営者保証に関するガイドライン研究会）
経営承継円滑化法	中小企業における経営の承継の円滑化に関する法律
景品表示法	不当景品類及び不当表示防止法
公益法人認定法	公益社団法人及び公益財団法人の認定等に関する法律
個人情報保護GL	「個人情報の保護に関する法律についての経済産業分野を対象とするガイドライン」（経済産業省）
個人情報保護法	個人情報の保護に関する法律
雇用機会均等法	雇用の分野における男女の均等な機会及び待遇の確保等に関する法律
産強法	産業競争力強化法
事業再生GL	「中小企業の事業再生等に関するガイドライン」（中小企業の事業再生等に関する研究会）
事業承継GL	「事業承継ガイドライン〔第3版〕」（中小企業庁（令和4年3月改訂））
事業引継GL	「事業引継ぎガイドライン」（中小企業向け事業引継ぎ検討会）
自然災害GL	「自然災害による被災者の債務整理に関するガイドライン」（自然災害による被災者の債務整理に関するガイドライン研究会）
下請法	下請代金支払遅延等防止法
私的整理GL	「私的整理ガイドライン」（私的整理に関するガイドライン研究会）
小規模振興法	小規模企業振興基本法
中基法	中小企業基本法
中小企業版私的整理GL	「中小企業の事業再生等に関するガイドライン」第3部
中小M&AGL	「中小M&Aガイドライン」（中小企業庁）
中小PMIGL	「中小PMIガイドライン」（中小企業庁）
電子商取引GL	「電子商取引及び情報財取引等に関する準則」（経済産業省）
電子消費者特例法	電子消費者契約及び電子承諾通知に関する民法の特例に関する法律

| 独占禁止法 | 私的独占の禁止及び公正取引の確保に関する法律 |
| 非営利活動法 | 特定非営利活動促進法 |

2　団体名等の略記

活性化協議会	中小企業活性化協議会
会計士協会	日本公認会計士協会
経産省	経済産業省
再生支援協議会	中小企業再生支援協議会
社労士会連合会	全国社会保険労務士会連合会
信金中金	信金中央金庫
全国信金協会	一般社団法人全国信用金庫協会
全国信組中央協会	一般社団法人全国信用組合中央協会
中企庁	中小企業庁
中小企業センター	日弁連中小企業法律支援センター
中小機構	独立行政法人中小企業基盤整備機構
日弁連	日本弁護士連合会
日本公庫	株式会社日本政策金融公庫
認定支援機関	経営革新等支援機関
引継ぎ支援センター	事業承継・引継ぎ支援センター
DBJ	日本政策投資銀行
JETRO	独立行政法人日本貿易振興機構
REVIC	株式会社地域経済活性化支援機構

3　その他

第1回ニーズ調査	「中小企業の弁護士ニーズ調査（2008年実施）」（日本弁護士連合会）
第2回ニーズ調査	「中小企業の弁護士ニーズ調査（2016年実施）」（日本弁護士連合会）
中小企業支援等に関する覚書	「中小企業等の経営の安定及び経営基盤強化のための覚書」（日本弁護士連合会・日本政策金融公庫）
特定調停利用の手引き	「金融円滑化法終了への対応策としての特定調停スキーム利用の手引き」（日本弁護士連合会）
特定調停利用の手引き（保証債務）	「経営者保証に関するガイドラインに基づく保証債務整理の手法としての特定調停スキーム利用の手引き」（日本弁護士連合会）
秘密情報保護ハンドブック	「秘密情報の保護ハンドブック——企業価値向上に向けて」（経済産業省）

目　次

第1部　弁護士・弁護士会による中小企業支援

第1章　弁護士・弁護士会による中小企業支援のあり方……2
1 **個々の弁護士による支援**……………………………………………2
　(1) 中小企業の法的課題と弁護士の関与の現状・2／(2) 現状での中小企業の法的課題解決方法・2／(3) 個々の弁護士による支援のあり方・4
2 **弁護士会による支援**………………………………………………5
　(1) 弁護士会による中小企業事業者の直接の支援・6／(2) 関連団体との連携・9
3 **中小企業センターによる支援**……………………………………11
　(1) 中小企業センター・11／(2) 中企庁との連携・12／(3) 各関連団体との連携・12／(4) 新しい需要への対応・会員への研修・13／(5) 全国レベルの基盤整備（ひまわりほっとダイヤル）・14／(6) 中小企業支援に関する意見交換会モデル・16
4 **今後の弁護士・弁護士会による中小企業支援のあり方**………19
　(1) 2022年版中小企業白書における中小企業の課題・19／(2) 中小企業の課題への法律支援・19

第2章　中小企業を取り巻く状況……………………………21
1 **中小企業の定義と関連立法**………………………………………21
　(1) 中小企業関連法制・21／(2) 中小企業政策の対象範囲・21／(3) 中小企業関連法の紹介・22
2 **政府統計にみる中小企業の存在意義**……………………………24
　(1) 経済、雇用の担い手・24／(2) 産業のバリューチェーンの一角・26／(3) 伝統、革新の担い手・26
3 **中小企業数と開廃業率の推移**……………………………………27
　(1) 概要・27／(2) 弁護士による開廃業支援・28
4 **中小企業が直面する課題と展望**…………………………………29
　(1) 経営者の高齢化と後継者不足・29／(2) 経営基盤の脆弱性・30／(3) 労働

力不足・30／(4) 労働生産性の低さ・31／(5) デジタル化・IT化・31／(6) グローバル化・31／(7) 企業の社会的責任・31／(8) リスクへの対応の脆弱性・31／(9) 展望・32

5 中小企業を支えるプレーヤー···32
(1) 政府・公的機関・32／(2) 商工団体・35／(3) 金融機関・36／(4) 士業その他の専門家・37／(5) 法的サービスへのアクセス障害と支援の必要性・39

第2部　各　論

第1章　創業支援 ···42

1 創業支援の必要性 ···42
(1) 創業の社会経済的な意義とわが国の創業活動の動向・42／(2) 創業支援における弁護士の関与についての課題・45

2 創業の段階別の支援内容 ···47
(1) はじめに・47／(2) 情報収集段階における支援・47／(3) 創業計画の作成段階における支援・48／(4) 事業の準備行為時における支援・56／(5) 事業開始時および開始直後の支援・58

3 中小企業が事業主体として選択可能な法人類型 ·····················59
(1) 法人化のメリット・デメリット・59／(2) 代表的な法人類型・60／(3) 各法人の比較と選択のポイント・62

4 創業時の資金調達 ···66
(1) 概説・66／(2) 創業資金の資金調達手段と留意点・66

5 新規株式上場（IPO）···74
(1) IPOの意義・74／(2) 上場申請および審査の手続と上場審査基準・74／(3) IPOにかかわる主な関係者とその役割・76／(4) 資本政策・76／(5) IPOに関して弁護士が貢献できること・77

第2章　日常的な中小企業法務 ···78

1 身近な相談相手としての弁護士 ···78

2 ビジネスの適法性のチェック ···78
(1) はじめに・78／(2) ビジネス全般に関する法規制・79／(3) 消費者取引に関する規制・83／(4) 企業間取引に関する規制・90

3 契約 ···97

目　次

　　⑴　はじめに・97／⑵　契約書の相談の内容・97／⑶　電子商取引（ｅコマース）の注意点・102
　④　会社組織 ··· 104
　　⑴　中小企業の機関設計・104／⑵　株主総会に関する支援業務・106／⑶　取締役会に関する支援業務・114／⑷　取締役に関する支援業務・116
　⑤　労務管理 ··· 118
　　⑴　中小企業法律支援における労務管理の重要性と弁護士の役割・118／⑵　労働条件に関するリスク・118／⑶　労働条件の変更のリスク・119／⑷　労使協定・119／⑸　従業員管理・労働安全衛生管理・安全配慮義務に関するリスク・120／⑹　非正規雇用労働者に関するリスク・120／⑺　個別的労働紛争における中小企業の傾向・121／⑻　集団的労働関係紛争のリスク・123／⑼　行政との関係におけるリスク・123／⑽　紛争解決手段・123
　⑥　知的財産権の管理 ··· 125
　　⑴　知的財産権概要・125／⑵　特許権・125／⑶　実用新案権・127／⑷　意匠権・127／⑸　商標権・128／⑹　著作権・129／⑺　不正競争防止法・130／⑻　まとめ・131
　⑦　資金調達 ··· 131
　　⑴　総論・131／⑵　デット・ファイナンス・132／⑶　エクイティ・ファイナンス・134／⑷　補助金の活用・136／⑸　資金調達において弁護士に期待される役割・136
　⑧　債権回収・保全 ··· 137
　　⑴　企業における債権回収・保全の必要性・137／⑵　信用調査の必要性・137／⑶　証拠書類の確保・138／⑷　契約書の作成・139／⑸　債権保全のために有効な契約条項・140／⑹　担保権の設定（物的担保）・141／⑺　保証人（人的担保）・143／⑻　債権回収・143／⑼　時効の管理・144
　⑨　営業秘密の保護 ··· 145
　　⑴　中小企業における営業秘密保持の問題点・145／⑵　企業間の営業秘密漏洩防止・146／⑶　従業員による営業秘密漏洩防止・149
　⑩　個人情報の保護──個人情報保護法 ································· 150
　　⑴　個人情報保護法成立および改正の経緯・150／⑵　「個人情報」の定義・151／⑶　個人情報取扱事業者の義務・152／⑷　プライバシーポリシー・156
　⑪　トラブル・悪質クレーム対応 ··· 156
　　⑴　総論・156／⑵　悪質クレーム・不当要求・157／⑶　悪徳商法対応（事業者の消費者被害等）・159／⑷　反社会的勢力対応・162／⑸　インターネットトラブル・164

12 コンプライアンス……167
(1) 中小企業とコンプライアンス・167／(2) コンプライアンス違反の実例・167／(3) コンプライアンス違反の責任・168／(4) コンプライアンス違反の原因・168／(5) コンプライアンス違反の防止・168／(6) 弁護士によるコンプライアンス支援・169

第3章 事業拡大時の問題……172

1 M&A……172
(1) M&Aの基本概念・172／(2) M&A取引の契約・175／(3) 法務DD・178／(4) 中小PMIGL・181

2 各種の提携契約……183
(1) 総論・183／(2) 販売提携（販売店契約）・186／(3) 技術提携（技術ライセンス契約）・192／(4) 生産提携（生産委託契約）・196／(5) 合弁契約・197

3 支配権争い……200
(1) 支配権争いの場面・200／(2) 取締役の解任と新たな取締役の選任・200／(3) 取締役の地位をめぐる攻防（訴訟手続）・204／(4) 取締役の地位をめぐる攻防（保全手続）・206／(5) 新株発行をめぐる争い・209／(6) 株主権をめぐる争い・211

第4章 国際業務支援……213

1 中小企業の国際業務における法的支援の必要性……213
(1) 予防法務とトラブル発生時の初期対応の重要性・213／(2) 海外展開の3つの類型と類型ごとの法務ニーズ・213／(3) 日本の弁護士による支援の意義・214／(4) 日弁連中小企業国際業務支援弁護士紹介制度・215

2 契約書の重要性……216
(1) 合意内容を明確化・216／(2) 国際取引の条件は複雑・216／(3) 準拠法の明確化・217／(4) トラブル発生時の拠りどころ・218

3 貿易取引と代表的リスク……218
(1) 取引開始時の注意点・218／(2) 代金回収リスク・220

4 間接進出と代表的リスク……222

5 直接進出（直接投資）の代表的リスク……223
(1) はじめに・223／(2) 直接進出の手法・224／(3) 合弁会社・225／(4) 現地法人の管理・226

目　次

6 トラブルへの対応 ……………………………………………………228
　(1)　貿易取引・間接進出において発生しやすいトラブル・228／(2)　現地法人（直接進出）において発生しやすいトラブル・229／(3)　事業再編・撤退・229
7 越境EC ………………………………………………………………231
　(1)　越境ECとは・231／(2)　越境ECの留意点・232／(3)　トラブル時の責任対応・233
8 留意すべき外国法 ……………………………………………………234
　(1)　個人情報保護法関連・234／(2)　外国公務員贈賄関連・236
9 外国人労働者の雇用 …………………………………………………237
　(1)　はじめに・237／(2)　外国人労働者の雇用と法令遵守・237／(3)　日本の法令遵守の先へ・240

第5章　事業承継 ……………………………………………………241

1 事業承継総論 …………………………………………………………241
　(1)　事業承継とは・241／(2)　現在の中小企業の状況・242／(3)　中小企業の事業承継対策の状況・244／(4)　事業承継の形態とその傾向・245／(5)　事業承継関連施策・246
2 中小企業の事業承継の準備と課題 …………………………………248
　(1)　中小企業の特徴・248／(2)　事業承継の最適年齢・248／(3)　事業承継準備期間中のリスク・249／(4)　事業承継の相談体制・250
3 事業承継計画書の作成 ………………………………………………251
　(1)　事業承継書を作成する意義・251／(2)　事業承継書の作成手順・251
4 親族内承継 ……………………………………………………………252
　(1)　親族内承継の内容とその流れ・252／(2)　相続・258／(3)　中小企業における経営承継円滑化法・261／(4)　事業承継の方法——株式や事業用資産の承継方法・265
5 企業内承継 ……………………………………………………………268
　(1)　意義・268／(2)　想定される候補者・268／(3)　想定される企業側の事情・268／(4)　方法・269／(5)　企業内承継における課題・問題点・269／(6)　具体的な方法・271／(7)　事例・273
6 第三者承継 ……………………………………………………………274
　(1)　M&Aによる事業承継・274／(2)　中小企業の第三者承継の方法・284
7 戦略的な事業承継スキーム …………………………………………289
　(1)　総論・289／(2)　各スキームの活用例と弁護士の役割・289

目次

第6章　事業再生 …… 295
1　事業再生総論 …… 295
(1) 事業再生とは・295／(2) 中小企業の力と早期事業再生の必要性・295／(3) 事業再生の近時の歴史・296／(4) 手続選択・298／(5) 特定調停・302／(6) 自然災害による被災者の債務整理に関するGL・303／(7) 中小企業版私的整理GL・303

2　民事再生 …… 304
(1) 民事再生とは・304／(2) 再生手続の流れと標準スケジュール・304／(3) 再生計画のスキーム・315／(4) 再生計画の条項・316／(5) 監督委員による履行の可能性の検証・319／(6) 再生手続におけるM&A・319

3　私的整理 …… 323
(1) 私的整理とは・323／(2) 活性化協議会における再生手続・324／(3) 再生計画策定支援改良案件のフォローアップ・328／(4) 中小企業版私的整理GL・329／(5) 中小企業再生における私的整理の利用方法（メリット・デメリット）・332

4　特定調停 …… 333
(1) 日弁連策定の新しい特定調停スキーム・333／(2) 自然災害債務整理ガイドライン（コロナ特則）・338／(3) 東京地方裁判所での特定調停の新運用・339

5　経営者の保証債務 …… 339
(1) 事業再生において経営者の保証債務を整理する意義・必要性・339／(2) 経営者保証GLの策定・339／(3) 経営者保証GLを利用した保証債務の整理・340／(4) 特定調停スキームにおける経営者保証GLの活用・344／(5) その他の準則型手続における経営者保証GLの利用・344／(6) 経営者保証GLによらない保証債務の整理手段・345

第7章　廃業支援・第二創業支援 …… 346
1　総論――今なぜ廃業支援が必要か …… 346
(1) 本章の概説・346／(2) 中小企業の廃業状況・346／(3) 廃業における課題・348／(4) 廃業手続の多様化・349

2　廃業のための手法 …… 349
(1) 廃業への流れ・349／(2) 廃業の決断・350／(3) 過大な負債処理の要否に関する判断・351／(4) 事業承継の可否の判断・351／(5) 負債処理が不要な場

xiii

目　次

　　合（資産超過の場合）・351／(6)　過大な負債処理が必要な場合・352
3　過大な負債処理を行う場合の経営者の保証債務 ················357
　　(1)　経営者保証GL・357／(2)　清算型の場合の経済合理性の有無・357
4　特定調停スキーム（廃業支援型）の概要 ····················359
　　(1)　特定調停スキーム廃業支援型のメリット・359／(2)　特定調停スキーム（廃業支援型）の活用事例・360／(3)　特定調停スキーム（廃業支援型）の要件・360／(4)　自然災害債務整理ガイドラインの特則・362

● 編者紹介・執筆者紹介 ··364
● 事項索引 ··370

第1部
弁護士・弁護士会による中小企業支援

第1章　弁護士・弁護士会による中小企業支援のあり方

1　個々の弁護士による支援

(1)　中小企業の法的課題と弁護士の関与の現状

①　第1回ニーズ調査

　日本弁護士連合会（以下、本書では「日弁連」と略す）が2006年から2007年に全国1万5450社に対して実施した「中小企業の弁護士ニーズ全国調査」によれば、顧問弁護士や相談できる弁護士の有無について、「いない」と回答した企業は61.5％と6割を超えていました。弁護士の利用経験が「ない」と回答した企業は47％に上っており、その理由として実に74.8％が「特に弁護士に相談すべき事項がないから」と回答しています。本当に「弁護士に相談すべき事項がない」のでしょうか。

　中小企業が抱える法的課題としては、①債権回収、②雇用問題、③クレーム対策が第1群として挙がり、続いて、④契約書のリーガルチェック、⑤事業承継・相続対策、⑥債権保全、⑦各種社内規定の対策が続いていますが、弁護士の利用経験がない企業では65.7％が、さらに「相談できる弁護士がいない」と回答した企業では74.1％が、これらの課題を抱えていると回答しています。弁護士を利用していない最大の理由になっている「特に相談すべき事項がない」と回答した企業でも約59.2％がこれらの法的課題を抱えており、「弁護士は探しにくい」と回答した企業も94.3％がこれらの法的課題を抱えていることが明らかになっています。

②　第2回ニーズ調査

　中小企業センターは、2016年にも1万5000社を対象として調査を実施しました。その結果、「過去10年間での弁護士の利用状況」については、「ない」という回答が55.7％を占め、「弁護士を利用したことがない理由」の86.3％が「特に弁護士に相談すべき事項がないから」という回答であり、約10年前と同じ傾向となっており、法的課題（第2回調査では「困りごと」として質問）の多い順番は、10年前とは順番が異なり、①雇用問題、②債権回収、③契約書相談・作成となっております。弁護士の利用頻度は10年前と変わらず低いものの、これらの課題を顧問弁護士に相談して対処した旨の回答者における満足度はいずれも80～90％と高い満足度となっていました。

(2)　現状での中小企業の法的課題解決方法

　それでは、中小企業の抱える法的課題について、経営者は、弁護士以外の誰

第1章　弁護士・弁護士会による中小企業支援のあり方

《中小企業の法的課題と弁護士の関与》

困りごとへの対処 対処方法別上位10項目（複数回答）

	顧問弁護士に相談して対処した		顧問弁護士以外の弁護士に相談して対処した		弁護士以外の社外の方に相談して対処した		外部には相談せず社内で対処した		対処していない	
1	契約書相談・作成	49.4%	事業承継	20.0%	クレーマー対策	84.9%	ハラスメント等社内問題	37.7%	各種情報管理	33.9%
2	クレーマー対策	41.9%	各種情報管理	18.2%	商品・製品トラブル	67.4%	雇用問題	29.0%	知的財産権問題	23.9%
3	債権管理・保全	36.8%	課税問題	17.6%	インターネット問題	67.4%	商品・製品トラブル	28.7%	クレーマー対策	21.7%
4	ハラスメント等社内問題	35.6%	海外トラブル	17.4%	知的財産権問題	66.3%	各種情報管理	25.6%	海外取引	21.6%
5	債権回収	35.1%	M&A	15.0%	課税問題	59.4%	クレーマー対策	23.7%	総会・役員会の運営	20.0%
6	商品・製品トラブル	33.3%	インターネット問題	14.3%	海外トラブル	44.9%	経営改善・再建・資金繰り	22.4%	事業承継	18.3%
7	下請・不公正取引	31.4%	知的財産権問題	13.1%	詐欺・悪徳商法問題	41.3%	M&A	22.3%	契約書相談・作成	13.0%
8	知的財産権問題	27.4%	海外取引	13.0%	事業承継	40.3%	社内規定・ルール整備	22.3%	課税問題	9.1%
9	海外取引	26.3%	債権回収	12.6%	M&A	37.1%	債権管理・保全	21.2%	債権回収	7.8%
10	海外トラブル	25.5%	雇用問題	12.1%	社内規定・ルール整備	35.8%	詐欺・悪徳商法問題	20.7%	詐欺・悪徳商法問題	7.5%

出典：日弁連中小企業法律支援センター・㈱帝国データバンク『第2回中小企業の弁護士ニーズ全国調査報告書（2017年8月）』35頁。

《弁護士以外の専門家に法的課題を相談した理由》

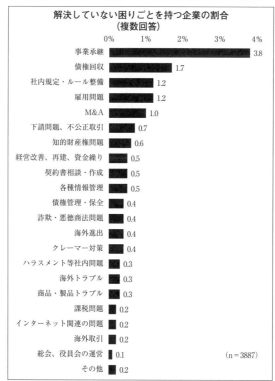

出典：日弁連中小企業法律支援センター・㈱帝国データバンク『第2回中小企業の弁護士ニーズ全国調査報告書（2017年8月）』42頁。

に相談しているのでしょうか。第1回調査によれば、弁護士以外の専門家としては、税理士がトップで56.6％、続いて、社会保険労務士が31％、司法書士が24.8％、公認会計士が21.9％と回答されています。第2回調査でも、税理士が42％、社会保険保険労務士が37.8％となり、その次に公認会計士14.1％となっています。第1回調査において、これらの弁護士以外の専門家に相談した理由では、「相談企業の業務を熟知しているから」が55.1％となっており、「相談事項に関する専門知識がある」（38.8％）、「頻繁に連絡をとっている」（38.2％）等が続いています。第2回では、この順番が変わり「日頃から頻繁に連絡を取っているから」が64.6％と最も多く、その次に「貴社の業務をよく分かっているから」が46.7％、「相談事項に関する専門知識があるから」が40.7％となっています。さらに、これらの法的課題を弁護士に相談しなかった理由については、「弁護士の問題とは思わなかった」が第1回調査（46.6％）でも第2回調査（52.3％）結果でも、一番大きな理由となっていました。

(3) 個々の弁護士による支援のあり方

① 現状の背景

これらのニーズ調査からは、実際に中小企業の大半が法的課題を抱えているにもかかわらず、弁護士はそれらの課題解決の受け皿としての役割を十分に果たせていない現状が浮かび上がってきます。第1回調査から約10年後に実施した第2回調査でもこの状況は改善されていません。この現状については、中小企業が弁護士以外の専門家に相談する理由の裏返しが、背景事情になっているといえます。

すなわち、第1回調査によれば、中小企業経営者が弁護士以外の専門家に相談する理由のトップは、「相談企業の業務を熟知しているから」で55.1％となっており、「専門知識がある」「頻繁に連絡をとっている」が続きます。第2回調査でも、順番は異なりますが、この3項目がトップ3に入っています。特に第2回調査では、「頻繁に連絡をとっている」がダントツで1番となっており、当該企業との「日頃の接点の持ち方」が重要であることは明らかであると思います。特に相談相手となっている税理士や社会保険労務士は、その定期業務においてもほぼ毎月当該企業を訪問していることが多いものと思われます。実際に、第2回調査において「弁護士に相談しなかった理由」の2番目に多かったのが、「日ごろあまり接点がないため頼みにくいから」（29.0％）となっていました。

2回のニーズ調査の結果によれば、法的課題を弁護士に相談しなかった理由のトップは「弁護士の問題とは思わなかった」ですが、弁護士が中小企業のどのような課題解決に貢献できるのかは、当該中小企業で日々生起する課題を共有し、課題解決（あるいはリスクの低減）に当たることで、中小企業に認識されていくことと思われます。

前記の弁護士以外を選択した理由として挙げられた「(他の専門家は)相談事項に関する専門知識がある」との回答は、税務や労務などの専門分野に限らなければ、弁護士が紛争(有事)に対応することを専門にしているからこそ、紛争(有事)に先回りして企業の平時の課題解決に貢献できる点について、中小企業経営者に十分に認識されていないことの表れといえます。第1回調査によれば、弁護士の利用経験が「法的手続のみ」の企業の54.6％が、相談できる弁護士が「いない」と回答したのに対し、「法的手続以外でも」弁護士を利用したことのある企業の74.8％は顧問弁護士または相談できる弁護士が「いる」と回答しています。この調査結果からは、紛争(有事)の際の法的手続以外で弁護士の利用経験のある中小企業は、法的手続以外の経営相談の選択肢として弁護士の存在を認識していることがわかりますが、さらに弁護士が中小企業の経営に貢献していくためには、当該企業と「日頃から接点」をもち、当該企業で日々生起する経営課題を共有すること、また、これらの課題解決に弁護士が貢献できることを示していくことが必要といえるでしょう。

② 経営のパートナーとしての弁護士へ

2回の調査結果において、中小企業が法的課題への対応以外に弁護士の利用を希望する分野のトップは、「種々の問題の相談窓口」です(第1回調査46.5％、第2回調査71.0％)。また、さらなる活用のために弁護士にとって必要なことについては、第1回調査では、第1が「報酬のわかりやすさ」(52.1％)、第2が「得意分野のわかりやすさ」(32.4％)「フットワークのよさ」(32.4％)「業界への知見」(23.8％)でしたが、第2回調査では、第1は「業法の知識」(36.6％)となり、その後に「フットワークの軽さ」(27.8％)、「報酬基準の分かりやすさ」(27.1％)、「業界への知見」(23.9％)となっています。さらに、第1回調査のみの質問事項ですが、「顧問契約をする際に重視した点」の回答は、「専門性・力量」が55.5％、「人柄」が52.8％となっていました。前記の調査結果からは、「紛争(有事)の際にマイナスの幅を抑えるための弁護士」から、「種々の問題の相談窓口」として「専門分野を生かして、経営により積極的にプラスをもたらすためのパートナー」となる役割が期待されていることが浮かび上がってきます。

経営に積極的にプラスをもたらすための弁護士の具体的な役割については、第2部(各テーマの支援方法)において紹介します。

2 弁護士会による支援

各弁護士会では、中小企業支援委員会(センター)、中小企業支援室等の名称で中小企業事業者の直接の支援する担当委員会やプロジェクトチーム等を設置し、対応しています。

第1部　弁護士・弁護士会による中小企業支援

(1) 弁護士会による中小企業事業者の直接の支援
① 中小企業事業者専門法律相談

中小企業事業者の皆さんに対する弁護士会による法律相談の形態は、次の通り多彩です。

① ひまわりほっとダイヤル　全国共通の電話番号（0570-001-240〔おーいちゅーしょー〕）を用いて、弁護士が全国の中小企業事業者からの相談を受け付けています。売掛金の回収、債務整理、再生、事業承継、契約書、労使交渉等、中小企業事業者にかかわる法律問題一般について地域の弁護士会の会員が対応します。一部の地域を除き、初回30分の相談は無料です。
② 弁護士会の一般法律相談（弁護士会における法律相談室での相談）
③ 弁護士会の一斉法律相談会（日弁連が毎年１回、全国の弁護士会での一斉の相談会）
④ 弁護士会と関連他士業・関係団体とのワンストップ型相談会（各弁護士会で、司法書士会等の士業、中企庁、商工会議所、日本公庫等の中小企業事業者支援関係団体との間で企画する相談会）
⑤ 弁護士会の電話法律相談（各弁護士会法律相談センター受付）
⑥ 弁護士会の中小企業事業者宛て弁護士紹介制度

中小企業事業者の法律問題に精通している専門家としての弁護士を紹介する制度を設けている弁護士会もあります。

② 弁護士会が主催する事業者向けセミナー・研修会等

各弁護士会において、さまざまなセミナー・研修を企画し、実施しています。各セミナー等での代表的なテーマ等をご案内します。

分　野	テーマ
事業再生	金融円滑化法出口対応と弁護士の役割
	中小企業再生支援の実務
	新しい特定調停活用
	中小企業の私的再生と特定調停
	経営者保証GLと特定調停
事業承継	事業承継
	経営者の事業承継相談（遺言）対策
	会社の未来につながる事業承継
	M&A（事業承継）株式譲渡、最終契約書作成の留意点
	新事業承継制度、親族内承継と第三者承継

	高齢化（認知症）した事業経営者からの事業承継
	合名・合資会社の事業承継
創業支援	創業スクール（経営者が知っておきたい創業に当たっての法律知識）
	女性新ビジネス応援
	知っておきたい創業支援の制度
海外展開支援	中小企業のための海外展開支援（急成長する新たな経済圏の取引に向けて）
	海外ビジネス法務リスク対応
	ASEAN進出
債権回収	効果的な売掛金回収手法
	中小企業の経営安定のための債権の保全・回収実務
知的財産権	今さら聞けない知的財産
	譲渡契約・実務契約における留意点
	侵害訴訟の基本知識
労務管理等労働法分野	解雇事件の実務
	ハラスメント問題の基礎知識
	残業代請求の実務
	知っておきたい労務管理のポイント
	経営者のためのトラブル回避術、人事労務、退職問題
企業コンプライアンス	身を守るための中小企業にとってのコンプライアンス
	中小企業のための実践的コンプライアンス
取引トラブル・クレーマー対策	取引上のトラブルとクレーム
	悪質不当クレーム対策と対応
	現場交渉実務から学ぶクレーマー対応のポイント
	暴力団排除対策と取引遮断の実務
契約書関係	契約書と契約書のチェック
	契約条項に関する留意点
	ビジネス契約における留意点
	取引基本契約書の留意点
	フランチャイズ契約書の留意点

第1部　弁護士・弁護士会による中小企業支援

事業全般 危機管理	SDGs（持続可能な開発目標）に合致した中小企業の経営
	中小企業のBCP（事業継続計画）の策定
	有時（地震等の大規模災害、新型コロナウイルス感染症等）に対応する事業経営
	有時に備える平時の対応（防災）を装着した事業経営
	サイバーセキュリティーの対応
その他	下請法、独占禁止法の基礎知識
	中小企業のカルテル違反について
	不正競争防止法と営業秘密の管理
	個人情報保護法の改正ポイント
	ビックデータ時代の個人情報
	実践的マイナンバー制度の活用
	税務の基礎知識（中小企業に関する税務のポイント）
	不動産賃貸契約事件、原状回復、賃料減額請求、借家権と立退料

　前記中小企業事業者向けの法律相談等の企画と運営の形態は、弁護士会主催のほか、日弁連、弁護士会連合会との共催、日本公庫や商工会議所等中小企業事業者支援関係団体との共催ないし後援や、他士業との共催等があります。

　弁護士会の中小企業事業者支援体制の整備と企画・運営・実行については、中小企業法律支援運営委員会ないしセンター（委員会組織が構築されているケース）、業務改革ないし業務委員会等の下でのPT、中小企業支援室等が担い手となっています。

　前記中小企業法律支援委員会等の担い手が中心となり、各企画等を弁護士会執行部に提案（場合によっては、関連委員会とともに）、常議員会の承認の下で、実施されています。

　弁護士会の主催等のセミナー、イベントの実施は、共催や後援の日本公庫や商工会議所等と毎年、新しいテーマでのセミナー等の企画と実施を行う契機となっています。また、セミナー等の案内を他の中小企業事業者支援の関係団体に情報提供すると、他の団体から、新たにセミナー等のテーマのリクエストが弁護士会に寄せられたりしています。さらには、商工会議所等の中小企業事業者支援団体の方から、積極的テーマを選定したセミナーやイベントの企画が弁護士会に提案がなされる等して、弁護士会と中小企業事業者支援の諸団体との連携や、情報交換（懇親会も開催）が深まり、弁護士会の会員や関係団体の皆さんとの顔と顔の見える関係を構築することに結びついています。

(2) 関連団体との連携

中小企業に対しては、中企庁や各経済産業局（以下、「経産局」という）、地方自治体（都道府県や市町村）が政策的に保護・振興を図り、中小機構、JETROなどの準国家機関、商工会議所、商工会・商工会連合会、中小企業団体中央会（中央会）のいわゆる商工三団体、経営者団体である経営者協会、中小企業家同友会、隣接専門職団体である税理士会、会計士協会、司法書士会、社労士会、中小企業診断士協会（診断士協会）、不動産鑑定士協会、金融機関（政府系・民間）等、それぞれの専門的分野で深く関与している団体・機関が多くあります。そこで、弁護士会として中小企業支援のために中小企業へのアクセスを図り、中小企業から弁護士へのアクセスを容易にするためには、これら団体・機関と連携することが有効です。日弁連の「弁護士会における中小企業支援活動の実情調査及び活動事例収集のためのアンケート」（2015年）によれば弁護士会の支援活動としては「自治体、商工会議所等の中小企業支援団体との連携」が一番多い回答であったところ（全52会中29会）、その後、関連団体との連携を拡充するために、「中小企業・小規模事業者に対する法的支援を更に積極的に推進する宣言」（2017年５月、日弁連総会）では、「関係機関・団体等との連携・協力関係構築の推進・強化」を掲げ、「中小企業・小規模事業者が、弁護士による法的情報の提供や法的助言等の法的支援、ひいては必要かつ有益な司法制度や公的制度を的確に利用し、権利を十分に擁護される環境を整備するため、関係行政官庁、地方自治体、中小企業諸団体、金融機関、専門士業団体等、中小企業・小規模事業者の法的支援に資するあらゆる関係機関・団体等との間で適切な連携・協力関係を構築・増強する取組を更に推進・強化する」旨を宣言し、弁護士・弁護士会側の自覚を強めるとともに、弁護士団体としての決意を広く宣明しました。近年関連団体との間での連携はさらに広がりを見せており、それらの特徴として次のような点を指摘できます。

① 連携に関する覚書の締結

中小企業支援団体・機関（関連団体）との連携の拡大、強化は中小企業が置かれた歴史的および社会的な情勢を反映した自然な流れであり、それぞれの弁護士会において工夫を凝らして多様な連携関係が構築されてきており、近時は、連携の一環として関連団体との間で連携の合意（覚書）を締結する例が増えています。中でも日本公庫との覚書を結ぶ弁護士会が際立って多く、これは日弁連と同公庫との間の「中小企業等支援に関する覚書」（2011年）以降の同公庫側の積極姿勢と各弁護士会からの働きかけの成果と考えられます。

覚書の内容としては、意見交換・情報共有、会員間交流、講師相互派遣、イベントの共催、案件の紹介・斡旋、広報協力などが謳われています。

覚書の存在によって、①お互いの（特に関連団体側の）担当者が変わっても、弁護士会からの連携セミナー・相談会などの諸企画の提案・実施が容易になる等永続性に資することとなり、連携セミナーをそれぞれ年間の恒例行事として定着させる例もみられます。また、覚書の存在を契機として関連団体側から弁護士会側に企画の提案がなされることもあります。②弁護士に対するアクセス障害（「敷居が高い」問題）も、覚書による関連団体との日常的ないし継続的な交流の結果、互いに顔の見える関係を構築することができ、その結果として弁護士会の法律相談やひまわりほっとダイヤルの紹介などによって法的支援が必要な事業者に対してより適時適切な支援を行う可能性が高まります。③覚書を契機とした日常的ないし継続的な交流や情報交換等の成果を会員に還元することによって、個々の弁護士の中小企業支援活動に資する周辺情報・関連知識を豊富にしネットワークを広げることができます。

②　関連団体との共催セミナー

関連団体と共催して事業者向けのセミナーに取り組んでいる弁護士会も近年顕著に増加してきました。

共催セミナーのテーマとしては、債権回収、労務管理等労働法分野、創業支援、海外展開支援、事業再生、事業承継、会社法（コンプライアンス等）、契約書、取引トラブル・クレーム、ハラスメント対応、個人情報問題など、多岐にわたっています。

関連団体との共催セミナーは、①弁護士会と関連団体の双方から講師や相談員を出し合うことによって、ワンストップ型の情報やサービスを提供できます。②関連団体側でも、セミナーについて機関誌やホームページなどの広報手段を介して参加者を募るため、弁護士会単独で開催するよりも多くの参加者を得ることができます。③関連団体の担当者との間で顔の見える関係を構築し、新たな連携セミナーや相談会等の企画や覚書の締結に発展させる等、より連携を強化・発展させることができます。④セミナーを共催することにより、関連団体側にセミナー会場を提供してもらう、広報に努めてもらう等でコストの合理化を図ることができる例もあります。

③　事業承継問題に関する連携の拡大・強化

日弁連の第20回業務改革シンポジウム（2017年9月）では、「事業承継における弁護士の役割と、他士業・他団体との連携の重要性～日本を支える中小企業の存続のために～」とのテーマで分科会を開催し、ここでも、弁護士・弁護士会に対して他団体との連携の重要性の自覚を促し、また、そのあり方を論じました。

わが国では、中小企業・小規模事業者の経営者の高齢化等により、今後、大量廃業時代が到来するとの危機感を背景に、事業承継の円滑な実施が喫緊の社会

的な課題となっており、近年、国はその対策への取り組みの必要性についての啓発や支援体制の構築に注力してきています。日弁連、各弁護士会でも、中企庁が2017年に始めた事業承継ネットワークに各地の弁護士会としても積極的に関与するよう努め、また、2018年、日本税理士会連合会が、事業承継に関して顧問税理士が関与先企業の後継者のマッチング支援を行うべく構築した事業承継サイト（担い手探しナビ）への協力を要請してきたことに呼応して、各弁護士会に対して各税理士会との間での連携を進めるよう呼びかける等してきました。国は、2020年3月に中小M&AGLを策定し、また、安心・安全なM&Aに向けた取組として、M&Aに関する知識に乏しい中小企業に対し、早期に弁護士等の専門家がサポートに入ることの必要性を認め、「2021年度中に、事業承継・引継ぎ支援センターと弁護士会の連携強化に向けて、地域の実情に応じて弁護士の紹介やお互いの人材育成等を行う組織的な取組を開始する。その上で、継続的に当該取組の内容・効果の確認・検証等を行いつつ、2025年度までを目途に、当該取組を希望する地域で段階的に導入を進め、全国規模での当該連携強化を目指す」とする、「中小企業の経営資源集約化等に関する検討会」（中企庁）の取りまとめを公表しました。

　また、2021年6月、日弁連と中企庁とは、共同コミュニケ「中小企業の事業承継・引継ぎ支援に向けた中小企業庁と日本弁護士連合会の連携の拡充について」を公表し、中小企業のM&Aや廃業等を含む事業承継に関連した支援について、連携を強化することを宣明しました。

　これらを受け、日弁連は、各地域における引継ぎ支援センターと各弁護士会の連携が急務であるとして、2021年、M&Aや転廃業を含む事業承継に関連した実務の担い手の育成の機会としつつ、同センターとの連携を強化すべく、まずは全国から14の弁護士会を指定して「事業承継・引継ぎ支援センターとの連携パイロット事業」を開始しました。2025年度までを目途に段階的に全国に拡大することを想定しています。

③　中小企業センターによる支援

(1)　中小企業センター

　中小企業センターは、中小企業が法的サービスの提供を受ける機会が必ずしも十分であるとはいえない現況に鑑み、中小企業による法的サービスの利用を促進するとともに、組織的かつ全国的な法的サービスの提供による中小企業支援態勢を確立・発展させるために日弁連のとるべき方針を検討し、これを推進するための行動を企画・立案し、かつ、これらを実行することを目的として、2009年に日弁連に設置されました。センターを運営する委員・幹事は全国の弁護会から推薦

するなどされた弁護士約180名からなっています。本書執筆時点においては、プロジェクトチームとして、事業再生PT、創業・事業承継PTが設置され、また、ひまわりほっとダイヤルの運営担当、中小企業関連団体との意見交換会担当、海外展開支援担当などを置いて活動を実施しています。

(2) 中企庁との連携

　中小企業センターは、日弁連における中小企業支援の窓口として、日々、中企庁と連携をとりながら活動をしています。中小企業に関する新しい施策が講じられた場合には、適宜、中企庁の担当部署から中小企業センターに対して情報提供がなされ、また、個別具体的なテーマについて協議の必要が生じた場合には、各個別担当チームにおいて直接に中企庁の担当部署と連携をとり、意見交換等を実施しています。そのほか、年2回程度のペースにて定期的に複数のテーマについて複数の担当部署の担当者が集まって意見交換を行う協議会を開催しています。このようにして、中企庁から新しい中小企業施策や課題についての情報を得た場合には、センター運営委員会を通じて全国の弁護士会に情報を提供しています。他方、弁護士側が有する課題に関し、日弁連を代表する形で中企庁と意見交換を実施することで中小企業行政に反映することを意図し、ときには中企庁の委員会に委員を派遣して、弁護士による中小企業支援をより実行性のあるものにする活動を実施しています。このような活動の結果、中企庁とはこれまで次のような共同行動宣言（共同コミュニケ）を発表しています。

2021年6月9日	「中小企業の事業承継・引継ぎ支援に向けた中小企業庁と日本弁護士連合会の連携の拡充について」
2015年3月10日	「中小企業の事業再生支援に向けた中小企業庁と日本弁護士連合会の連携の拡充について」
2013年2月25日	「中小企業金融円滑化法への対応及び中小企業の海外展開の支援に関する中小企業庁と日本弁護士連合会の連携の強化について」
2011年6月15日	「中小企業の法的課題解決支援に向けた中小企業庁と日本弁護士連合会の連携の拡充について～震災復興のために～」
2010年3月18日	「中小企業の法的課題解決支援のための経済産業省中小企業庁と日本弁護士連合会の連携強化について」
2007年2月6日	「中小企業の法的課題解決支援のための中小企業庁と日本弁護士連合会の連携について」

(3) 各関連団体との連携

　日弁連における中小企業支援の窓口として、中企庁のほか、中小企業金融問題については金融庁と、裁判所関係については最高裁と課題に応じて頻繁に連携しています。例えば、金融円滑化法終了後の中小企業支援として、特定調停手続に

よる債務整理の手法につき、中企庁金融課のほか金融庁や最高裁と頻繁に意見交換を行いながら新しい利用の手引きの策定に至りました。さらには、日本公庫とは2011年4月27日付けで「中小企業等支援に関する覚書」を締結しているほか、日本商工会議所や全国商工会連合会、全国中小企業団体中央会等の中小企業関連団体の中央組織、中小機構や、全国銀行協会などの金融機関団体の中央組織と連携して中小企業支援課題に取り組んでいます。近年においては、会計士協会、日税連等の士業団体と交流会を実施し、中小企業支援において協同できる企画を検討しています。このように多方面にわたって、関連団体との連携を図っています。

(4) 新しい需要への対応・会員への研修

中小企業支援の内容は、状況に応じて変わってきています。従前は中小企業がトラブルに面した場合に、適切に弁護士が対応できるようにすることが、中小企業支援を担う弁護士にとっての第1の課題でした。現在は、単にこのようなアクセス障害を取り除くことのみが課題となっているのではなく、創業支援、事業承継支援、廃業支援、海外展開支援など中小企業特有の課題に対して、弁護士として積極的に取り組むことが社会的に期待されています。中小企業センターにおいては、各地の弁護士会の委員からの問題提起を受け、日弁連全体として対応すべきテーマを設定して取り組むことのほか、中企庁等の中小企業支援関連団体からの要請により、新たに生じている課題に積極的に取り組んでいます。そのため、前述の通りセンター内に適宜プロジェクトチームを立ち上げ、当該課題に集中的に対応するとともに、センター運営委員会を通じて委員に情報提供を実施するほか、各弁護士会宛てに情報提供を実施し、2年に1度の業務改革シンポジウムにおいて広く課題周知を図り、または会員が受講できる研修講座を積極的に製作して、個々の会員の研修にも努めています。

中小企業支援をテーマとした最近の日弁連の研修講座
「働き方改革、フリーランス等新しい働き方を巡る独禁法・下請法上の問題（域外適用の問題を含む）」(2021)
「事業承継の手法としてのM&Aの実務に関する連続講座（全5回）」(2021)
「新型コロナウイルスにより影響を受けた事業者の倒産回避対策」(2020)
「『コロナ倒産』を回避する！危機対策の資金繰り対策」(2021)
「事業承継における経営者保証ガイドライン特則と中小M&Aガイドライン」(2020)
「経営者保証に関するガイドラインの概要とガイドラインに基づく保証債務整理『単独型』の進め方」(2020)
「優越的地位濫用と下請法の概要と留意点」(2019)
「中小企業法務の基礎」（全2回）(2018)

第1部　弁護士・弁護士会による中小企業支援

(5) 全国レベルの基盤整備（ひまわりほっとダイヤル）

① ひまわりほっとダイヤルとは

「ひまわりほっとダイヤル」は、利用者が全国共通電話番号0570-001-240（「おーい、ちゅーしょー」）に電話をかけることで、全国どこからでもその地域の弁護士と面談予約ができる事業者向けのサービスです。電話だけでなく、日弁連ウェブサイトからのオンライン申込みも可能です。日弁連と全国52の弁護士会が2010年4月から運営を開始し、2022年3月までに20万5587件の受電件数に至っております。中小企業センターは同サービスの全国的な広報やルール作りを担っています。

ひまわりほっとダイヤルが開設された契機は、前述の第1回ニーズ調査において、中小企業の弁護士へのアクセス障害の実態が明らかになったことにあります（2頁参照）。同調査では、裁判等の法的手続以外の場面での弁護士利用率は全体で28.6％にとどまり、地方では20もの都道府県で20％すら下回っていることも明らかになりました。

これらのデータを踏まえ、中小企業に初回30分面談無料という低廉な料金で経営の不安や課題を話してもらい、弁護士が法的手続以外の問題でも気軽に相談できることを知ってもらう仕組みとして、ひまわりほっとダイヤルが開設されました。開設から12年以上経過した現在も、一部地域を除いて初回30分面談無料でのサービス提供が続けられています。

② 現在までの運用状況

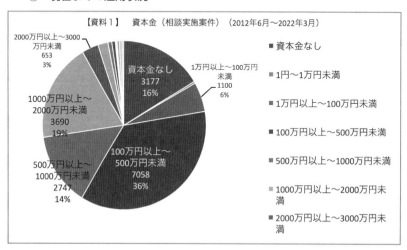

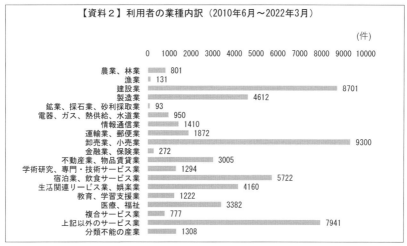

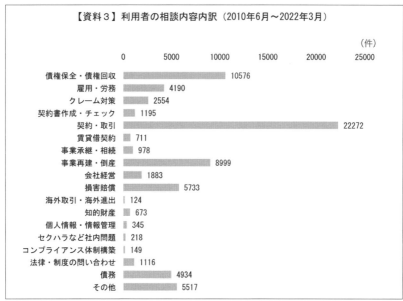

(i) 相談者の内訳（2021年度までの実績）

利用者の業種別の割合【資料2】は、卸売業・小売業（16％）、建設業（15％）、宿泊・飲食サービス業（10％）、製造業（8％）の順で多い状況です。全国の企業者数（会社数＋個人事業者数）は多いものから順に卸売業・小売業が約90万企業、宿泊・飲食サービス業が約54万企業、建設業は約45万企業、製造業が約40万企業（『中小企業白書〔2016年版〕』577頁）ですので、建設業の架電割合が相当多いこと

がうかがえます。

　また、相談実施案件の資本金額の割合（毎月平均）【資料1】は、100万円以上〜500万円未満の会社が36％を占め、以下順に1000万円以上〜2000万円未満が19％、500万円以上〜1000万円未満が14％、資本金なしが16％と続きます。資本金が比較的少ない会社や個人事業者の相談が多いことから、本制度が規模の小さい中小企業のセーフティーネットとしての役割も果たしているといえます。

　(ii)　相談内容の内訳

　相談内容【資料3】は「契約・取引」に関するものが最も多く（30％）、「債権保全・債権回収」（14％）、「事業再建・倒産」（12％）、「損害賠償」（8％）の順に続きます。また、クレーム対応や会社経営の相談などの幅広い相談が寄せられています。

　実際にそこから継続相談や受任となった案件も22％程度あり、相談から受任に結びつきやすいのも、本制度の特徴です。

　(iii)　架電の経緯

　ひまわりほっとダイヤルに架電するきっかけで一番多いのは法テラスからの紹介、次に消費生活センター、ウェブサイトの順となっています。法テラスの民事法律扶助制度では救済できない法人案件の担い手として、また消費生活センターなどの諸機関からの法律相談の紹介先としての役割も果たしているといえます。

　③　インターネットでの情報提供

　ひまわりほっとダイヤルは、ウェブサイトや「日弁連ひまわり中小企業センター」名義のFacebookページを通じて、さまざまな情報提供をしています。

　ウェブサイトでは、中小企業の悩みに応じたQ&A、さまざまな法的経営課題に関する弁護士の解説記事などの読み物のほか、セミナー動画、イベント情報、全国規模での相談会の企画の情報、弁護士の報酬の目安なども発信しています。

⑹　中小企業支援に関する意見交換会モデル

　①　はじめに

　日弁連が行った第1回ニーズ調査によれば、訴訟以外の弁護士の利用（相談も含む）については、約48％が「利用したことがない」と回答しています（訴訟での活用は、約22％）。そして、弁護士を利用したことがない理由としては、約75％が「特に弁護士に相談すべき事項がない」と回答しています。一方、相談すべき事項がないと答えたうちの約60％の企業が「債権回収、事業承継・相続対策、クレーム対策、雇用問題等々」の問題を抱えていると回答しています（2頁参照）。つまり、中小企業は、さまざまな法的課題を抱えているにもかかわらず、法的課題との認識がなく、また弁護士の業務についても認識がほとんどないといえるのです。

第1章　弁護士・弁護士会による中小企業支援のあり方

　中小企業センターは、前記現状を踏まえて、2010年9月の熊本県弁護士会を皮切りに2020年2月まで29弁護士会（同年11月青森県、2011年2月新潟県、同年6月和歌山、同年7月鳥取県・島根県合同、同年9月函館、2012年2月沖縄、同年5月福井、同年9月宮崎県、2013年1月長野県、同年7月徳島、同年11月釧路、2014年2月群馬、同年7月岡山、同年11月岩手、2015年6月鹿児島県、同年9月栃木県、2016年2月大分県、同年6月広島、同年9月長崎県、2017年2月静岡県、同年7月三重県、同年11月山梨県、2018年2月高知県、同年6月奈良県、同年11月千葉県、2019年7月福島県、同年10月滋賀県、2020年2月石川県）で中小企業支援に関する意見交換会（キャラバン）を開催してきました。

②　意見交換会の概要

目的	①中小企業とのアクセス障害の解消（弁護士業務の広報） ②商工会議所、商工会等、中小企業関連団体と弁護士会との連携事業 ③弁護士の意識改革とスキルアップ
主な参加者 （団体）	①中小企業者 ②経済産業局、商工会議所、商工会、県、市、中小企業団体中央会、法人会、中小企業同友会、経営者協会、日本公庫、中小機構、経済同友会等々 ③日弁連、開催弁護士会（特に若手弁護士）、各地弁護士会連合会内弁護士
内容	【第1部】 (1)　中小企業向けDVD（日弁連制作）上映 　①「中小企業経営者の皆さんへ　弁護士はあなたのサポーターです」 　②「賢者の選択　ビジネスLAB」 (2)　日弁連の取組みについての報告 　①ひまわりホットダイヤル、②事業再生支援、③海外展開支援、④創業支援、④本意見交換会等々 (3)　先進弁護士会の取組み 　①愛知県弁護士会、②新潟県弁護士会、③熊本県弁護士会、④福岡県弁護士会　等 【第2部】 参加者（団体）との意見交換会 【第3部】 懇談・懇親会

③ 意見交換会に現れた主な意見

意見交換会開始当初は、弁護士会によっては、まだまだ訴訟業務が中心であり、また中小企業関連団体の参加者も弁護士の業務に対する認知度がほとんどない状況であったことから、必ずしも十分な意見交換ができず、もっぱら、日弁連委員が弁護士業務のPRをするというものでした。もっとも、意見交換会の翌月のひまわりほっとダイヤルの架電数が約十倍になった弁護士会もあったことから、それなりの役割は果たしたと思います。その後、新潟県をはじめ積極的に意見交換会の開催を希望する弁護士会が増え、参加者への趣旨の説明も十分なされるようになったことから、「弁護士が中小企業支援のために何ができるかにつき、もっとPRすべきである」、「このような意見交換会を定期的に開催してほしい」、「先進弁護士会の取組みを当会でも取り入れてほしい」等、積極的な意見が多くみられるようになりました。また、弁護士に対するものとしては、「専門分野と報酬体系の明示」、「倒産関係に強い弁護士が増えてほしい」、「破産は最終手段であるので、私的整理、事業再生に力を入れてほしい」、「経営状況等も考えてアドバイスしてほしい」等の専門家としての能力を期待する意見も多く寄せられています。

一方、参加弁護士からは、「今後も意見交換会を続けて行きたい。関連団体と研修会等連携を強化したい」、「中小企業の法的支援のためのスキルアップをする必要がある」等、意識改革が始まっているといえます。

④ 意見交換会後の各弁護士会の活動状況

①弁護士会内に中小企業センターを組織、②商工会議所等と定期的法律相談会の開催、③商工会議所等と共催で定期的勉強会やセミナーを開催、④日本公庫、信用保証協会等と中小企業支援に関する覚書締結、⑤若手弁護士に対する研修等、各弁護士会において積極的な活動がなされています。

⑤ 総括

意見交換会を開催することによって、弁護士、弁護士会の活動を参加者に十分理解してもらえることが明らかとなりました。また、意見交換会および懇談会を通じて参加者と弁護士が直接会話をすることによって、個々の弁護士との関係でもいわゆる「顔の見える関係」ができ、その後の弁護士と参加者との交流につながっています。

参加した弁護士（特に若手弁護士）が中小企業者や関連団体の経営指導員等から直接話を聴くことにより自己のスキルアップを図ることができたり、中小企業支援に積極的に取り組む姿勢がみられるようになる等の弁護士の意識改革の効果もみられます。

第1章　弁護士・弁護士会による中小企業支援のあり方

4　今後の弁護士・弁護士会による中小企業支援のあり方

(1)　2022年版中小企業白書における中小企業の課題

　2022年版中小企業白書をみると、中小企業が新型コロナウイルス禍の影響で依然として厳しい経営環境にあることを確認した上で、その第2部では「新たな時代へ向けた自己変革力」という表題の下、①アフターコロナへの対応、②中小企業の事業規模拡大における付加価値の向上のため、ブランドや人材の質という「無形資産」への投資、③企業間取引において原材料費高の状況における取引価格への適正な転嫁と、取引方法におけるデジタル化を重要施策として位置づけています。そして、これらの中小企業の課題への取組みのためには、支援機関が経営課題の設定段階から支援を行うことが重要であり、伴走支援を行っていくことが重要としています。

(2)　中小企業の課題への法律支援

①　雇用・業務委託関係

　長期的視点においては、人口減少による「働き手不足」が各業界において生じており、それを埋めるための業務のIT化を進めることが重要とされてきました。アフターコロナにおいてもその傾向に変化はなく、「働き手不足」は中小企業の大きな課題となっています。したがって、IT化のほか、外国人労働者の雇用、外部事業者への業務委託などが推進され、労働法分野での新しい問題対応が必要とされます。

　特に、最近では「フリーランス」との取引に関し新しい法規制を作る動きがあり（2022年11月時点でフリーランス取引において業務内容等をあらかじめ明確にする義務などを規定した法案が公表されている）、中小企業はこれらへの対応を迫られることになります。

②　IT関係

　ITの分野では、電子商取引の活用が広がりをみせているほか、2018年に経済産業省が「デジタルトランスフォーメーションを推進するためのガイドライン（DX推進ガイドライン）」を制定するなど、ビジネス環境のあらゆる場面にデジタル技術を活用する動きがみられます。他方、2022年5月から、取引デジタルプラットフォームを利用する消費者の利益の保護に関する法律が施行されており、IT化を進める上での法的問題への対応、または新しい形でのトラブルへの対応が必要となるものと思われます。

③　SDGs・カーボンニュートラル

　SDGs・カーボンニュートラルは、単なる社会がめざすべき標語にすぎなかった状況から、企業が具体的に行動をとることが求められている段階に入っていま

す。今後は、法規制や税制面での優遇策などが講じられていくことが想定もされており、対応力がない中小企業にとっては重大な問題となりかねません。他方、これらをターゲットとした新しい取引の機会も生じ、ビジネスチャンスともなるのではないかと思われます。新しい法規制がなされるようになると、法的支援が重要となります。

④　自然災害への対応

新型コロナウイルス禍への対応のみならず、毎年、台風、地震被害が各地で生じており、その被害対応が重要な課題となっております。これら自然災害は、突然に、かつ、大規模な被害を中小企業にもたらすため、その救済においては迅速な対応が必要となります。弁護士個々の対応のみならず、弁護士会での連携した対応が求められることになります。さらには、自然災害に対しあらかじめ業務を継続するための事業継続計画（Business Continuity Planning；BCP）を定めておくことも重要になりつつあります。

⑤　事業承継・事業再生・廃業

中小企業の経営者の高齢化問題は引き続き大きな課題となっております。これまでの10年間においてターゲットとしていた年代の経営者が70歳に入り始めた現在においては、次の60歳代の経営者の事業承継も問題となりつつあります。

新型コロナウイルス禍や極端な原材料価格の高騰、円安の影響により、事業を継続することが難しい企業が増加しています。今後、これら中小企業の事業再生や廃業が大きな問題となる可能性があります。法的整理手続のみならず、2022年に全国銀行協会によって公表された事業再生GLの活用などによって支援を行っていくことになります。

第2章　中小企業を取り巻く状況

1　中小企業の定義と関連立法

(1)　中小企業関連法制

　中小企業に対する施策を定めている中小企業関連法の中心となる法律は1963年に制定された中基法です。この中基法は、中小企業に関する施策の基本事項を定め、国および地方公共団体の責務等を明らかにすることで、中小企業に関する施策を総合的に推進することを目的としており（同法1条）、中小企業に対する施策の基本理念、基本的指針とともに、施策の体系を示しています。

　中小企業に対する施策は、その時代ごとの状況によって変化します。中基法が制定された当時、日本は高度成長期にありましたが、その後オイルショックやバブル経済の崩壊などを経て、中小企業を取り巻く環境は大きく変化しました。そのような状況の中で、1999年に全面改正された中基法は、中小企業の多様で活力ある成長と発展を基本理念とし、「中小企業の経営の革新及び創業の促進」（同法12条ないし14条）、「中小企業の経営基盤の強化」（同法15条ないし23条）、「経済的社会的環境の変化への適応の円滑化」（同法24条）、「資金の供給の円滑化及び自己資本の充実」（同法25条・26条）の4つを中小企業に対する基本的な施策として掲げました。

　さらに、小規模企業と中小企業の間の経営資源の確保の容易さなどに依然として格差が存在することから、2013年改正により、中基法は小規模企業に対する中小企業施策の方針を位置付け（同法8条）、これを受けて小規模事業者の持続的発展と適切な支援を目的とした小規模振興法が2014年に制定されました。

　中小企業者に対しては中基法、小規模企業者には小規模振興法をそれぞれ中心として、その時点における経済情勢や中小企業を取り巻く環境を勘案しながら、具体的な施策を定めた各種中小企業関連法を制定して実施することにより、中小企業に対する具体的施策がとられています。

(2)　中小企業政策の対象範囲

　中基法は、中小企業者の範囲を、資本金額等や従業員数を基準にして、業種ごとに次のように定めています（同法2条）。

　また、小規模振興法は、おおむね常時使用する従業員の数が20人（商業またはサービス業に属する事業を主たる事業として営む者については5人）以下の会社および個人を小規模企業者として定めています（小規模振興法2条2項、中基法2条5項）。

業種	中小企業者に該当する者（資本金額等と従業員数のいずれか一方の基準を満たせば中小企業者に該当する）
製造業、建設業、運輸業その他の業種	資本金の額または出資の総額が3億円以下の会社、ならびに常時使用する従業員の数が300人以下の会社および個人
卸売業	資本金の額または出資の総額が1億円以下の会社、ならびに常時使用する従業員の数が100人以下の会社および個人
サービス業	資本金の額または出資の総額が5000万円以下の会社、ならびに常時使用する従業員の数が100人以下の会社および個人
小売業	資本金の額または出資の総額が5000万円以下の会社、ならびに常時使用する従業員の数が50人以下の会社および個人

　中基法の中小企業者に該当する「会社」は会社法上の会社のことを指し、株式会社、合名会社、合資会社、合同会社、特例有限会社に加えて、会社法の合名会社の規定を準用する士業法人が対象になると解されています。また、個人事業主も中小企業者に該当します。ただし、中基法で定められている中小企業者の範囲は、中小企業施策において基本的に対象となる範囲を定めた原則にすぎず、個別の関連法や支援制度の対象となる「中小企業者」の範囲とは必ずしも一致しません。会社法上の会社ではない中規模法人（社会福祉法人、医療法人、特定非営利活動法人、一般社団・財団法人、公益社団・財団法人、学校法人、農業組合法人、組合〔農業協同組合、生活協同組合、中小企業等協同組合法に基づく組合等〕または有限責任事業組合〔LLP〕）は、中基法上の中小企業者に該当しませんが、個別の施策では支援の対象となることもあります。そのため、個別の施策の対象となる中小企業者の具体的な範囲を知るためには、別途確認することが必要です。

　例えば、2016年7月に施行された中小企業等経営強化法では、中基法に定める中小企業者に加えて、企業組合や協業組合、事業協同組合等も中小企業者の範囲に含まれるものとされており、加えてその他の組合や資本金10億円または従業員数2000人以下の会社および個人も中小企業者等に含まれることで、同法の支援対象となっています（中小企業等経営強化法2条）。

(3)　中小企業関連法の紹介

　中基法が定めた基本的施策を実現するために、各中小企業関連法が制定されています。基本的施策ごとに主な関連法を分類すると以下の通りとなります。これらの関連法は、例えば2020年6月に成立した「中小企業の事業承継の促進のため

の中小企業における経営の承継の円滑化に関する法律等の一部を改正する法律（中小企業成長促進法）により「経営承継円滑化法」「中小企業等経営強化法」「産強法」などが改正されたように、取り巻く環境に中小企業が対応できるよう改正がなされています。

① **中小企業の経営の革新および創業の促進の具体的施策に関する法律**

事業分野の特性に応じた経営力向上のための指針の策定や固定資産税の軽減や金融支援等の特例措置を規定した「中小企業等経営強化法」、中小企業の活力再生を図るために、地域での創業の促進と中小企業の事業再生の支援強化等の措置を講じた「産強法」、中小企業の担うものづくり基盤技術の研究開発およびその成果の利用への支援を通じて、その高度化を図り、国民経済の健全な発展へ寄与することを目的とした「中小企業のものづくり基盤技術の高度化に関する法律」等が挙げられます。

② **中小企業の経営基盤の強化の具体的施策に関する法律**

国、都道府県および中小機構が行う中小企業支援事業の推進と中小企業診断士の登録・認定制度により、中小企業の経営資源の確保を支援し、中小企業の振興に寄与することを目的とする「中小企業支援法」、中小企業の経営の承継に伴う相続税・贈与税の負担、承継時の資金調達難、民法上の遺留分の制約等の問題に対応して円滑な経営の承継を目的とした経営承継円滑化法等が挙げられます。

③ **経済的社会的環境の変化への適応の円滑化の具体的施策に関する法律**

「東日本大震災に対処するための特別の財政援助及び助成に関する法律」や、取引先企業の倒産の影響を受けて中小企業が連鎖倒産や経営難に陥ることを防止するための共済制度の確立を規定する「中小企業倒産防止共済法」等が挙げられます。

④ **資金の供給の円滑化および自己資本の充実の具体的施策に関する法律**

中小企業の資金調達を支援するための組織を構築することを目的とした「株式会社日本政策金融公庫法」、「株式会社商工組合中央金庫法」、中小企業者に対する事業資金の融通を円滑にするための債務の保証につき保険を行う制度を確立することを規定した「中小企業信用保険法」等が挙げられます。

⑤ **小規模企業対策に関する法律**

小規模事業者の持続的発展と適切な支援を目的とした小規模振興法、小規模事業者の経営相談に応じてきた商工会および商工会議所が市町村や地域の金融機関等と連携して、小規模事業者の意欲ある取組みを支援するための体制を整備した「商工会及び商工会議所による小規模事業者の支援に関する法律」等が挙げられます。

② 政府統計にみる中小企業の存在意義

(1) 経済、雇用の担い手

「99.7％」「3人に2人」――。これは日本の企業全体に占める中小企業の「数」と「従業員」の割合です。中小企業は国内の企業数全体の99.7％を占めており、さらに、全従業員のうちおよそ3人に2人（約66％）が中小企業で働いています。

また、製造業における付加価値額（営業利益に人件費・減価償却費を足した額。経営向上の程度を示す指標とする）のうち約5割を中小企業が生み出しています。

これら統計からは、中小企業が日本経済全体の基盤を形成していることが如実に示されています。

【わが国全体の「企業数」「従業員数」「付加価値額（製造業）」に占める中小企業の割合】

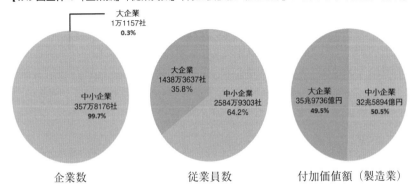

【資料】中企庁編「2016年版中小企業白書」付属統計資料。
（「企業数」：1表〔産業別規模別事業所・企業数（民営、非一次産業、2016）〕／「従業員数」：3表〔産業別規模別従業員数（民営、非一次産業、2016）〕／「付加価値額（製造業）」：5表〔民営、非一次産業、2015〕）。

さらに、中小企業は、地域経済における産業の生成・発展、地方財政への寄与、地域所得水準の向上、就業・雇用機会の提供等を通じて、地域経済活力の1つの源泉として、地域経済社会の自立的発展に貢献しています。

特に、中小企業の地域経済における雇用の担い手としての役割は大きく、次頁の図で示される通り、地方圏での中小規模事業者の従業者数割合は3大都市圏での中小規模事業者の従業者数割合よりも多くなっており、地方圏ほど中小規模事業者が雇用を担っているといえます。

第2章　中小企業を取り巻く状況

【3大都市圏と地方圏における規模別の従業者割合の比較】

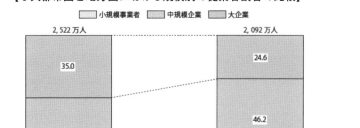

資料：総務省・経産省「平成24年経済センサス——活動調査」再編加工。
(注) 1．3大都市圏：東京圏・名古屋圏・大阪圏、東京圏：埼玉県・千葉県・東京都・神奈川県、名古屋圏：岐阜県・愛知県・三重県、大阪圏：京都府・大阪府・兵庫県・奈良県、地方圏：三大都市圏以外の道県。
　　2．従業員の数は、各事業所の所在する都道府県に計上している。
※出典　中小企業白書〔2014年版〕第3部「中小企業・小規模事業者が担う我が国の未来」第3-1-9図。

　上図で示される通り、小規模事業者についても、地方圏における雇用の担い手としての役割は大きいといえます。さらに、次頁の図を参照すると、従業員規模の小さな企業ほど、「同一市町村」「近隣市町村」「同一県内」における販売が多くなっており、小規模事業者が、地域内の資金循環に貢献していることは明らかです。

　わが国も、その小規模事業者の存在意義を認め、2014年6月27日には「小規模企業振興基本法」を公布・施行しました。同法は、小規模事業者の「事業の持続的な発展」を図ることを旨とし、小規模事業者の円滑かつ着実な事業の運営を適切に支援することを基本原則として定めています。

　同法の制定については、「これまでの『成長発展』する中小企業（中小企業全体の上位1～2割）を引き上げていくことで、中小企業全体の引上げを図るだけでなく、『事業の持続的な発展』を図る小規模事業者についても適切な支援を通じて活力の最大限の発揮を目指すという方針を示すものであり、1999年の中小企業基本法改正からの大きなパラダイムシフトを意味する」ものと評価されています（中小企業白書〔2014年版〕第3部「中小企業・小規模事業者が担う我が国の未来」126頁）。

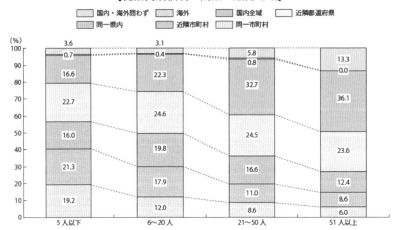

【従業員規模別の商品の販売地域】

資料：中企庁「平成24年中小企業実態基本調査」。
(注) 1. 従業員規模は、常用雇用者数で判断している。
    2.「常用雇用者」とは、正社員・正職員＋パート・アルバイト、期間を定めずに、若しくは1ヶ月を超える期間を定めて雇用している人、又は平成21年2月と3月にそれぞれ18日以上雇用している人をいう。
※出典　中小企業白書〔2014年版〕第3部「中小企業・小規模事業者が担う我が国の未来」第3-1-14図。

わが国におけるさまざまな小規模事業者支援施策については、中企庁のHPで随時公表されていますので、ご参照ください（http://www.chusho.meti.go.jp/keiei/shokibo/）。

(2) 産業のバリューチェーンの一角

また、中小企業は、産業のバリューチェーンの一角として、大きな役割を担っています。

すなわち、中小企業は、大企業の下請・系列企業として、日本の産業の高い生産性と強い国際競争力、経済環境変化への優れた適応力を達成する上で、重要な役割を果たしてきました。大企業の製品の大半が、その下請・系列の中小企業で作られた部品等から構成されており、「メイド・イン・ジャパン」の信頼は中小企業が支えているといっても過言ではありません。

そのほか、中小企業の役割を大企業との関連でみた場合、大企業の非供給的分野の供給の担い手としての役割も挙げられます。

(3) 伝統、革新の担い手

中小企業は、伝統工芸品産地における伝統技術の継承、地域文化の維持・発展

など、多面的な役割も果たしています。日本国内における長寿企業（創業100年以上の企業）の全体の約8割を、年商10億円未満の中小・中堅企業が占めているとの調査結果もあります（帝国データバンク2014年9月18日公表資料「特別企画：長寿企業の実態調査（2014年）」）。

　また、成長性の高い中小企業として、ベンチャー企業が注目されてきました。ベンチャー企業は、新たな技術や媒体等を利用して、新たな社会的価値を創造し、また、現代の社会的課題を克服する側面がより強く、新しい事業機会や能力発揮の場を提供する革新の担い手として、社会経済の活性化に貢献しています。

③ 中小企業数と開廃業率の推移

(1) 概要

① 中小企業数の推移

　わが国の中小企業数は10年以上の長期にわたり減少が続いており、総務省・経済産業省経済センサス調査によれば、中小企業数は2009年で420万1000企業、2012年で385万3000企業、2014年で380万9000企業、2016年で357万8000企業となっています。減少数をみると2009年から2012年で年平均13万5000企業（年率3.29％）の減少であったのに対し、2012年から2014年では年平均1万8000企業（年率0.46％）の減少と減少ペースが緩やかになったものの、2014年から2016年では年平均12万1000企業（年3.18％）とと減少ペースが再び速まっているように見受けられます。

② 開廃業の推移

　前記経済センサス調査によれば、中小企業の開業数は2009年から2012年で年平均6万企業であったのに対し、2012年から2014年では年平均18万企業と大幅に増加したものの2014年から2016年では年平均14万企業と若干減少しており、開業率（期中に開業した企業数を期首に存在した企業数で除した値）も2009から2012年で1.4％、2012年から2014年で4.6％と大幅に増加したものの、2014年から2016年では3.6％と減少傾向にあります。

　一方、中小企業の廃業数は2009年から2012年で年平均26万企業、2012年から2014年で年平均24万企業と多少の減少をみた後、2014年から2016年で年平均27万企が廃業しており、廃業率（期中に廃業した企業数を期首に存在した企業数で除した値）でみると2009年から2012年、2012年から2014年の期間では6.1％となっていたものが2014年から2016年では7.1％と増加しており、中小企業の廃業率は増加しています。

　このような廃業率の増加は経営者の高齢化に伴い、事業承継できずに廃業を選択するという経営者が増えていることを示していると考えられます。

なお、集計方法や用語の定義が異なるため、単純に比較できませんが、起業家（過去１年間に職を変えたまたは新たに職についた者のうち、現在は自営業主〔内職者を除く〕となっている者）の数としては過去30年間にわたり、年間20万〜30万人が誕生するといわれています（中小企業白書〔2014年版〕181頁）。同白書によると、2007年は24万8000人、2012年では22万3000人の起業家が誕生しましたが、2002年の29万2000人と比較すると、いずれも減少していることがわかります。

　③　規模別の状況

中小企業白書〔2015年版〕によれば、中小企業を規模に応じて中規模企業と小規模企業に分類（それぞれの定義については中基法２条５項を参照）した上でおのおのの動向について分析すると、小規模企業数は2009年が366万5000企業、2012年が334万3000企業、2014年が325万2000企業、2016年が304万8000企業で、減少数は2009年から2012年で年平均12万5000企業（年率3.50％）、2012年から2014年では年平均３万6000企業（年率1.10％）、2014年から2016年では年平均10万6000企業の減少となっており、一方、中規模企業数は2009年が53万6000企業、2012年が51万企業、2014年が55万7200企業、2016年が53万企業で、2009年から2012年では年平均１万企業（年率1.91％）の減少、2012年から2014年では年平均１万9000企業（年率3.59％）の増加となったものの、2014年から2016年１万4000企業の減少となっています。

同白書によれば、中規模企業数の増加の要因としては小規模企業からの成長よりも開業のほうがはるかに大きいとのことであり、今の開業のトレンドは、当初から一定規模以上の人員（および、それに伴い一定規模以上の資金）を集めて行うものが多いものと考えられます。

(2)　**弁護士による開廃業支援**

　①　開業支援

前記の通り、近年の開業は個人事業・家族経営から徐々に成長するかたちではなく、当初から一定規模以上の事業を開始するかたちのものが増えてきています。

そのような企業では、開業当初から株式上場等を念頭にベンチャーキャピタル等からの資本の受入れを図ったり、開発のためのスタッフを雇ったり、開発された物について知的財産権でのプロテクトを必要とすることが少なくありません。

したがって、このような企業では、従来の取引法務だけではなく、資本政策やコンプライアンス、労務問題、知的財産権等に関する潜在的な法的ニーズが存在しており、これらに対応できる弁護士の活動領域が広がっていると考えられます。

　②　廃業支援

近年、法的整理の件数は減少傾向が継続しているものの、前記の通り、廃業率

が増加傾向にあることから、この点に係る潜在的な法的ニーズはまだまだ存在しているものと考えられます。

廃業等に関しては、従前の法的整理だけではなく、私的整理、M&A、親族外事業承継等の多種多様な方法が一般化してきていますが、法的整理までを含めた手法・手続選択に対応できる専門家は、弁護士をおいて他にはありません。

したがって、ここでも、それらに対応できる弁護士の活動領域が広がっていると考えられます。

4 中小企業が直面する課題と展望

(1) 経営者の高齢化と後継者不足

中小企業については、かねて経営者の高齢化および後継者不足が指摘されており、中企庁が発刊する中小企業白書は、2004年版以降数度にわたり、この課題について述べています。これらを概観すると、次の通りです。

> ① 中小企業の経営者は高齢化する一方、経営者の交代は進んでいない。少子高齢化・人口減少社会の到来という社会構造の変化が、これに拍車をかけている。中小企業では、経営者の能力がそのまま企業の存続に影響するので、経営者の交代がないと、積極的な経営ができず保守的になり、企業活力は低下し、その結果企業は廃業に至ってしまう。
> ② しかし、経営者の親族は、事業の将来性や魅力がないこと、事業者として得られる収入が雇用者として得られる収入を下回っている現状などを理由に、事業を承継しようとしない。これまでは、親族の会社だからという理由のみで事業を承継するという意識があったが、このような意識は変化した。
> 　一方、経営者も、企業経営に足りる資質、能力を有する親族がいないこと、後継者に課される相続税、贈与税の負担が過大であることなどの問題があると考えている。
> ③ 親族以外の者へ事業を承継させるにも、適切な後継者を見つけるのが困難であること、事業のために供されている経営者や親族が所有している不動産や、企業の借入金にいついて経営者が負担している連帯保証債務の引継が困難であること、中小企業では経営者が主要株主を兼ねていることが多いところ、株式の過半数の取得など後継者が経営権を確保するための負担が大きいこと、などの困難な問題がある。

しかし、廃業によって中小企業が有する技術やノウハウなどの経営資源が失われてしまうおそれが指摘されています。そのため、中小企業白書は、中小企業の事業承継が円滑に行えるよう、経営者に事業承継について早い時期に意識付けること、中小企業の業務に関する情報を提供し、経営者と承継者とをマッチングさせること、後継者への財産移転など高度に専門的な知識等が必要な場面で弁護士

などの専門家が関与することが必要であるとしています。

(2) 経営基盤の脆弱性

　中小企業は、経営基盤が脆弱です。大企業に比して、資金、人材、技術などの経営資源が限られており、資金調達も困難で、そのため設備の老朽化が進んでいます。

　また、取引先や事業を行う地域が限られ、新たな取引先や販路の開拓が困難です。そのため、売掛金の回収が不能となるなど取引先の経営悪化がそのまま自社の経営に深刻な影響を及ぼし、大企業との間の取引や契約締結においてさまざまな不利を強いられて価格転嫁が困難であったり、大企業の参入によって撤退や廃業を余儀なくされます。

　法令遵守やセクハラ、パワハラの防止、営業秘密の保護などへの対応も十分ではありません。労働関係法令を遵守せず、労務管理がきちんとされていない中小企業は少なくありません。これらを巡るトラブルや紛争は、ときに経営基盤が脆弱な中小企業の経営に深刻な影響を与えることもあるのですが、この点に対する会社経営者の意識や関心は高くないようです。

(3) 労働力不足

　大企業に比べて賃金や福利厚生の水準が低く、魅力に乏しい中小企業の労働力不足は、かねて問題となってきました。加えて近時は、海外企業との競合や景気低迷のため、企業は一層のコスト削減が迫られ、非正規社員の割合が増加するなどの社会問題も生じています。

さらに今後は、少子・高齢化社会を迎えて生産年齢人口が減少に転じるという大きな社会構造の変化に直面します。いかに能力のある従業員を確保し、技術の水準やノウハウを維持、承継してゆくか、いかに労働生産性を向上させていくかは、以前にも増して中小企業にとって重大かつ深刻な課題です。

　中小企業は、賃上げのみならず家族や育児に配慮するなど働きやすい労働環境の提供、働き方改革への対応、女性、シニアなど多様な人材の活用、業務プロセスの改善、一部業務のアウトソーシングなどの努力が求められています。

　この点に関し、近時増加しているが外国人の雇用です。外国人を雇用する理由として、日本人だけでは人手が足りない、日本人を採用できないことを挙げる会社の割合が多くなっています。また、ある調査では、外国人を雇用したと回答した企業の21％が技能実習生として受け入れているとのことです。しかし、外国人を受け入れる体制が整っている企業は必ずしも多くなく、また、技能実習生の制度がその本来の趣旨から離れて労働力不足を解消する手段となっている実情があることは周知の通りです。

(4) 労働生産性の低さ

日本の労働生産性は諸外国に比べて低く、OECD加盟国全体の平均を下回っており、特に中小企業と大企業とで労働生産性の格差が大きいこいとが指摘されています。前項の通り今後生産年齢人口が減少に転じて行く中で、中小企業においても労働生産性を向上させることが重要となります。

労働生産性を向上させるために、機械、設備、研究開発への投資や人材育成、業務効率化、アウトソーシングなどの取組みが必要となります。

(5) デジタル化・IT化

社会経済のデジタル化・IT化の進展は目覚ましいところですが、中小企業には、資金、知識、人材の不足に加え、アナログな文化・価値観が定着していることや明確な目的、目標が定まっていないなどデジタル化・IT化を妨げるさまざまな障害があります。さらに、長年の取引慣行など中小企業を取り巻く状況もデジタル化・IT化が進まない要因です。

しかし、前記労働力不足への対応や労働生産性の向上のため、また、販路や収益の拡大、他社との協業などのためにも、中小企業においても、社会経済のデジタル化・IT化に適切に対応していく必要があります。

(6) グローバル化

輸送技術や通信技術の発達によって社会経済はグローバル化が進み、中小企業も海外の企業と競合する機会が増えてきます。一方、今後は国内市場の縮小も予測されることから、中小企業においても、海外のニーズを取り込むなどグローバル化に対応していかなければなりません。

しかし、資金、人材の不足に加え、事業の海外展開には、販売先などの確保やリスクヘッジが困難であるなど大きな負担があり、中小企業のグローバル化が遅れる原因となっています。

(7) 企業の社会的責任

近年、企業は、利益を追求するだけではなく、自主的に社会的責(CSR = Corporate Social Responssibility：企業の社会的責任) を果たすことが世界的に求められています。国際社会全体の2030年に向けた環境・経済・社会についての目標である「持続可能な開発目標」(SDGs = Sustainable Development Goals)、世界的に加速している脱炭素への取組み、国連人権理事会で支持された「ビジネスと人権に関する指導原則」などです。

中小企業においても、企業価値やイメージを損なうことなく、取引先を維持、拡大するために、これら社会責任を果たすよう努力が求められています。

(8) リスクへの対応の脆弱性

昨今、地震、台風、集中豪雨など自然災害などが多発しており、企業活動への

影響も少なくありません。しかし、中企庁によると、社内連絡網の整備、非常時向けの備品の購入など災害発生後即時に必要となる項目は、比較的高い割合の企業が取り組んでいますが、非常時の社内対応体制の整備や事業継続資金の確保などの被災後に事業を継続するための備えについては、取り組んでいる企業は少なく、リスクへの対応が進んでいない状況が明らかとなっています。

また、新型コロナウイルスが2019年12月に確認されて以降、感染は国際的に広がり、国民生活のみならず企業活動にも大きな影響を及ぼしました。わが国の経済は、貿易の縮小やインバウンドの減少をはじめとする国内消費の減退に直面し、企業の規模や業種によっては、今なおその影響が残存しています。

企業の事業に影響を及ぼすリスクは、その他にもテロ、大事故、サプライチェーンの途絶、サイバー攻撃など多岐にわたっています。不測の事態が生じても、事業を中断させず、または中断しても早期に復旧させるための方針、体制、手段等を示した事業継続計画（BPC＝Business Continuity Plan）を策定することが求められます。

(9) 展望

社会経済構造は、人口減少、デジタル・IT化、グローバル化など大きく変化し、今後もこれらの変化はさらに拡大し、また加速することが見込まれます。これらの変化に直面し、中小企業においても、変化に対応した自己変革を続けていく必要があります。事業承継やM&Aは、企業の新陳代謝を促して労働生産性を向上させる契機となります。デジタル・IT化やグローバル化は、経営の合理化、インバウンド需要の取込みや事業の海外展開等の販路拡大などを後押しし、経営資源の格差を解消する可能性を秘めています。このような追い風となる社会経済の変化を取り込むことにより、中小企業は発展していくことができます。

5 中小企業を支えるプレーヤー

多くの課題を抱える中小企業ですが、幸いにも中企庁をはじめとする多くの公的機関、商工団体、金融機関および専門家等に支えられてもいます。

ここでは弁護士会と交流することが多い省庁および団体等について、法律上の位置付け、弁護士の視点からみた組織の特徴および主要な活動状況を紹介します。

(1) 政府・公的機関

① 中企庁

経産省の外局であり、中小企業庁設置法1条の目的である「健全な独立の中小企業が、国民経済を健全にし、及び発達させ、経済力の集中を防止し、且つ、企業を営もうとする者に対し、公平な事業活動の機会を確保するものであるのに鑑み、中小企業を育成し、及び発展させ、且つ、その経営を向上させるに足る諸条

件を確立する」ことの達成を任務としています。
　具体的には、中小企業等の「稼ぐ力」の強化を図るために、生産性の向上（経営力の向上）および取引条件の改善の観点から各種の施策を幅広く行っています。

　　② 経済産業局
　経産省の出先機関であり、各地方ごとに8局（北海道、東北、関東、中部、近畿、中国、四国、九州（沖縄は沖縄総合事務局経済産業部が所管））設置されており、中小企業支援の施策等の業務を行っています。

　　③ 地方自治体
　都道府県、市町村の地方自治体は、地方自治体自らあるいは産業振興センター等の外部機関を通じて創業支援、中小企業の経営体質強化・倒産防止のために制度資金による中小企業金融対策の推進ならびに中小企業の経営革新の支援等中小企業に対する経営および金融面の総合的な支援を行っています。

　　④ 中小機構
　経済産業大臣を主務大臣とする国の中小企業施策の総合的な実施機関であり、全国9箇所に地域本部を設置しています。
　独立行政法人中小企業基盤整備機構法に基づき、創業から事業再生、災害対策等のセーフティネット（安全網）まで、企業が抱える課題や要望について、インフラ、資金、人材および情報等の角度から、具体的な支援策を提供する活動を行っています。

　　⑤ よろず支援拠点
　国が全国に設置した経営相談所であり、中小機構がよろず支援拠点全国本部を務めています。
　経営革新支援（売上げ拡大のための解決策の提案）、経営改善支援（資金繰りや事業再生等に関する経営改善のための経営相談）、ワンストップサービス（地域の支援機関とのネットワークを活用して経営課題に応じて的確な支援機関等の紹介）を行っています。

　　⑥ 中小企業活性化協議会
　借入金の返済負担等の財務上の問題を抱え、窮境に陥った中小企業の支援については、従前は産強法127条に基づき、中小企業再生支援業務を行う者として認定を受けた商工会議所等の認定支援機関を受託機関として、2003年2月から全国に順次設置され、全国47都道府県に1か所ずつ設置されていた再生支援協議会と再生支援協議会内に設置されていた経営改善支援センターがありました。
　しかし、新型コロナウイルス感染症の影響を受けて業況が悪化し、資金繰りや債務の増大に苦しむ中小企業が増加する中で、経産省は2022年3月に中小企業の収益力改善・事業再生・再チャレンジを促すための総合的な支援策を展開するた

めに中小企業活性化パッケージを策定する共に，今まで全国47都道府県に1か所ずつ設置されていた中小企業再生支援協議会と関連機関と統合し，収益力改善・事業再生・再チャレンジ支援を一元的に支援する「中小企業活性化協議会」を設置しました。

また。各地の協議会の活動を支援する機関として中小機構内に中小企業活性化全国本部が設置されています。

収益力改善や事業再生に関する知識と経験を有する専門家（金融機関出身者、公認会計士、税理士、弁護士、中小企業診断士等）が常駐しており、窮境にある中小企業者からの相談を受け付け、解決に向けた助言、支援施策および支援機関の紹介を行っています。

⑦　引継ぎ支援センター

後継者不在等で事業の存続に悩みを抱える中小企業・小規模事業者の相談に対応するため、産業活力の活性及び産業活動の革新に関する特別措置法に基づき、全国47都道府県の認定支援機関に設置された事業引継ぎ相談窓口をもとにしたセンターです。2020年6月に産強法の改正に伴い、第三者支援を行っていた「事業承継引継ぎ支援センター」に、親族内承継支援を行っていた「事業承継ネットワーク」の機能を統合し、事業承継・引継ぎのワンストップ支援を行う組織として発展的に改組されました。また、各地の事業承継・引継ぎ支援センターの活動を支援する機関として、中小機構内に中小企業事業承継・引継ぎ支援全国本部が設置されています。

事業承継・引継ぎ（親族内・第三者）に関する相談、助言および事業承継診断による事業承継・引継ぎに向けた課題抽出、事業承継計画の策定、事業引継ぎにおける譲受／譲渡企業を見つけるためのマッチング支援を行っています。

⑧　REVIC

株式会社企業再生支援機構を前身とし、2013年に現在の商号に変更した株式会社です。

地域経済の活性化、中小企業者等の事業再生が持続的に行われるようにしていくことを目的とし、成長支援（活性化ファンド業務）、再生支援（事業再生支援業務、事業再生ファンド業務）、再チャレンジ支援（特定支援業務：金融債務の整理および経営者保証GLに沿った保証債務の整理を一体で行う）および人材支援（特定専門家派遣業務）を行っています。

⑨　JETRO

日本貿易振興機構法に基づき、前身の日本貿易振興会を引き継いで2003年に設立された独立行政法人です。

日本の貿易促進と対日直接投資に関する事業の総合的な実施等の幅広い業務を

行っており、中小企業に関しては、日本からの輸出、海外進出の支援等をしています。

⑩ 認定支援機関

国が企業経営力強化支援法17条に基づき中小企業・小規模事業者の経営課題に対して事業計画策定等の支援業務を行う者として認定した機関や人（金融機関、税理士、公認会計士、弁護士およびこれらの士業法人等）です。2022年現在、全国に３万8000を超える認定支援機関が存在し、企業の経営改善等の支援事業に取り組んでいます。

(2) 商工団体

商工団体は、地域プラットフォーム（中企庁が認定した地域の中小企業支援機関の連携体）の主要な構成員であり、地域における中小企業・小規模事業者の経営を支援するための取組みを行っています。

① 商工会議所

明治時代に東京、大阪、神戸に設立された商法会議所を起源とする、商工会議所法に基づく認可法人であり、経産省経済産業政策局が管轄しています。原則として市の区域を地区としており、2022年４月時点で全国に515の商工会議所が存在しています。

都道府県ごとに法人格の有無に差異はありますが、商工会議所連合会が存在します。全国の商工会議所を会員とする上部団体が日本商工会議所です。

地域の総合経済団体として、地域の諸課題を解決するため、地域経済社会の代弁者として政策提言および要望活動等を幅広く行っています。

中小企業支援については、商工会および商工会議所による小規模事業者の支援に関する法律が制定されており、経営指導員が窓口相談、巡回指導により、経営相談、金融相談および税務・記帳指導等を行う等幅広い事業を行っています。

② 商工会

商工会法に基づく認可法人であり、経産省、中企庁が管轄しています。主として町村の区域を地区としており、2020年現在、全国に1649の商工会が存在しています。

各都道府県に都道府県商工会連合会が設置されており、都道府県商工会連合会を会員とする上部団体が全国商工会連合会です。

地域の事業者が業種にかかわりなく会員となっており、互いの事業の発展、地域の発展のために総合的な活動を行っています。

中小企業施策、特に小規模事業施策に重点を置いており、事業の中心は経営改善普及事業（小規模事業者に対する金融、税務、経理、経営、労働、取引等の相談指導等）であり、国または都道府県の小規模企業施策の実施機関として活動しています。

③　中小企業団体中央会

中小企業等協同組合法及び中小企業団体の組織に関する法律に基づく特別民間法人であり、中小企業の振興発展を図るため、中小企業の組織化を推進し、その連携を強固にすることによって中小企業を支援することを目的としている団体です。

各都道府県ごとに中央会、都道府県の中央会を取りまとめる全国中小企業団体中央会が組織されています。

都道府県中央会は、都道府県に存在する事業協同組合、事業協同小組合、企業組合、信用協同組合、商工組合、協業組合、商店街振興組合およびこれらの連合会、その他の中小企業関係団体により構成されています。

中小企業の健全な発展を図るために組織化指導をはじめとする各種支援・施策、中小企業および組合等を取り巻く諸問題の解決を図るために中小企業対策に関する建議・陳情等の政策提言活動を行っています。

(3)　金融機関

中小企業が事業を行うに当たっては、資金面のサポートが必要不可欠ですが、大半の金融機関が認定支援機関として認定されており、金融庁、財務局の監督の下に中小企業の支援に当たっています。

また、会員を構成する金融機関の種類ごとに全銀協、地銀協、第二地銀協、全国信用金庫協会および全国信用組合中央協会（いずれも一般社団法人）が組織されており、中小企業の支援に当たって重要な役割を担っています。

①　日本公庫

株式会社日本政策金融公庫法に基づいて2008年10月1日に発足した政策金融機関です。一般の金融機関が行う金融を補完し、国民一般、中小企業者および農林水産業者の資金調達を支援するための金融の機能を担うとともに、内外の金融秩序の混乱または大規模な災害等による被害に対処するために必要な金融を行うこと等により、国民生活の向上に寄与することを目的としています。

日本公庫は、日弁連との間で2011年4月「中小企業等支援に関する覚書」を締結しています。

この覚書は、日弁連と日本公庫とが連携して相互の専門的な知識を活用し、できるだけ早い段階で中小企業に適切な支援を行うことを目的として締結されたものです。

覚書をもとに、各地の弁護士会と日本公庫の各支店が協定を締結しており、①中小企業向けのセミナー・相談会の実施、②相互の情報交換会の実施、③各地における中小企業向け相談窓口の拡大等の活動が行われています。

② 信用保証協会

信用保証協会法に基づいて設立された認可法人であり、全国に51（47都道府県に各1ずつと4市）の信用保証協会が存在しています。

中小企業等が金融機関から事業資金の融資を受ける際に保証人になって、中小企業等が融資を受けやすくなるようサポートする業務を行っています。

また、窮境に至った中小企業等に対しては、取引金融機関を集めて経営サポート会議（地域によって名称が異なる）を開催する等して金融面からの事業再生支援業務を行っています。

以上のほかに、DBJ、株式会社商工組合中央金庫（商工中金）、信金中央金庫、中小企業投資育成株式会社法に基づき設立された公的な投資育成機関である投資育成会社（東京中小企業投資育成株式会社、名古屋中小企業投資育成株式会社および大阪中小企業投資育成株式会社）もそれぞれの立場で中小企業を支援する活動を行っています。

(4) 士業その他の専門家

① 中小企業を支える多様な専門家

わが国には多種多様な士業の専門家が存在し、それぞれの専門領域で中小企業にサービスを提供するとともに、所属する業界団体の活動を通じて中小企業の支援に取り組んでいます。

また、政府・公的機関が運営する各種支援窓口、商工団体、金融機関等が実施する専門家相談や派遣の制度においても、士業の資格を有する専門家が活用されています。監査役や会計参与、社外取締役等の役員として企業経営に参画したり、企業に雇用されて活躍したりしている専門家も珍しくありません。

② 各士業の業務内容

弁護士は、訴訟事件、非訟事件および審査請求等行政庁に対する不服申立事件に関する行為その他一般の法律事務を扱うことを職務とします（弁護士法3条）。法治国家である日本社会においては、個人および法人のあらゆる活動が法律に基づいて行われるため、中小企業の組織や活動にかかわる法律事務についても弁護士は当然に扱うことになります。その具体的な内容は第2部第2章以降でご説明している通りです。

弁護士に限らず、士業の専門家は、根拠法令において、それぞれの業務内容が法定されています（以下、「法定業務」という。次頁の表参照）。法定業務には、当該士業の国家資格を有する者でなければ行うことのできない独占的業務が含まれます（中小企業診断士を除く）。法定業務の解釈をめぐっては、一部の士業団体間で見解の相違があり、ときに対立が先鋭化することがあるのは周知の通りです。

第1部　弁護士・弁護士会による中小企業支援

【表】各士業（弁護士を除く）の法定業務

	法定の業務	根拠法
税理士	・税理士業務（税務代理、税務書類の作成および税務相談） ・租税に関する事項についての裁判所における弁護士訴訟代理人の補佐人の業務	税理士法2条・2条の2
公認会計士	・財務書類の監査または証明、財務書類の調製の業務 ・財務に関する調査もしくは立案、財務相談の業務	公認会計士法2条
司法書士	・登記または供託手続の代理、法務局等に提出する書類等の作成、これらに関する相談等の業務 ・簡裁訴訟代理等関係業務（ただし、認定司法書士であることを要する）	司法書士法3条
社会保険労務士	・労働社会保険諸法令に基づく申請書等、帳簿書類の作成、提出手続の代行、事務代理の各業務 ・個別労働関係紛争における紛争手続代理業務（ただし、特定社会保険労務士であることを要する） ・労務管理その他労働に関する事項、社会保険に関する事項についての相談、指導 ・前記事項に関する事件の裁判所における弁護士訴訟代理人の補佐人の業務	社会保険労務士法2条・2条の2
行政書士	・官公署に提出する書類その他権利義務または事実証明に関する書類の作成、提出業務 ・行政書士が作成する書類に係る許認可等に関して行われる聴聞等の手続の代理業務 ・行政書士が作成する書類に係る許認可等に関する行政庁に対する不服申立ての手続の代理および書類作成業務（ただし、特定行政書士であることを要する） ・契約その他の書類の作成、相談業務	行政書士法1条の2・1条の3
中小企業診断士	・中小企業の経営診断（経営の診断および経営に関する助言）の業務	中小企業支援法11条、中小企業診断士の登録及び試験に関する規則

しかし、中小企業支援の実効性を高めるには、専門領域の異なる士業が互いの法定業務を尊重しつつ連携する姿勢が求められるところです。

なお、士業の中には、これらの本来の法的業務にとどまらずに、記帳代行や給与計算、補助金の申請、書類作成等の日常的な事務代行サービスを提供することで、中小企業との結びつきを強めるとともに、よりコンサルティング要素の強い資金調達、業務改善、事業承継、事業再生、M&A、海外展開、事業継続計画（BCP）、SDGsへの対応等の分野に進出して、中小企業の成長発展を支えている者もおり、特に税理士や会計士、社会保険労務士などにその傾向が強いようです。

私たち弁護士が中小企業にとってより身近で頼れる相談相手となるためには、伝統的な法定業務に固執することなく、顧客が必要とするサービスを柔軟に提供する心構えがかかせません。

　③　**士業以外の専門家**

中小企業を支援する専門家は以上に述べた士業に限られるものではありません。官公庁、金融機関および企業のOB、保険営業員、コンサルタントなど、特定の分野や業種についての専門的な知識経験を活かして、中小企業の顧客開拓、新商品・サービスの開発、人材採用、マーケティング、認証の取得、セキュリティ強化、AIやICTの活用、経営改善などの分野で活躍する専門家やコンサルティング会社は、数え切れないほど存在します。彼らには法定業務の概念はなく、自由な発想で中小企業のニーズに応えるさまざまなサービスを生み出しています。

中小企業の自助努力の上に、多様な専門家の提供するサービスや支援が効果的に組み合わされることによって、中小企業の成長や課題解決がより速く効果的に実現できると考えられます。

もっとも、彼らは専門家としての最低限の知識や能力を身に付ける機会が士業のように保証されているわけではありません。そのため、弁護士が協業を検討する際には、彼らの業務が各士業の独占的法定業務を侵すものではないかの確認に加えて、サービスの品質面を慎重に見定める必要があります。

⑸　**法的サービスへのアクセス障害と支援の必要性**

以上の通り、政府機関、商工団体、金融機関、士業の専門家、その他の支援者など、中小企業支援のプレーヤーには事欠かないのが、現在の中小企業経営者を取り巻く現状といえます。

ところが、支援を必要とする中小企業ほど情報収集能力や費用負担能力が限られており、結果として十分な支援が行き届いている状況にはありません。

前記④でみた通り、中小企業は一般的に稼ぐ力が弱く、経営基盤が脆弱で景気変動や一時的な業績の落ち込みに影響を受けやすい傾向があります。小規模事業

者であればなおさらです。法的な課題が大きくなる前に適切な法的サービスを受けることにより、事業のリスクを低減させることができれば、企業存続の可能性は高まります。

　法的サービスにアクセスできない、あるいはアクセスできても費用負担が難しい企業には、より利用しやすくするような工夫が求められます。中小企業がアクセスしやすい法的サービスをいかに提供していくか、弁護士側の努力がかかせません。

第2部

各 論

第2部　各　論

第1章　創業支援

1　創業支援の必要性

(1)　創業の社会経済的な意義とわが国の創業活動の動向

①　創業の意義

　創業について法律的かつ経済的に定義を与えるならば、資本主義経済秩序の下で営利を目的とし資本的計算方式の下に継続的・計画的に経営される独立の経営主体を創生し組織する営みといえます。起業または開業とも呼称されますが、本書では「創業」と統一します（なお、本書では「創業」（者）を、単に事業開始を計画している者のみならず、事業開始後3〜5年を経過した者も広く含めて考える）。

②　創業の社会経済的な意義

　創業が国民経済に与える影響については、①経済の新陳代謝と新規企業の高い成長力、②雇用の創出、③起業が生み出す社会の多様性という3つの観点が指摘されます（中小企業白書〔2014年版〕）。

(i)　創業による経済の新陳代謝と新規企業の高い成長力

　わが国経済の成長のためには、個々の存続企業が生産性を高めることに加え、生産性の高い企業の参入や生産性の低い企業の退出といった、企業の新陳代謝が図られることも重要であるといわれます（中小企業白書〔2020年版〕）。創業により経済の新陳代謝が活発となり、革新的な技術等が市場に持ち込まれ、経済成長を牽引する成長力の高い企業が誕生します。この企業の参入・撤退は日々繰り返され、創業による企業の参入・撤退こそが、産業構造の転換やイノベーション促進の原動力となり、経済成長を支えるということです。特に、新しい技術や製品等を携えて市場に参入する創業者は、急速に成長して既存の経済秩序を一変させ、経済成長の原動力となる可能性を秘めています。

(ii)　創業による雇用の創出

　大部分を占める存続事業所の雇用変動よりも、一部の開業事業所および廃業事業所における雇用変動が、全体の雇用の創出における変動に大きく寄与するといわれています。創業後まもない企業の雇用創出能力は高く、特に若い年齢層の雇用を増大させます。2011年の東日本大震災と原子力発電所事故の被害を受け、被災地域では多数の企業が事業の中断や廃止を余儀なくされ、さらに2020年からの新型コロナウイルス感染症拡大の影響で多数の雇用が失われています。このような時代背景の下で事業の再建を含んだ創業による雇用の維持、創出はわが国の経済の復興にも大きく寄与するものです。中小企業白書〔2020年版〕によれば、事

業者アンケートを通じて、思い入れのある地域における地域活性化のために地方で創業する事業者の意識が紹介されています。

　⑶　**創業が生み出す社会の多様性**

　創業者の活動は、必ずしも経済成長等の数値に顕れるとは限りませんが、社会をより多様で豊かなものとします。中小企業白書〔2020年版〕によれば、事業者アンケートを通じて、創業者は「高い金銭報酬の獲得」のみならず「消費者・利用者に対する喜びの提供」を目指していることがわかります。

　前記のような創業の意義から考えると、創業支援は弁護士の使命である基本的人権の擁護と社会正義の実現に合致するものです。

　③　**わが国の創業関係における法制の動向**

　元来わが国は「起業大国」として創業を積極的に推進しており、池田勇人内閣の「国民所得倍増計画」の一環として中基法および現在の中小企業支援法が制定されましたが、その際、中基法5条1号で基本方針として、「中小企業者の経営の革新及び創業の促進並びに創造的な事業活動の促進を図ること」についての施策を講じることを明確に打ち出しています。現行の中基法では、「第2章　基本的施策」中「第1節　中小企業の経営の革新及び創業の促進」において、経営の革新の促進のための国の責務を12条で定め、創業の促進のための国の責務としては、「中小企業の創業、特に女性や青年による中小企業の創業を促進するため、創業に関する情報の提供及び研修の充実、創業に必要な資金の円滑な供給その他の必要な施策」の遂行と、「創業の意義及び必要性に対する国民の関心及び理解の増進」の努力義務を13条で定めています。加えて創造的な事業活動の促進のための国の責務として、「商品の生産若しくは販売又は役務の提供に係る著しい新規性を有する技術に関する研究開発の促進、創造的な事業活動に必要な人材の確保及び資金の株式又は社債その他の手段による調達を円滑にするための制度の整備その他の必要な施策を講ずるものとする」(14条)と定め、特にいわゆるベンチャー支援についての法的政策的根拠が定められています。なお、中基法で支援される組織形態として、特定活動非営利法人(NPO法人)が加えられ、認定要件を満たした場合に創業促進補助金の補助や税制上の優遇措置が認められます〔③参照)。旧中小企業指導法は中小企業支援法にあらためられた後、中小企業新事業活動促進法が制定され、2条3項で定める「創業者」および同条4項で定める「新規中小企業者」に対する資金調達の援助、経営の診断と指導の体制、課税の軽減措置が整備されました。以後の創業関連立法として、数次の事業活動促進法改正のほか、産強法があり、市区町村が創業支援事業者と連携して策定する、認定を受けた「創業支援事業計画」を支援すべく、地域において市区町村と民間事業者等が創業者に身近な支援体制が構築されることになり、弁護士が関与するこ

とも創業支援の1つのあり方となります。

　また、産強法の下、令和2年度には、財政投融資による新事業創出支援事業、新創業融資制度、「女性、若者／シニア起業家支援資金」、再挑戦資金、中小企業・小規模事業者経営力強化融資が実施され、また、税制優遇措置として、エンジェル税制（創業間もないベンチャー企業への個人による資金供給を促進するため、令和2年度税制改正により、対象となるベンチャー企業要件の緩和や、ベンチャー投資促進に寄与するクラウドファンディング業者の認定制度を創設したもの）、地域における創業支援体制の構築の実施が行われました（中小企業白書〔2021年版〕）。もとより法律事務全般を扱うことができる弁護士としては、これらの制度を活用できる法的アドバイスが期待されるところです。

④　わが国の創業活動の動向

　わが国では、毎年20万人から30万人の起業家が一貫して誕生しています。また創業者に占める女性の割合、60歳以上のシニア層の割合がそれぞれ高まっています（ただし、国際比較でみるならば決して好調とはいえないとの分析である）。しかし、これに対し、「創業を希望する人」は大きく減少しています。今日の社会情勢における自営に対する展望の不安が背景にあることも疑いはなく、事業失敗時のリスクを考えて創業に踏み出せない層が、創業による自己実現を目指す層を上回っていることが明らかになっています（中小企業白書〔2014年版〕）。この傾向は近年も変わりがなく、創業者数数全体が減少してはいますが、起業希望者・起業準備者全体からみる「兼業・副業としての起業者」の割合は増えています（中小企業白書〔2020年版〕）。ただ、このような傾向は、裏を返せば強い意思をもった創業希望者との接点をもつ場を創出すれば、具体的に創業支援にかかわる支援者との確実なマッチングを可能にしているともいえるように考えられます。

⑤　弁護士による創業支援への関与

　創業支援においては、診断士（金融機関の担当者や支援機関の経営指導員が診断士の資格を取得して創業支援に当たる場合もある）や税理士等の他士業が支援に多く当たっており、「弁護士による創業支援」は、現状においては違和感をもって受け止められるかもしれません。しかし、企業活動の基本となる法制が民商法の分野であることは疑いありませんし、税法のほか、労働関係法や知的財産法あるいは各種業法の整備により、これらの法制の知識をもつ弁護士が創業の場面で果たす役割はむしろ増大しています。また、税制改正や個人情報保護法や労働者派遣法の改正など、法律改正が新たな事業を作り出す契機になることもあり、これに対して最も正しい情報を持つのは弁護士です。このように、創業分野において弁護士による支援が必要・有益である場面は少なくありません。現在、実際に創業支援の分野に携わる弁護士は多数とはいいがたいかもしれませんが、今後より多

くの弁護士が創業支援の場で活躍することが期待されます。
(2) 創業支援における弁護士の関与についての課題
① 創業者の法および弁護士に対する意識からみた創業支援のあり方
　そもそも、創業者が法および弁護士の必要を意識することは、事業を安定して運営できている中小企業の経営者一般に比べて、よりわずかであるといわざるを得ません。中小企業経営者の課題を分類すれば、①商品知識、②営業力、③人の採用・教育、④組織作り（定款、就業規則などのテーマ作り）、⑤資金調達、⑥経営理念、⑦各種トラブルですが、このうち創業段階で最も意識されるのは、「商品知識」「組織作り」「資金調達」です。弁護士が裁判等各種トラブルにしか関与しないというのがまだまだ中小企業経営者の一般的な見方であることを考えると、創業者にとって弁護士の必要性を意識しないのもやむを得ないことといえますし、弁護士の側も、過去の問題、発生した問題にどう対応するかという課題を超えて、およそ経営方針上の問題についてよき相談相手であろうとする自己変革の必要があることは否定できません。また中小企業経営者にとっての法のイメージは、業法、税法、労働法、刑事法、取引法、会社法、その他（知的財産法、独占禁止法、破産法等）の順序ではないかという分析もあります。つまり、創業においては業法の許認可をクリアしなければそもそも始まりませんし、また資金調達は実際に創業者にとって極めて大きな課題であり、これに関連して業法の次は税法に直面します。そしてスタッフの雇用を通じて労働法の問題に直面します。
　これに対し、従前の弁護士業務において重視される法は、前記のような創業者の当面の法的課題とは真逆の位置付けにあるのではないでしょうか。創業に関わる弁護士はこのようなことを心して、各種業法や税法、そして労働法に関する法的素養の涵養に努める必要があるといえます。なお、ベンチャー支援に当たっては、ベンチャーの創業者は商品知識について知的財産権に関する法意識を強く有しており、知的財産権に関する法的素養の涵養も欠かせないことになります。
② 他士業との関係における創業支援のあり方
　創業において中小企業事業者の商品知識・組織作り・資金調達のすべてに現実にかかわってきた士業は中小企業診断士であり、また企業活動の生理的現象ともいわれる会計の専門家である会計士・税理士（特に税理士）が創業に多く、しかも早期にかかわってきたといえます。実際、創業者のよき伴走者として活躍している弁護士の中には会計士や中小企業診断士の資格のダブルライセンスを取得している者も多く、他士業が専門とする分野に精通することは、創業に関わろうとする弁護士にとって有利に働くことでしょう。もっとも、いずれの資格も取得には相当の学習量が必要であり、簡単なことではありません。そこで、弁護士が創業に携わるためには、日頃連携できる他士業とのネットワークを構築することが

必要になります。
③　創業支援団体との関係における創業支援のあり方

　創業において当初から弁護士の法律支援を意識する企業者は圧倒的少数であるだけでなく、創業志願者にとってその課題は、商品知識に関するもの、営業力、資金調達とある程度具体化されているかもしれませんが、実際には創業に乗り出すか否かについての精神的な不安感であることも多く、精神的不安感と法的課題と渾然かつ茫漠としているというのが実態と思われます。そこで、弁護士が創業支援に関わる場合、中基法、事業活動促進法、および産強法を加えた創業支援の枠組み、すなわち都道府県や市区町村、その外郭団体、商工会議所、商工会における経営指導の枠組みに関与する機会を得られるのであれば、積極的に加わるべきです。なお、ベンチャー企業については法的課題が明確になって創業に至るケースは多いとは思われます。ベンチャー企業支援を戦略として打ち出すことで、早期の委任契約あるいは顧問契約による企業活動の伴走者としての立場につなげている報告例もあります。

④　創業と弁護士会の役割

　①から③のような実情からすると、個々の弁護士の努力だけで創業支援に加わるのは難しい面があります。そこで、各団体との連携を進めていくのはまさに専門職業団体としての弁護士会の役割となります。今後は、より弁護士が創業支援に関わっていけるようにすべく、弁護士会による積極的な取組みが期待されます。すでに行われている弁護士会を通しての取組みの一例として、福岡県弁護士会の活動を紹介します。

　福岡県弁護士会では中小企業法律支援センターを2010年にスタートしています。福岡市が国家戦略特区に指定されたことを契機に「創業支援チーム」を立ち上げました。福岡市が国家戦略特区に指定されたことにより、「スタートアップカフェ」という施設が開設され、そこで創業関係の種々の文献・冊子を読め、その日の学業や仕事を終えた後の創業志望者が来集しています。この「スタートアップカフェ」に福岡県弁護士会の当該センターも加わり、弁護士会として創業者向けセミナーを企画実行したり、相談窓口を設けて弁護士を派遣したりしています。さらに弁護士の側から法律相談の枠を超えて、創業志望者と、世話役を交えて創業資金や融資のこと、開業後の組織の生成や営業上のノウハウ構築についての意見交換を行っています。これは従来の弁護士の職業イメージから離れたものともいえますが、法律相談の枠を超えた意見を出す側に加わることで、創業者の側で、弁護士の相談相手としての引出しが多様であることを認識してもらうことを企図しています。

　〈参考文献〉経済産業省中小企業庁『中小企業白書〔2014年版〕』、鴻常夫『商法総則

〔新訂第5版〕』（弘文堂、1999）、東京弁護士会弁護士研修センター運営委員会『研修叢書(48)事業承継』（商事法務、2010）90頁以下。

② 創業の段階別の支援内容

(1) はじめに

創業のプロセスには段階があり、その段階ごとに必要となる支援内容は異なります。以下では、創業のプロセスを、創業に関する情報収集を行う段階、創業を決意して創業計画を作成する段階、作成した創業計画に従って準備活動を始める段階、実際に事業を開始する段階に分け、各段階別の支援内容について解説します。

(2) 情報収集段階における支援

① 創業スクール・創業セミナー等

近年、各地域の商工会・商工会議所などの支援機関、日本公庫などの金融機関、民間企業等において、創業希望者に対して経営に関する一般的な基礎知識等の情報を提供する、創業スクールや創業セミナーが開催されています。特に、2014年1月に施行された産強法に基づき特定創業支援事業として実施される創業スクールや創業セミナーは、受講証明書の交付を受けることにより、会社設立時の登録免許税の軽減、創業関連保証枠の拡大、創業関連保証の特例、日本公庫の融資制度の利用など、創業時におけるさまざまな特典を受けることができます。

創業スクールや創業セミナーでは、税務や労務の基礎知識とともに、取引や契約に関する基礎知識についてもカリキュラムに盛り込まれていますが、全体に占める割合が少ない上、求められる内容も基礎的であるため、弁護士以外の講師が担当することも少なくありません。

しかし、創業後、経営者が遭遇するさまざまな法的紛争を最終的に解決する法律の専門家は弁護士であり、創業セミナーや創業スクールにおいても、創業にまつわる法的トラブルの防止や紛争になった場合の解決方法など、弁護士ならではの情報提供を行うことは重要です。講師の依頼を待つだけでなく、創業時に必要な法律知識について関心をもってもらえるような企画を考え、または、担当できる講演テーマを新たに開拓して、主催者に提案することにより、弁護士の価値を感じてもらえる可能性は広がります。

② 創業相談

創業を検討している段階では、創業希望者が、自分の考える事業アイデアは実現可能性があるのか、実現するためにはどのような問題をクリアすべきなのか、具体的にはどのようなプロセスで事業を立ち上げればよいのか、など個別的なアドバイスを必要とする場面が出てきます。

第2部　各　論

　このような創業希望者の個々の悩みや疑問に対応し、個別的な情報提供を行う支援として、創業相談があります。創業相談の窓口として、従前から商工会・商工会議所等の公的支援機関や日本公庫などがありましたが、近年は、民間の金融機関や企業等でも創業希望者の相談に個別に対応するサポートデスクが設置されるなど、創業相談の窓口が拡大しつつあります。このような創業相談の窓口で、法律問題を含む相談があるときは、弁護士への紹介につながることも期待できますが、そのためには、どのような場合に弁護士に相談すべきなのかを創業相談を担う支援機関に認識してもらうための情報提供や相互に連携できる関係づくりが必要です。

　さらに、弁護士がより積極的に創業支援に取り組むのであれば、単なる法律相談に応じるだけでなく、創業希望者のさまざまな悩みや不安を受け止め、事業にかける想いを理解し、事業アイデアの実現を支援する姿勢が重要です。創業相談における主なテーマは資金調達や販路開拓など弁護士の専門領域ではないこともあります。もちろん、弁護士の知識・経験のみで創業希望者の抱えるすべての悩みに応えることには限界があり、他の支援機関や専門家等の助力を得ることは必要です。しかし、そもそも創業希望者の悩みや不安は多種多様であり、すべてに対応できる専門家などいないのですから、通常の法律相談と同様、創業希望者に寄り添いながらさまざまな相談に応じ、実績を重ねていくことで、弁護士も創業相談の重要な担い手になり得るはずです。

(3)　創業計画の作成段階における支援
　① 　弁護士による支援の可能性
　どんなに優れた事業アイデアを有していても、それを実現するための道筋を描くことができなければ実現は困難です。その道筋を具体化するためには、創業計画を作成することが有益です。ところが現実には、創業計画を作成しないまま、思いつきのアイデアを実行した結果、すぐに廃業に至る場合が少なくありません。創業計画を作成したから事業が成功するとは限りませんが、事業に着手する前に創業計画を作成しておくことにより事業の継続可能性は格段に高まります。

　そこで、創業を決意した創業者を支援する場合は、まず、創業計画が作成されているかどうかを確認し、作成されていない場合は、創業計画の目的を説明し、作成を促すことから始めることになります。創業計画の作成支援は、本来の弁護士業務からすると専門外とも思われるかもしれませんが、弁護士が創業計画の作成支援に関わることにより、計画段階から法的リスクを考慮した対応を盛り込み、法制度を活用したよりよい計画へブラッシュアップすることも可能となり、また、創業者に対してコンプライアンスを重視した経営を意識付けることができます。このように弁護士が創業計画の作成支援にかかわることは有益であり、仮

に、計画作成そのものには関与しないとしても、少なくとも、計画実行前に、弁護士が創業計画に法律的な問題がないか、リーガルチェックを行う機会をもつことは、その後の事業の継続において極めて重要です。

② 創業計画を作成する目的

創業計画を作成する第1の目的は、創業者が自らの事業の指針を明確にするためです。単なる思いつきでは、事業を実現することは困難です。創業者がその事業を通じて何を実現したいのか、顧客にどのような価値を提供し、社会にどのように貢献するのか、具体的に事業を実現するには何をしなければいけないのか等、創業希望者が胸に秘めている事業の核心部分を、創業計画として明文化しておくと、判断に迷ったときや危機に直面したときに立ち戻って考える指針として機能します。

第2の目的は、創業融資や創業補助金等による資金調達に必要な資料として提出するためです。創業時の融資や補助金の審査は創業計画に基づいて実施されるため、申請に際しては創業計画の提出が必須です。

第3の目的は、事業の協力者や家族に対する説明資料とするためです。事業を立ち上げて継続するためには、従業員、取引先、支援機関などさまざまな関係者の協力が必要です。経営理念や事業目的に共感し、この事業を応援したいと思ってくれる協力者の存在は心強いものです。また、創業は、創業者の家族の生活にも重大な影響を与えることから、家族の理解と協力を得ることも不可欠です。事業実績が何もない創業前の段階では、関係者や家族は創業者がどのような事業に挑戦しようとしているのか、具体的にイメージすることができません。そこで、事業内容を具体化した創業計画を説明資料として利用することにより、周囲の理解や協力を得られやすくなります。

創業計画の作成を支援する場合は、このような創業計画作成の目的について、創業希望者との間で理解を共有しておくことが重要ですが、前記目的からすれば、創業計画は、創業者が自ら考え、その内容を語ることができるようにしておくべきです。したがって、弁護士が創業計画の作成を支援する場合は、創業計画を作成するのはあくまで創業者自身であるということを強く意識しておく必要があります。

③ 創業計画の内容

弁護士として創業計画の作成支援にかかわる場合、創業計画の記載内容についても十分に理解しておく必要があります。なお、創業計画書の作成に必要な基礎知識は、日本公庫が発行する「創業の手引き」に詳しく記載されていますので、創業支援に携わる場合は、一読しておくことをお勧めします。

創業融資や補助金等の申請時に提出する創業計画には所定の書式があり、記載

第2部　各　論

【創業計画書の書式】（日本公庫ホームページより引用）

創　業　計　画　書

〔令和　　年　　月　　日作成〕

お名前　_____

1　創業の動機（創業されるのは、どのような目的、動機からですか。）

	公庫処理欄

2　経営者の略歴等（略歴については、勤務先名だけではなく、担当業務や役職、身につけた技能等についても記載してください。）

年　月	内　容	公庫処理欄

過去の事業経験	□事業を経営していたことはない。 □事業を経営していたことがあり、現在もその事業を続けている。 　　　　　　（⇒事業内容：　　　　　　　　　　　　　　　） □事業を経営していたことがあるが、既にその事業をやめている。 　　　　　　（⇒やめた時期：　　　　年　　月）	
取得資格	□特になし　□有（　　　　　　　　　　　　番号等　　　　　　　）	
知的財産権等	□特になし　□有（　　　　　　　　　　□申請中　□登録済）	

3　取扱商品・サービス

取扱商品・サービスの内容	①	（売上シェア　　％）
	②	（売上シェア　　％）
	③	（売上シェア　　％）

		公庫処理欄
セールスポイント		
販売ターゲット・販売戦略		
競合・市場など企業を取り巻く状況		

4　取引先・取引関係等

	フリガナ 取引先名 （所在地等（市区町村））	シェア	掛取引の割合	回収・支払の条件	公庫処理欄
販売先	（　　　　　　）	％	％	日〆　　日回収	
	（　　　　　　）	％	％	日〆　　日回収	
	ほか　　社	％	％	日〆　　日回収	
仕入先	（　　　　　　）	％	％	日〆　　日支払	
	（　　　　　　）	％	％	日〆　　日支払	
	ほか　　社	％	％	日〆　　日支払	
外注先	（　　　　　　）	％	％	日〆　　日支払	
	ほか　　社	％	％	日〆　　日支払	
人件費の支払	日〆　　　　日支払（ボーナスの支給月　　　月、　　月）				

第1章　創業支援

☆ この書類は、ご面談にかかる時間を短縮するために利用させていただきます。
なお、**本書類はお返しできませんので、あらかじめご了承ください。**
☆ お手数ですが、可能な範囲でご記入いただき、借入申込書に添えてご提出ください。
☆ この書類に代えて、お客さまご自身が作成された計画書をご提出いただいても結構です。

5　従業員

常勤役員の人数（法人の方のみ）	人	従業員数（3ヵ月以上継続雇用者※）	人	（うち家族従業員）（うちパート従業員）	人　人

※ 創業に際して、3ヵ月以上継続雇用を予定している従業員数を記入してください。

6　お借入の状況 （法人の場合、代表者の方のお借入）

お借入先名	お使いみち	お借入残高	年間返済額
	□事業　□住宅　□車　□教育　□カード　□その他	万円	万円
	□事業　□住宅　□車　□教育　□カード　□その他	万円	万円
	□事業　□住宅　□車　□教育　□カード　□その他	万円	万円

7　必要な資金と調達方法

	必要な資金	見積先	金額	調達の方法	金額
設備資金	店舗、工場、機械、車両など（内訳）		万円	自己資金	万円
				親、兄弟、知人、友人等からの借入（内訳・返済方法）	万円
				日本政策金融公庫　国民生活事業からの借入	万円
				他の金融機関等からの借入（内訳・返済方法）	万円
運転資金	商品仕入、経費支払資金など（内訳）		万円		
	合　計		万円	合　計	万円

8　事業の見通し（月平均）

	創業当初	1年後又は軌道に乗った後（　年　月頃）	売上高、売上原価（仕入高）、経費を計算された根拠をご記入ください。
売上高　①	万円	万円	
売上原価②（仕入高）	万円	万円	
経費　人件費（注）	万円	万円	
家　賃	万円	万円	
支払利息	万円	万円	
その他	万円	万円	
合　計　③	万円	万円	
利益　①－②－③	万円	万円	（注）個人営業の場合、事業主分は含めません。

9　自由記述欄 （アピールポイント、事業を行ううえでの悩み、希望するアドバイス等）

これまでのご経験や事業内容の詳細が分かる計画書など、参考となる資料がございましたら、併せてご提出ください。
（日本政策金融公庫　国民生活事業）

https://www.jfc.go.jp/n/service/pdf/kaigyou00_220401b.pdf

する項目は、書式によりさまざまです。

しかし、事業の継続可能性を高めるためには、「創業の動機・目的」、「事業内容」、「収益性」、「実現可能性」といった重要な項目の内容が相互に論理的に関連付けられ全体として整合性のある内容として記載されていることが必要です。そのため、いきなり個々の項目を埋めていくのではなく、事業を形づくる重要な項目を論理的に整理し、事業全体の大枠を明確にした上で、個々の項目を記載していきます。創業計画において重要な項目の具体的内容は、以下の通りです。

(i) 創業の動機・目的

創業を決意した動機や創業によって実現したい事業目的を記載します。関係者の理解や協力を得るためには、ただ儲けたいという利己的な動機・目的ではなく、顧客に対する価値の提供を通じて社会に貢献するという積極的な動機・目的に基づくことが必要です。この部分は、いわば創業者の「初心」に当たるものであり、創業後は、経営理念をつくる上でも重要な部分となります。創業者のこれまでの経歴や経験など過去の出来事、事業アイデアを発想し、創業を決意するまでの経緯を、時系列に沿って整理し、ストーリーとして説明できると、創業者の想いが第三者に伝わりやすくなります。

(ii) 事業内容

事業内容は、具体的に記載することが重要ですが、既存のありふれた事業とは異なる、新たな価値を顧客に提供する事業であることを伝えることが必要です。また、創業の動機・目的とも整合した内容であることが重要です。具体的には、「誰に」「何を」「どのように」という順番で考えていきます。

まず、限られた経営資源で、すべての顧客を満足させることは不可能であるため、「誰に」では、ターゲットとする顧客を絞り込みます。次に、「何を」では、ターゲットとなる顧客にどのような価値を提供する事業なのか、なぜこの事業が顧客に喜ばれるのかを明らかにします。さらに「どのように」では、自分の強みを生かして他の競合にはできない独自性のある事業として具体化していきます。具体的には「製品（Product）」、「価格（Price）」、「流通（Place）」、「販促（Promotion）」（以上、共通する頭文字から、マーケティングの４Ｐという）の効果的な組み合わせを考えるマーケティングミックスなどの手法により整理することが有効です。

(iii) 収益性

どれほど崇高な「創業の動機・目的」があり、アイデアに富んだ「事業内容」であっても、それがボランティアではなく事業として継続するためには、その事業が継続的に利益を生み出すことが不可欠です。そのため、創業段階では、予想損益計算書を作成すること、それが難しくとも、少なくとも売上げ、経費、利益

について具体的な数字で示すことが求められます。また、その数字は、創業者の希望や期待に基づくものではなく、具体的な根拠のある数字であることが必要です。この収益性に関して、どこまで説得力のある数字を示せるかが、創業計画全体の信頼性に大きく影響します。

　まず、事業を開始するにあたり初期投資として必要となる費用以外に、運転資金として、どれくらいの経費がかかるのか、という部分は、事業内容が確定していれば比較的算定が容易です。また、固定費と変動費に分けて算定することにより、損益分岐点を計算することができます。経費の根拠としては、見積書を入手することや、一般的な相場を示すために賃料や人件費について公開されている統計資料や募集広告などを参考にすることも考えられます。

　次に、売上げについては、売上げの方程式を示して予想売上げを説明します。売上げの方程式は、業種や業態によってさまざまありますが、一般的には、【売上げ＝来店客数×顧客1人当たり購入額】の式で示すことができます。さらにこれを分解すると、来店客数は、【来店客数＝新規顧客＋既存顧客】と表すことができます。また、新規顧客のリピート率や既存顧客の来店頻度も来店客数に影響します。さらに、顧客1人当たり購入額は、【顧客1人当たり購入額＝購入数量×単価】と分解できます。このように自分の業種・業態に合った方程式で売上の根拠を示すことが必要です。

【売上げの方程式】

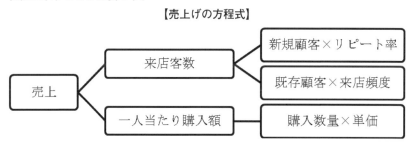

　さらに、この売上げの方程式に説得力をもたせるためには、市場や顧客の動向、自社の独自性について統計資料や経営分析を示すことが有効です。代表的な経営分析手法として、3C分析（「市場（Customer）」「自社（Company）」「競合（Competitor）」を分析する手法）や、SWOT分析（内部環境としての自社の強み（Strengths）と弱み（Weaknesses）、外部環境としての機会（Opportunities）と脅威（Threats）を分析する手法）、競合優位性のある独自の位置付けを整理するために有益なポジショニングマップなどがあります。

【SWOT分析】

		外部環境	
		機会 (Opportunities)	脅威 (Threats)
内部環境	強み (Strengths)	強みを生かして機会をとらえる	強みを生かして脅威を乗り越える
	弱み (Weaknesses)	弱みを克服して機会をとらえる	弱みを克服して脅威を乗り越える

【ポジショニングマップ】

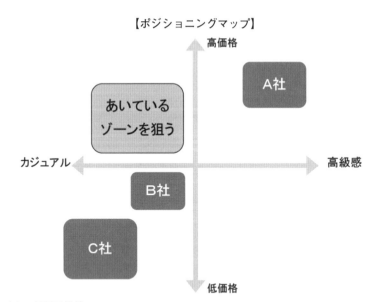

(iv) 実現可能性

　収益性の高い魅力的な事業でも、それが実現できなければ絵に描いた餅になってしまいます。そこで、創業計画においては、事業の実現可能性も重要な項目です。事業を実現するためには、「ヒト、モノ、カネ」などの経営資源が必要ですが、創業時にどのような経営資源がどれだけあるか、また、創業後、どのような

経営資源を得られる可能性があるかが実現可能性に大きく影響します。

特に「ヒト」については、事業立上げに協力してくれる社員が存在することや、募集・採用の見込みがあることも重要ですが、創業時は、創業者自身も重要な経営資源です。創業者のこれまでの経歴・経験、資格・特技はもちろん、アイデア、行動力、事業に懸ける熱意や想いなども実現可能性を左右します。

また「モノ」については、顧客の求めるQCD（品質・コスト・納期）を満たす商品・サービスを供給するために必要な技術、ノウハウ、生産体制、設備・店舗等が整っているか、材料の仕入先が確保されているか等が実現可能性を左右します。また、業種によっては許認可が必要になる場合もありますので、手続や取得の見込みを事前に確認しておくことも必要です。

さらに「カネ」については、創業時に自己資金が豊富なほど実現可能性は高まりますが、自己資金が乏しくとも、融資などの資金調達の見込みや、堅実な資金計画、収支計画、資金繰り計画を作成することにより、実現可能性の説得力を高めることができます。

これらの経営資源をどのように活用して事業を進めていくのか、その工程を具体化した実行計画を併せて作成することで、より実現可能性が高まります。

④ 弁護士の強みを生かした創業計画作成支援

創業計画作成の支援は、前述の通り、経営全般の知識が必要になるため、従来の弁護士業務から外れてしまう面があるかもしれませんが、弁護士業務において培われた強みを活用できる場面も多々あります。

前述の通り、創業計画は、創業者にとって今後の事業の指針になるものですから、その作成を支援するに当たっては、まず、創業者の考えている事業アイデアや創業に対する想いを丁寧に聴いて理解すると同時に、他方で、収益性や実現可能性に関して曖昧な部分や矛盾する部分がないか、論理的な整合性を確認していくことも重要です。このように相手の想いを汲みとりながらも、専門家としての視点で問題点等を指摘することが求められるところは、弁護士業務における依頼者への対応とほぼ同じです。

次に、創業計画は、資金調達や周囲の協力者に事業に対する理解を得るための資料でもあることから、わかりやすく、かつ、説得力のある内容でなければなりません。そのためには、創業計画に記載する内容を論理的な事業ストーリーとして構成し、かつ、その事業ストーリーに説得力をもたせるための根拠を示すことが必要になります。この点も、弁護士業務において、事実を整理し、客観的な根拠を示して、説得力のあるストーリーとして構成する過程と類似するため、弁護士として培った実力を生かせる部分であると考えます。

また、弁護士が創業計画の支援にかかわる場合、創業者自身がまったく気付い

ていない事業リスクを指摘し、その対策をあらかじめ検討する機会を提供できる可能性があります。これは、他の士業やコンサルタントにはできない、弁護士ならではの強みになります。そのためには、自分が創業者の立場になったとき、どのような事業リスクが気になるかを考えることや創業段階あるいは創業後にトラブルになった裁判例等の事例を知っておくことが有益です。

　このように、創業計画作成の支援は、従来の弁護士業務で培った弁護士の強みを生かせる部分も多く、弁護士ならではの支援ができる可能性もあります。また、創業時からコンプライアンスを重視した創業計画になるよう支援し、創業者のコンプライアンスに対する意識を高めることができれば、創業後も、継続的な相談相手として弁護士が選ばれる可能性も高まると考えられます。

　⑤　**弁護士による創業計画のリーガルチェック**

　弁護士が創業計画作成自体にかかわらなくとも、創業者や他の支援機関等が関与して作成された創業計画については、実行前の段階で弁護士がリーガルチェックを行うべきです。

　ビジネスモデルとしては魅力的でも、一般的な法規制や業界特有の規制に関する調査不足により、事業の適法性に問題があるものや、債権回収の仕組みに問題があり、いざという場合の法的な債権回収に支障を生じるおそれが高い計画、法律の不知や誤解により、事業の実行を阻害する法律問題を含む計画は少なくありません。また、計画の内容自体に問題はなくとも、創業計画をチェックする過程で、関連する契約の不備や法的トラブルに発展しかねない問題点に気付くこともあります。

　弁護士が創業計画のリーガルチェックを行うことはまだ一般的ではありませんが、創業計画作成段階で判明した法的リスクは計画の修正・変更によって回避し得る可能性がありますし、逆に、法的な問題が見当たらないということであれば、安心して事業を推進できることから、創業者にとってメリットは大きいと考えられます。

⑷　**事業の準備行為時における支援**

　①　**実行計画の作成支援**

　創業を決意した創業者が、創業計画を作成した後は、事業の開始に向けた準備行為を進めることになります。創業計画を作成する際には、併せて、その内容を具体的な行動に落とし込んだ実行計画を作成しておくと、事業開始日までに、何を準備する必要があるか明確になり、スムーズに計画を進めることができます。

　実行計画の作成に当たっては、創業計画を元に、事業の開始に必要な準備行為を洗い出します。その上で、余裕をもって事業の開始日を決定します。そして、事業の開始日から遡って、各準備行為の重要度に応じて、準備を進める順番や段

第1章　創業支援

【実行計画の作成例】

項目		開始時期	開業準備			開業		開業後				
			1月	2月	3月	4月	5月	6月	7月	8月	9月	10月
資金調達	融資申込		←→									
	補助金申請						←→					
店舗	物件探し、賃貸借契約		←→									
	内装工事			←→								
	設備・備品納入				←→							
人員	面接・採用			←→								
	届出					←→						
	研修・トレーニング						←→		←→		←→	
広告	案内状送付					←→						
	チラシ配布						←→					
	HP作成							←→				

取りを整理し、スケジュールを作成します。

　この点も、実際に計画を行動に移すのは創業者自身ですので、創業者が自分で考えることが必要になります。もっとも、初めて事業を始める創業者にとっては、これから必要な手続、手続に要する時間、起こり得る問題がわからない場合も多く、後述する通り各準備行為を開始した段階で法律的な問題に直面することも多いことから、なるべく実行計画の段階で回避できるように弁護士として支援していくことが必要です。

　②　各準備行為に関する相談・法的対応

　創業者が、事業開始に向けて、準備行為を開始すると、そのタイミングでさまざまな問題に直面することになります。そのため、このタイミングで、弁護士として支援できる内容も広がります。

　まず、創業時には、創業者は、同時並行的に、さまざまな種類の契約を締結する必要に迫られます。例えば、資金調達に関して、金融機関から融資を受ける場合は金銭消費貸借契約、保証契約、担保設定契約等を締結することになり、営業場所を確保するために、店舗等を賃借する場合には賃貸借契約書、内装工事を発注する場合には工事請負契約書を締結することになります。また、什器備品等は購入のほか、リース契約を締結する場合もあります。また、商品材料等の仕入れに際して取引基本契約書を締結する場合も出てきます。もし、これらの契約内容に対する認識が不十分なまま契約を締結してしまうと、後で法的トラブルに発展するリスクがあります。そのため、準備行為を開始する段階における支援として、契約に関する相談や契約書のチェック等が重要となります。

　また、創業に際して、従業員を採用する場合は、事業内容に応じた雇用形態を検討し、必要な手続を行う必要があります。その他、法人を設立する場合や、事業に許認可が必要な場合にもさまざまな事前の手続が必要になります。さらに、営業活動の準備や販促ツールの作成等に際して著作権法や景品表示法等の問題があ

③ その他の支援

準備行為時における弁護士の創業支援は、法律的な助言や対応に限られるものではありません。創業者が融資を受ける場面や各種手続を行う場面では、創業者と手続機関に同行し、補足説明や手続内容の確認等、手続がスムーズに進められるように支援することも考えられます。

また、その進捗状況をモニタリングすることも重要です。定期的に面談して進捗状況を確認し、実行できない原因を考え、必要に応じて何をどういう順番で進めるか、優先順位の見直しなどを支援することも考えられます。

さらに、創業者にとって、事業を開始するまでの期間は、準備しなければならないことが多く、慌ただしくも不安に陥りやすい時期です。そのため、創業者のよき相談相手として寄り添うことも重要な支援であると考えます。

(5) 事業開始時および開始直後の支援

① 事業開始時の届出

事業開始時には、税務や社会保険に関して、届出等の手続を行う必要がありますので、開業前に必要な手続を確認し、開業時に速やかに届出ができるよう準備しておくことが必要です。

【税務関係】（日本公庫「創業手引き」より引用）

	届出先	種類	提出期限・留意点等
個人	税務署	①個人事業の開業・廃業等届出書	事業の開始等の事実があった日から1ヵ月以内
		②青色申告承認申請書（青色申告したいとき）	原則、申告をしようとする年の3月15日まで
		③給与支払事務所等の開設届出書（従業員などに給与を支払うとき）	開設した日から1ヵ月以内
	各都道府県税事務所	事業開始等申告書など	各都道府県等で定める日
法人	税務署	①法人設立届出書	・設立の日から2ヵ月以内 ・定款の写しなどの定められた書類の添付が必要
		②給与支払事務所等の開設届出書（従業員などに給与を支払うとき）	開設した日から1ヵ月以内
		③たな卸資産の償却方法の届出書	確定申告の提出期限まで
		④減価償却資産の償却方法の届出書	確定申告の提出期限まで
		⑤青色申告承認申請書（青色申告したいとき）	設立後3ヵ月を経過した日と最初の事業年度終了日のうち、いずれか早い日の前日まで
	各都道府県税事務所	法人設立等申告書など	各都道府県等で定める日

【社会保険関係】（日本公庫「創業手引き」より引用）

届出先	種類	提出期限・留意点等
年金事務所	健康保険、厚生年金保険 ①新規適用届 ②被保険者資格取得届 ③（法人の場合） 　履歴事項全部証明書 　または登記簿謄本 　（個人の場合） 　事業主の世帯全員の住民票 　　　　　　　　　　　など	・法人の場合 　常時従業員（事業主のみの場合も含みます。）を使用するすべてが加入 ・個人の場合（注） 　常勤の従業員5人以上はすべて加入（サービス業の一部等についてはこの限りではありません。）。常勤の従業員5人未満は任意加入
公共職業安定所 （ハローワーク）	雇用保険 ①雇用保険適用事業所設置届 ②雇用保険被保険者資格取得届 　　　　　　　　　　　など	個人、法人とも従業員を雇用するとき適用事業所となる ①設置の日の翌日から10日以内 ②資格取得の事実があった日の翌月10日まで
労働基準監督署 など	労災保険 ①保険関係成立届 ②概算保険料申告書　　　など	適用事業所は雇用保険と同じ ①保険関係が成立した日の翌日から10日以内 ②保険関係が成立した日の翌日から50日以内

（注）個人事業主は、国民健康保険、国民年金の適用となります。届出先は市区町村役場です。

② 事業開始直後に生じる問題への対応

　事業開始直後は、創業計画の通りには進まないことが通常であり、心理的にも体力的にも創業者の負担がピークに達します。

　そのため、創業者自身、事業開始直後の混乱や問題を冷静に整理し、原因を分析し、対応策を検討することが困難になっている可能性があります。そのため、事業開始直後の不安定な時期においても、法律問題に限定せず、創業者のよき相談相手となり、現場で起きている問題の原因や対応策を一緒に考えていく支援が大切です。また、必要に応じて他の専門家にも支援に入ってもらうことも有益です。

　創業者は、事業開始後は、事業資金も不足しがちであり、弁護士に高額な費用を支払うことは難しいかもしれません。しかしその後、経営者として、継続的に事業を成長発展させていくことになる創業者にとって、事業開始直後の最も苦しい時期に親身になって支援してくれる弁護士との出会いは、その後の経営において何かあったときには、必ずこの弁護士に相談しようと思ってもらえるような、長期的な信頼関係の形成につながるはずです。

③ 中小企業が事業主体として選択可能な法人類型

(1) 法人化のメリット・デメリット

　法人は個人とは別の権利義務の主体です。事業の主体を個人から法人にすることで、事業者はさまざまな法律上のメリットを享受することができます。必ずしも事業の開始時から法人である必要はありませんが、事業の規模が拡大し、個人ですべての責任を負うことが難しくなる前に法人化について検討を始めるべきでしょう。

一方、事業を法人化することにより、法人の設立、運営、会計、税務等の負担も生じます。中小企業を支援する弁護士には、以下に掲げるような法人化のメリット・デメリットを十分に理解した上で、事業者に対して適切なアドバイスを行うことが求められます。

〈法人化のメリット〉

- 法人の行為については、法人のみが責任を負い個人は責任を負わない。
- 法人にすることで経営者個人が無限責任を負うリスクを排除できる。
- 個人的な資産と事業用資産との分別管理が容易になる。
- 法人でないと営めない事業がある（金融業、介護事業など）。
- 多数の出資者から返済義務のない資金を集めることができる（主に株式会社の場合）。
- 対外的な信用が確保される（資金調達、人材採用、取引口座開設など）。
- 税務メリットを享受することができる（所得分散、所得税と法人税の税率の差を利用した節税、欠損金の繰越控除期間など）。
- 法人の経費で経営者、従業員の退職金の積立てや保険契約ができる。
- 法人を対象とする福利厚生サービスを利用できる。
- 代表者も社会保険に加入できる。
- 持分のある法人の場合、事業承継が容易になる（事業を構成する個々の財産や権利義務を個別に承継する必要がなくなる）。

〈法人化のデメリット〉

- 法人化することでそれぞれの根拠法の規制を受ける。
- 設立時の要件を満たすために一定の財産や経営人材を集める必要がある（選択する法人によって負担の程度は異なる）。
- 出資持分のある法人の場合は持分構成の適正化（資本政策）を考える必要がある。
- 個人経営に比べて法人としての意思決定に時間がかかる傾向がある。
- 法人の権利能力（行うことのできる事業）が定款の目的に制限される。
- 個人とは別に法人の会計、税務の事務負担が増える。
- 社会保険への加入義務がある。
- 法人住民税など赤字でもミニマムの税金が発生する。
- 登記のつどコストがかかる。
- 廃業する際にも相当のコストがかかる。

(2) 代表的な法人類型

① 営利法人

事業から得られた利益を出資者に分配することを目的とする法人のカテゴリーです。会社法に基づき設立される株式会社、合名会社、合資会社および合同会社

の4つの会社形態があります。なお、特例有限会社は現行会社法下では新たに設立することはできませんので割愛します。

〈会社形態の比較〉

	株式会社	持分会社		
		合同会社	合資会社	合名会社
利益分配	出資額に比例する	自由に設計できる	自由に設計できる	自由に設計できる
出資者の責任	間接有限責任	間接有限責任	無限責任・直接有限責任	無限責任
最高意思決定機関	株主総会	社員総会	社員総会	社員総会
業務を執行する者	取締役・執行役	業務執行社員	業務執行社員	業務執行社員
業務執行者と出資者の関係	委任契約	社員本人	社員本人	社員本人
出資者の利益配分	株式の割合に応じて配分	自由	自由	自由
株式（持分）の譲渡	自由	社員全員の同意が必要	無限責任社員の承諾が必要	社員の承諾が必要

② 非営利法人

理事や社員等の法人の構成員に対する利益分配（営利）を目的としない法人のカテゴリーです。代表的なものとして、一般社団・財団法人、特定非営利活動法人（NPO法人）および社会福祉法人等があります。

そのほか、出資持分のない医療法人、学校法人、宗教法人なども非営利法人のカテゴリーに含まれますが、事業内容が特殊ですので本書では扱いません。

③ 法人格のない共同事業形態（法人格なき社団、組合）

法人格なき社団は、法的な意味での法人格はありませんが、代表者の定めや個人から独立した資産の存在など一定の要件を満たすことで、法人に準じて個人から独立した権利義務の主体となることができます。

また、組合には、労働組合や共済組合、団地管理組合、労働者協同組合など特別法に基づき法人格を付与された法人形態と、主として投資スキームの一環として組成される匿名組合や有限責任事業組合（LLP）、投資事業有限責任組合などの契約ないし合同行為としての組合形態があります。

このうち、労働者協同組合（ワーカーズ・コープ）は、2022年10月1日施行の

労働者協同組合法によって設立できるようになった新たな組合型の法人で、労働者が出資し、自ら事業に従事することのほか、従事割合に応じた組合員に対する剰余金の分配が認められる点に特徴があります（非営利法人の一種であるため、出資配当は認められていない）。

　これらの組合は、労働者協同組合を除いて、いずれも前記の法人化のメリットを一部しか享受できない、あるいは投資など特別な目的のために利用されるものであることから、本書の対象外とします。

(3) 各法人の比較と選択のポイント

　営利法人の場合、出資者は出資割合や持分割合に応じてその会社を所有しますが、非営利法人には法人を所有するという概念がありません。

　営利法人である会社や普通法人である一般社団・財団法人は、法令、定款に反しない限り自由に営業活動を行うことができるのに対して、非営利法人は本来の公益を目的とする事業の遂行に支障を生じない範囲でのみ、他の事業を行うことができるとの制約があります。

　また、営利法人は事業で得た収益を社員に分配することができますが、非営利法人はこれができません。

　したがって、法人を所有し、出資者や構成員に利益を分配することを第1の目的とするならば、営利法人を選択した上で株式会社と3つの持分会社のいずれの形態がより経営者にとって経営しやすいかを考えるべきでしょう。

　他方、法人の所有や利益分配にはさほどこだわらず、公益的な事業を行いたいのであれば、一定の要件の下に公的助成や税制優遇を受けられ、寄附や会費、ボランティアといった支援性の資金や人的資源を獲得して経営に活かすことのできる非営利法人を選択することに合理性があります。

　また、出資額にかかわらず、事業への貢献に応じた利益分配を志向するのであれば、合同会社や労働者協同組合の利用が考えられます。

　それぞれの法人のどういった側面を重視するかによって、法人格選択の結論は変わってきます。以下、法人の設立手続、事業内容、財産拠出者の責任、資金調達手段の観点から各法人を比較し、選択のポイントを考えます。

① 設立手続

　いずれの法人も公証人の定款認証を受けて設立登記を行うことにより法人として成立します。ただし、特定非営利活動法人と社会福祉法人は設立の登記の前に所轄庁から別途定款の認証または認可を受ける必要があります。

　会社、労働者協同組合および財団法人は設立時に発起人または設立者から何らかの財産の拠出を受けることが求められるのに対して、社団法人、特定非営利活動法人および社会福祉法人にはそのような必要はありません（次頁の表参照）。

設立時の手間や設立時の財産拠出の負担の大小で比較すると、最小限の手間と負担で設立することのできる株式会社、合同会社、一般社団法人、労働者協同組合は他の法人に比べて中小企業の事業主体として優れているといえます。

法人の別	財産の拠出者	拠出される財産	最低限必要となる財産の価額または評価額	発起人、設立者、設立時社員等の最低人数
株式会社	発起人または、設立時発行株式を引き受ける者（会社法25条1項）	出資の目的たる金銭または金銭以外の財産（会社法34条1項）	1円	発起人が最低1名は必要
持分会社（合名会社、合資会社、合同会社）	社員になろうとする者（会社法578条）	出資の目的たる金銭または金銭以外の財産（会社法578条）	1円	設立時社員が1名（合名会社、合同会社の場合）または2名（合資会社の場合）必要
労働者協同組合	組合員	金銭または金銭以外の財産（労働者協同組合法25条ほか）	定款に定める出資1口の金額（労働者協同組合法29条1項7号）	発起人が3人以上
社団法人	不要	不要	不要	2名(設立時社員)
財団法人	設立者（一般法人法157条）	拠出にかかる金銭または金銭以外の財産（一般法人法157条）	300万円（一般法人法153条2項）	1名（設立者）
特定非営利活動法人	不要	不要	不要	10名(設立時社員)
社会福祉法人	不要	不要	社会福祉事業を行うに必要な資産（社会福祉法25条。厚労省の「社会福祉法人審査基準」参照）	不要（理事、監事、評議員のみで設立可）

第2部　各　論

　②　事業内容

　営利法人である会社と普通法人である一般社団・財団は、法令、定款に違反しない限りその事業内容に制約はなく、自由に営業活動を行うことができます。これに対して非営利法人は、税優遇や公的助成を受けられる代わりに事業選択の自由が制限されています。

　(i)　公益社団・財団法人

　公益社団・財団法人は、一般社団・財団法人の中でも「公益目的事業」(学術、技芸、慈善その他の公益に関する事業であって、不特定かつ多数の者の利益の増進に寄与するもの)を主たる目的として行う法人として公益法人認定法4条の認定を受けたものをいいます。公益社団・財団法人は定款に定める公益目的事業のほか当該事業の財源獲得のための収益事業を行うことができます。

　(ii)　特定非営利活動法人

　特定非営利活動法人は、保健、医療または福祉の増進、学術、文化、芸術またはスポーツの振興、環境の保全、まちづくりの推進などの特定非営利活動(特定非営利活動促進法別表)を行うことを主たる目的とする法人です(非営利活動法2条1項・2項)。特定非営利活動法人も、特定非営利活動のみならず当該活動に支障を生じない範囲で収益を目的とする事業を行うことができます。

　(iii)　社会福祉法人

　社会福祉法人は、社会福祉法2条に定める社会福祉事業(入所施設サービスを中心とする第一種社会福祉事業と在宅サービスを中心とする第二種社会福祉事業)を行うことを目的とする法人です。同法人は厚生労働省の定める社会福祉法人審査基準の許容する範囲で公益事業(子育て支援や社会福祉士の養成等に関する事業、有料老人ホームの経営など)および収益事業(法人の所有する不動産を活用して行う貸しビル業や駐車場経営など)を行い、その収益を社会福祉事業または公益事業の財源に充てることができます。

　(iv)　公益事業の主体に適した法人

　公益社団・財団法人、特定非営利活動法人および社会福祉法人は、法人税法上の「公益法人等」に該当し、全事業所得のうち、収益事業から生ずる所得のみが法人税の課税対象とされます(収益事業課税方式)。そのため、これらの法人が本来事業に関連して受け取る寄附金や会費収入は非課税となり、獲得した資金を効率的に本来事業のために用いることができます。また、これらの法人への寄附者には所得税の確定申告において所得や税額の控除が受けられるなどメリットがあります(寄附税制)。

　さらに、社会福祉法人には施設の取得や整備にかかる費用の補助、固定資産税の減免措置など手厚い公的助成が用意されています。

一般的に、公益性の強い活動や事業領域においては、受益者たる商品・サービスの購入者に十分な対価の負担能力がない場合も多く、公的助成や寄附、他の収益事業の剰余金などで必要な経費を補塡することによって収支が成り立つ場合も少なくありません。もし経営者が持続可能なかたちで公益事業に取り組みたいのであれば、これらのメリットを活かすために非営利法人を選択したほうがよい場合もあるでしょう。

③ 法人の社員等の責任

営利法人の社員は会社の所有者であり、会社形態に応じて、会社の債権者に対して次の通り責任を負います。

```
合名会社の社員──────── 直接無限責任
合資会社の無限責任社員─── 直接無限責任
合資会社の有限責任社員─── 直接有限責任
合同会社の社員──────── 間接有限責任
株式会社の株主──────── 間接有限責任
```

これから創業して法人格を選択するのであれば、あえて出資者が債権者に対して直接責任を負う合名会社や合資会社を選択する必要はなく、事業のリスクを出資額に限定でき、会社債権者からの直接の請求を避けることのできる株式会社または持分会社を選択することが一般的であると考えられます。

ところで、一般・公益社団法人の社員は定款の定めに基づき法人の経費の支払義務（一般法人法27条）を負いますが、法人の債務については社員は間接的にも責任を負うことはありません。社団法人には出資の概念がないためにそれを失うことも観念できないためです。特定非営利活動法人の社員は法人の議決権を有する者にすぎませんので、やはり法人の債務について責任を負うことはありません。

④ 資金調達手段

営利法人は増資の受入れという形で資金調達をすることができますが、非営利法人は出資の概念がないため、このような形での資金調達はできません。そこで、非営利法人は、寄附や会費といった返済の必要のない支援性の資金を募るか、他から借入れをするほかに資金調達の手段がありません。

多数の投資家から返済する必要のない資金を機動的かつ大量に調達できるという点では、株式会社に勝る法人形態は存在しませんので、将来そのような資金調達を考える経営者は株式会社を選択することになるでしょう。

第2部 各 論

4 創業時の資金調達

(1) 概説

創業者がどうしてもまずクリアしなければならない課題として資金調達があります。

まず、自己資金、借入れ、銀行融資を検討することになりますが、株式会社であれば、無議決権株式や新株引受権付社債などのバリエーションの活用が考えられます。

また近年、創業における資金調達に当たっては、創業支援に関する補助金・助成金が普及しつつあり、その内容を把握しておく必要があります。政府系金融機関（日本公庫、商工中金）の創業に関する業務内容と相互の関係は当然知っておくべきことでありますし、補助金や助成金に関して適時に情報を入れておく必要があります。

また、中小企業投資育成株式会社は、株式や社債の引受けをしており、これら政府系金融機関からの融資や補助金を獲得するに当たっては事業計画書が必要となりますので、その作成指導を行うことになります。ベンチャー企業の創業支援にかかわるのであれば、かかる公的金融による支援内容の情報獲得と、条件に適合した事業改善のアドバイスが不可欠になってきます。

(2) 創業資金の資金調達手段と留意点

① 出資

(i) 共同出資者間の合意

創業に当たって設立する事業体が株式会社等の営利法人である場合、創業者が当該法人に出資することにより、当面の創業資金を用意することが一般的です。出資者（株式会社の株主または持分会社の社員）は、出資比率に応じて当該法人を所有し、経営上の重要な意思決定に関与します。複数の出資者が共同で出資する場合、将来起こり得る出資者間の意見対立や経営方針をめぐる争いに備えて、共同出資契約や株主間協定のようなかたちで、共同出資者間の利害調整を図っておく必要がありますが、創業時にそこまで考えが及ぶ創業者は稀でしょう。そのため、共同出資者間の合意文書の作成やアドバイスが必要となります。

この合意文書は、必要に応じて、出資前であれば各自の出資義務の内容、期限および方法等を定めるとともに、設立する法人の目的および事業内容、機関設計、出資者が役員等に就任する場合の選任方法、任期、報酬および退任等の条件、重要事項の事前協議義務や総会における議決権の行使ルール、剰余金の処分の方針、増資や株式（持分）の譲渡を行う場合の規律、共同出資者の競業避止義務、共同出資者間の意見調整が困難な状況（デッドロック）に陥った場合に共同出資

関係を解消する方法およびその条件、ならびに法人の解散事由などを定めます。

(ii) **種類株式の活用**

出資を受ける法人が持分会社の場合には、出資者との契約と定款の定めによって出資者たる社員の権利義務を個別柔軟に設計することが可能ですが、株式会社における株主の権利義務は、株式の種類ごとにその内容が均一であることが要請されるため（会社法109条１項。ただし、同条２項に閉鎖会社における例外が定められていることに注意）、普通株式では創業者のニーズや出資者の求める出資条件に応えられない場合があります。そのような場合には、無議決権株式や配当優先株式などの種類株式の利用を検討することになります。種類株式のバリエーションは、会社法107条および108条により、次の９種類に限定されています。

① 剰余金の配当
② 残余財産の分配
③ 株主総会において議決権を行使することができる事項
④ 譲渡による当該種類の株式の取得について当該株式会社の承認を要すること
⑤ 株主が当該株式会社に対して当該種類の株式の取得を請求することができること
⑥ 当該株式会社が一定の事由が生じたことを条件として当該種類の株式を取得することができること
⑦ 当該株式会社が株主総会の決議によって当該種類の株式の全部を取得すること
⑧ 株主総会または取締役会において決議すべき事項について当該決議とは別に当該種類の株主からなる種類株主総会における決議を必要とすること
⑨ 種類株主総会において取締役または監査役を選任することができること

実際にはこれらの事項について、それぞれの内容や条件、期限等を定めた上で、その全部または一部を組み合わせることによって、特定の種類株式の内容を設計し、投資家との合意形成、定款変更の手続を経て導入することになります。種類株式に限らず、出資や増資の実行には、募集株式の発行に関する会社法上の手続や登記、投資家との交渉など法的な対応を伴います。これらの手続等について適切なアドバイスを行うことも弁護士の役割の１つです。

② **知人、親族からの借入れ**

出資による資金調達だけでは創業資金が賄えないなど出資以外の資金調達方法が求められる場面では、他者からの借入れや私募債を活用した資金調達が行われることがあります。法人の名義で借り入れる場合もあれば、創業者が知人や親族から個人的な借財をして法人に貸し付け、または出資することで創業資金に充当する場合もあります。知人や親族からの借入れは、返済の約定が書面化されてい

なかったり、返済期限や条件の定めが明確に定められてないなど、後に問題となるケースが少なくありません。逆に、本来は出資であったにもかかわらず、出資者から形だけだからといわれて創業者が借入れの念書を作成させられ、後日紛争になるケースもあります。親しい間柄であっても明確な契約書を作成することが、後の金銭トラブルを防止するために必要であることをアドバイスするべきでしょう。

事業主体が株式会社である場合は、社債の一種である少人数私募債を利用することで、金融商品取引法で義務付けられた有価証券届出書等の書類提出の手間や社債管理人の設置といった管理コストを省きつつ、親族や知人から機動的に資金調達を行うことができます。少人数私募債は、発行金額、利息、償還期限などの条件を発行会社が自ら設定できるほか、保証人や担保が不要という点でも発行会社にメリットがあります。要件としては、勧誘対象を機関投資家（金融機関等）を含まない50人未満とすること（金融商品取引法２条３項２号ハ、同法施行令１条の５）のほか、募集事項の決定（会社法676条）の際に、社債の発行総額を社債の１口額面の50倍未満とすること（同法702条ただし書、同法施行規則169条）、一括譲渡の場合を除いて、社債の譲渡に取締役会の決議を必要とする転売制限を付すこと（社債権者が事後的に50名以上に増えないようにするため）が必要です。

③ 金融機関との融資取引

創業まもない企業は、事業の実績に乏しく、返済能力も限られることから、金融機関の通常の融資の枠組みで融資を獲得することは容易ではありません。そこで、一般的には、日本公庫や地域の信用金庫等が提供する創業資金の融資制度の活用を検討することになります。創業資金の融資制度の内容は各金融機関が独自に定めていますので、内容を確認したいときは、営業窓口に相談に行くなどして、創業資金の融資の上限額、資金使途の制限の有無、返済期限、担保提供の要否、利率等の融資条件を確認する必要があります。創業資金の融資においては、創業者が用意した自己資金の数倍程度が融資額の上限といわれることがありますが、創業後の資金繰りを考えると、上限額ぎりぎりまで借りることがよいとは限りません。創業時の資金計画に従って、計画的に借入れと返済が行われることが、その後の事業の維持発展のためには重要です。地域によっては地方自治体が創業者への支援として融資保証料の補助や一定期間の利子補給を行い、創業時の負担を軽減しているところがありますので、自らが居住し、または事務所を構える自治体の創業者支援制度の概要程度はいつでも事業者に説明できるようにしておきたいところです。

④ クラウドファンディングによる資金調達

最近では、クラウドファンディングという資金調達方法も注目されています。

クラウドファンディングとは、「クラウド（Crowd・大衆）」と「ファンディング（Funding・資金調達）」の造語で、インターネットの利用などにより、銀行や投資家のような金融の専門家ではない不特定多数の資金提供者から少額ずつの資金を集める資金調達の仕組みです。通常、あらかじめ定められた一定期間内に出資額が目標金額に達しなければ資金調達を受けられない仕組みとなっているため、金融機関からの融資に比べると不確実性の高い資金調達方法といえます。しかし、逆にいえば、目標金額に達しないということは、すなわち、事業に対して不特定多数の支持を得られなかったという結果を示しているため、失敗する見込みの高い事業を推進してしまうリスクを軽減することができます。他方で、不特定多数の支持を得て目標金額に達成する事業は、資金を調達できるだけでなく、多数の支持を得て成功する見込みが高い事業であると判断できます。それだけでなく、不特定多数からインターネット上で投資を募るための説明や画像等が事業の広告宣伝として機能し、事業に対するファンづくりにも役立つところが大きな魅力となっています。実際には、ある程度の事業実績のある企業が、新規事業の資金調達に利用するほうが目標金額を達成する可能性が高いと思われますが、創業時においても、優れた事業アイデアを効果的に提示することができれば、資金調達、事業の見込みの検証、広告宣伝およびファン作りを同時に行うことができ、事業の実現可能性を高めることができます。出資者に対して提供される対価の有無および内容により、「寄付型」、「購入型」、「投資型」があります。

(ⅰ) **寄付型**

資金提供者に対する対価が発生しない形態であり、インターネット上で不特定多数から小口の寄付・贈与を募るものです。非営利団体や被災地・発展途上国支援を目的とした慈善団体などで多く利用されています。

(ⅱ) **購入型**

集めた資金を元手に開発された商品やサービスを資金提供者が対価として受け取る形態であり、革新的な商品・サービスを開発するための資金調達に多く用いられます。

(ⅲ) **投資型**

出資者が対価として、事業の収益から配当や財産の分配を受ける形態であり、事業資金の調達に用いられます。この「投資型」は、出資者が事業者との間で匿名組合契約を締結して出資する「ファンド型」、集めた資金を事業者に貸し付ける「融資型」、事業者の発行した株式を交付する「株式型」があります。

⑤ **エンジェル税制**

一定の要件を満たす未上場のベンチャー企業に、直接投資、民法組合・投資事業有限責任組合、認定投資事業有限責任組合または認定少額電子募集取扱業者を

通じた投資を行った個人投資家は、租税特別措置法に基づき、投資時点と売却時点に所得税の優遇措置を受けることができます。

(i) 税制上の優遇措置の内容

個人投資家が受けられる税制上の優遇措置は、投資した年に受けられるもの（寄付金控除）と、株式を売却し損失が発生した場合に受けられるもの（損失の繰り延べ）の2種類があります。

【投資した年に受けられる所得税の優遇措置（寄付金控除）】

一定の要件を満たす対象企業に投資を行った個人投資家は、次のどちらかの優遇措置を選択して、所得税の優遇を受けることができます。

優遇措置A

設立5年（令和2年3月31日以前の出資は3年）未満の対象企業への投資額から2000円を差し引いた残額（総所得金額×40％と800万円（令和2年3月31日以前は1000万円）のいずれか低いほうを上限とする）をその年の総所得金額から控除する（租税特別措置法41条の19）。

優遇措置B

設立10年未満の対象企業への投資額全額（控除対象となる投資額に上限なし）をその年の他の株式譲渡益から控除する（租税特別措置法37条の13）。

【株式を売却し損失が発生した場合に受けられる所得税の優遇措置（損失の繰延べ）】

対象企業に投資を行った個人投資家は、対象企業の株式売却または対象企業が上場しないまま破産や解散等によって株式が無価値になったことにより生じた損失を、その年の他の株式譲渡益と通算（相殺）できるだけでなく、その年に通算（相殺）できなかった損失を翌年から3年にわたって順次株式譲渡益と通算（相殺）することができます（中小企業等経営強化法7条、租税特別措置法37条の13の2）。

(ii) 対象企業の要件

エンジェル税制の対象会社は、中小企業等経営強化法2条3項3号、7条に定める「特定新規中小企業者」であることを要し、原則として、同法施行規則3条に定める下記①から⑤の要件をすべて満たしている必要があります。

これらの各要件の詳細および関係法令については、経産省のウェブサイトで確認することができます。エンジェル税制の対象になろうとする企業は、前記要件を満たすエンジェル税制適用企業に該当するかどうかの事前確認を都道府県知事に求めることができます（中小企業等経営強化法施行規則9条）。

① 創業（設立）5年（令和2年3月31日以前の出資は3年）未満（優遇措置A）もしくは10年未満（優遇措置B）の中小企業者（中小企業等経営強化法2条1号ないし5号）に該当する株式会社であること
② 設立経過年数に応じてベンチャー企業としての事業や経費の実態があること（なお、令和2年3月31日以前の出資の場合、設立経過年数や要件に違いがある）

優遇措置A

設立経過年数（事業年度）	要件	パターン
1年未満かつ最初の事業年度を未経過	研究者あるいは新事業活動従事者が2人以上かつ常勤の役員・従業員の10％以上。	ア
1年未満かつ最初の事業年度を経過	研究者あるいは新事業活動従事者が2人以上かつ常勤の役員・従業員の10％以上で、直前期までの営業キャッシュ・フローが赤字。	イ
	試験研究費等（宣伝費、マーケティング費用（※1）を含む）が収入金額の5％超で直前期までの営業キャッシュ・フローが赤字。	ウ
1年以上～2年未満	新事業活動従事者が2人以上かつ常勤の役員・従業員の10％以上で、直前期までの営業キャッシュ・フローが赤字。	イ
	試験研究費等（宣伝費、マーケティング費用（※1）を含む）が収入金額の5％超で直前期までの営業キャッシュ・フローが赤字。	ウ
	売上高成長率が25％超で営業キャッシュ・フローが赤字。（※2）	エ
2年以上～3年未満	試験研究費等（宣伝費、マーケティング費用（※1）を含む）が収入金額の5％超で直前期までの営業キャッシュ・フローが赤字。	ウ
	売上高成長率が25％超で営業キャッシュ・フローが赤字。	エ
3年以上～5年未満	試験研究費等（宣伝費、マーケティング費用（※1）を含む）が収入金額の5％超で直前期までの営業キャッシュ・フローが赤字。	ウ

優遇措置B

設立経過年数（事業年度）	要件	パターン
1年未満かつ最初の事業年度を未経過	研究者あるいは新事業活動従事者が2人以上かつ常勤の役員・従業員の10％以上。	オ
1年未満かつ最初の事業年度を経過	研究者あるいは新事業活動従事者が2人以上かつ常勤の役員・従業員の10％以上。	カ
	試験研究費等（宣伝費、マーケティング費用（※1）を含む）が収入金額の3％超。	キ
1年以上～2年未満	新事業活動従事者が2人以上かつ常勤の役員・従業員の10％以上。	カ
	試験研究費等（宣伝費、マーケティング費用（※1）を含む）が収入金額の3％超。	キ
	売上高成長率が25％超。（※2）	ク
2年以上～5年未満	試験研究費等（宣伝費、マーケティング費用（※1）を含む）が収入金額の3％超。	キ
	売上高成長率が25％超。	ク
5年以上～10年未満	試験研究費等（宣伝費、マーケティング費用（※1）を含む）が収入金額の5％超。	ケ

※1 宣伝費、マーケティング費用：新たな技術若しくは新たな経営組織の採用、技術の改良、市場の開拓又は新たな事業の開始のために特別に支出する費用。
※2 設立2年未満で、第2期の事業年度を経過している場合は、「エ」、「ク」の要件（売上高成長率要件）でも確認を受けることができます。

③ 特定の株主グループからの投資の合計が6分の5（約83％）を超えない会社であること
④ 大規模法人（資本金1億円超等）の所有または当該大規模法人と特殊の関係（子会社等）にある法人の所有に属さないこと
⑤ 金融商品取引所における店頭未登録・未上場の株式会社であり、風俗営業等に該当する事業を行う会社でないこと

(ⅲ) **個人投資家の要件**

個人投資家がエンジェル税制の優遇措置を受けるためには、自らについても次

> ①　金銭の払込みにより、対象となる株式を取得していること（株式譲渡による株の取得や現物出資は対象外）
> ②　投資先の対象企業が同族会社である場合には、所有割合（持株割合または議決権保有割合）が大きいものから第3位までの株主グループの所有割合を順に加算し、その割合がはじめて50％超になる時における当該株主グループに属していないこと

　　(iv)　エンジェル税制の利用の流れ

　対象企業に投資をした個人投資家がエンジェル税制を利用するためには、対象企業において中小企業等経営強化法施行規則11条に定める下記の申請手続を行った後、個人投資家が対象企業から必要書類の送付を受け、所得税の確定申告を行う必要があります。なお、対象企業の申請手続において必要となる書類は、対象会社がエンジェル税制適用企業に該当するかどうかの事前確認を行った場合と、行わなかった場合とで異なります。

> ①　個人投資家から投資を受けた対象企業は、本店所在地のある都道府県知事に確認申請を行い、確認書を取得します。確認に要する期間は原則1か月以内とされており、通常は2週間程度で確認が得られます。確認申請時に必要となる書類は以下の通りです。
> 　　　　　　　＊　　　　　　　＊　　　　　　　＊
> 【事前確認制度の利用申込時に常に必要となる書類】
> 確認申請書、登記事項証明書原本、申請時における株主名簿、常時使用する従業員数を証する書面（雇用保険・労災保険に関する書類や賃金台帳等）、
> 【事前確認の際に設立経過年数や利用する優遇措置に応じて必要となる書類】
> （設立後最初の事業年度を経過している場合には）直前期の財務諸表、キャッシュ・フロー計算書、確定申告書別表二の写し、税理士が署名した確定申告書別表一（一）の写し、法人事業概況説明書、事業計画書、法人設立届出書の写しなど
> 【事前確認制度を利用した場合、必要となる書類】
> 確認申請書、登記事項証明書（写し可）払込日時点株主名簿の写し株式発行を決議した議事録等、株式申込証、払込みがあったことを証する書面（払込金額証明書または通帳の写し等）および個人投資家との間の投資契約書（所定の様式による）の写しなど
> 【事前確認制度を利用しない場合、常に必要となる書類】
> 確認申請書、登記事項証明書原本、払込日における株主名簿、常時使用する従業員数を証する書面（雇用保険・政府労災保険に関する書類や賃金台帳等）、株式発行を議決した議事録等、株式申込証、、払込みがあったことを証する書面（払込金額証明書または通帳の写しなど）、投資契約書など

【事前確認制度を利用しない場合、設立経過件数や利用する優遇措置に応じて必要となる書類】
払込日における組織図、研究者・開発者の略歴および担当業務、(設立後最初の事業年度を経過している場合には)直前期の財務諸表、キャッシュ・フロー計算書、確定申告書別表二の写し、税理士が署名した確定申告書別表一㈠の写し、法人事業概況説明書、事業計画書、法人設立届出書の写しなど

② 対象企業は、個人投資家に対して以下の書類を送付します。
　都道府県知事発行の確認書、投資をした個人が減税対象要件を満たしていることの確認書(企業作成)、株式移動状況明細書(企業作成)
③ 個人投資家は、確定申告の際に対象企業から受領した前記書類とともに適用を受けたい優遇措置に応じて別途必要書類を税務署に提出し、申告を行います。

　⑥　政府系金融機関による創業支援スキームからの融資・補助金

現行の中基法、中小企業等経営強化法、および産強法による創業支援体制の中で用いられる創業補助金、融資制度、機関保証制度としては、以下のものが一般に用いられています。

① 地域・企業共生型ビジネス導入・創業促進事業補助金(創業補助金)
　地域の単独もしくは複数の中小企業等が、地域内外の関係主体と連携しつつ、複数の地域に共通する地域・社会課題について、技術やビジネスの支店を取り入れながら、複数地域で一体的に解決しようとする事業について、その経費の一部を補助する事業を行うことにより、中小企業者等の地域・社会課題解決と収益性との両立を目指す取組みである「地域と企業の持続的共生」を促進し、地域経済の活性化を実現することを支援するものです。
② 新創業融資制度
　創業希望者または創業後税務申告を2期終えていない事業者を対象に、事業計画(ビジネスプラン)等の審査により、無担保・無保証人で、日本政策金融公庫(国民生活事業)が融資するものです。
③ 創業関連保証等
　各都道府県等の信用保証協会が、新規開業予定者および新規開業者事業実施のための借入金を保証するものです。
④ 中小機構のファンド出資事業
　投資会社等が組成する設立5年未満の創業または成長初期の段階にある中小企業者への投資・ハンズオン支援を目的としたファンドに対し出資を行い、創業初期の中小企業者を資金面および経営面から支援するものです。

第 2 部　各　論

5　新規株式上場（IPO）

(1)　IPOの意義

　株式会社の発行する株式が証券取引所で売買できる状態になることを株式上場といい、未上場企業の株式が新規に上場することを、英語訳であるInitial Public Offeringの頭文字をとってIPOといいます。

　IPOは、創業者と既存の株主にとっては保有株式を売却することによって投下資本を回収し、利潤を確保するチャンスであると同時に、企業にとっても成長資金を獲得し、上場企業としての信用力を得て知名度を高めることのできる重要な機会となります。一方で、株式を新規上場し維持していくためには、上場企業としての法的義務や社会的責任に見合うだけの負担が求められます。

　現在、わが国には4つの証券取引所があり、2022年4月4日市場区分見直しを経て、以下の株式市場が開設されています。約3300社存在する上場企業はすべて下記市場のいずれかに単独または重複して上場しています。

（参考）国内取引所一覧

・東京証券取引所
　　（本則市場）プライム市場、スタンダード市場
　　（新興市場）グロース市場
　　（プロ投資家向け市場）TOKYO PRO Market
・名古屋証券取引所
　　（本則市場）プレミア市場、メイン市場
　　（新興市場）ネクスト市場
・札幌証券取引所
　　（本則市場）札幌市場
　　（新興市場）アンビシャス
・福岡証券取引所
　　（本則市場）福岡市場
　　（新興市場）Q-Board
---

(2)　上場申請および審査の手続と上場審査基準

　株式上場は、取引所が市場ごとに定める様式の上場申請書類を提出することにより行います。取引所は、書面審査や現地調査、役員面談等による質問を通じて、自ら定める上場審査基準に基づき上場審査を行い、申請会社が上場会社としての適格性を備えていると判断したときは上場承認を行います。

　これらの上場手続のほか提出書類の詳細および上場審査基準（形式要件と実質審査基準）の内容は、各取引所が定める有価証券上場規程および同施行規則に定

められています。例えば、東証グロース市場であれば、東京証券取引所の有価証券上場規程216条から221条に規定が置かれています。
(参考) 東証グロース市場の上場審査基準の概要

> 1　形式要件（東京証券取引所の有価証券上場規程217条）
> 　申請会社が上場時に最低限満たしてなければならない定量的な基準や形式的な要件を次の各項目について定めています。
> ①上場時の株主数、②流通株式（数、時価総額および割合）、③公募の実施、④事業継続年数、⑤虚偽記載または不適正意見等（有価証券報告書等に虚偽記載のないこと、または公認会計士等の監査報告書に不適正意見等が付されていないこと）、⑥上場会社監査事務所による監査、⑦株式事務代行機関の設置、⑧単元株式数、⑨株券等の種類、⑩株式上場の譲渡制限、⑪指定振替機関における取扱い
> 2　実質審査基準（同規程219条）
> 　申請会社が上場会社に相応しい経営管理体制を備えているかを定性的な側面から審査するための基準です。次の各項目について定めています。
> 　①　企業内容、リスク情報等の開示の適切性（企業内容、リスク情報等の開示を適切に行うことができる状況にあること）
> 　②　企業経営の健全性（事業を公正かつ忠実に遂行していること）
> 　③　企業のコーポレート・ガバナンスおよび内部管理体制の有効性（コーポレート・ガバナンスおよび内部管理体制が、企業の規模や成熟度等に応じて整備され、適切に機能していること）
> 　④　事業計画の合理性（相応に合理的な事業計画を策定しており、当該事業計画を遂行するために必要な事業基盤を整備していることまたは整備する合理的な見込みのあること）
> 　⑤　その他公益または投資者保護の観点から当取引所が必要と認める事項

※上記各項目の詳細は、インターネット等で公表されている『2022 新規上場ガイドブック（グロース市場編）』（東京証券取引所、2022）を参照。

　株式上場を希望する会社は、上場申請までに、前記の上場審査基準を充足するための資本政策［→後記(4)］や経営管理体制の整備、経営計画の策定、収益基盤の強化などの準備に取り組まなければなりません。上場準備に着手してから上場に至るまでに要する期間は企業によってさまざまな事情があるため一概にはいえませんが、グロース市場のような新興市場でも3年程度、プライム市場やスタンダード市場の場合はより多くの準備期間をかけるのが通常のようです。
　これらの準備を申請会社が単独で行うことは難しく、多くの場合、証券会社や監査法人などから複数年にわたる手厚い支援を受けて、上場を果たしています。

(3) IPOにかかわる主な関係者とその役割

企業のIPOには、各種関係者によるサポートが不可欠です。主たる関係者とその役割は次の通りです。

関係者	果たすべき役割
主幹事証券会社	上場申請準備段階：資本政策や社内体制整備の助言、上場のための諸手続、株式の販売（公募、売出し）を引き受けるための社内審査（引受審査）の実施、推薦書（上場申請時の提出書類の1つ）の作成 上場時：株式の販売（公募、売出しを引き受けた場合） 上場後：公募増資、社債等の金融商品市場を通じた企業の資金調達、IR活動の支援
監査法人	上場申請準備段階：金融商品取引法の規定に準じた監査の実施（会社が作成した財務諸表等に関する監査報告書の作成を含む）※、申請会社の会計面および内部管理体制等の指導、上場後の内部統制報告制度への対応支援 上場後：四半期レビューと監査
株式事務代行機関	上場後：株主名簿作成事務等の受託、議決権・配当等株主に付与される各種の権利の処理、株主総会開催手続等の助言（申請会社は、上場申請時までに株式事務を株式事務代行機関に委託しているか、または株式事務代行機関から株式事務を受託する旨の内諾を得ている必要がある）
証券印刷会社	上場申請準備段階：上場申請書類等の作成の助言およびチェック、開示制度等に関する情報提供 上場時：公募・売出しに関する株券、有価証券届出書、目論見書等の印刷

※申請会社は取引所の定める有価証券上場規程上、「新規上場申請のための有価証券報告書（Ⅰの部）に添付されている財務諸表等について金融商品取引法に準じた監査報告が必要とされる。また、上場の際に同法に基づく公募、売出しを行う場合、その有価証券届出書には上場申請の直前2期間の監査報告書を添付する必要がある。

(4) 資本政策

株式会社が株式上場のための形式基準の充足等の目標を達成し、上場のメリットを最大化するために、発行済株式数、株主数、株主構成、1株当たりの純資産額、株式市場における流通株式数等の最適化を図ることを資本政策といいます。また、株式上場に限らず、財務基盤の強化、資金調達、創業者の利潤確保、事業承継への備えといった目的でも資本政策を立案、実行することがあります。資本政策の手法はさまざまで、その目的に応じて、増資、株式の移動、自己株式の取

得、株式の分割・併合、ストックオプション、従業員持株会、減資、公募増資、売出しなどの個別手法の中から最適の手法を選択し、あるいはこれらを組み合わせて、段階を踏んで実行します。

　上場申請準備段階においては、主幹事証券会社が企業に資本政策のアドバイスを行いますが、主幹事証券会社を選定する以前の段階では、企業の財務責任者や外部の財務アドバイザーがその役割を担っています。

　弁護士が外部のアドバイザーとして資本政策の立案に携わる機会はあまりないかもしれませんが、実行の段階では会社法に定める手続等に関する法的知識が必要になることから、今後、中小企業の実務にかかわる弁護士が増えることで、弁護士が企業の資本政策について助言を行う機会が増える可能性があります。

(5) IPOに関して弁護士が貢献できること

　弁護士が顧問弁護士等としてIPOに関与する場合には、上場申請準備のための社内管理体制の整備の一環としての関係法令および有価証券上場規程等に関する知見の提供、会社法の諸手続に関する助言および書面の作成、各種社内基本規程の制改定の支援、コンプライアンス遵守のための社内研修等の実施、外部通報窓口の受託等といったかたちでの貢献が考えられます。このほか、取引や会社経営における適法性の確保、紛争の予防・解決といった従来型の弁護士業務も、上場申請会社が取引所の定める実質審査基準に不適合となる要因を排除することに役立ちます。

　さらに進んで、弁護士が企業内弁護士や会社役員等として企業に参画する場合には、社内の上場準備チームの一員として、またはそれらを監督する立場として、上場申請準備全般に関与することも考えられます。

　IPOは主役である企業だけで成し遂げられるものではなく、さまざまな関係者、支援者の共同作業としての側面があります。弁護士もその一員としてIPOの実務に積極的に取り組むことが期待されます。

〈参考文献〉『2022 新規上場ガイドブック（グロース市場編）』（東京証券取引所、2022）、日本経営調査士協会監修・日本投資環境研究所㈱ほか編『IPO・内部統制の基礎と実務〔第3版〕』（同文舘出版、2017）。

第2章　日常的な中小企業法務

1　身近な相談相手としての弁護士

　弁護士は、中小企業支援において具体的にどのように貢献できるでしょうか。第1部第1章①で提案したように、中小企業支援における弁護士の役割は、「紛争（有事）の際にマイナスの幅を抑えるための弁護士」から、「種々の問題の相談窓口」として「専門分野を生かして、経営により積極的にプラスをもたらすためのパートナー」となることが期待されているといえます。弁護士は、紛争（有事）に対応しているからこそ、紛争（有事）に先回りして、企業の平時の課題解決に貢献できるといえるでしょう。

　経営に積極的にプラスをもたらす具体的な役割としては、①社内外のリスクの洗い出し、リスクの先回り（契約書や内部規程の作り込み等）、②適法性の範囲内での工夫（適法性の範囲で事業の魅力を高める提案等）、③取引先からの信用性を高めるための措置（コンプライアンス体制整備、事業リスクの手当〔付保等の検討を含む〕等）、④中小企業支援施策の情報収集および提供（資金調達、事業再生、事業承継、海外展開をめぐる法改正、優遇措置等の情報提供等）、⑤事業拡大を志向する企業への専門性の提供（海外進出、M&Aによる外部資源の取込等）などが挙げられます。

　東京商工会議所が2015年3月に公表した「中小企業の法務対応に関する調査報告書」によれば、中小企業および小規模事業者は「日常の業務として注力すべき分野」として、「契約・取引全般」（80.9％）、「労務・雇用・安全衛生」（56.9％）、「個人情報保護」（40.1％）、「特許・著作・営業秘密管理」（22.1％）を選択しています。

　次項②以下で中小企業の日常業務の法的支援・各論について述べ、その他の事項は第3章以下でそれぞれ詳説します。

2　ビジネスの適法性のチェック

(1)　はじめに

　中小企業等は、消費者に対して製品・サービス（以下、「製品等」という）を提供するビジネス（消費者取引、BtoC）や、企業に対して製品等を提供するビジネス（企業間取引、BtoB）等を展開しています。ビジネスを成長・発展させるためには、新規ビジネスへの進出、製品等の開発、広告・表示、景品類の提供等、消費者への勧誘等の活動が必要になります。

そのような中小企業等のビジネスも法令等によって複雑かつ多様に規制されていますが、中小企業等が法令等を事前に十分に熟知し遵守することは容易ではありません。しかしながら、ひとたび法令違反等が生じれば、民事上・刑事上の責任を問われ、また、行政処分がなされ、社会から厳しい批判にさらされ、レピュテーションを著しく低下させる場合もあります。また、法令等を知らなかったために、中小企業等が優越的な地位にある企業から不合理な取引を押しつけられる場合もあります。中小企業等を支援する弁護士には、中小企業等のビジネスの実態を知り、そのビジネスが適法かつ適正に展開されるようにサポートすることが求められています。

以下では、①ビジネス全般に関する法規制として、許認可等の規制、②消費者取引に関する法規制として、製品の安全性に関する規制、広告・表示に関する規制、景品類の提供等に関する規制、勧誘に関する規制、不当条項に関する規制、③企業間取引に関する法規制として、商事売買に関する規制、価格設定に関する規制、優越的地位の濫用に関する規制を取り上げます。

(2) ビジネス全般に関する法規制
① 許認可等の規制

ビジネスによっては、各種業法等により許認可等が必要となる場合があります。例えば、飲食業営業を営むためには都道府県知事の許可（食品衛生法55条1項・54条、同法施行令35条1号）が必要となります。また、建設業（建設業法施行令1条の2に定める軽微な建設工事のみを請け負う場合を除く）を営むためには国土交通大臣または都道府県知事の許可（下請契約の規模等により一般建設業許可または特定建設業許可）（建設業法3条1項）が必要となります。

総務省の「許認可等の統一的把握結果」によれば、2017年4月1日現在で把握した国の許認可等の根拠となる法令等の条項等の数は1万5475に及びます。これらの許認可等については、「許認可等現況表」が作成され、総務省のウェブサイトで公開されています。許認可等を取得するために必要な手続等については、総務省行政管理局が運営する総合的な行政情報ポータルサイト「電子政府の窓口（e-Gov）」の行政手続案内検索で調べることができます。また、各自治体の条例等については、各自治体の例規検索システム（Reiki-Base）等で調べることができます。

② 許認可等の規制の調査

ビジネスを展開するに当たって、どのような許認可等が必要であるかを調査する方法としては、インターネット検索や文献等を通じた、①同種ビジネスの調査、②業界団体の自主規制・ガイドラインの調査等が考えられます。

もっとも、特にこれまでにない新たなビジネスを展開する場合には、上記調査

第2部　各　論

によっても許認可等の規制の対象になるか判断に悩む場合もあります。そのような場合には、行政庁へ照会を行うことが考えられます。具体的には、①行政庁への電話照会等、②法令適用事前確認手続（ノーアクションレター制度）の利用が考えられます。

　①行政庁への電話照会等は、事業者の名称を明らかにして行う場合もありますが、事業者の名称を匿名にして弁護士が行う場合もあります。

　また、②ノーアクションレター制度は、「行政機関による法令適用事前確認手続の導入について」（2001年3月27日閣議決定）に基づき導入された制度です。事業者が、実現しようとする自己の事業活動に係る具体的行為に関して、当該行為が特定の法令の規定の適用対象となるかどうかを、あらかじめ当該規定を所管する行政機関に確認し、その機関が回答を行うとともに、当該回答を公表する手続です。照会の対象法令の分野および対象法令（条項）の範囲は、制限されており、また、照会先は、当該法令の規定を所管する行政機関です。なお、各府省（その外局を含む）において細則を定めて、公表しています（例えば「消費者庁における法令適用事前確認手続に関する細則」等）。

　　③　「グレーゾーン解消制度」、「新技術等実証制度（規制のサンドボックス制度）」および「新事業特例制度」

　このような許認可等の調査の結果、許認可等の規制の対象になり、許認可等を取得できない場合や、許認可等の規制によりビジネスが禁止されている場合には、新たなビジネスを展開できません。このように、許認可等の規制は、新規参入の障壁となるだけでなく、新たなビジネス創出の障壁にもなります。これを解消し、事業者単位で、企業の個々の事業内容に即して、事業化・規制改革を進めていくことを狙いとして、産強法は、①「グレーゾーン解消制度」（同法7条）、②「新事業特例制度」（同法6条・9条～11条・12条）および③「新技術等実証制度（規制のサンドボックス制度）」（同法6条・8条の2～8条の4・12条）を設けています。

　経産省の公表によれば、2022年9月末時点におけるグレーゾーン解消制度の回答件数は230件（うち中小企業140件）、規制のサンドボックス制度の認定件数は15件（うち中小企業8件）、新事業特例制度の回答件数は16件（うち中小企業7件）です。

　なお、各制度を利用するに当たっては、経済産業省経済産業局新規事業創造推進室「『グレーゾーン解消制度』、『規制のサンドボックス制度』および『新事業特例制度』の利用の手引」を参照してください。

　（ⅰ）　グレーゾーン解消制度

　グレーゾーン解消制度は、事業者が新たな事業活動を行おうとする際に、現行

第2章　日常的な中小企業法務

の規制の適用範囲が不明確な場合においても、安心して新たな事業活動を行い得るよう、具体的な事業計画に即して、規制について規定する法令の解釈および当該法令の適用の有無を、あらかじめ確認することができる制度です。

　グレーゾーン解消制度は、ノーアクションレター制度と同様に、事業者が新たな事業活動を行おうとする際に、あらかじめ規制について規定する法令の適用の有無を照会できる制度です。もっとも、ノーアクションレター制度と異なり、グレーゾーン解消制度では、照会対象が制限されていません。また、ノーアクションレター制度では、照会先が当該法令の規定を所管する行政機関（規制所管官庁）ですが、グレーゾーン解消制度では、照会先が主務大臣（事業所管大臣および規制所管大臣）とされており、主務大臣は、事前相談に応じ、必要な情報の提供および助言を行うものとされています。そのため、グレーゾーン解消制度では、事業所管省庁が事業者と規制所管省庁との調整を含めて、事前相談や照会までのサポートを行うことが予定されています。

【申請フロー図（その1）】

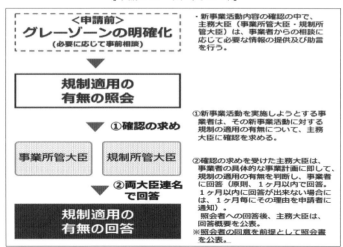

出典：経産省ウェブサイト「経済産業省経済産業政策局産業創造課新規事業創造推進室『産業競争力強化法に基づく企業単位の規制改革制度について』」。

(ii) **新事業特例制度**

　新事業特例制度は、新たな事業活動を行おうとする事業者による規制の特例措置の要望を受けて、安全性等の確保等代替措置の実施を条件として、規制の特例措置を整備した上で、「企業単位」で当該規制の特例措置の適用を認める制度です。後述の【申請フロー図（その2）】に記載の通り、将来的には、特例措置の

第 2 部　各　論

【申請フロー図（その 2 ）】

出典：経産省ウェブサイト「経済産業省経済産業政策局産業創造課新規事業創造推進室『産業競争力強化法に基づく企業単位の規制改革制度について』」。

一般化・全国展開を図るため、規制の撤廃または緩和のための措置につなげていく制度です。

(ⅲ)　**新技術等実証制度（規制のサンドボックス制度）**

　新技術等実証制度（規制のサンドボックス制度）は、AI、IoT、ブロックチェーン等の革新的な技術やプラットフォーマー型ビジネス等の新たなビジネスモデルの実用化が現行規制との関係で困難である場合に、これらの新技術等を実用化しようとする事業者が、主務大臣の認定を受けて実証を行い、それにより得られたデータを用いて規制の見直しにつなげる制度です。

　規制のサンドボックス制度は、生産性向上特別措置法（2018年 6 月 6 日施行）に基づき創設された制度ですが、2021年 6 月16日に同法が廃止され、同日に改正した産強法に移管され、恒久的な制度となりました。

　規制のサンドボックス制度の活用を推進するため、後述の**【制度の概要図】**に記載の通り、内閣官房・内閣府に一元窓口（通称「新技術等社会実装推進チーム」）を置き、事業者からの事前相談等のサポートを行っています。

　規制のサンドボックス制度は、「実証」を行うための制度であり、「事業」を行うための制度である新事業特例制度とは異なりますが、いずれの制度も規制の見直しにつなげていく制度である点で共通しています。

82

第 2 章　日常的な中小企業法務

【制度の概要図】

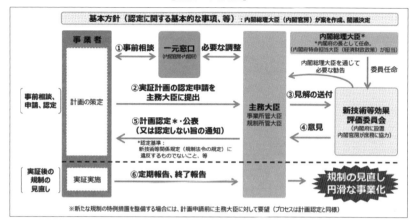

出典：経産省ウェブサイト「経済産業省経済産業政策局産業創造課新規事業創造推進室
『産業競争力強化法に基づく企業単位の規制改革制度について』」。

(3) 消費者取引に関する規制

　消費者取引は、消費者保護の見地から、製品の安全性、広告・表示、景品類の提供等、勧誘等に対する規制がなされています。消費者の権利意識の高まりから、これらの規制に違反する事業者に対する消費者の目も厳しくなっています。中小企業等においても消費者取引に関する規制の遵守が求められています。

① 製品の安全性に関する規制

　製品の安全性に関する規制には、製品による事故を未然に防止するための事前規制と、製品による事故が発生した後に被害の発生・拡大を防止するための事後規制に分類することができます。

　事前規制は、①許認可や届出等を必要とする場合（消費生活用製品安全法6条・32条の2、電気用品安全法3条、食品衛生法55条1項等）、②安全性を確保するために基準（規格）が設けられている場合（消費生活用製品安全法3条・11条1項、電気用品安全法8条、食品衛生法13条1項・18条1項等）、③製品情報の開示、使用上の注意事項等の表示が義務付けられている場合（消費生活用製品安全法4条1項、電気用品安全法27条1項、食品衛生法19条2項、食品表示法5条等）等があります。

　また、事後規制は、①事故情報の報告・公表・調査（消費生活用製品安全法34条～36条、食品衛生法63条2項～5項・65条、消費者安全法12条1項～4項・16条等）、②被害の発生・拡大防止措置（消費生活用製品安全法38条・39条、消費者安全法38条～45条等）等があります。

　なお、製品事故に関しては、製品が「製造物」（製造物責任法2条1項）に当た

83

る場合、製品に「欠陥」（同条2項）があれば、民法上の責任のほか製造物責任法上の責任を追及される可能性があります。また、刑事上の責任として、両罰規定によって、違反した個人だけでなく法人にも刑事罰が科される可能性があります（消費生活用製品安全法60条、食品衛生法88条、消費者安全法56条等）。

〈参考文献〉森・濱田松本法律事務所編『消費者取引の法務』（商事法務、2015）。

② 広告・表示に関する規制

広告・表示に関する規制は、法令による規制と自主規制に分類することができます。また、法令による規制は、広告・表示一般に適用される一般的規制と特定の広告・表示に限定して適用される個別的規制に分類することができます。

法令による規制のうち一般的規制は、①独占禁止法による「不公正な取引方法」として「ぎまん的顧客誘引」の禁止（同法2条9項6号ハ・一般指定8項、同法19条）、②景品表示法による優良誤認表示の禁止（同法5条1号）、有利誤認表示の禁止（同条2号）、商品・サービスの取引に関する事項について一般消費者に誤認されるおそれがあると認められ内閣総理大臣が指定する表示（同条3号）等、③不正競争防止法による誤認惹起行為の禁止（同法2条1項20号）等があります。

また、法令による規制のうち個別的規制は、①特定商取引に関する法律（以下、「特定商取引法」という）による表示義務に関する規制、誇大広告等の禁止、電子メール広告に関する規制等（通信販売に関して同法11条・12条～12条の5、連鎖販売取引に関して同法35条・36条～36条の4、特定継続的役務提供に関して同法43条・43条の2、業務提供誘引販売取引に関して同法53条～54条の4）、②医薬品、医療機器等の品質、有効性及び安全性の確保等に関する法律による医薬品等の広告等の禁止・制限（同法66条～68条）、③消費者安全法による「消費者事故等」の1つとして「虚偽の又は誇大な広告その他の消費者の利益を不当に害し、又は消費者の自主的かつ合理的な選択を阻害するおそれがある行為であって政令で定めるものが事業者により行われた事態」に関する規制（同法2条5項3号、同法施行令3条1号）、④食品衛生法による表示義務に関する規制、誇大広告等の禁止（同法19条・20条）等があります。

他方で、自主規制は、景品表示法31条に基づく表示に関する公正競争規約による規制（消費者庁ウェブサイト「公正競争規約が設定されている業種」参照）、公益社団法人日本広告審査機構（JARO）の活動等があります。

なお、広告・表示に関しては、他者の肖像権、商標権・著作権を侵害しないか、名誉を毀損する表現を用いていないか等についても注意する必要があります。

〈参考文献〉中田邦博「日本における広告規制の概要──消費者法の観点から」現代消費者法32号（2016）4頁以下。

③ 景品類の提供等に関する規制

景品表示法は、「景品類」を①「顧客を誘引するための手段として」②「事業者が自己の供給する商品又は役務の取引……に付随して相手方に提供する」、③「物品、金銭その他の経済上の利益」であって、④内閣総理大臣が指定するものと定めています（同法2条3項）。景品類の指定に関しては、「不当景品類及び不当表示防止法第2条の規定により景品類及び表示を指定する件」（昭和37年6月30日公正取引委員会告示第3号）が制定され、さらに明確化するため「景品類等の指定の告示の運用基準」（昭和52年4月1日事務局長通達第7号）および「景品類の価額の算定基準」（昭和53年11月30日事務局長通達第9号）が公表されています。

景品表示法に基づく一般的な規制としては、懸賞と総付景品に関して、提供できる景品類の限度額等が定められています。この規制に違反した場合、消費者庁長官は、当該事業者に対し、その行為の差止等必要な事項を命じることができると定められています（同法7条1項・33条1項）。

(i) 懸賞における景品類の限度額

懸賞における景品類の提供に関しては、「懸賞による景品類の提供に関する事項の制限」（昭和52年3月1日公正取引委員会告示第3号）（以下、「懸賞制限告示」という）が制定され、さらに明確化するため「『懸賞による景品類の提供に関する事項の制限』の運用基準」（平成24年6月28日消費者庁長官通達第1号）が公表されています。これによれば、「懸賞」とは、くじ等の偶然性の利用または特定行為の優劣等によって定める方法により景品類の提供の相手方または提供する景品類の価額を定めることとされています（懸賞制限告示1項）。なお、複数の事業者が共同して懸賞により景品類を提供する一定の場合は「共同懸賞」（懸賞制限告示4項）、それ以外は「一般懸賞」と一般に呼ばれています。

(ア) 一般懸賞の場合

一般懸賞における景品類の限度額は【表1】の通りです。

【表1】

懸賞による取引価額	景品類限度額	
	最高額	総額
5000円未満	取引価額の20倍	懸賞に係る売上予定総額の2%
5000円以上	10万円	

出典：消費者庁ウェブサイト「景品規制の概要」。

(イ) 共同懸賞の場合

共同懸賞における景品類の限度額は【表2】の通りです。

第 2 部　各　論

【表 2】

景品類限度額	
最高額	総額
取引価額にかかわらず30万円	懸賞に係る売上予定総額の 3 %

出典：消費者庁ウェブサイト「景品規制の概要」。

(ⅱ)　総付景品の限度額

　一般消費者に対して懸賞（懸賞制限告示 1 項に規定する懸賞をいう）によらないで提供する景品類は一般に「総付景品」と呼ばれています。

　総付景品の提供に関しては、「一般消費者に対する景品類の提供に関する事項の制限」（昭和52年 3 月 1 日公正取引委員会告示第 5 号）が制定され、さらに明確化するため「『一般消費者に対する景品類の提供に関する事項の制限』の運用基準」（昭和52年 4 月 1 日事務局長通達第 6 号）が公表されています。

　総付景品の限度額は【表 3 】の通りです。

【表 3】

取引価額	景品類の最高額
1000円未満	200円
1000円以上	取引価額の10分の 2

出典：消費者庁ウェブサイト「景品規制の概要」。

　懸賞および総付景品に関する一般的な規制に加えて、特定の業種について特別な規制が定められています。具体的には、①「新聞業における景品類の提供に関する事項の制限」（平成10年 4 月10日公正取引委員会告示第 5 号）、②「雑誌業における景品類の提供に関する事項の制限」（平成 4 年 2 月12日公正取引委員会告示第 3 号）、③「不動産業における一般消費者に対する景品類の提供に関する事項の制限」（平成 9 年 4 月25日公正取引委員会告示第37号）、④「医療用医薬品業、医療機器及び衛生検査所業における景品類の提供に関する事項の制限」（平成 9 年 8 月11日公正取引委員会告示第54号）が制定されています。また、出版物小売業、不動産業等のように、景品表示法31条に基づき、景品類の提供の制限に関する公正競争規約が定められている業種もあります（消費者庁ウェブサイト「公正競争規約が設定されている業種」参照）。

　〈参考文献〉西川康一編著『景品表示法〔第 6 版〕』（商事法務、2021）。

④　勧誘に関する規制

　勧誘は、消費者の選択に影響を与えるため、民法（錯誤取消し、詐欺取消し、不法行為、信義則による説明義務・情報提供義務等）のほか、消費者契約に関する一

般法としての消費者契約法や、個別法としての特定商取引法等によって規制されています。

(i) **消費者契約法による勧誘規制**

消費者契約法による勧誘規制の概要は【表4】の通りです。なお、表中の法は消費者契約法を表します。

【表4】

勧誘規制の内容		違反の効果
誤認類型（注）	不実告知（法4Ⅰ①・4Ⅴ）	取消権（ただし、善意・無過失の第三者に対抗できない）（法4Ⅵ。なお、法7参照）
	断定的判断の提供（法4Ⅰ②・4Ⅴ）	
	故意の事実不告知（法4Ⅱ・4Ⅴ）	
困惑類型（注）	不退去（法4Ⅲ①）	
	退去妨害（法4Ⅲ②）	
	不安をあおる告知（法4Ⅲ③）	
	好意の感情の不当な利用（法4Ⅲ④）	
	判断能力の低下の不当な利用（法4Ⅲ⑤）	
	霊感等による知見を用いた告知（法4Ⅲ⑥）	
	契約締結前に債務の内容を実施（法4Ⅲ⑦）	
	契約締結前に事業活動を実施（法4Ⅲ⑧）	
（注）	過量契約（法4Ⅳ）	

（注）事業者が第三者に契約締結の媒介を委託した場合、その第三者が誤認・困惑行為等を行った場合にも適用される（消費者契約法5条1項）。

(ii) **特定商取引法による勧誘規制**

特定商取引法による勧誘規制を取引形態別に整理した概要は【表5-1】から【表5-6】の通りです（ただし、除外規定〔同法26条等〕がある）。なお、表中の法は特定商取引法、政令は同法施行令、規則は同法施行規則を表します。

【表5-1　訪問販売（ただし、商品・特定権利・役務〔法2条1項〕を対象）】

勧誘規制の内容	違反の効果		
	行政	民事	刑事
勧誘目的等明示（法3） 再勧誘等（法3の2ⅠⅡ）			

第2部　各論

勧誘規制の内容	行政	民事	刑事
不実告知（法6Ⅰ） 故意の事実不告知（法6Ⅱ）	業務改善指示（法7） 業務停止等命令（法8）	取消権 （法9の3）	法70・71等
威迫・困惑行為（法6Ⅲ）			
販売目的秘匿勧誘（法6Ⅳ）			
故意の事実不告知（法7Ⅰ②） 過量販売行為（法7Ⅰ④） 迷惑勧誘（法7Ⅰ⑤、規則7①） 適合性原則違反（法7Ⅰ⑤、規則7③） つきまとい等行為（法7Ⅰ⑤、規則7⑦）			

【表5-2　電話勧誘販売（ただし、商品・特定権利・役務〔法2条3項〕を対象)】

勧誘規制の内容	違反の効果		
	行政	民事	刑事
勧誘目的等明示（法16） 再勧誘等（法17）	業務改善指示（法22） 業務停止等命令（法23）	取消権 （法24の3）	法70・71等
不実告知（法21Ⅰ） 故意の事実不告知（法21Ⅱ）			
威迫・困惑行為（法21Ⅲ）			
故意の事実不告知（法22Ⅰ②） 過量販売行為（法22Ⅰ④） 迷惑勧誘（法22Ⅰ⑤、規則23①） 適合性原則違反（法22Ⅰ⑤、規則23③）			

【表5-3　連鎖販売（法33条1項)】

勧誘規制の内容	違反の効果		
	行政	民事	刑事
勧誘目的等明示（法33の2）	業務改善指示（法38） 業務停止等命令（法39）	取消権 （法40の3）	法70・71等
不実告知（法34Ⅰ・Ⅱ） 故意の事実不告知（法34Ⅰ）			
威迫・困惑行為（法34Ⅲ）			
販売目的秘匿勧誘（法34Ⅳ）			

第2章　日常的な中小企業法務

| 断定的判断の提供（法38Ⅰ②）
迷惑勧誘（法38Ⅰ③）
適合性原則違反（法38Ⅰ④、規則31⑥） | | | |

【表5-4　特定継続的役務提供
（ただし、法41条2項、政令12条・別表第4第1欄の役務を対象）】

勧誘規制の内容	違反の効果		
	行政	民事	刑事
不実告知（法44Ⅰ）
故意の事実不告知（法44Ⅱ）	業務改善指示（法46）
業務停止等命令（法47）	取消権
（法49の2）	法70・71等
威迫・困惑行為（法44Ⅲ）			
故意の事実不告知（法46Ⅰ②）
迷惑勧誘（法46Ⅰ④、規則39①）
適合性原則違反（法46Ⅰ④、規則39③）			

【表5-5　業務提供取引誘引販売（法51条1項）】

勧誘規制の内容	違反の効果		
	行政	民事	刑事
勧誘目的等明示（法51の2）	業務改善指示（法56）
業務停止命令（法57）	取消権
（法58の2）	法70・71等
不実告知・故意の事実不告知（法52Ⅰ）			
威迫・困惑行為（法52Ⅱ）			
販売目的秘匿勧誘（法52Ⅲ）			
断定的判断の提供（法56Ⅰ②）
迷惑勧誘（法56Ⅰ③）
適合性原則違反（法56Ⅰ④、規則46③）			

【表5-6　訪問購入（ただし、物品のみ〔法58条の4〕）】

勧誘規制の内容	違反の効果		
	行政	民事	刑事
勧誘目的等明示（法58の5）
不招請勧誘（法58の6Ⅰ）			

89

再勧誘等（法58の6ⅡⅢ）	業務改善指示（法58の12）業務停止等命令（法58の13）	法70・71等
不実告知（法58の10Ⅰ） 故意の事実不告知（法58の10Ⅱ） 威迫・困惑行為（法58の10Ⅲ）		
故意の事実不告知（法58の12Ⅰ②） 迷惑勧誘（法58の12Ⅰ④、規則54①） 適合性原則違反（法58の12Ⅰ④、規則54③） つきまとい等行為（法58の12Ⅰ④、規則54⑤）		

〈参考文献〉日本弁護士連合会編『消費者法講義〔第5版〕』（日本評論社、2018）、齋藤雅弘ほか『特定商取引法ハンドブック〔第6版〕』（日本評論社、2019）、森・濱田松本法律事務所編『消費者取引の法務』（商事法務、2015）。

⑤ 不当条項に関する規制

　消費者契約法は、消費者取引における契約条項について、その効力を制限する規定を設けています。

　具体的には、消費者契約法8条は、事業者の債務不履行・不法行為に基づく損害賠償責任または有償契約における契約不適合に基づく損害賠償責任の全部または一部の免除等を定めた契約条項を無効としています。また、同法8条の2は、事業者の債務不履行により生じた消費者の解除権の放棄等を定めた契約条項を無効としています。さらに、同法8条の3は、消費者が後見開始の審判等を受けたことのみを理由として事業者に解除権を付与する契約条項を無効としています。

　また、消費者契約法9条は、損害賠償額の予定または違約金を定める契約条項について、一定の範囲を超えるものを無効としています。

　さらに、消費者契約法10条は、法令中の公の秩序に関しない規定による場合に比べて消費者の権利を制限しまたは消費者の義務を加重する契約条項であって、民法1条2項に規定する基本原則に反して消費者の利益を一方的に害するものを無効としています。

　なお、2020年4月1日施行された改正民法は、消費者取引に限らず定型取引一般に適用されるものとして、定型約款に関する規定を新設しています（同法548条の2～548条の4）。中小企業等は、消費者との間で定型取引を行う場合、消費者契約法の規定する不当条項規制と併せて改正民法の定める定型約款に関する規定についても留意する必要があります。

(4) 企業間取引に関する規制

　企業間取引は、消費者取引と異なり、継続的・反復的に同種の商品の売買が行

われることから商事売買に関する規制、公正かつ自由な競争の促進を確保するため価格設定に関する規制、優越的地位を利用して取引の相手方に不当に不利益を与えないように優越的地位の濫用に関する規制等があります。

① **商事売買に関する規制**

商法は、商人間の売買に関して、①売主の供託権・自助売却権（商法524条）、②定期売買の解除（同法525条）、③買主の目的物検査・通知義務（同法526条）、④買主の目的物保管・供託義務（同法527条～528条）の規定を設けています。契約書等に特約を定めない限り、当該規定が適用されます。

(i) **売主の供託権・自助売却権**

買主が売買の目的物の受領を拒み、またはそれを受け取ることができない場合、売主は、当該目的物を供託または相当の期間を定めて催告した後に競売に付することができます（商法524条1項）。もっとも、当該目的物が価格の低下のおそれがあるときは、催告せずに競売に付することができます（同条2項）。売主は、競売に付したときは、その代価を供託しなければなりません。

売主は、供託または競売に付したときは、遅滞なく、買主に対してその旨の通知を発信しなければなりません（商法524条1項）。

(ii) **定期売買の解除**

売買の性質または当事者の意思表示により、特定の日時または一定の期間内に履行しなければ契約をした目的が達成されない場合、当事者の一方が履行せずにその期間を経過したときは、相手方が直ちにその履行を請求した場合を除き、契約が解除されたものとみなされます（商法525条）。

(iii) **買主の目的物検査・通知義務**

買主は、売買の目的物を受領したときは、遅滞なく、当該目的物を検査し、不適合（数量不足を含む）を発見したときは、直ちに売主にそのことを通知しなければ、当該不適合を理由とする契約不適合責任を追及することができません（商法526条1項・2項）。不適合（数量不足を除く）が直ちに発見できない場合、買主が6か月以内に当該不適合を発見したときも、直ちに売主にそのことを通知しなければ、当該不適合を理由とする契約不適合責任を追及することができません（同項）。なお、売主が当該不適合（数量不足を含む）について悪意であった場合には、この限りではありません。

(iv) **買主の目的物保管・供託義務**

買主は、売買の目的物を受領した場合、契約解除したとき、売主の費用で当該目的物を保管または供託しなければなりません（商法527条1項本文）。ただし、当該目的物に滅失または損傷のおそれがあるときは、裁判所の許可を得て当該目的物を競売に付し、その代価を保管または供託しなければなりません（同項ただ

第 2 部　各　論

し書)。買主は、競売に付したときは、遅滞なく、売主にそのことの通知を発信しなければなりません（同条3項）。

なお、売主と買主の営業所（営業所がない場合には、その住所）が同一の市町村の区域内にある場合には、この限りではありません。

　② 価格設定に関する規制

製品等の価格は、収益を決定する重要な要素であり、収益が生じ、かつ需要が生じる範囲内で設定することが必要となります。その際、①価格カルテル、②差別対価、③不当廉売、④再販売価格の拘束等に注意する必要があります。

（ⅰ）価格カルテル

価格カルテルは、同業者間で価格を協定し、競争を回避する行為であり、「事業者が、契約、協定その他何らの名義をもつてするかを問わず、他の事業者と共同して対価を決定し、維持し、若しくは引き上げ、または数量、技術、製品、設備若しくは取引の相手方を制限する等相互にその事業活動を拘束し、又は遂行することにより、公共の利益に反して、一定の取引分野における競争を実質的に制限する」ことから、「不当な取引制限」として禁止されています（独占禁止法2条6項・3条）。この場合、公正取引委員会による排除措置命令の対象（同法7条）、課徴金納付命令の対象（同法7条の2第1項）となり、また、刑事罰の対象（同法89条・95条1項1号・2項1号）にもなります。

（ⅱ）差別対価

差別対価は、①「不当に、地域又は相手方により差別的な対価をもつて、商品又は役務を継続して供給することであつて、他の事業者の事業活動を困難にさせるおそれがあるもの」（独占禁止法2条9項2号）と、②「不当に、地域又は相手方により差別的な対価をもつて、商品若しくは役務を供給し、又はこれらの供給を受けること」（同項6号イ・不公正な取引方法〔昭和57年6月18日公正取引委員会告示第15号〕〔以下、「一般指定」という〕3項）の2つの類型があり、「不公正な取引方法」として禁止されています（同法19条）。①または②の場合、公正取引委員会による排除措置命令の対象となり（同法20条）、また、①の場合、課徴金納付命令の対象となり得ます（同法20条の3）。

（ⅲ）不当廉売

不当廉売は、①「正当な理由がないのに、商品又は役務をその供給に要する費用を著しく下回る対価で継続して供給することであつて、他の事業者の事業活動を困難にさせるおそれがあるもの」（独占禁止法2条9項3号）と、②「不当に商品又は役務を低い対価で供給し、他の事業者の事業活動を困難にさせるおそれがあること」（同項6号ロ・一般指定6項）の2つの類型があり、「不公正な取引方法」として禁止されています（同法19条）。①または②の場合、公正取引委員会

による排除措置命令の対象となり（同法20条）、また、①の場合、課徴金納付命令の対象となり得ます（同法20条の4）。なお、公正取引委員会は、不当廉売に関する考え方を明確化するため、「不当廉売に関する独占禁止法の考え方」（平成21年12月18日）のほか特定の事業分野における不当廉売の考え方を公表しています。

(iv) **再販売価格の拘束**

再販売価格の拘束は、「自己の供給する商品を購入する相手方に、正当な理由がないのに」、①「相手方に対しその販売する当該商品の販売価格を定めてこれを維持させることその他相手方の当該商品の販売価格の自由な決定を拘束すること」（独占禁止法2条9項4号イ）、②「相手方の販売する当該商品を購入する事業者の当該商品の販売価格を定めて相手方をして当該事業者にこれを維持させることその他相手方をして当該事業者の当該商品の販売価格の自由な決定を拘束させること」（同号ロ）の「いずれかに掲げる拘束の条件を付けて、当該商品を供給する」場合であり、「不公正な取引方法」として禁止されています（同法19条）。この場合、公正取引委員会による排除措置命令の対象となり（同法20条）また、課徴金納付命令の対象となり得ます（同法20条の5）。

〈参考文献〉菅久修一編著『独占禁止法〔第4版〕』（商事法務、2020）。

③ 優越的地位の濫用に関する規制

(i) **独占禁止法による規制**

独占禁止法は、自己の取引上の地位が相手方に優越している一方当事者が、取引の相手方に対し、その地位を利用して、正常な商慣習に照らして不当に不利益を与える優越的地位の濫用を規制しています。大企業と中小企業の取引だけでなく、中小企業同士の取引においても、取引の一方当事者が取引の相手方に対し、取引上の地位が優越している場合があります。したがって、取引の相手方から不当な取引を要求される場合はもちろん、自らが不当な取引を要求していないかも注意する必要があります。

優越的地位の濫用は、①自己の取引上の地位が相手方に優越していることを利用して（優越的地位）、正常な商慣習に照らして不当に（公正競争阻害性）、ⅰ継続して取引する相手方（新たに継続して取引しようとする相手方を含む。ⅱにおいて同じ）に対して、当該取引に係る商品または役務以外の商品または役務を購入させること（独占禁止法2条9項5号イ）、ⅱ継続して取引する相手方に対して、自己のために金銭、役務その他の経済上の利益を提供させること（同号ロ）、ⅲ取引の相手方からの取引に係る商品の受領を拒み、取引の相手方から取引に係る商品を受領した後当該商品を当該取引の相手方に引き取らせ、取引の相手方に対して取引の対価の支払を遅らせ、もしくはその額を減じ、その他取引の相手方に不利益となるように取引の条件を設定し、もしくは変更し、または取引を実施するこ

と(同号ハ)のいずれかに該当する行為(濫用行為)をした場合であり、「不公正な取引方法」の1つとして禁止されています(同法19条)。

また、②独占禁止法2条9項6号・一般指定13項により、自己の取引上の地位が相手方に優越していることを利用して(優越的地位)、正常な商慣習に照らして不当に(公正競争阻害性)、取引の相手方である会社に対し、当該会社の役員(同法2条3項の役員をいう)の選任についてあらかじめ自己の指示に従わせ、または自己の承認を受けさせた場合(濫用行為)も優越的地位の濫用であり、「不公正な取引方法」として禁止されています(同法19条。そのほかに、同法2条9項6号の規定により公正取引委員会が指定する特定業種のみに適用される不公正な取引方法〔いわゆる特殊指定〕にも、優越的地位の濫用に関する規定が置かれている)。

①または②の場合、公正取引委員会による排除措置命令の対象となり(独占禁止法20条)、また、①の場合、課徴金納付命令の対象となり得ます(同法20条の6)。

なお、公正取引委員会は、優越的地位の濫用に関する独占禁止法上の考え方を明確化するため、「優越的地位の濫用に関する独禁法上の考え方」(平成22年11月30日公正取引委員会)を公表しています。

(ii) **下請法による規制**

下請代金支払遅延等防止法(以下、「下請法」という)は、下請代金の支払遅延等を防止することによって、親事業者の下請事業者に対する取引を公正にするとともに、下請事業者の利益を保護することを目的としています。

(ア) **対象となる取引**

下請法が適用される取引か否かは、委託する事業内容と資本金額の2つの基準によって判断されます。

【表6】物品の製造・修理委託および
政令で定める情報成果物・役務提供委託を行う場合

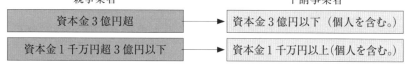

出典:公正取引委員会のウェブサイト「下請法の概要」。

【表7】 情報成果物作成・役務提供委託を行う場合
（【表6】の情報成果物・役務提供委託を除く）

親事業者		下請事業者
資本金5千万円超	→	資本金5千万円以下(個人を含む。)
資本金1千万円超5千万円以下	→	資本金1千万円以下(個人を含む。)

出典：公正取引委員会のウェブサイト「下請法の概要」。

(イ) 親事業者の義務・禁止事項
　a　親事業者の義務

下請事業者は、親事業者に対して、【表8】の4つの義務の履行を求めることができます。

【表8】

義務	概要
書面の交付義務（3）	発注の際は、直ちに3条書面を交付すること。
支払期日を定める義務（2の2）	下請代金の支払期日を給付の受領後60日以内に定めること。
書類の作成・保存義務（5）	下請取引の内容を記載した書類を作成し、2年間保存すること。
遅延利息の支払義務（4の2）	支払が遅延した場合は遅延利息を支払うこと。

出典：公正取引委員会のウェブサイト「親事業者の義務」（下請法の条文を加筆）。

　b　親事業者の禁止事項

下請事業者は、親事業者に対して、【表9】の11項目の禁止事項の遵守を求めることができます。

【表9】

禁止事項	概要
受領拒否（4Ⅰ①）	注文した物品等の受領を拒むこと。
下請代金の支払遅延（4Ⅰ②）	下請代金を受領後60日以内に定められた支払期日までに支払わないこと。
下請代金の減額（4Ⅰ③）	あらかじめ定めた下請代金を減額すること。

返品（4 I ④）	受け取った物を返品すること。
買いたたき（4 I ⑤）	類似品等の価格または市場に比べて著しく低い下請代金を不当に定めること。
購入・利用強制（4 I ⑥）	親事業者が指定する物・役務を強制的に購入・利用させること。
報復措置（4 I ⑦）	下請事業者が親事業者の不公正な行為を公正取引委員会または中小企業に知らせたことを理由としてその下請事業者に対して、取引数量の削減・取引停止等の不利益な取扱いをすること。
有償支給原材料等の対価の早期決済（4 II ①）	有償で支給した原材料等の対価を、当該原材料等を用いた給付に係る下請代金の支払期日より早い時期に相殺したり支払わせたりすること。
割引困難な手形の交付（4 II ②）	一般の金融機関で割引を受けることが困難であると認められる手形を交付すること。
不当な経済上の利益の提出要請（4 II ③）	下請事業者から金銭、労務の提供等をさせること。
不当な給付内容の変更及び不当なやり直し（4 II ④）	費用を負担せずに注文内容を変更し、または受領後にやり直しをさせること。

出典：公正取引委員会のウェブサイト「親事業者の禁止行為」（下請法の条文表記を修正）。

(ウ) 違反の効果

　親事業者が上記禁止事項に違反した場合、下請代金および遅延利息の支払等その他必要な措置を勧告する対象になります（下請法7条）。また、親事業者が上記義務のうち書面の交付義務（同法3条）または書類の作成・保存義務（同法5条）に違反した場合、刑事罰の対象になります（同法10条）。両罰規定により、法人も刑事罰の対象になります（同法12条）。そのため、下請事業者は、親事業者による上記禁止事項等の違反行為を是正するため、公正取引委員会に当該事実を報告することが考えられます。

　なお、公正取引委員会は、「下請代金支払遅延等防止法に関する運用基準」（平成15年12月11日公正取引委員会事務総長通達第18号）を公表しています。

　〈参考文献〉菅久修一編著『独占禁止法〔第4版〕』（商事法務、2020）、長澤哲也『優越的地位濫用規制と下請法の解説と分析〔第4版〕』（商事法務、2021）。

③ 契約

(1) はじめに

現代は高度な情報化社会になり、インターネットを活用した新たなビジネスモデルが主流となりつつあります。民法や商法はその時代の流れに完全に追いついているわけではなく、民法の典型契約のルールが現代の契約や取引の実態に則していないような場合も多く、また一方で、その取引を行う上での業法規制が複雑化している状況ともいえます。そのなかで、契約における注意点も以前に比べ多くなり、弁護士の支援の幅も広がりつつあります。ここでは、契約書についての法的支援の具体的な内容を説明します。

なお、創業当初、他の企業からライセンスを受ける場合や、株主間契約を締結する場合のリーガルチェックの依頼も近年増えていますが、そちらは各種提携契約の部分で取り扱います［→第2部第3章②］。

(2) 契約書の相談の内容

① 作成・チェックの相談で求められているレベル

弁護士が契約について中小企業から受ける相談の内容は、「契約書を作ったほうがよいか」というものではなく、作成することを前提に、その作成かチェックの業務が多いものと思われます。また、相手方から提示された契約書を使ってよいのか、またはインターネット上の契約書のひな型などを利用して取引してよいのかと悩んでいる中小企業も多いのではないかと推測されます。

中小企業にとって「契約書を作るのは当たり前」の時代となりつつある一方で、契約書の内容の有利不利や事前の交渉との整合性を審査する時間的・能力的リソースが不足している状況ともいえます。そのような状況の中、弁護士が契約書の作成やチェックを支援するに当たっては、より中小企業に寄り添った役割が求められているといえます。単に、「この条項は不利なので削除すべき」というアドバイスだけではなく、どのように修正するのがよいのかというアドバイスや、契約の相手方から修正できないといわれた際のリスクの程度の説明（特に、その契約をやめるべきといえるほどのリスクがあるか）まで丁寧に行うことが求められているといえるでしょう。

また、時間も費用もかけられない企業も多いため、時間・費用のコストパフォーマンスの問題も同時に考慮する必要があります。取引金額の小さいもので、ノウハウ等の流出も考えられないようなものならば、コスト面からひな型を流用するというアドバイスもあり得るところですし、取引金額の大きいものや特殊な取引の場合は、弁護士がきちんと介入して作成・チェックするのが望ましいといえます。修正すべき点についても、そのリスクに応じて弁護士の側で（優

先）順位を設定することが望ましいでしょう。
　②　契約書の意義
　依頼者が契約書に潜むリスクの見極めができていない場合、取り返しのつかない損害が発生することもあります。その場合は、以下のような契約書の意義を説明することで、依頼者に動機付けをすることができる場合があります。
（i）　契約書作成の意義
　契約書作成の意義は、権利義務の発生およびその内容を明確にし、さらに、交渉担当者以外の者への証明手段を残すことにあります。また万が一、契約当事者間にトラブルが生じた場合にはその解決指針となり、紛争を予防する役割も果たします。
　民法や商法などには、典型契約などについての一定の取決めがあるものの、取引が複雑化した現在では、その具体的な権利の内容や違反した場合の効果については争いが生じることもあり、書面で明確にしておくことが必要です。
　また、契約書の内容を一義的に（依頼者にとって）明確にしておくことで、裁判所に対してはもちろん、その前段階で相手方との裁判外交渉でも円滑に自社に有利な解決を図ることができる可能性が高まります。さらに、長期的な契約の場合、依頼者の会社も担当者が変わっている場合が多く、その場合に、依頼者にとっても契約書が紛争処理の解決方法の判断材料になるものといえます。
　なお、中小企業にとって、相手方との関係によっては、気軽に訴訟ができるという状況になく、話し合いで終わらせるというところに大きなメリットを感じているところも多いといえます。そのような場合、契約書によって権利関係を明確にし、紛争が起こったときに結論がどうなるかがわかるようにしておくことは、後の紛争処理を考えると望ましいといえます。
　その他、契約書を作成しておくことは、裁判管轄規程など、交渉に上がらなかった一般的な事項についてもあらかじめ自己に有利な形で契約書に落とし込んでおくと、その後の交渉を有利に進めることができるというメリットもあります。
（ii）　契約書チェックの意義
　契約書チェックの意義は、事前の交渉内容が適切に契約書に反映されているかを確認し、その他の条項について依頼者に不利な条項があるか、その不利の程度はどの程度かを説明し、また法令等への抵触がないかを確認・説明し、もって依頼者にリスクのコントロールを可能にさせるところにあります。
　相手から示される契約書は、多くの場合、その相手方企業にとって有利な条項が多いといえます。場合によっては、事前の交渉が反映されていない場合も多いといえます。その点について、きちんと弁護士が介入してチェックをすることが重要です。

なお、「不利な契約」だからということで契約すべきではないというのは、望ましい結果を生みません。チェックの意義は、あくまでリスクの「コントロール」にすぎません。金額の大きい取引先との契約にこぎつけたいというニーズは当然あるため、「どのようなリスクがあるのか、それを上回るメリットはきちんと考えられるのか」という部分にきちんと踏み込んでヒアリングをし、アドバイスをすることが重要です。

(iii) **契約書チェックの際に参考にすべき文献・資料**

契約書の具体的な文言の決め方やチェックについては、過去のノウハウの蓄積が重要となります。ノウハウの蓄積のためには、先輩弁護士からアドバイスを受けるほか、文献や契約書例を参照して学習することが大切です。各種契約に共通する文献については、阿部・井窪・片山法律事務所編『契約書作成の実務と書式──企業実務家視点の雛形とその解説〔第2版〕』(有斐閣、2019)、滝川宜信『取引基本契約書の作成と審査の実務〔第6版〕』(民事法研究会、2019)、出澤総合法律事務所編『実践！契約書審査の実務──修正の着眼点から社内調整のヒントまで〔改訂版〕』(学陽書房、2019)などが有用です。また、弁護士であれば日弁連の会員専用ページ内の総合研修サイトにおいて、契約書に関する無料E-Learningを視聴することができるので、こちらを参考にするのも望ましいでしょう。

③ 契約書の作成やチェックの具体的な流れ

(i) **依頼を受けた際のヒアリング事項**

前述したように、弁護士には、中小企業の法務部員としての役割もあるため、関与の程度も踏み込んだものである必要があります。コストの面で支障がなければ弁護士が契約交渉に当初から関与することが望ましいとはいえますが、実際は交渉担当者からのヒアリングをして契約書の作成・チェックをすることが多いといえます。

相談を受けた際、例えばBtoBの契約の場合は、次のような事項をヒアリングします。

・相手方と契約することになった経緯
・相手方の本店所在地や規模
・契約の趣旨や目的（実現する内容、その方向性）
・これまでの交渉で決定した事項（目的物・対価・その他の事項）
・1回きりの取引か、継続するのか（継続期間）
・契約書完成時期の希望（どの程度時間をかけられるか）
・企業機密やノウハウなどが相手方に伝わる可能性
・これまで似たような取引を行い、問題が発生したことがあるか

加えて、関係書類等があれば、そのチェックも欠かすことができません。

(ⅱ) ヒアリング直後の指示事情

このヒアリングの際、交渉段階で機密情報の開示が行われることがわかれば、すぐにでもその取引相手方との間で秘密保持契約（いわゆるNDA）を締結しているかを確認し、もし締結していないならば締結するようアドバイスしなければなりません［詳しくは→⑨］。情報が流出して、もし契約が締結されなかった場合には、中小企業にとって存否に関わる大きな損害が発生することが予想されるからです。また、関連する可能性のある業法を調べ、その規制を潜脱していないか、簡単に調べておく必要もあります。

前述のアドバイスをした上で、依頼を受けた契約書の作成またはチェック作業に入ることになります。

(ⅲ) 契約書の作成方法

契約書を作成する場合、まずは基本となる契約書を書式集や過去の類似の契約書を探し、それを利用することが、基本条項の抜けを防止する観点から有用です。その書式のうち、本件で使える部分と、修正削除が必要な部分を適切に切り分け、その上で、ヒアリングで聴き取った交渉結果を盛り込んで、依頼者に有利なかたちで修正を加えていき完成を目指すことになります。一度できあがった段階で、全体のバランス、誤字脱字、印紙税の有無や法令等への抵触がないかなどを確認することになります。

依頼者の交渉結果をそのまま盛り込む場合でも、定義については特に厳格に考えておくことが重要です。わかりやすさだけではなく、「他の読まれ方をしないか」という点から厳密に考える必要があるといえます。

契約書を作成していく上で、取引の様子が具体的に理解できるようになり、新たな疑問やリスクが出ることも多いですが、その際、依頼者に確認した上で、弁護士から具体的なアドバイスをすることも重要です。

(ⅳ) チェックの際の注意点

契約書のチェックを依頼された場合に、さらに契約書の作成まで行うべきかについては、さまざまな観点から検討しなければなりません。弁護士の立場からすれば、契約書の作成まで行うことが望ましいとはいえますが、契約書案の作成者との関係性、契約書の納期との関係、今回の件にかけられる時間的・費用的余裕の問題などから、チェックにとどめざるを得ない場合もあります。

また、忘れがちな点として、契約書の印紙税の指摘があります。国税局が公表している印紙税額一覧表などを参照しておくことも大切です。

(ⅴ) チェックの具体例——販売店契約の最低購入数量

チェックの具体例として、ここではある地域での独占的な販売店契約の最低購入数量の条項を取り上げてみます。本件では、現在某地で流行している製品を関

東で独占的に販売しようとする乙から契約書チェックの依頼を受けたとします。

> 第○条（最低購入数量）
> 1　乙は本契約の契約期間中、1年間ごと（本契約の効力発生日および翌年以降のその応当日を各期間の開始日とする）に、それぞれ少なくとも100万個以上の本製品をテリトリー（＝関東地方）において販売しなければならない。
> 2　乙が前項の義務に違反した場合、本契約の他のいかなる条項にかかわらず、甲は何らの責任を負うことなく本契約を直ちに解除することができる。

　販売店契約は、自らマーケティングをするコストを支払って活動することとなります。そのため、当該コストを上回る利益が出ると予想される契約期間満了までは、可能な限り販売店契約を解除されないように、この条項を緩めていく修正をする必要があります。

　そこで、まず、1項の内容の末尾を「販売できるよう努めなければならない」と努力規定に修正しつつ、2項を削除するようアドバイスすることが考えられます（以下、「修正1」という）。

　ただ、他にも独占的販売権を狙っている業者がおり、乙としては不利な条件でも飲まざるを得ないような状況である場合は、2項の違反の効果を「甲および乙は、本契約に代えて、本製品につきテリトリーにおける非独占的な販売権を販売店に付与する内容の契約を新たに締結するものとする」という修正をして、妥結を図ることも考えられます（以下、「修正2」という）。

　修正1と修正2を比較すると、修正1の優先順位が高いのは明らかですが、事前のヒアリングによっては、修正2のみを指摘すべきような場合もあり得ます。十分なヒアリングの上、全体を見て、その修正の優先順位や希望を見極め、依頼者に示すことが重要といえます。

④　契約締結時のアドバイス

　契約書を作成した場合であっても、相手方会社の代表者が署名押印をしてくれない場合もあります。そのような場合であっても、現場担当者などに署名押印をもらい、契約の証拠に残しておくことが大切です。締結の代理権があると考えられる場合もありますし、少なくとも交渉の材料にはなります。

⑤　契約で問題が起きたとき

　ここでは、問題が発生して弁護士に相談に来た場合の一般的な対応について説明します。

（i）契約書や関係資料の確認

　問題が発生した場合、まずは弁護士のところに契約書をもってきてもらうようにすることが大切です。契約書がなければ、これまでのやりとりをまとめたメモや、メールのやりとり等をあるだけもってきてもらうことが重要です。

(ii) 相談でのヒアリング

相談にきてもらい、関係者から十分なヒアリングをすることが重要です。その際、どの程度の時間的・金銭的コストをかけることができるのかを確認することも重要です。訴訟まで行って徹底的に争うのか、そうではなく、できる限り話し合いで行いたいということなのか、その部分が中小企業にとっては重要な判断となります。

(iii) 法的手続外の交渉内容証明郵便の送付・交渉

一般的には、弁護士が相手方に任意交渉をすることから始めることが多いといえます。接触方法は、電話・FAX、直接話をすること、内容証明郵便を送付することもあります。

初めから内容証明郵便を送るのかというのも、依頼者と相談すべき事項です。送達の事実およびその郵便内容の証拠化ができる点ではメリットがありますが、相手に対して強い圧力をかけることにつながります。穏便にすませたいというニーズがある場合は、内容証明郵便ではなく、あえて郵便やFAX・電話で連絡をするということも望まれる手段といえます。なお、普通郵便は安価ですが、到着時期が読めないデメリットもあるため、配達の確認をするためにレターパック等を活用することも考えられます。

(iv) 訴訟をするかどうかのアドバイス

訴訟にはお金も時間もかかります。その相手が重要な取引先であれば、今後の取引への影響もあります。そのなかで、どのような解決が一番望ましいのか、きちんと相談することも重要な役割といえます。

(3) 電子商取引（eコマース）の注意点

ここ数年、商圏を広げ、よりユーザビリティを向上させるために、電子商取引（eコマース）を導入する中小企業が広がっています。eコマースには、通常の取引と異なり、面と向かって契約をしないという非対面性、遠方取引にもかかわらず早期に意思連絡がとれる迅速性、契約者の押し間違い・打ち間違いなどが発生しやすいというエラー誘発性など、さまざまな特殊性があります。この特殊性を踏まえ、民商法に対するさまざまな特則が導入されています。詳しくは電子商取引GL（2022年4月改訂）を参照するのがよいでしょう。

① 契約の成立時期

eコマースであっても、契約は申込みと承諾の合致により成立します。特別の定めがない限り、承諾が到達した時に契約が成立することとなります（民法97条1項）。この「到達」については、申込者のウェブ画面に承諾の表示がなされた場合はその時点、電子メールでの承諾の場合は、申込者が指定した、または通常使用するメールサーバー中のメールボックスに読み取り可能な状態で記録された

時点を指すと考えられています（電子商取引GL I - 1 - 1）。

そのため、メールサーバーの不調によりメールが申込者のメールサーバーに保存されていない限りは契約が成立しないという帰結となる一方、保存されてしまえば、その後メールがサーバーから消滅したとしても、契約は成立することとなります。

② 消費者の操作ミスによる錯誤

事業者と消費者との間のeコマースでは、操作ミスが発生しやすい観点から、事業者が設定した申込みフォームでの消費者による重要な部分の操作ミスは、仮に重大な過失があったとしても原則として錯誤取消しにより救済されます（民法95条、電子消費者特例法3条本文）。しかしながら、オンライン上で、当該意思表示を行う意思の有無について「確認を求める措置」を講じた場合、または消費者が確認措置を不要とする意思表明をした場合は、重大な過失がある際に錯誤を主張できなくなります（同条ただし書）。操作ミスの場合は重大な過失が認定される場合が多いため、共通錯誤のような場合でなければ契約が無効とされることは少ないでしょう。

③ 利用規約

通常のBtoCの契約で約款が用いられているように、eコマースであっても「利用規約」という形で契約の具体的な内容が定められることが多いといえます。利用者はその利用規約の個別条項を十分に認識することなく契約締結することが多いですが、債権法改正によって「定型約款」の規定が新設され、利用規約の個別条項について合意したとみなされる要件が明確になりました（民法548条の2）。

みなし合意が成立するためには、①利用規約を契約の内容とすることについての合意をしているか、または②事業者が利用規約を契約内容とすることを利用者に表示することのいずれかが必要です（民法548条の2第1項）。また、あらかじめ提供を拒んでいたり、すでに提供済みの場合を除き、契約合意の前または定型取引合意の後相当の期間内に利用者から請求があった場合には、遅滞なく、相当な方法でその利用規約を示す必要があります（同法548条の3）。ここでいう「提供済み」といえるためには、単に取引の際に注文画面で利用規約のリンクを貼るだけでは足りないといわれています。具体的な開示対応の方法については、ガイドラインをご参照ください（電子商取引GL I - 2 - 1 の2）。

また、利用規約の内容が、信義誠実の原則に反して利用者の利益を一方的に害すると認められる場合（民法548条の2第2項）や、利用者が消費者であれば消費者契約法に反するような場合（例えば、事業者の故意重過失の場合の免責条項や遅延利息を年14.6％以上にするなど）は、無効または適用されないため注意が必要です。

第2部　各　論

####　④　特定商取引法

インターネット通販は、特定商取引法では「通信販売」（特商法2条2項）に該当し、同法の規制を受けることとなります。

具体的には、①あるボタンをクリックすれば有料申込みとなることが消費者に容易に認識できるよう表示していないような場合、②申込みの際に消費者が申込内容を容易に確認し、かつ訂正できるよう措置をしていない場合には、行政処分の対象となるので注意が必要です（特定商取引法14条）。具体的な対策方法については、電子商取引GL Ⅰ-1-3を参照してください。

なお、クーリングオフについては、特段の定めがなければ消費者に返品権が認められることになりますが（特定商取引法15条の2）、広告や、最終申込画面において返品特約の表示を適切に行っていれば返品対応しないという選択をすることができます。

４　会社組織

(1)　中小企業の機関設計

①　非公開会社の機関設計

会社法の施行により、会社の機関設計の自由度が飛躍的に増しました。中小企業の支援に当たっては、対象会社の機関設計を確認して意思決定権の所在や監督体制を把握することが有用であると考えられます。

株主総会と取締役はすべての株式会社に設置が義務付けられますが（会社法295条以下・326条1項）、中小企業の多くを占める非公開会社においては、取締役会は任意機関とされ（同法327条1項）、また、監査の範囲を会計の範囲に限定することが可能です（同法389条1項）。

会社法が施行される以前から存続する株式会社については定款に取締役会および監査役を置く旨の定めがあるとみなされているため（会社法整備法76条2項）、取締役会および監査役を置かないこととする場合には定款変更が必要になります。一方、会社法施行後に新たに設立される小規模のベンチャー企業等においては、取締役会を設置しない例が少なくありません。

②　意思決定権限

取締役会非設置会社においては、株主総会は、会社の組織・運営・管理その他一切の事項を決議することができます（会社法295条1項）。

取締役会設置会社においては、所有と経営が分離するような会社が想定されるため、株主総会は、法令または定款に定めた事項のみ決議することができます（会社法295条2項）。

③ 監督機関の相違

取締役会非設置会社においては、定款に別段の定めがある場合を除いて、各取締役が株式会社の業務を執行するところ（会社法348条1項）、各取締役は業務執行の一環として、他の取締役に対する監督義務を負うと解されます。監査役を設置する義務はなく、監査役会を設置することはできません（同法327条1項2号）。

一方、取締役会設置会社においては、取締役会が代表取締役および業務執行取締役による職務執行の監督を行います（会社法362条2項2号）。また、原則として、監査役（会）または監査等委員会のいずれかを設置する義務があります（同法327条2項本文）。

④ 特例有限会社

会社法施行の際に存在する有限会社は、会社法施行後は株式会社として存続することになりました（特例有限会社。会社法整備法2条1項）。特例有限会社は、従前通り、商号中に「有限会社」という文字を用いなければなりません（会社法整備法2条1項・3条1項）。特例有限会社は株主総会および取締役以外には監査役（会計監査の権限に限られる。会社法整備法24条、会社法389条1項）を設置することのみが可能であり、取締役会を設置することはできません（会社法整備法17条）。各取締役が会社を代表することができるため、代表取締役の設置は任意とされています。

⑤ 持分会社（合名会社、合資会社、合同会社）

会社法では、無限責任社員のみからなる合名会社、無限責任社員と有限責任社員からなる合資会社に加えて、有限責任社員のみからなる合同会社が設けられました。

持分会社の各社員は、それぞれ業務を執行し会社を代表しますが、定款で別段の定めをすることができます（会社法590条・599条1項・2項）。

持分会社のうち合同会社は、社員全員が有限責任社員である点で取締役会非設置会社と類似しますが、取締役会非設置会社と異なり株主総会と取締役の設置が義務付けられていない等、機関設計をより自由に行うことができるため、ベンチャー企業等の共同事業形態に適しています。

⑥ 機関設計の見直し

2005年改正前商法時代には、株式会社を設立する際に最低7名の発起人が必要とされていたことから、中小企業において、創業者の親族、従業員等の名義だけを借用することがしばしば行われていました。このような名義借りの必要がなくなった後も名義変更を行っていない中小企業では、相続等により株式が分散している上、株主名簿も適切に作成していないことから株式の所在自体が不明確になっているケースがあります。また、会社法が施行される以前から存続する株式会社については定款に取締役会を置く旨の定めがあるとみなされるため、会社法

第2部　各　論

施行後に特に機関設計の検討をしていない中小企業においては、取締役会および監査役が設置されています。しかし、例えば従業員が数名の小規模な会社等では、実際には取締役会を開催していないなど、企業の実態と機関設計が適合しないまま、手続的に法的瑕疵がある状態が放置されているケースも散見されます。

中小企業を支援する弁護士としては、中小企業の実態に応じて、取締役会非設置会社に移行して書面決議を利用する体制にあらためたり、名義株を整理して株式を集中したりすることを検討してよいと考えます。

以上の通り、非公開会社である中小企業においては取締役会を設置するか否かの選択が可能であるところ、中小企業支援に携わる弁護士にとっては、各事業者の実態に即して、会社の意思決定を行う株主総会ないしは取締役会に関する支援業務に習熟することが必要であると考えられます。

(2) **株主総会に関する支援業務**

① **株主総会役割と権限**

株主総会とは、いうまでもなく、株式会社における最高の意思決定機関です。

取締役会設置会社については、所有と経営が分離するような会社が想定されるため、株主総会は、法令または定款に定めた事項のみ決議することができます（会社法295条2項）。法令で定める事項は、主として次の通りです。

会社の基礎的な事項に関すること	・資本金額の減少（447条） ・定款変更（466条） ・事業譲渡の承認（467条）
取締役会に決定を委ねるのが不都合な事項	・役員の選任／解任（329条1項・339条1項） ・役員の報酬決定（361条） ・取締役の責任の減免（425条）
株主の重要な利益に関する事項	・自己株式の取得（156条） ・剰余金の資本組入れ（450条2項） ・剰余金の配当（454条1項）

※条文は会社法を指す。

他方、取締役会非設置会社においては、日常業務については原則として各取締役の判断に委ねられますが（会社法353条等一定の事項について代表取締役を選任することも可能である）、株主総会は、会社の組織・運営・管理その他一切の事項を決議することができます（会社法295条1項）。そこで、会社法は、取締役会非設置会社について、日常業務を除く事項について、株主総会が機動的に決議できるように規定を設けています。具体的には、招集通知の発送時期について1週間を下回る期間を定款で定めることが可能であり（同法299条1項）、また、招集通知

は書面や電磁的方法である必要はなく口頭でも可能です（同条2項2号参照）。原則として、会議の目的事項の記載や記録も必要でないため（同条4項参照）、事前に議案を決めておく必要もありません。

② 中小企業における現状と決議の瑕疵のリスク
(ⅰ) 株主総会の現状

前述の通り、取締役会の設置の有無にかかわらず、株主総会は重要な役割と権限をもつ組織ではありますが、中小企業の現状としては、必ずしもその重要性に応じた運営がされているとはいえないケースがしばしばみられます。すなわち、実際には株主総会を開催しないままに決算に合わせて議事録だけを作成したり、実際に株主総会を開催したとしても招集手続や株主総会の運営等に関して適正な手続を経ていないこと等が挙げられます。前者は株主総会決議不存在確認の訴えの対象となり、後者は株主総会決議無効確認ないし取消しの訴えの対象となり得ます（会社法830条1項・2項・831条1項）。

また、会社法の施行以前から存続する株式会社については原則として株券発行会社とみなされるところ、中小企業においては、実際には株券を発行していないままに、株券を交付することなく株式譲渡が行われていることも散見されます。このような株式譲渡は無効であることから、本来は、譲受人ではなく譲渡人に対して招集通知を発送しなければならないにもかかわらず、譲受人に対して招集通知を発送しているという状態が何年も継続している場合もあります。株主に対する招集通知漏れが多数に及ぶ場合には、株主総会決議が不存在となるおそれもあります。なお、株主名簿が整備されていない場合には、法人税・地方法人税申告書の別表二「同族会社等の判定に関する明細書」等を参照して株主を把握することになるところ、中小企業においては、もともとの管理の不徹底から、当該明細書の株主の記載と真実の株主が一致していない可能性をも頭に入れておく必要があります。

(ⅱ) 株主総会決議の瑕疵の顕在化

このような株主総会決議の瑕疵は、会社の運営が順調であるうちは問題にされることは多くありませんが、同族株主間の人間関係の悪化などを原因として会社の支配権争いが生じた場合等に、少数株主が決議の瑕疵を蒸し返すケースがあります。株主総会決議の存在が否定されてしまうと、決議の効力が遡及的に失われた結果（会社法839条参照）、会社の運営上大きな混乱が発生するおそれもあります。

また、近時は後継者不足等を原因として、中小企業を対象会社とするM&A案件も増加傾向にあるところ、前記のようなリスクの存在は、対象会社の価値を下落させる要因にもなり得ます。

(iii) 弁護士による支援業務

このような観点から、中小企業を支援する弁護士としては、中小企業が会社法や定款の内容を正確に理解した上で、適法かつ適正に株主総会を開催できるように支援することが重要な役割であるといえます。

具体的な対応方法として、代表取締役が株主総会の決議を要する業務執行行為を決議に基づかずに行った場合には、事後的に当該行為を追認する旨の株主総会決議を得ることが考えられます。また、株券を交付することなく株式譲渡が行われていた場合には、会社が株券の発行を不当に遅滞した場合に株券の発効前に行われた意思表示のみによる有効な株式譲渡(最判昭和47・11・8民集26巻9号1489頁)に該当しない限り、無効と考えられる株式譲渡以降のすべての株式譲渡を株券の交付を伴うかたちであらためてやり直すことや、株主権の時効取得(東京地判平成15・12・1判タ1152号212頁、東京地判平成21・3・30判時2048号45頁)等を検討することになります。株券の交付としては、占有改定(民法183条)や指図による占有移転(同法184条)等を活用することを検討します。

③ 株主総会に関する法的支援
(i) 招集に関する支援
(ア) 招集の決定

取締役会設置会社においては、株主総会を招集するに当たって、株主総会の日時および場所、株主総会の目的事項、議決権行使の方法などの事項を取締役会において決議しなければなりません(会社法298条1項・4項)。株主総会の目的事項に、役員の選任、定款の変更などの一定の事項が含まれているときは、当該議案の概要(議案が確定していない場合には、その旨)まで定める必要があります(会社法施行規則63条7号)。

取締役会非設置会社においては、取締役の過半数の一致によって前記事項を決定しますが、一定の場合を除いて会議の目的事項を事前に決めておく必要がないことは前述の通りです。なお、取締役の員数が2名である場合など、取締役間に対立が生ずると、適法に株主総会の招集を決定することができなくなるおそれもありますので、留意が必要です。

(イ) 招集通知の発送

公開会社ではない取締役会設置会社の場合、招集通知は原則として株主総会開催日の1週間前までに書面で発送する必要があります(会社法299条1項・2項2号)。定時株主総会の招集に関しては、計算書類および事業報告ならびにこれらの付属明細書について、取締役の承認を受け(同法436条3項)、招集通知とともに株主に提供する必要があります(同法437条)。

取締役会非設置会社の場合には、招集通知の発送時期について1週間を下回る

期間を定款で定めることが可能であり（会社法299条1項）、また、招集通知は書面や電磁的方法である必要はなく口頭でも可能です（同条2項2号）。さらに、定時総会の招集には、計算書類・事業報告・監査報告などの書類の添付も要求されていません（同法437条・438条参照）。なお、書面で招集通知を発送する場合にも、原則として目的事項の記載は不要と解されています（同法299条4項参照）。

なお、2019年会社法改正により、非上場会社においても、2022年9月1日以降、定款変更により株主総会資料の電子提供制度を利用することが可能となりました（会社法325条の2以下）。ただし、この制度を利用する場合、招集通知の発送時期については2週間を下回ることはできません（会社法325条の4第1項）。

【招集通知のサンプル】

令和○年○月○日

株主各位

東京都○○区○○丁目○番○号
○○○○株式会社
代表取締役社長　○○　○○

第○回定時株主総会招集ご通知

拝啓　ますますご清栄のこととお喜び申し上げます。
　さて、当社第○回定時株主総会を下記により開催いたしますので、ご出席くださいますようご通知申し上げます。

敬具

記

1、日　　時　　令和○年○月○日（曜日）　午前○時
2、場　　所　　○○県○○市○○丁目○番○号
　　　　　　　　当社本店会議室　（添付の案内図をご参照ください）
3、目的事項
　　報告事項　　第○期（令和○年○月○日から令和○年○月○日まで）事業報告の内容報告の件
　　決議事項
　　第1号議案　第○期（令和○年○月○日から令和○年○月○日まで）計算書類承認の件
　　第○号議案　・・・・・・

以上

(ｳ)　**法的支援の内容**

株主総会の招集に関する法的支援としては、適法に招集の決定がされているか、招集に当たって定める事項に不足がないか、必要な各書類の不備・添付漏れ・不適正な記載等がないか、株主への招集通知が法令および定款の規定に則っ

ているか等をもれなく確認する必要があります。とりわけ役員選任等の定足数を排除し得ない事項や、定款変更等の特別多数決を要する事項については、事前に委任状を取得しておくように助言するべきです。

　また、定款の定めに基づいて取締役全員の書面または電磁的記録による同意を取得することにより株主総会招集事項を決定する取締役会を省略することが可能であること（会社法370条）、および、株主総会の目的事項（決議事項）や報告事項について株主全員が書面または電磁的記録により同意をした場合には株主総会自体を省略することも可能であること（同法319条1項・320条）も、各会社の実情に応じてアドバイスできると有益です。

　近年、感染症禍も相まって株主総会自体を省略する例が少なからず見受けられますし、そもそも議事録だけ作成して現実に株主総会を行っていないのであれば株主総会決議不存在確認の訴えの対象となり得るため（会社法830条1項）、株主全員の同意が見込める場合であれば、決議の省略も十分検討に値すると考えられます。

　さらに、近時の感染症禍の関係で、いわゆるバーチャル株主総会の可能性が議論されています。この点、2020年2月26日に経産省が策定した「ハイブリット型バーチャル株主総会の実施ガイド」では、バーチャルオンリー株主総会（リアル株主総会を開催することなく、取締役や株主等が、インターネット等の手段を用いて、株主総会に会社法上の「出席」をする株主総会）の実施は会社法上困難であると解されるものの（ただし、産強法において、会社法の特例として、上場会社において、バーチャルオンリー株主総会の開催が可能となった）、ハイブリッド参加型バーチャル株主総会（リアル株主総会の開催に加え、リアル株主総会の開催場所に在所しない株主が、株主総会への法律上の「出席」を伴わずに、インターネット等の手段を用いて審議等を確認・傍聴することができる株主総会）、ハイブリッド出席型バーチャル株主総会（リアル株主総会の開催に加え、リアル株主総会の場所に在所しない株主が、インターネット等の手段を用いて、株主総会に会社法上の「出席」をすることができる株主総会）は、開催場所と株主との間で情報伝達の双方向性と即時性が確保されていることなどを条件に、会社法上、可能であると整理されています。

【委任状のサンプル】

委任状

私は、○○を代理人と定めて次の権限を委任します。
1. 令和○年○月○日開催の貴社第○期定時株主総会（継続会又は延会を含む）に出席して、下記の議案につき私の指示（○印で表示）に従って議決権を行使すること。但し、各議案につき賛否の表示をしていない場合、原案

につき修正案が提示された場合及び議事進行その他株主総会の手続等に関連する動議(株主提案と会社提案の審議及び採決の順序、原案の議決の諮り方等を含む)が提出された場合は、いずれも白紙委任します。
2．復代理人を選任すること。

記

(○印で表示)

第1号議案	原案に対し	賛	否
第○号議案	原案に対し	賛	否

○○株式会社　宛

令和○年○月○日

(株主)　住所
　　　　氏名　　　　　　　　　　　　㊞

(ii) **株主総会当日の議事運営に関する支援**
　(ア) **議事運営に関する留意点**
　株主総会の議事の運営方式について、会社法は詳細な規定を置いていませんが、大別して、個別上程個別審議方式と一括上程一括審議方式とがあります。
　また、議事進行に関して、取締役等の役員は、原則として必要な説明をする義務を負い(会社法314条)、必要な説明を尽くさなかった場合には、決議方法の法令違反として決議の取消事由となり得ます(同法831条1項1号)。必要な説明とは、平均的な株主が議案を合理的に理解し、議決権行使の判断をするのに客観的に必要な範囲の説明であると解されていますが(東京高判平成23・9・27資料版商事法務333号39頁)、具体的には個別の質問事項ごとに検討する必要があります。決議に当たっては、決議事項ごとに普通決議、特別決議または特殊決議のどの方法が要求されるのか(同法309条)、実際に当日の出席株主数および議決権数から決議の要件を充足しているか等を確認することが必須です。これらに違反した場合には、決議取消事由となり得ます(同法831条1項1号)。
　(イ) **法的支援の内容**
　実務上、株主総会当日の運営は、事前に作成した詳細なシナリオに従って行うのが一般的です。シナリオ案については、弁護士が法令や定款に適合しているか否かチェックし、必要に応じ企業と打合せやリハーサルを行います。また、事前に混乱の可能性が考えられる場合等には、株主総会当日に弁護士が議長の補助者として同席をして不測の事態に備えることも考えられます。
　とりわけ、株主は総会の議案に関する修正動議(会社法304条)のほか、議長不信任、総会の延期・続行等議事運営に関する動議も提出が可能であると解されて

第2部　各　論

いるところ、決議の瑕疵を招来しないために、適法な動議か否か、議場に諮るか否か、採決の順序をいかにすべきか等の判断に関し、議長を適切に補助することが求められます。具体的には、修正動議が提出された場合、まずは適法な修正動議であるかどうかを確認します（定款に違反しないか、同条ただし書に反しないか等。なお、招集通知および株主総会参考書類に記載された会議の目的事項から一般的に予見し得べき範囲を超える修正動議は不適法と解される）。その上で、原案を修正案より先に採決することは可能であり、その結果原案が可決された場合には、修正案については否決されたものとして扱うことが可能です。もっとも、原案を修正案よりも先に採決することについては議場に諮って承認を得ることが株主の理解を得る上で望ましいと考えられます。また、議事運営等に関する手続的な動議の場合には、議場に諮るかどうかを含めて、当該動議をどのように取り扱うかについては、議事整理権（同法315条）を有する議長の裁量に委ねられています。ただし、同法316条、317条および398条2項に基づく動議のほか、議長不信任の動議については、必ず議場に確認しなければならないとされていることに留意が必要です。

【シナリオ案のサンプル】

項目	担当者	シナリオ
挨拶	議長	皆さん、こんにちは。社長の○○でございます。
議長就任宣言	議長	定款○条の定めにより、私が議長を務めますので、よろしくお願い申し上げます。
開会宣言	議長	それでは、○○株式会社第○期定時株主総会を開会いたします。本日の株主総会の目的である事項として、お手許の招集ご通知に記載の通り本総会に提出いたします。
議事進行ルール説明	議長	議事の秩序を保つため、株主様からのご発言・ご質問等につきましては報告事項および決議事項の内容説明が終わりました後にお受けいたしますので、その際は私の指示に従ってご発言くださいますようお願い申し上げます。
出席株主報告	議長	それでは、本総会の議決権につきましてご報告申し上げます。本総会において議決権を行使することのできる株主数は○名、総株主の議決権は○個であります。本日、只今までのご出席の株主数は、委任状をご提出いただきました株主様を含め○名、その議決権の数は○個であります。したがいまして、本株主総会の定足数を必要とする第○号議案の決議に必要な定足数を満たしておりますことをご報告させていただきます。

監査役の 監査報告の 指示	議長	では、報告事項および議案の審議に先立ちまして監査報告をお願いいたします。
監査報告	監査役	私は、常勤監査役の○○です。第○期における監査報告を作成いたしましたので、その内容につきまして私からご報告申し上げます。 第○期における監査結果につきましては、お手元の招集ご通知○頁に記載されている通りです。 また、本総会に提出されております各議案および書類につきましては、いずれも法令および定款に適合しており、指摘すべき事項はございません。以上、ご報告申し上げます。
報告事項の 報告	議長	ありがとうございます。 それでは、引き続き、報告事項であります、第○期事業報告の内容についてご報告申し上げます。事業報告の内容につきましては、お手許の招集ご通知○ページから○ページに記載の通りですが、その概要につきましてご説明させていただきます。 　　　　　＊　　　＊　　　＊ 以上で報告事項のご報告を終わらせていただきます。
議案の説明	議長	それではここで、お手許の招集ご通知○頁から○頁に記載の決議事項であります議案の内容をご説明申し上げます。 　　　　　＊　　　＊　　　＊
審議方法の 採決	議長	この後の進行方法についてお諮りしたいと存じます。まず、報告事項ならびに決議事項につきまして、株主の皆様からご意見、動議を含めた審議に関する一切のご質問、ご発言をお受けいたします。その終了後は決議事項につき採決のみをさせていただきたいと存じますが、この方法についてご賛同いただける株主様は拍手をお願いいたします。 ありがとうございます。過半数のご賛同をいただきましたので、この方法で行うこといたします。
発言の際の お願い事項 の説明	議長	それではこれより株主の皆様からのご発言をお受けいたします。なお、ご発言に際しては私の指名を受けていただいた後、お手許の出席票に記載された番号とお名前をおっしゃっていただき、簡潔にご発言ください。

第2部　各　論

審議開始	議長	それではご発言をお受けいたします。ご発言を希望される株主様は挙手をお願いいたします。
審議終了	議長	他に質問はございませんか。 ご質問がないようですので、これをもってすべての審議を終了し、議案の採決に移らせていただきたいと存じますが、ご賛同いただける株主様は拍手をお願いいたします。 ありがとうございます。過半数の同意をいただきましたので、議案の採決に移らせていただきます。
議案の採決	議長	それでは、第1号議案「第○期　計算書類承認の件」の採決をいたします。原案にご賛成いただける株主様は、拍手をお願いいたします。 ありがとうございます。委任状をご提出いただいた方を含め、過半数のご賛同を得ましたので、本議案は原案通り承認可決されました。 次に、第2号議案……
閉会宣言	議長	以上をもって本日の株主総会の目的事項はすべて終了いたしましたので、本総会は閉会とさせていただきます。 ありがとうございました。

　㈰　事後対応の支援

　株主総会終了後は、会社法および法務省令に定めるところにより、株主総会議事録を作成する必要があるところ（会社法318条1項）、議事録に記載すべき事項として議事の経過の要領および結果などが定められています（会社法施行規則72条）。法定の記載事項に不足がないかどうか、議事の結果を示すものとして適切な表現となっているか等については、最終的に弁護士が確認することが有用です。特に登記事項については、議案の作成段階から慎重な検討が不可欠であり、場合によっては法務局に対して事前に確認を求めることも検討します。

(3) 取締役会に関する支援業務

①　取締役会の役割と権限

　取締役会は、すべての取締役で組織される会議体です（会社法362条1項）。取締役会設置会社においては、株主総会の権限が制限され（同法295条2項）、取締役会が企業の業務執行に関する意思決定、取締役の職務執行の監督等の権限を有し、特に会社にとって重要な業務執行の決定は、個々の取締役に委任することができない取締役会の専権事項とされています（同法362条4項）。

②　議事手続の省略

　定款でみなし決議の定めを規定することにより、議事手続を省略することが可

能です（会社法370条）。ただし、代表取締役および業務執行取締役は3か月に1回以上、職務執行の状況を取締役に報告しなければならず（同法363条2項）、かつ、当該報告を省略することはできないため（同法372条2項・3項・363条2項・417条4項）、少なくとも3か月に1回は実際に取締役会を開催する必要があることに注意が必要です。

③ 取締役会決議の瑕疵のリスク

取締役会は、会社の日常の業務執行の決定にかかわって適宜に開催されることが求められるため、株主総会に比較すると会社法が定める手続は簡略です。

しかし、取締役会の招集手続、決議方法、決議の内容について、法令・定款に違反する瑕疵が存在する場合、原則として決議は無効となります。よって、取締役会を適正に開催しないと、会社の重要な業務執行に関する決定が後になって覆されるリスクがあります。

④ 取締役会に関する法的支援

(i) 招集に関する支援

取締役会は、原則として各取締役が招集することができ、取締役会の開催の日の1週間前までに各取締役に対して招集通知を発するとされていますが、定款の定めにより、招集権限をもつ取締役を限定し、また招集通知を発する期間を短縮することもできます（会社法366条1項・368条1項）。また、定款等で別段の定めのない限り、取締役会の招集通知には会議の目的となる事項を記載する必要もありません。

ただし、取締役会は全ての取締役会に参加の機会を提供しなければならないため、名目的取締役であっても、一部の取締役に対する招集手続を欠いたまま行われた取締役会決議は、原則として無効になります（最判昭和44・12・2民集23巻12号2396頁）。そこで、取締役全員にもれなく招集通知を発することが肝要です。

なお、会社法が施行される以前から存続する株式会社については定款に取締役会を置く旨の定めがあるとみなされているため（会社法整備法76条2項）、取締役会開催の実態を伴わないにもかかわらず、法的には取締役会設置会社となっている会社も散見される状況です。取締役会決議不存在等の瑕疵があると、決議は無効となるのが原則であるため、会社の実態によっては、取締役会非設置会社への変更を助言することも考えられます。

(ii) 取締役会当日の議事運営に関する支援

取締役会の決議は、原則として、議決に加わることのできる取締役の過半数が出席し、過半数の賛成により行われます。特別な利害関係を有する取締役は決議に加わることはできず（会社法369条1項・2項）、また、議長として議事を主宰することもできません。なお、取締役会に、取締役の代理人の出席は認められてい

ませんが、現実に一同に会する場合と同様の意思疎通が可能である場合等であれば、テレビ会議方式や電話会議方式で行うことが可能です。

取締役会は会議の目的事項を事前に定める必要が必ずしもなく、柔軟に審議・決議ができるからこそ、当日の運営に関しては、決議の方法が適正か、決議要件を満たすかを、個別の目的事項と各取締役との関係でよく確認する必要があります。

支配権をめぐる紛争が発生し、反対派から事後的に取締役会決議の効力が争われる可能性がある場合などは、弁護士が同席をして適宜議長を補佐すること、録音をすること、不適切に審議が長引くことを避けるために質疑・意見・採決の段階に分けて進行すること等を検討します。審議を尽くさないで採決を行った場合等は、瑕疵ある決議になりかねません。反対派も録音をしている可能性があることに留意し、質問や動議について不当な制限をしないように注意します。

(iii) 事後対応の支援

取締役会終了後は、その議事につき議事録を作成し、原則として出席した取締役および監査役は署名または記名押印する必要があります（会社法369条3項）。取締役会議事録の記載事項は法定されています（会社法施行規則101条）。取締役会決議に参加しながら議事録に異議をとどめない取締役は、決議に賛成したものと推定されることも踏まえた上で（会社法369条5項）、法定の記載事項に不足がないかどうか、議事の結果を示すものとして適切な表現となっているか等については、最終的に弁護士が確認することが望ましいといえます。

なお、取締役会議事録を電子化する場合には、出席役員は署名または記名押印に代わる電子署名をすることが求められています（会社法369条4項、会社法施行規則225条）。遠方の役員がテレビ会議方式等で出席した場合など、電子署名を活用することも考えられますが、電子署名の要件として、会社法施行規則225条2項各号の要件を満たす必要があること、また、登記事項に関わる取締役会議事録については、法務省が登記添付書類として利用可能な電子署名サービスを限定列挙で指定している点に留意することが必要です。

取締役会議事録は、取締役会の日から10年間本店に備えおかなければならず（会社法371条1項）、株主は裁判所の許可を得て（監査役非設置会社等の会社では、裁判所の許可は不要である）、取締役会議事録の閲覧・謄写を請求できます（同条2項・3項）。

(4) 取締役に関する支援業務

① 取締役の報酬、任期

中小企業の場合、取締役に関する重要事項としては、役員報酬、役員賞与等の決定が挙げられるでしょう（会社法361条1項）。当該報酬等を損金処理するため

には、定期同額給与、事前確定届出給与等の税務上の制度を理解しておくことが不可欠になります。資金計画上、非常に重要な問題ですので、事前に関与税理士の意見も求めておくことも検討すべきと考えられます。

また、取締役の任期については、2年が原則ですが（会社法332条1項）、非公開会社の場合は定款によって10年まで伸長することが可能です（同条2項）。中小企業では、登記費用を節約する等の理由から10年に伸長しているケースも多数見受けられます。同族会社等では取締役間の見解の相違が比較的と問題となりにくいとしても、数名で創業したベンチャー企業等のような場合は会社の経営方針を巡る取締役間の見解の相違が深刻な状態を招くことは稀とはいえません。事態を打開するため、多数派株主による取締役の解任が検討されることもありますが（同法339条1項）、解任された取締役は解任に正当な理由がある場合を除き、会社に対して損害賠償を請求することが可能です（同条2項）。裁判例によると、経営方針の相違等を理由とする解任の事例では、正当な理由を認めない傾向にあり、任期満了までの役員報酬相当額等を賠償する必要が生じます。任期を長期に伸長する場合、損害賠償額が高額となるリスクも勘案する必要があります。

② 取締役の会社に対する責任

取締役は会社に対して善管注意義務・忠実義務を負うため（会社法330条・355条）、任務懈怠により生じた損害があれば会社に対して賠償する義務を負います（同法423条1項）。ただし、総株主の同意があれば、当該取締役は免責されます（同法424条）。また、取締役による業務執行の萎縮を防止し、社外取締役の確保を容易にする目的で、株主総会の特別決議（同法425条1項・309条2項8号）、定款の定めに基づく取締役・取締役会の決定（同法426条1項）、定款の定めに基づく非業務執行取締役の責任限定契約（同法427条1項）により、賠償額の一部を免除することができます。

責任限定契約は、中小企業でも、社外取締役を活用する際等に、有益であると考えられます。

③ 取締役の第三者等に対する責任

2019年会社法改正で会社補償やD&O保険に関する規定が新設されました。

役員等が職務執行に関して損害賠償請求等を受けた場合に、役員等が要した争訟費用、損害賠償金等の全部または一部を会社が負担する会社補償が設けられました。取締役会設置会社では取締役会決議、取締役会非設置会社では株主総会決議により、役員等と保証契約を締結することになります（会社法430条の2）。

また、役員等を被保険者、会社を保険契約者として、役員等が職務執行に関して損害賠償請求を受けたことによる損害を担保する損害保険契約（「会社役員賠償責任保険」「D&O保険」）があります。取締役会設置会社では取締役会決議、取締

役会非設置会社では株主総会決議により、保険契約を締結することになります（会社法430条の3）。

近年、中小企業においても、役員に対して損害賠償請求が行われる例が増加しているといわれており、取締役として適任者を確保するために、このような制度の活用も検討に値すると考えられます。

④ 取締役の行為能力

2019年会社法改正により、成年被後見人等についての取締役等の欠格条項が削除され、成年被後見人等であっても、取締役等に就任することができることになりました（2019年改正前会社法331条1項2号の削除）。就任について成年後見人等の承諾等があった場合、成年被後見人等の取締役の資格に基づく行為は取り消し得ないことになります（同法331条の2）。小規模な同族会社等では、高齢化した親族しか取締役に人を得られない場合もあり得ますが、取締役の行為能力に関する争いを避けるために、判断能力が低下してきた段階で、上記制度を利用することも考えられます。

5 労務管理

(1) 中小企業法律支援における労務管理の重要性と弁護士の役割

一般的に、中小企業においては、労働関係法令が複雑であることや人的・資金的余裕がないことから、労務管理がきちんとされていないのが実情です。近時、労働事件は増加傾向にあり、労務管理に対する弁護士の関与の需要は増加すると見込まれます。弁護士が把握すべき内容は多岐にわたりますが、紙幅の関係で重要点に絞り説明します。

(2) 労働条件に関するリスク

① 労働条件の明示

使用者である中小企業と労働者の労働条件は、労働契約、就業規則および労働協約の定めならびに法令によって決定されます。労働条件のうち、賃金、労働時間その他の労働条件を、厚労省令で定める方法（書面の交付）で労働者に明示しなければならないとされています（労働基準法15条1項）。

② 労働条件の合意

使用者と労働者が合意（契約）によって労働条件を決定します。明示の合意のみならず黙示の合意も紛争の帰趨に影響することが少なくありません。労働条件に関する合意は極めて重要なのですが、中小企業は定型的な契約書を使うため、労働条件について経営者側がきちんと吟味していない事態がみられます。また、中小企業が無自覚に法令違反の合意をしていることもみられます。

第2章　日常的な中小企業法務

③　就業規則

　常時10名以上の労働者を使用する使用者は就業規則を作成する必要があります（労働基準法89条）。「常時10名」は事業場単位で決めると解釈されています。就業規則で定められた内容は労働条件になり得ますが、作成しているだけでは足らず、内容が合理的で就業規則を労働者に周知させていることが必要です（労働契約法7条）。周知の方法は、就業規則を各人に配布する方法、就業規則を事業場に置きいつでも閲覧できる状態にしておくことが必要ですが、中小企業では曖昧になっているところもあります。

④　労働協約

　労働協約とは労働組合との合意内容を書面化したものです。労働協約の効力はごく例外的な場合を除き、原則として労働協約を締結した労働組合の組合員に限り及び、それ以外の労働者に及ぼすことはできません。労働条件を不利益に変更する内容について当該労働組合員以外の従業員に対して効力を及ぼすためには、別途同意を得るか、または就業規則変更の手続が必要となります。

(3)　労働条件の変更のリスク

　労働条件は変更可能ですが、労働者に不利益な変更については、一定の要件を満たす必要があります。まず、合意による変更が可能です（労働契約法8条）。就業規則がないときは、合意した労働者と合意だけで不利益変更が可能ですが、変更に合意しない労働者に対しては、就業規則の制定や変更の手続が必要になります。また、就業規則がある事業場において、合意した不利益変更の内容が、就業規則が定める基準を満たしていないときは、合意だけでは足らず、就業規則の変更も必要となります（同法12条）。就業規則の不利益変更は、労働者から就業規則変更に同意を得るか、または、労働者から同意を得られないときは、変更後の労働条件を周知し、変更内容が労働者の受ける不利益の程度、労働条件変更の必要性、変更後の就業規則の相当性、労働組合との交渉の状況その他の就業規則変更に係る事情に照らして合理的なものであるときという要件を満たす限りにおいて、一方的な変更が可能です（同法10条）。労働協約があるときは、労働組合との間で労働協約を変更するか、または労働協約を破棄（労働組合法15条2項）しなければ、労働協約が適用されている労働者について労働条件の変更の効力を及ぼすことはできません。（同法16条）。

(4)　労使協定

　例えば、時間外労働や休日労働をさせるためには、三六協定（労働基準法36条1項）といわれる労使協定を締結する必要があります。このような労使協定は直接的に労働条件を定めるものではありませんが、労働条件と深い関係があるといえます。三六協定のほかにも、労働法令における原則的な制限を緩和する場合に

119

労使協定を締結する必要があります。労使協定さえ締結すればすべて手続が終わると思い込んでいる中小企業がありますので、就業規則の変更等必要な手続が適切になされているか確認が必要です。

(5) 従業員管理・労働安全衛生管理・安全配慮義務に関するリスク

① 労働時間管理

使用者は労働者の労働時間を管理する責務（勤怠管理）を負っています。具体的管理方法はそれぞれの企業に応じた方法によります。

特に残業について、一部の例外を除き、法定時間外労働させられる時間に上限が法律で設けられましたので、労働時間管理の重要性が増しています。

② 安全衛生管理・ハラスメント防止

使用者は、労働者の職場における安全と健康を確保するために十分な配慮をなす債務として、安全配慮義務を負っています（最判昭和50・2・25民集29巻2号143頁等）。また、労働基準法や労働安全衛生法等の法令において、業務上（通勤を含む）の負傷、疾病、障害または死亡などの労災事故を防ぐため、事業主が講ずるべき諸措置を規定しています。労災事故が起きた場合、使用者は労働者に対して所定の給付を行う義務がありますが（労働基準法75条以下）、労災保険制度により給付が行われた場合はその限度で労働基準法上の労災補償責任は免れます（同法84条1項）。

セクシャルハラスメント、パワーハラスメント、マタニティハラスメントについても、使用者がこれらを防止する義務を負うとされています。事業者は、セクシャルハラスメントについて、相談者からの相談に適切に対応するための体制の整備その他雇用管理上必要な措置を講じなければなりません（雇用機会均等法11条1項）。また、婚姻、妊娠、出産等を理由とする不利益取扱い（マタニティハラスメント）は禁止されています（同法9条）。パワーハラスメントについて、労働施策の総合的な推進並びに労働者の雇用の安定及び職業生活の充実等に関する法律が制定・施行され、これを受けた「事業主が職場における優越的な関係を背景とした言動に起因する問題に関して雇用管理上講ずべき措置等についての指針」が定められています。

中小企業へのアドバイスに当たって、これらの各種法令や通達を踏まえておくことが必要不可欠です。

(6) 非正規雇用労働者に関するリスク

一般的に正規雇用労働者といわれている従業員は、直接労務を提供している企業に雇用され、期間の定めがなく、労働時間が法定労働時間とほぼ同じ所定労働時間労働する契約を締結しています。これに対して、派遣元企業に雇用されている派遣労働者、期間の定めがある有期雇用労働者や、所定労働時間が少ない短時

間労働者（これらを非正規雇用労働者という）についても、近時、法令が整備されてきており、注意が必要となっています。

(7) **個別的労働紛争における中小企業の傾向**
① **賃金に関する紛争**
(i) **時間外労働等の割増賃金**

中小企業では従業員の労働時間管理が厳格ではないため、割増賃金の対象となる時間数それ自体が争点になる傾向があります。実際には、時間外労働・休日労働の割増賃金訴訟において労働時間が問題になります。本来は労働したと主張する労働者側が挙証責任を負うはずですが、使用者側において労働時間管理が不十分であり適切な反証ができないときには、労働者側のある程度概括的な主張が認められてしまう可能性が高まります。明示的に法定時間外労働を命じていなくても、黙示的に法定時間外労働を命じたとして割増賃金の支払を求められることがあります。黙示的な命令の判断においては、労働者が行った行為の内容やその時間帯と本来業務との関連性で判断することになります（最判平成12・3・9民集54巻3号801頁等〔三菱重工長崎造船所事件〕）。未払割増賃金は中小企業にとって莫大な金額になることが多く、経営に致命的な影響を与えますので、問題が具体化する前に早期に是正することが望ましいのですが、是正には就業規則の変更等が伴うため、従業員に発覚することをおそれて経営者が是正に消極的になることもあります。

(ii) **正規雇用従業員と非正規雇用従業員の労働条件の差に関する紛争**

非正規雇用従業員が増加し、非正規雇用従業員と正社員の待遇格差が不合理であるとする紛争が多くなっています。有期労働契約の労働者が、期間の定めがあることによって無期労働契約の労働者と労働条件において相違する場合、その相違が不合理であってはなりません（労働契約法19条）。

(iii) **賃金減額に関する紛争**

賃金の減額に関する紛争において、まず問題になるのが賃金を減額できる内容の労働契約であるか否かです。その上で、当該賃金減額の理由（降格処分、配転、人事考課等）に応じて、例えば就業規則の不利益変更の問題なのか、降格処分や人事考課の問題なのかで、対応が変わります。

② **人事に関する紛争**
(i) **昇進や昇格、降格等についての紛争**

当該企業がいかなる人事制度をとっているのか、また、内部の昇進や昇格、降格に関する制度や基準の有無およびその理由（懲戒処分か、人事権行使に伴うものか）等が、人事に関する紛争の結論に大きく影響します。降格の内容も、職位・役職の問題や、職能資格等級・職務等級の問題などがあり、問題が生じた場合に

121

はその内容を明確にした上で対処する必要があります。基本給の減額を伴う場合は厳格に判断されることになる点に注意が必要です。

(ⅱ) 配転等

配転のほかに、出向や転籍があり、それぞれの類型ごとに、有効となる要件に違いがあります。配転において本人の同意があればよいですが、配転命令の場合には、就業規則・労働協約・労働契約に根拠規定があり、業務上の必要性、他の不当動機・目的の有無、労働者側の不利益の大きさから判断して権利濫用とならないことが必要です（最判昭和61・7・14判時1198号149頁〔東亜ペイント事件〕）。この観点から判断する必要があります。

(ⅲ) 懲戒権の行使に関する紛争

中小企業では、就業規則等に懲戒に関する規定がない場合があります。少なくとも就業規則（就業規則の備置の義務がない企業においては労働契約）において懲戒に関する規定を整備する必要があります。その上で、懲戒手続が当該規定に則って行われるよう指導することになります。

(ⅳ) 解雇・雇止めに関するリスク

労働者の自発的退職の意思を前提とする退職勧奨と異なり、解雇や雇止めは使用者からの一方的な行為であるためより慎重な対応が必要です。解雇が、客観的に合理的な理由を欠き社会通念上相当であると認められない場合は権利を濫用したものとして無効になるとされています（労働契約法16条）。また雇止めについては、一定の有期労働契約者について、使用者が更新拒絶することについて客観的に合理的な理由を欠き、社会通念上相当であると認められないときは、労働者の更新の申入れを承諾したものとみなされます（同法19条）。さらに、解雇禁止期間（労働基準法19条）、30日前の解雇予告（同法20条）のほか、解雇理由によっては法律によって解雇が禁止されている場合あり、また就業規則等に解雇に関する規定がありますので、各規定の確認が必要となります。病気等や能力不足、勤務態度不良等を理由とする普通解雇や懲戒事由に基づく懲戒解雇のほか、事業所閉鎖等の使用者側の事情による整理解雇の場合には、①人員削減の必要性、②解雇回避努力、③人選の合理性、④協議という4要件（要素）を充足する必要があり、これら要件を充足するように実施するようアドバイスすることになります。

(ⅴ) 労働者派遣に関するリスク

中小企業は派遣先・派遣元のいずれにもなりますが、派遣先の中小企業は、労働者派遣法についての知識が乏しく、そのため中小企業にとって想定外の事態が起こることがあります。労働者派遣法は近年頻繁に改正されており、派遣先企業の法的責任も重くなる傾向にあるため、法制度を理解した上でのアドバイスが必要となります。

③ 労働者性に関するリスク
(i) 偽装請負のリスク

契約上は請負や委任等の労働契約ではないが実態は労働であるという、いわゆる偽装請負という問題です。

(ii) 役員の従業員性に関するリスク

取締役である者が、従業員の地位も併有しているか否かが問題になることがあります。中小企業では役員と認識しているので、取締役を辞任、再任しないまたは解任した後、従業員の地位は存続しているとして、主張してきます。取締役就任時に従業員退職金の給付などその地位を解消している事情があるか等が争点となります。

(8) 集団的労働関係紛争のリスク

労働者が、合同労組やユニオンと呼ばれる労働組合に加入する事例が多くみられます。中小企業では労働組合対応に不慣れであることが多く、特に労働組合結成直後の不適切な対応が不当労働行為に該当するなどによって紛争の原因となることがあります。労働組合からは、継続的に使用者との交渉（団体交渉）の要請がなされることがあり、使用者は正当な理由がなく拒むことは禁止されています（労働組合法7条）。団体交渉に応じる場合であっても、労働組合の要望に必ず応じなければならないわけではなく、誠実な協議を実施することが重要であるため、不当に拒絶するような対応にならないよう注意が必要です。その上で、応じるとすればいつどのような形で応じるか等についてアドバイスすることになります。

(9) 行政との関係におけるリスク

中小企業は、本来社会保険や労働保険に加入しなければならないにもかかわらず、加入を逃れている企業が少なくありません。中小企業では未加入問題について弁護士以外に指摘する人がいない場合があることや、隠れた負債となる場合が考えられることから、労務管理だけでなく、中小企業に対する法律支援全般においても、社会保険・労働保険についての基本的知識が必要となります。

(10) 紛争解決手段
① 個別労働関係紛争解決手段
(i) 民事訴訟

労働に関する紛争解決手段には、通常一般の民事訴訟があります。また、解雇や雇止めその他賃金の減額を伴う処分を争う紛争については、労働者から仮処分の手続がとられることが多くあります。

(ii) 労働審判

労働審判は裁判官が審判官となり、労働者側の審判員と使用者側の審判員との

第2部　各　論

3名で構成された労働審判委員会が判断することになります。調停の成立によって終了する場合もありますが、そうでない場合は審判を行うことになります。原則として3回の期日の審理とされ、申立てから40日以内に第1回期日が開かれ、その10日前に答弁書の提出が求められることになるため、審判の相手方はかなり短期間にて相当量の準備対応を強いられることになります。審判は2週間以内に異議申立てがあると効力を失い、通常訴訟に移行することになります（労働審判法21条3項・22条1項）。調停や審判で解決することも少なくありません。

(ⅲ)　行政による助言・指導・勧告・命令・調停・あっせん

都道府県労働局長、労働基準監督署長や労働基準監督官は、労基法その他関連法令に違反している事実を発見した場合、使用者に対して助言、指導、勧告および命令を行うことがあります。これらのうち何をどこまでできるかについては、法令違反の内容に応じて異なります。労働基準監督署から事情聴取を受けたり、臨検（労働基準法101条・104条の2）などを受けることになった場合には、是正勧告等を受けることになる可能性もあるため、慎重な対応が必要となります。

個別労働関係紛争を解決するため、紛争調整委員会による調停またはあっせんの手続があります。紛争調整委員会は、当事者の一方または双方からのあっせんまたは調停の申請があったときに都道府県労働局長が紛争解決に必要と認めたときに置かれるものです。調停は、雇用機会均等法、パートタイム労働法および育児介護休業法にそれぞれ規定されています。また、前記調停の対象とできない個別労働関係紛争（募集・採用に関する紛争を除く）については、紛争調整委員会のあっせんの手続もあります。都道府県においても、個別労働関係紛争についてあっせんの手続があります。都道府県によって都道府県労働委員会または労政主管事務所の一方または双方が運営しています。

②　集団的労働関係紛争解決手続

(ⅰ)　不当労働行為救済手続

(ア)　初審手続

労働組合法が禁止する不当労働行為に対する救済手続として、労働委員会の手続があります。労働委員会は申立てに対して、公益委員、労働者委員、使用者委員により組織され、両当事者出席の上で調査期日が開かれます。和解による解決を図る場合が多いですが、和解が成立しない場合は、却下、棄却または救済命令を行政処分として発します。原則として初審手続の管轄は都道府県労働委員会ですが、全国的重要事件については、中央労働委員会の管轄が認められます。

(イ)　再審査手続

都道府県労働委員会の初審手続の命令に不服があるとき、中小企業は中央労働委員会への再審査または地方裁判所に対する取消訴訟の手続のいずれかをとるこ

とになります。再審査は命令受領から15日以内に申立てが必要となり、再審査の処分に対し不服がある者は、行政取消訴訟を提起することができます。

(ⅱ) 取消訴訟手続

中小企業は都道府県労働委員会または中央労働委員会の命令に対し、行政事件訴訟法の取消訴訟を提起することができます。提訴期限は、使用者側は命令書交付から30日以内とされています（労働者側は6か月以内であり、不服申立てが可能な期間が異なる）。

6 知的財産権の管理

(1) 知的財産権概要

知的財産権とは、知的財産基本法2条2項によると「特許権、実用新案権、育成者権、意匠権、著作権、商標権その他の知的財産に関して法令により定められた権利又は法律上保護される利益に係る権利をいう」とされています。

主なものとして、特許権、実用新案権、意匠権、商標権の産業財産権、著作権、不正競争防止法により保護される権利があります。

中小企業においても他社の知的財産権を侵害することにより生じるリスクを排除するだけでなく、知的財産権により自社の製品に付加価値を付す等して、知的財産権を戦略的に活用することが求められます。

(2) 特許権

① 概要

特許法として保護の対象となるものは、「発明」であり、「発明」とは自然法則を利用した技術的創作のうち高度のものをいうとされ（特許法2条1項）、発明には、「物の発明」と「方法の発明」があります（同条3項）。

特許権者は、業として特許発明の実施を専有するとされており、特許発明については特許権者に特許発明としての実施について独占権が与えられます（特許法68条）。なお、特許権の存続期間は出願日から20年間となっています（同法67条1項）。

② 特許出願かノウハウとして保護するか。

企業が研究開発等により新しい発明を行った場合、特許権を取得するためには、特許庁に出願する必要があり、出願より1年6か月で出願公開されます。すなわち、特許出願するとその発明は1年6か月で秘密を保持することができなくなります。

そこで、研究開発等による新しい発明を出願せずに自社独自の技術として営業秘密・ノウハウとして秘密性を維持することも考えられます。ノウハウについても秘密として管理することにより、不正競争防止法による営業秘密として保護の

対象となります（不正競争防止法2条6項）。

　特許出願するかノウハウとしてキープするかは、その技術内容等の発明の内容、特許権の維持費用等のコスト、企業の規模や実態、市場の動向等により総合的に判断することになります。

③　ライセンス契約

　発明した企業が予算不足や人員不足でそもそも自社実施できない場合や、自ら特許権を実施するよりも他社に実施させたほうが自社の利益になる場合、他社が自社の発明を必要とする場合には、特許権を譲渡するか、ライセンス契約を締結することになります。特許権の譲渡のほうが自社にメリットがあるのかや、ライセンス契約にメリットがあるのかを技術の内容、存続期間、自社実施の可能性等を考慮し判断することになります。

　ライセンス契約を締結する際には、専用実施権とするのか通常実施権とするのかについてもその効果に照らし検討することが必要です。

④　職務発明規程

　「職務発明」とは、従業員等がその性質上使用者等の業務範囲に属し、かつその発明をするに至った行為がその使用者等における従業者等の現在または過去の職務に属する発明をいいます（特許法35条1項）。職務発明については、就業規則等に定めた場合に限り使用者等が特許を受ける権利を取得することができ（同条3項）、その場合、従業員等相当の利益を与える必要があるため（同条4項・5項）、従業員等による発明があり得る会社では職務発明規程（就業規則中の職務発明に関する規定を含む）により権利の帰属および相当の利益の基準を明確に定めておく必要があります。

⑤　侵害に対する救済

　特許権が侵害されている場合、民法709条に基づいて損害賠償請求ができますが、不法行為の要件のうち、過失（特許法103条）および損害額（同法102条）については推定規定があります。なお、損害額の立証が極めて困難な場合、裁判所は相当な損害額を認定することができます（同法105条の3）。訴訟では侵害の有無の審理が先行し、侵害であるとの心証を裁判所が開示した後に、損害の審理に入るため、損害の発生および額の主張は訴状においては概括的なものにとどめ、損害の審理に入ってから詳細な主張をすべきとされています。

　不法行為に基づく損害賠償請求権の消滅時効期間が徒過している場合、民法703条に基づき不当利得返還請求権を行使して実施料相当額の請求をすることになります。

　また、特許権が侵害もしくは侵害されるおそれがある場合、差止請求（特許法100条1項）および侵害組成物破棄等請求（同条2項）をすることも可能です。信

第2章　日常的な中小企業法務

用を回復するように必要な措置を命ずることもできます（同法106条）。

特許権侵害訴訟の第1審は、東京地裁と大阪地裁の専属管轄とされ（民事訴訟法6条1項）、控訴審は東京高裁の専属管轄に属し（同条3項）、知財高裁が事件を担当します。

(3) 実用新案権

実用新案制度は、自然法則を利用した技術的思想の創作（実用新案法2条1項）を保護する制度である点は特許制度と同様ですが、保護期間は10年間と特許制度より短く（同法15条）、権利登録の段階で実態審査を要しない代わりに差止めや損害賠償等の権利行使に実用新案技術評価書の提示を要する点に特徴があります（同法29条の2）。実用新案権を侵害されている場合、差止請求権（同法27条1項）、侵害組成物等廃棄請求権（同条2項）、信用回復請求権（同法30条、特許法106条）、損害賠償請求権（民法709条）、不当利得返還請求権（同法703条）を行使できます。

(4) 意匠権

意匠とは、物品の形状、模様もしくは色彩もしくはこれらの結合、建築物（建築物の部分を含む）であって、視覚を通じて美観を起こさせるものとされています（意匠法2条1項）。意匠法は工業デザインを保護するもので、存続期間は登録から25年間となります（同法21条1項）。

また、物品の特定の部分（部分意匠）や2つ以上の物品の組物全体（組物の意匠）が意匠の対象となったり、1つの意匠に類似する意匠（関連意匠）について登録が認められたり、登録意匠を秘密にしておくことができる点に特徴があります。工業製品のデザインはこの意匠法によって保護される以外にも他人の商品の形態をそのまま模倣した商品（いわゆるデッド・コピー）は不正競争防止法2条1項3号により保護されることになります。

意匠権者に無断で、業として登録意匠と同一・類似の意匠を実施することは意匠権の侵害となります。意匠権が侵害されている場合、差止請求権（意匠法37条1項）、侵害組成物等廃棄請求権（同条2項）、信用回復請求権（同法41条、特許法106条）、損害賠償請求権（民法709条）、不当利得返還請求権（同法703条）の行使ができます。

意匠権に関する訴訟は、通常の民事訴訟と同様に被告の住所地等や不法行為地、義務履行地にも管轄が認められますが、名古屋高裁管内以東に所在する地裁が管轄権を有する場合は東京地裁、大阪高裁管内以西に所在する地裁が管轄権を有する場合には大阪地裁にも競合管轄があります（民事訴訟法6条の2）。

(5) 商標権
① 概要

商標法は、自己の商品・役務と他人の商品・役務を識別する標識（自他商品・役務識別標識）である商標を保護するものであり、商標には商品・役務の出所を表示する出所表示機能、商品・役務の品質を保証する品質保証機能、商品・役務の宣伝広告の効果を高める広告機能があるとされています。商標の存続期間は登録の日から10年間とされていますが、更新登録することにより半永久的に存続させることができます（商標法19条）。

商標法により保護される標章は、人の知覚によって認識することができるもののうち、文字、図形、記号、立体的形状もしくは色彩またはこれらの結合、音その他政令で定めるものとされています（2条1項）。

② 商標権侵害への配慮

商標はさまざまな形態で取得されているため、自社の広告や商品等にロゴやマーク等をつけたりする際には他社の商標権を侵害していないか配慮が必要です。リスクをできる限り排除するためには特許情報プラットフォーム（J-PlatPat）等を活用して登録商標をチェックし、より慎重を期する場合は専門業者に調査を依頼することも検討すべきです。

他人の商標権を侵害する可能性をより低くするために、利用するロゴやマーク等を商標登録することも考えられます。化学的な問題や技術的な問題が生じやすい特許権と異なり、商標登録自体はそれほど難解なものではなく、費用も比較的安く押さえられるため商品や役務に新たなロゴやマークを使用する場合には商標登録することもリスクを排除する1つの方法であると思われます。なお、商標登録しても3年以上使用していない場合には不使用による取消しがなされることがあるため（商標法50条）、登録商標は速やかに使用すべきです。

すでに商標登録されている場合で、ぜひともその標章を利用したい場合には商標権の譲渡やライセンス契約等が必要となります。

③ 自社製品の差別化

商標登録することにより、自社製品と他社製品を識別することが可能になるため、仮に模倣品や類似商品が市場に出回ったとしても自社製品の差別化を図ることができます。

特に海外展開を検討している場合には、模倣品や類似品が出回りやすく、また国によっては司法機関による救済も期待できないため商標登録は必須となります。

④ 侵害に対する救済

登録商標と同一または類似の商標を、同一または類似の商品・役務に使用する行為は商標権の侵害となります（商標法25条・37条1号～8号）。

商標権が侵害されている場合、民法709条に基づく損害賠償請求が可能であり、過失（商標法39条、特許法103条）および損害額（商標法38条）については推定規定があります。訴訟では侵害の有無の審理が先行し、侵害であるとの心証を裁判所が開示した後に、損害の審理に入るため、損害の発生および額の主張は訴状においては概括的なものにとどめ、損害の審理に入ってから詳細な主張をすべきとされています。

不法行為に基づく損害賠償請求権の消滅時効期間が徒過している場合、民法703条に基づき不当利得返還請求権を行使して使用料相当額の請求をすることとなります。

また、商標権が侵害もしくは侵害されるおそれがある場合、差止請求（商標法36条1項）および侵害組成物破棄等請求（同条2項）をすることも可能です。信用を回復するように必要な措置を命ずることもできます（同法39条、特許法106条）。

商標権に関する訴訟は、通常の民事訴訟と同様に被告の住所地等や不法行為地、義務履行地にも管轄が認められますが、名古屋高裁管内以東に所在する地裁が管轄権を有する場合は東京地裁、大阪高裁管内以西に所在する地裁が管轄権を有する場合には大阪地裁にも競合管轄があります（民事訴訟法6条の2）。

(6) **著作権**

① **概要**

著作権法は、文芸、学術、美術、音楽の範囲に属する思想や感情を創作的に表現したものを著作物として保護の対象としています（著作権法2条1項1号）。「表現」を保護するものでアイデアは保護されません。他方、創作性については著作者の個性が何らかの形であれ割れていればよいとされているため、ありふれた表現以外にものには著作物性があることになります。

他の知的財産権と異なり、創作時に権利が発生し、著作者の死後70年の経過で消滅します（著作権法51条）。また、著作権という財産権以外に、著作者には一身専属的権利として人格権としての著作者人格権（同法18条・19条・20条・113条6項）が帰属することにも特徴があります。

② **ライセンス契約**

他人の創作した著作物を商品や宣伝広告に利用したり、自社の創作物を他社に利用させる場合、特許権等の実施と同様に著作権の譲渡契約やライセンス契約が必要になります。この場合、著作者人格権や著作権法61条2項が規定する同法27条または28条、譲渡もしくは利用許諾する著作権が他者の権利を侵害していないかについての配慮が必要になります。また、著作権の譲渡は登録することにより第三者に対抗できるため、登録を検討する価値があります（著作権法77条・78条）。

なお、著作権については従業員等が職務上作成した著作物も法人等が著作者に

第2部　各　論

なるので職務著作についての配慮は不要となります（著作権法15条）。

③　依拠性

著作権は文章や絵、写真、映像、音楽、図形等さまざまな創作を保護の対象としますが、著作物に依拠して作成されたものに及び、独自に創作されたものには及ばないため、他者の侵害を主張する場合にはこの点の立証が必要となります。

④　侵害に対する救済

著作権等が侵害されている場合、民法709条に基づく損害賠償請求権が行使でき、損害額については推定規定があります（著作権法114条）。なお、過失の推定規定はありません。訴訟では侵害の有無の審理が先行し、侵害であるとの心証を裁判所が開示した後に、損害の審理に入るため、損害の発生および額の主張は訴状においては概括的なものにとどめ、損害の審理に入ってから詳細な主張をすべきとされています。

不法行為に基づく損害賠償請求権の消滅時効期間が徒過している場合、民法703条に基づき不当利得返還請求権を行使して使用料相当額の請求をすることとなります。

また、著作権等が侵害もしくは侵害されるおそれがある場合、差止請求（著作権法112条1項）および侵害組成物破棄等請求（同条2項）をすることも可能です。著作者人格権・実演家人格権が侵害された場合、名誉等を回復するように必要な措置を命ずることもできます（同法115条）。

著作権等に関する訴訟は、通常の民事訴訟と同様に被告の住所地等や不法行為地、義務履行地にも管轄が認められますが、名古屋高裁管内以東に所在する地裁が管轄権を有する場合は東京地裁。大阪高裁管内以西に所在する地裁が管轄権を有する場合には大阪地裁にも競合管轄があります（民事訴訟法6条の2）。

(7)　不正競争防止法

知的財産は不正競争により保護されることもあります。ただし、同法は、知的財産を権利として構成して保護するものではなく、知的財産を一定の利用行為から保護しています。

不正競争防止法が知的財産を保護する行為としては、他人の周知な商品等表示と同一・類似の商品等表示を使用して、他人の商品・営業と混同を生じさせる行為（混同惹起行為。同法2条1項1号）、他人の著名な商品等表示と同一・類似のものを、商品等表示として使用する行為（著名表示冒用行為。同項2号）、他人の商品の形態を模倣した商品を譲渡等とする行為（商品形態模倣行為。同項3号）、営業上用いられている技術的制限手段の効果を妨げる無効化行為等や役務を提供する行為（技術的制限手段に関する不正行為。同項17号・18号）、図利加害目的で、他人の特定商品等と同一・類似のドメイン名を使用する権利を取得・保有し、ま

たはそのドメイン名を使用する行為（ドメイン名に係る不正行為。同項19号）が規定されています。

知的財産を権利として保護できない場合でも上記のような不正競争行為に該当しないかを検討することになります。また、自社が上記のような不正競争行為を行わないよう注意が必要です。

他人の行為が不正競争行為に該当する場合、侵害停止・予防請求権（不正競争防止法3条1項）、侵害行為組成物破棄等請求権（同条2項）、損害賠償請求権（同法4条）、信用回復請求権（同法14条）等を行使することが可能です。

なお、不正競争に係る営業上の利益の侵害に係る訴訟は、通常の民事訴訟と同様に被告の住所地等や不法行為地、義務履行地にも管轄が認められますが、名古屋高裁管内以東に所在する地裁が管轄権を有する場合は東京地裁、大阪高裁管内以西に所在する地裁が管轄権を有する場合には大阪地裁にも競合管轄があります（民事訴訟法6条の2）。

(8) まとめ

予算や人員が不足する中小企業こそ、以上のような特徴を利用して販路の拡大や商品や役務の差別化・ブランド化等を図っていく必要があり、今後ますますその重要性は増していくものと思われます。

〈参考文献〉小泉直樹『知的財産法〔第2版〕』（弘文堂、2022）、中山信弘『特許法〔第4版〕』（弘文堂、2019）、中山信弘『著作権法〔第3版〕』（有斐閣、2020）、茶園成樹『不正競争防止法〔第2版〕』（有斐閣、2019）、岡口基一『要件事実マニュアル(3)〔第6版〕』（ぎょうせい、2020）。

7 資金調達

(1) 総論

企業の事業継続および成長の過程において、資金調達は極めて重要なテーマの1つです。自己資金のみで事業を維持発展させることは安定的でリスクの低い手段といえますが、変化のスピードが速い現代社会において、外部から資金を調達し、その資金を原資として付加価値の高い商品・サービスを提供し、事業を成長させるという事業戦略がより一般的と思われます。

中小企業における従来の資金調達の方法は、不動産担保融資や手形割引などが中心で、かつ融資の大部分について経営者の連帯保証が付されるものでした。しかし、昨今では、中小企業に積極的に投資するベンチャーキャピタルや地域ファンドによる株式投資（エクイティ・ファイナンス）も積極的に行われており、また、借入れによる資金調達（デット・ファイナンス）の手法も多様化しており、さらに経営者保証ガイドラインを用いた無保証融資も多数利用され始めています。

第2部　各　論

　中小企業支援を担う弁護士においても、事業の円滑な継続・発展に密接に関連する資金調達の各手段について把握し、法律家としての視点から企業ニーズに即した助言を行うことが求められます。

(2) デット・ファイナンス

① デット・ファイナンスの特徴

　中小企業におけるデット・ファイナンスの典型例としては金融機関からの融資があります。一定の金利と元金の支払義務が生じる一方で、約定通り支払えば事業の成功により多額の利益が生じても利益配当は予定されていません。

　ただし、約定の期限までに元本や利息の支払を怠れば、期限の利益を喪失して一括での返済を求められ、返済ができなければ倒産に至る可能性があります。

② 融資の多様化

　中小企業向け融資は、近年、従来の不動産担保融資のみならず、以下のようにさまざまな種類のものが存在しています。

(i) ABL

　ABL（Asset-Based Lending）とは、工場などにある在庫商品や仕掛品、原材料、機械設備等に対して集合動産譲渡担保を設定する融資や、各得意先への売掛債権に対して集合動産譲渡担保を設定する融資をいいます。担保設定に当たっては、動産譲渡登記や債権譲渡登記がなされます。

　これらは、不動産を持たない企業や、不動産に対してすでに担保提供がなされ担保余剰がない企業においても利用することが可能である点で、中小企業の新たな資金調達手段といえます。他方でABLは、金融機関が債務者の損益や資産の状況、在庫や売掛金の価値、資金繰りなどを定期的に監視する必要があるため、これらのモニタリングコストを反映した比較的高い金利となることが多く、また、契約条項において、一定の財務制限条項（コベナンツ）が付される点は留意が必要です。

(ii) 政府系金融機関による多様な金融商品

　日本公庫などの政府系金融機関では、中小企業支援のためのさまざまな融資制度を用意しています。

　以下、日本公庫の融資制度の一部を紹介します。

① 新企業育成貸付け（新事業育成資金、女性、若者／シニア企業家支援資金、再チャレンジ支援融資、中小企業経営力強化資金等）

② 企業活力強化貸付け（IT資金、海外展開・事業再編資金、働き方改革推進支援資金、事業承継・集約・活性化支援資金等）

③ セーフティネット貸付け（経営環境変化対応資金、金融環境変化対応資金、取引企業倒産対応資金）

④　新型コロナウイルス感染症特別貸付
⑤　挑戦支援資本強化特別貸付（資本性ローン。返済期間が5年1か月から20年の期限一括償還、金利は貸付後1年ごとの直近決算の業績に応じて設定）
(iii)　制度融資

　制度融資とは、中小企業支援を目的として都道府県や市町村など各地方自治体が、信用保証協会への信用保証料を補助したり、融資の貸付原資を金融機関に預託して金利の負担軽減を図るもので、金融機関を窓口として自治体の定める条件で融資がなされます。具体的には、商工会議所・商工会の経営指導を一定数受けたことを前提とする融資（金利優遇）や、短期つなぎ融資、創業や海外展開支援を目的とする融資、セーフティネット融資、事業承継支援融資、企業再建融資などがあります。
　このような優遇措置や多様な目的別の融資が魅力的である一方で、自治体の定める条件を満たす融資であることから、協議による返済条件の変更や債権カットなど、金融調整を行う場面では柔軟な対応が難しいという面もあります。

③　経営者保証GL

　従来の中小企業向け融資では、そのほとんどにおいて経営者が連帯保証人となっていました。しかし、このような経営者保証のリスクを敬遠して経営者人材が不足する後継者問題が社会的な課題となっていることから、政府が中心となり、経営者の個人保証に依存しない融資の促進が図られています。
　具体的には、経営者保証GLにおいて、主たる債務者（中小企業）および保証人（経営者）は、次の対応に努めるものとすると規定されています。
①　法人と経営者との関係の明確な分離
②　財務基盤の強化
③　財務状況の正確な把握、適時適切な情報開示等による経営の透明性確保
　一方、債権者（金融機関）においては、停止条件または解除条件付保証契約やABL、金利の上乗せ等の経営者保証を代替する融資手法のメニューの拡充を図ることとされ、債務者の要請があった場合には、前記取組みの状況等を考慮し、経営者保証を求めない可能性、代替的な融資手法を活用する可能性を検討するとされています。さらに、2023年4月以降、金融機関が中小企業に対して融資を行うに際して経営者との間で保証契約を締結する場合には、経営者保証GLの考慮要素のうちどの部分が十分ではないために保証契約が必要なのか、どのような改善を図れば保証契約の変更・解除の可能性が高まるか、の客観的合理的理由について、顧客の知識、経験等に応じ、その理解と納得を得ることを目的とした説明を行うことが求められます（金融庁監督指針の改正）。
　民間金融機関および政府系金融機関における経営者保証GLの活用状況は、金

融庁および中企庁のホームページで定期的に公表されており、政府の統計によると、2021年度は、民間金融機関における新規融資のうち29.9％、政府系金融機関における新規融資のうち47％が、経営者保証に依存しない融資となっており、この比率は年々上昇しています（金融庁「民間金融機関における『経営者保証に関するガイドライン』の活用実績」、中企庁「政府系金融機関における『経営者保証に関するガイドライン』の活用実績」）。

④ デット・ファイナンスの留意点
(i) 資金使途・返済計画の重要性

融資は、先に述べた通り、元金や利息が支払えない場合には期限の利益を喪失し、倒産に直面するリスクをはらんでいます。そのため、融資や社債による資金調達に際しては、真に必要な資金なのか、当該資金を原資として投資することにより借入金元金および利息を全額支払うことができるのか、支払条件は自社の収支計画と整合しているか等について、あらかじめ十分に検討されることが必要です。

(ii) 比較検討・交渉の重要性

また、近時は、融資の内容も多様化しており、金融機関によって金利等の融資条件も異なることから、企業側で金利、返済期間、担保・保証の要否等を主体的に比較・検討し、必要に応じて金融機関と融資条件につき交渉することも重要と思われます。

(iii) 資金管理・財務管理の重要性

そして、融資の実行後においては、企業側で損益の管理、資金の管理をしっかりと行い、健全な財務状態を維持することが重要となります。経営者が財務状況を把握し、健全な財務状態を維持できれば、先に述べた経営者保証GLを活用して、経営者保証に依存しない融資を受けることや、既存の経営者保証を解除することも可能となります。

(3) エクイティ・ファイナンス
① エクイティ・ファイナンスの特徴

株式発行による資金調達では調達資金について返還義務がないというメリットがある一方で、投資家においては債権に比べてリスクの高い資金を提供していることから、そのリターンとして高い配当を求めるのが一般です。

② 普通株式の発行

最も一般的な株式発行による資金調達は、普通株式の発行です。第三者割当増資や株主割当増資などがありますが、前者の場合、株主の議決権比率に影響を与えます。そのため、発行価額だけでなく、発行後の持株比率をあらかじめ検討しておくことが重要となります。

③ 種類株式の発行

また、既存株主の意向や引き受ける株主のニーズに応じて、以下の事項につき権利内容等の異なる種類株式を発行することが考えられます（会社法108条1項）。

① 剰余金の配当
② 残余財産の分配
③ 株主総会で議決権を行使できる事項
④ 譲渡による株式取得につき会社の承認を要すること
⑤ 株主の会社に対する株式取得を請求できること
⑥ 当該株式につき会社が一定の事由が生じたことを条件としてこれを取得することができること
⑦ 当該株式につき会社が株主総会の決議によってその全部を取得することができること
⑧ 株主総会、取締役会等の決議事項のうち、当該決議のほか当該種類株主の種類株主総会の決議があることを必要とすること
⑨ 当該種類株主の種類株主総会で取締役・監査役を選任すること

④ 投資家の多様化

(i) ベンチャーキャピタル

ベンチャーキャピタルとは、成長の初期段階にある有望な中小ベンチャー企業に対して、株式の取得を通じて資金を提供し、株式公開等により得られるキャピタルゲインの獲得を目的とする企業をいいます。国内でも多数のベンチャーキャピタルが存在しますが、投資を受けた企業数はリーマンショック以後大幅に減少しています（内閣府「日本経済2015-2016の概要」参照）。

(ii) 地域中小企業応援ファンド

地域中小企業応援ファンド（いわゆる地域ファンド）とは、都道府県や地域金融機関などが一体となって中小企業に対して出資等の投資を行うファンドをいいます。これらのファンドの一覧は中小機構のウェブサイトで検索できます（http://www.smrj.go.jp/fund_search/cgi-bin/search.cgi）。

(iii) 中小企業投資育成株式会社

中小企業投資育成株式会社法に基づき設立された株式会社で、中小企業の自己資本の充実を促進し、健全な成長発展を図るために中小企業に対する投資等の事業を行うことを目的としています。東京、大阪、名古屋の3社があり、この3社で日本全国をカバーしています。特徴として、中小企業の自己資本の充実を目的とし、キャピタルゲインの獲得を目指しておらず、長期安定株主として期待できる点や、経営支援や株式公開に向けた支援等が可能な点が挙げられます。

⑤ エクイティ・ファイナンスの留意点
(i) 資本政策の重要性

　第三者割当増資による普通株式の発行は、先に述べた通り既存株主の議決権に影響を与えることから、何株をいくらで発行するかの検討が重要になります。そして、そのためには、あらかじめ事業計画を策定し、将来の資金需要や企業価値の算定、株式公開に至るまでの各資金調達フェーズでの資本政策等を綿密に計画しておくことが不可欠といえます。また、必要に応じて株主間契約を締結することも検討すべきです。

(ii) 適法・有効な手続履践

　株式の発行に際しては、当然ながら会社法上の手続を適法かつ有効に履践することが求められます。中小企業においては、会社法上の手続を履践していない会社も散見されますが、手続をおろそかにすると、後々、事業承継や株式公開等に際して支障を来すおそれがありますので、留意が必要です。

(4) 補助金の活用

　以上に加えて、政府が一定の政策目的を実現するために企業に資金を交付する補助金の活用が考えられます。補助金は返済義務がないので、中小企業において積極的に利用が検討されるべきですが、その目的や地域によってさまざまですし、申請可能期間も限られているので、こまめにチェックすることが重要です。

　補助金は、以下のウェブサイト（ミラサポ：https://www.mirasapo.jp/subsidy/index.html、中小機構J-Net21：http://j-net21.smrj.go.jp/snavi/support）で検索が可能です。

(5) 資金調達において弁護士に期待される役割
① 制度設計に関する助言

　株式発行による資金調達を検討している場合には、持株比率の変動により会社の支配権に影響を与えることを伝えた上で、必要に応じて種類株式を活用するなど、適切な制度設計に関する助言を行うことが期待されます。

　また、融資による資金調達に関しても、前述の通り多様化していることから、企業の実体や経営者の意向に沿った融資制度を紹介することも重要です。

② 投資家との交渉

　次に、株式の発行条件や融資条件についても、ベンチャーキャピタルや金融機関の提示条件を複数検討し、必要に応じて会社代表者とともに条件交渉を行うことが有効です。相手方はファイナンスの専門家であり、これに対して中小企業経営者は資金調達のリスク等を十分に把握していないことが多いと考えられますので、その情報格差を埋めて、対等な交渉となるよう支援することが求められます。

③ 契約書の作成、手続関連書類の作成

株式投資においては、投資契約や会社法上の手続の履践など、法律家でなければ適切に対応できない事項が多くあります。また、融資契約についても、例えばABLを活用した融資などは契約書が複雑になりがちです。そのため、弁護士として契約書のレビューや会社法上の必要となる書類の作成、手続の履践を主導し、適宜経営者にその意味内容を説明していくことが期待されます。

8 債権回収・保全

(1) 企業における債権回収・保全の必要性

現在の経済社会は、企業間ないし企業と個人との間の信用に基づく売買その他の商取引（信用取引）によって成り立っています。信用取引を基礎とする企業の活動は、単に見かけの売上げが上がれば終わるものではなく、回収がなされてはじめて実質的な売上げが確保できることになります。巷でいう「黒字倒産」を回避する観点からも、中小企業経営者に債権の回収・保全の重要性を理解してもらうことは、弁護士の責務といっても過言ではありません。

取引先が倒産したといって慌てて債権を回収しようとしても、取引先企業には、回収可能な資産が残されていないことが多いのが現実です。債権を確実に回収するためには、平常時から予防的な債権の保全・債権管理が重要となります。

(2) 信用調査の必要性

これから取引を開始しようとする相手方の支払能力の裏付けとなる資料や情報の収集を行い、取引先の適格性を慎重に見極めることも、債権の回収・保全にとって重要な点です。

以前から関係のある取引先からの紹介先で支払能力に問題がないと思っていたが、取引を開始してから2か月後には支払を滞り始めたとか、異業種交流会で名刺をもらって取引したが、その名刺に書かれている住所に会社はなかったとか、取引開始時点で把握していた企業情報と実態が異なり、そのために債権回収が奏功しなかったという例は稀ではありません。

「信用調査」といっても、決して大上段に構える必要はなく、可能な範囲で可能な手法を使って、相手方企業の素性を知ることからスタートするという心づもりをアドバイスすることが肝要です。

信用調査の方法（着眼点）としては、直接的な調査方法と間接的な調査方法があり得ます。

直接的な調査方法としては、取引先の担当者、さらには代表者との面談があります。後述するように、客観的な調査方法として会社の商業登記に関する登記事項証明書の取付けなどが考えられますが、そのような客観的な資料と、面談し

た際の説明が食い違う場合（社長と呼ばれている人が登記上は代表権限がない場合など）は、どうしてそのような食い違いが生じているのか（意図的なものか）などを面接の際の質問で明らかにすることができます。また、取引先企業の本社、支社、営業所に実際に赴いて確認することも考えるべきです。ホームページではいかにも規模の大きい企業にみせかけ、実態は異なるという例もあります。もちろん、そのことだけで取引を開始しないとか中止するという結論に直結させるかは別ですが、相手方が実態と異なる外形を作出していることから、資質や信用性の判断に影響することは否定できません。取引先が個人の場合には、商業登記がありませんので、特に面接や事務所・店舗の訪問など、直接的な調査方法が重要になります。

間接的な調査方法としては、容易なものとして、会社の商業登記（登記事項証明書）を取り寄せてチェックすることが便宜です。商業登記からは、商号、本店、会社設立の年月日、（会社の事業の）目的、資本金の額、役員に関する事項がわかります。

本店所在地については把握している本社の住所との異同、「目的」についてはこれから取引を行おうとしている契約内容が目的の範囲か、資本金についてはその変動の有無と理由などをチェックします（目的欄が大幅に変更されているような場合には、法人格の外形を取得することを目的として休眠会社を買い取った場合もあり得るので、注意を要する。また、頻繁に目的欄の事項が変更されている場合も、会社の運営が安定していないなどの事情もあり得るので、ヒアリングは必須と思われる）。役員に関する事項については、代表取締役の氏名・住所、共同代表の定めがないか、就任時期や重任の時期、任期途中での辞任・解任の有無（例えば、役員が「解任」されている場合、会社内での紛争、運営に不安定要素がないか）をチェックします。

設立まもない会社の場合には現実の収支関係についての資料提供の訴求（支払能力の吟味）を検討します。

また、取引先企業（会社）あるいは代表者（役員）が所有する不動産について、不動産登記（登記事項証明書）を取り寄せてチェックすることで、担保権設定の有無、設定時期、借入先金融機関の状況がわかります。保全手続（仮差押）を行って任意交渉で債権回収を行う場合や債務名義を取得して強制執行手続によって債権回収を行う場合に対象財産を探索する場合にも重要な資料となり得ます。

(3) 証拠書類の確保

債権の回収・保全の前提として、自社（相談企業）が、相手方企業（ないし個人）に対して債権を行使できる裏付けが必要です。一昔前は、弁護士が中小企業

第2章　日常的な中小企業法務

から債権回収の相談を受けた際に、契約書の有無を質問すると、取引先に疎んじられることを恐れてとても言い出せない、とか、そもそも商慣習上、契約書を作成することがあり得ないなどの理由を述べられる場合も多かったように思われますが、現在は、契約書の作成の重要性が周知され、弁護士の助けを借りずに企業の側で何らかの方法（例えば、インターネットからテンプレートを引っ張ってきて加工するなど）で契約書を作成して取引を行っているなどの例が見受けられます（そのような作成手法に問題があることは後述する）。

　契約は、一方からの申込みと相手方の承諾があれば成立し、一定の例外を除いて口頭で契約は成立します。しかし、債権回収が奏功していない場合、債務者（支払側）としては、売買の目的物である商品の品質に関するクレームなど、半ば言い掛かり的な主張をして支払を拒むとか、そうでなくても、合意の内容について、「言った」「言わない」の応酬になることもあります。このような事態を防ぐためには、自社の債権の存在を立証する重要な方法として、契約書を取り交わすよう企業に意識してもらうべきです。

　ただ、仮に、契約書を作成することに支障があるとの理由（前述したような取引先に言い出しづらいとか、慣習的に契約書は作成していないなどの理由）から、契約書が存在しない場合でも、契約が「申込み」と「承諾」から成り立つものだという基本に立ちかえり、債権の立証という観点からアドバイスをします。発注書あるいは請書をFAX・メール添付で送信してもらう、送信した書面に代表者印を押捺してもらって返信してもらう、取引内容を確認する旨のメールを送信し、その回答をメールで返信してもらうなど、場合によっては契約成立の直接証拠でなくても、間接証拠としての意義が認められる方法もあり得ます。

(4) 契約書の作成

　前述したように、債権回収にとって、契約書の作成は自社の債権の存在を明確に立証するための重要な拠りどころであり、第1に、その作成が検討されるべきです。契約書の作成に要する費用（専門家〔弁護士〕に依頼する場合の作成報酬）の支出を抑えるために、インターネットで契約書のテンプレートを引っ張ってきて、当事者双方の企業名を入れて完成させるなどという方法を用いている企業もありますが、取引内容の個別事情にそぐわないおそれも高く、確実な債権回収という目的からして注意が必要です。

　以下、契約書作成に関わる基本的な事柄を挙げます。

① 契約書の種類（基本契約書と個別契約書）

　契約開始時にまず基本契約書を作成し、個別取引の際に個別契約書を作成します。個別契約書の作成に当たってはその内容が基本契約書に沿っているか、そもそも基本契約書が必要な取引かを判断します。

② 契約書の表題

「契約書」「合意書」「覚書」等さまざまですが、表題に意味があるわけではなく、契約当事者はその内容に拘束されることになります。

③ 調印

契約書の調印は、署名（および捺印）か記名押印によりますが、法人には署名の概念がないので、記名押印によります。押印は法人の場合は法務局に登録している代表者印を押捺します（角印では押捺しないよう注意する）。個人の場合は実印での押捺を求め、できれば印鑑証明書の添付を求めたほうがよいです。

④ 日付

契約書の作成日（具体的には、契約当事者全員の調印が完了した日）を記入します。

日付のない契約書をたまにみかけますが、契約の効力発生時期（開始時期）を明確にするため必須です（契約の有効期限、遅延損害金の発生時期の特定等に関係する）。

契約締結日をより確実に立証するための方法として公証役場で確定日付を受けることも検討します。

(5) 債権保全のために有効な契約条項

① 期限の利益喪失条項

契約において支払時期（債務の履行時期）を定めた場合、本来はその時機が到来しなければ、相手方に支払を求めることができません。その時期がくるまでは支払わなくてもよいということですが、これを債務者側の利益とみて「期限の利益」といいます。民法は、債務者が期限の利益を失う場合について定めていますが（137条）、より迅速な債権回収の観点から、契約書において、債務者に一定の事由が発生した場合には、期限の利益を喪失させ、直ちに支払を受けられるよう条項を設けます。

② 無催告解除条項

債務が履行されない場合には、催告をして履行を促すことが原則ですが、相手方に経済的な信用不安が生じても発注があれば商品を引き渡さなければならないとなると、後日の損害が拡大するおそれがあります。このような事態を防止するため、契約書に、債務者が条項に定める一定の義務に違反した場合、債権者（自社）が何らの催告を要することなく、直ちに本契約を解除することができる旨の条項を設けます。

③ 相殺予約条項

売掛先や貸付先が債務を履行しない場合、信用状態が悪化して任意の履行が期待できない場合に、債権回収方法として相殺を利用できます。相殺の担保的機能といわれます。相殺適状（民法505条1項）でなければ本来相殺はできませんが、

契約書にあらかじめ特約を設け、当事者がそれぞれ相手方に債権債務を有している場合にいつでも対当額で相殺できる旨定めておくことによって、債権の回収の効果を発揮することができます。

④ 所有権留保条項

売買等により商品を引き渡した場合でも、商品代金が完済されるまでは所有権は売主（債権者）に留保される旨の約定です。所有権留保条項は担保的性質に着目して設けられます。

例えば、買主の他の債権者が商品に対して差押えなどの強制執行をしても、第三者異議の訴えを提起して、強制執行を免れることができるほか（民事執行法38条）、買主が破産手続開始決定を受けた場合でも別除権行使により商品の引揚げが可能となります（破産法2条・65条。なお、再生手続の場合も、民事再生法53条1項に列挙された担保権でなくても別除権として取り扱われるべきというのが通説だが、同法31条の類推適用により担保権実行手続中止命令の対象となると考えられている）。

⑤ 合意管轄

民事訴訟は相手方が法人の場合は主たる事務所または営業所（これがないときは、代表者の住所）を管轄する裁判所、個人の場合はその住所を管轄する裁判所に訴訟を提起するのが原則ですが（民事訴訟法4条2項・4項）、第1審に限り、一定の法律関係に基づく訴えに関し、自社にとって便宜な土地（裁判所）で訴訟を提起できるよう、法定管轄と異なる管轄を合意することができます（同法11条）。管轄の合意は、訴訟に要する費用を抑え、訴訟審理の準備や証人の出廷の負担を軽減することなどを目的として定めるものですから、相手方の申立てによって移送される可能性を低めるため、特定の裁判所の管轄だけを認め、その他の裁判所の管轄を排除する「専属的合意管轄」であることを明示します。

(6) 担保権の設定（物的担保）

約定どおりに支払をしない債務者には、当方以外の債権者が存在し、債権回収を実行しようとしている場合が多いといえます。担保がなければ、他の一般債権者と同じ立場で債権回収を図らなければならず、その実効性は著しく減殺されます。債務者としては、債務を履行しなければ（支払をしなければ）担保物を処分されてしまいますので、担保物が重要なものであればあるほど他の債権者に優先してでも支払ってくれます。万が一、支払ってもらえなくなれば、担保権を設定していない一般債権者よりも、担保物から優先的に弁済を受けられます。これらを利用することで債権回収の確率が上がることになります。

担保の種類としては、民法典に規定されている留置権、先取特権、質権、抵当権（および根抵当権）、民法典に規定されていない非典型担保（譲渡担保、仮登記担保、所有権留保等）があります。また、当事者間の約定により成立する抵当権

（および根抵当権）、質権等の約定担保、一定の要件を満たせば法律上当然に認められる留置権、先取特権等の法定担保の区別があります。

　取引先が十分な担保価値のある不動産を有している場合は不動産への抵当権の設定を検討しますが、現実には、そのような不動産を有している取引先は少ない（所有不動産があっても金融機関からの借入金に関して先順位の抵当権が設定されている等）と思われます。それゆえ、できるだけ実効性のある（回収可能性が高い）担保権の設定を検討します。日常的に事業を継続している企業であれば、取引先に対して売掛金を有している場合も多いと思われますので、「債権譲渡担保」の設定を検討します。債権譲渡契約によって比較的容易に設定でき、将来発生する債権でも取引の発生原因が確定していれば設定が可能です。また、基本的には第三債務者への確定日付ある書面による通知または第三債務者の承諾が対抗要件になりますが、債権譲渡特例法により法務局で債権譲渡登記をすることにより第三者対抗要件を備えることが可能となっています。ただし、外形的には売掛金が存在していても、第三債務者の資力次第では十分な回収ができないおそれがありますので、設定に当たっては第三債務者の信用状況についても慎重な情報収集が不可欠です。

　取引先の商品の保管状況等が把握できる場合は、その種類や所在地（倉庫等）および範囲を特定して「集合物譲渡担保」を設定することを検討します。「集合物譲渡担保」については、通常の営業の範囲内で目的物が搬出されて転売されたりすると、転得者に対して譲渡担保権を主張できなくなることもありますので、そのリスクを念頭に置いて、普段から在庫の状況を確認するなどの努力を怠らないようにすべきです。

　債務者が倒産状態にある場合でも有効な重要な担保権として「動産売買の先取特権」（民法311条5号・312条）を押さえておきたいと思います。商品の売主は、買主が代金（利息）を支払わない場合、買主のもとにある商品（ただし、加工されていない間）から優先弁済を受けることができ、あるいは、商品が転売されたときでも、転売先がまだ代金を支払っていない間は、その代金から優先弁済を受けることができます（物上代位）。別除権として、買主が破産手続開始決定を受けた場合でも、破産管財人に対してその引渡しを求め（破産法65条）、再生手続開始決定がなされた場合でも監督委員にその引渡しを求めることが可能となります（民事再生法53条）。裁判所の申立てに必要な疎明資料として「担保権の存在を証する文書」が要求されますが（民事執行法193条）、これについては、前述したような普段からの契約書の作成等の書類の確保の努力が申立ての難易に影響します。特に、個別契約書に基づく商品の特定などが重要になります。また、債権の差押命令は、債権の期限到来後でなければ発付されないため、基本契約書に前述

した期限の利益喪失条項を設けておくという事前の対策も重要になります。

(7) 保証人（人的担保）

(6)で述べた物的担保に対し、人的担保とよばれるのが保証人です。保証契約を締結するに当たっては、催告の抗弁権、検索の抗弁権が主張できない連帯保証人（民法454条）として契約することを優先します。

保証契約は、債権者と保証人との間で書面ないし電磁的記録により保証契約を締結しなければなりません（民法446条2項・3項）。

後日、保証人の保証意思の有無で争われないよう、保証契約締結時には保証人となる人と直接面談することを基本とし、事情により直接面談ができない場合には、保証意思の確認方法を確実なものとするよう心がけます。また、保証人の信用状態の確認を怠らないよう、主債務者と同等の信用調査・管理を心がけます。

2017年の民法改正によって、①保証人への情報提供義務（民法458条の2・458条の3）、②個人根保証における極度額に関する規律対象の拡大（同法465条の2）、③保証意思確認のための保証意思宣明公正証書の作成（同法465条の6）などの規律が設けられました。保証契約を締結する場合には、法の規定を踏まえた所定の手続を踏むよう注意する必要があります。

(8) 債権回収

債権回収の場面では、まず、債権の存在を立証する資料の確認を行います。法的手続に比べ、任意に支払を受けられるほうがより迅速で簡便であることは間違いありません。

① 任意の支払を求める行為

そこで、取引先に対して任意に支払をするよう求めることが債権回収の第1段階といえます。督促の方法としては、電話、訪問、メール、FAXによる方法が考えられますが、普通郵便による方法もあります。期限を区切って法的手続に着手することを予告する場合や、契約解除の意思表示を行う場合、相殺の意思表示を行う場合、債権の消滅時効を中断させる場合などは、証拠としての価値が高い配達証明付きの内容証明郵便を利用します。

② 仮差押え・仮処分

将来債務名義を取得したときには執行財産が存在しないという事態を阻止するため、仮差押え・仮処分を検討します。また、法的な保全手続をとることが、取引先との交渉の動機となり、債務名義の取得に至る前に任意での履行を受け、回収を図ることも期待できます。

③ 公正証書

強制執行認諾文言を付した公正証書は、債務名義となり、取引先の金銭債務に不履行の事態が生じた場合には、強制執行の手続が可能になります。倒産寸前の

緊迫した時点で公正証書を作成することは困難であり、信用不安の予兆（支払の遅れ）が見受けられたら、公正証書の作成を検討し、交渉するという姿勢が大事です。

④ 債務名義の確保

法律上の手続に基づいて強制的に債権回収するためには、債務名義を取得する必要があります。

確定判決、仮執行宣言を付した判決、仮執行宣言を付した支払督促、和解調書、調停調書、即決和解調書などがありますが、裁判手続によらない債務名義の代表例が前述した強制執行認諾文言付きの公正証書です。費用が安価で、迅速な債務名義の取得方法として支払督促が挙げられますが、督促手続に関しては、公示送達の方法によることができないので、相手方の所在が不明で確認できない場合にはとれません。また、相手方が債権の内容を争うような場合には、督促異議の申立てによって通常訴訟に移行することになり、最初から通常訴訟を提起したほうが効率的であったという事態もあり得ます。通常訴訟の場合、前述した合意管轄の定めや、義務履行地（民事訴訟法5条1号）として、自社の都合のよい裁判所に訴訟提起して審理を進めることができたのに、支払督促の申立ては、債務者の普通裁判籍所在地の簡易裁判所の裁判所書記官に申し立てることになっているため（同法383条1項）、通常訴訟に移行したときには、不便な場所での訴訟進行を強いられる結果になりかねません。費用の軽減や手続の簡便さだけを考えて安易に支払督促を選択するということは避け、債務者の動向を予測して、法的手続を選択する必要があります。

(9) 時効の管理

債権回収・保全の分野において、時効に関する知識は重要です。

2017年の民法改正によって消滅時効に関する制度は大きく変わりました。

2017年改正前民法170条から174条に職業別の短期消滅時効の特例が設けられていましたが、取引が複雑化・多様化した現代社会にそぐわないことから、廃止されました。また、旧商法522条は、商行為によって生じた債権の消滅時効期間について、早期決済を可能にする趣旨から、一般の消滅時効期間10年の特則として5年と定めていましたが、この規定も廃止されました。現行法のもとでは、債権の原則的な消滅時効期間は、「権利を行使することができる時」から10年（民法166条1項2号）という客観的起算点からの消滅時効とともに、「債権者が権利を行使することができることを知った時」から5年（同項1号）という主観的起算点からの消滅時効が定められています（改正法施行日前に発生した債権については2017年改正前民法が適用される）。

短期消滅時効の制度が廃止されたことで、債権管理の負担が軽減された面は大

きいと思いますが、事業者が日常的な取引の中で売掛債権などを取得した場合には、主観的起算点からの消滅時効期間である5年と心づもりしておくべきでしょう。

旧法の時効の中断および停止の制度は、「完成猶予」「更新」の制度に改められました。以下、時効管理において留意すべき主な完成猶予事由および更新事由を掲げます。

① 裁判上の請求、支払督促等（民法147条）
② 強制執行、担保権の実行、形式競売、財産開示手続（民法148条）
③ 仮差押え・仮処分（民法149条）
④ 催告（民法150条）
⑤ 協議を行う旨の合意（民法151条）
⑥ 承認（民法152条）

旧法と異なり、仮差押えまたは仮処分の各事由には時効の更新の効果は認められていません。

催告については、催告によって時効の完成が猶予されている間にさらになされた再度の催告は完成猶予の効力を有しないことに注意が必要です。

協議を行う旨の合意による時効の完成猶予制度により、当事者間で協議を行う旨の合意が書面または電磁的記録によりなされた場合には、時効の完成が猶予されます。書面または電磁的記録は、当事者双方の協議意思が表れていれば足り、様式に特段の制限はありません。例えば、電子メールで協議の申入れがなされ、その返信で受諾の意思が表示されているような場合には、電磁的記録によって協議を行う旨の合意がなされたと認められます（筒井健夫＝村松秀樹編著『一問一答民法（債権関係）改正』〔商事法務・2018〕49～50頁）。

当事者の通常の予測・期待を保護する観点から、施行日前に時効の「中断・停止」の事由（完成猶予・更新の事由）が生じた場合には旧法を適用し、施行日以後にこれらの事由が生じた場合には新法が適用されることになっています（民法附則10条2項・3項）。契約成立時期などを正確に確認した上での対処が求められます。

9 営業秘密の保護

(1) 中小企業における営業秘密保持の問題点

情報化社会の発達により、企業はコンピュータ、インターネット等を利用することによって、従来に比べ膨大な情報をやりとりし、また保管できるようになりました。反面、電磁的情報は書類等の有体物に比べ複製（コピー）や持出しが容易であり、営業上重要な情報が第三者に漏洩してしまうという問題が顕在化してきました。このような状況を背景に、会社のリスク管理として営業秘密の保護の

第2部 各 論

重要性は高まっていますが、中小企業においては、残念ながら営業秘密が十分に管理されているとはいえないのが実情です。

以下、中小企業の営業秘密の保護のための方策について、弁護士が押さえてくべき点について概説します。なお、営業秘密漏洩防止のための具体的な方策については、本項に記載したもののほか、経産省作成の「営業秘密管理指針」(2019年1月23日最終改訂)および「秘密情報の保護ハンドブック」(2022年5月最終改訂)に豊富な例が掲載されていますので参考にしてください。

(2) 企業間の営業秘密漏洩防止
① 不正競争防止法
(i) 不正競争防止法上の営業秘密保護規定

不正競争防止法上、窃取、詐欺、強迫その他の不正の手段により営業秘密を取得する行為または不正取得行為により取得した営業秘密を使用し、もしくは開示する行為(不正競争防止法2条1項4号)および営業秘密を保有する事業者からその営業秘密を示された場合において、不正の利益を得る目的で、またはその保有者に損害を加える目的で、その営業秘密を使用し、または開示する行為(同条1項7号)は不正競争行為に該当し、差止・損害賠償請求の対象となります(同法3条・4条)。

また、不正開示された営業秘密であることを知ってまたは重過失によってそれを知らずに営業秘密を取得し、または使用もしくは開示した者もやはり不正競争防止法上の責任追及の対象となります(不正競争防止法2条1項8号。なお取得後に不正開示された営業秘密であることを知ってまたは重過失により知らずに使用もしくは開示した者も同様である。同項9号)。

(ii) 不正競争防止法上の「営業秘密」の要件

不正競争防止法上の「営業秘密」に該当するためには、「秘密管理性」「有用性」「非公知性」の3つの要件を満たすことが必要です(不正競争防止法2条6項)。

(ア) 秘密管理性

秘密管理性とは、秘密として管理されていることをいいます。秘密管理性があるといえるためには、情報を保有する企業が主観的に当該情報を秘密であると認識しているだけでは不十分であり、当該情報にアクセスできる者が制限されており、かつ当該情報にアクセスした者に当該情報が秘密であることを認識できるようにされていることが必要です。不正競争防止法上の「営業秘密性」が問題となる場合、この「秘密管理性」が争点となることが多いです。

秘密管理性の要件を満たすために必要な秘密管理措置としては、次のようなものが考えられます。

　a　物理的・技術的措置　　秘密情報とそれ以外の情報の区別を明確にする

（紙媒体であればファイルを別にする、電子媒体であればのフォルダを別にする等）、営業秘密に該当する情報についてはこれが秘密である旨を明らかにする（紙媒体であればマル秘と記載する、電子媒体であれば媒体にマル秘と付記するほか、閲覧に要するパスワードを設定する等）など。

　　b　**人的措置**　　秘密情報にアクセスできる者を限定する、秘密情報にアクセスする者からの秘密保持契約書または秘密保持誓約書を徴収する、社内での情報管理教育を徹底する等。

　　c　**その他**　　秘密情報の管理指針の策定、情報管理責任者の選定、内部監査の実施、万が一情報漏洩が起こった場合の事後対応マニュアルの策定等。

　　(ｲ)　**有用性**

　有用性とは、生産方法、販売方法その他の事業活動に有用な技術または営業上の情報であることを指します。ある情報に有用性があるといえるためには、その情報が客観的にみて、事業活動にとって有用であることが必要です。

　ある情報に有用性があるといえるためには、必ずしも現に事業活動に使用・利用されていなければならないわけではありません。また、直接ビジネスに活用されている情報でなく、間接的（潜在的）に価値のある情報でもかまいません。

　実際には、前述の秘密管理性要件および後述の非公知性要件を満たす情報であれば有用性が認められることが通常ですが、有用性を立証するための材料として、当該情報を得るためにかかった時間や費用等を記録しておくことが有益です。事業活動にとって有用であるからこそある程度のコストをかけるといえるからです。

　　(ｳ)　**非公知性**

　非公知性とは、公然と知られていないことといい、一般的には知られておらず、または容易に知ることができないことを指します。

　具体的には、当該情報が合理的な努力の範囲内で入手可能な刊行物に記載されていない等、保有者の管理下以外では一般的に入手できない状態を指します。

　これらの要件は、情報漏洩等が問題になってから慌てて具備することは不可能ですから、秘密性の高い情報を扱っている企業の法務を担当する弁護士としては、常日頃から情報漏洩等のリスクの存在を意識し、前記各要件を具備するよう指導する必要があります。

　　②　**秘密保持契約（NDA）の締結**

　　(i)　**秘密保持契約締結の必要性**

　不正競争防止法による営業秘密の保護は、前述のような秘密管理性等の立証に困難を来す場合があるほか、実際の営業秘密漏洩やその具体的な危険が生じてからとり得る事後的な手段ですので、やはり事前に営業秘密の漏洩等を防ぐ手段を

講じておく必要があります。そのため、重要な営業秘密の開示を伴う取引を行う場合、取引先との間で秘密保持契約（NDA＝Non-disclosure agreement。守秘義務契約、機密保持契約等と称することもある）を締結することが有用です。

秘密保持契約を締結する場合、本体たる契約（売買基本契約や業務委託契約等）の中で秘密保持条項を設けることもありますし、本体たる契約とは別個に秘密保持契約書を取り交わすこともあります。

また、本体たる契約締結前の検討段階において秘密性の高い情報をやりとりする必要があるケースで、独立した秘密保持契約を締結するということも行われています。このようなケースでは、契約締結を検討しているということ自体を競合他社等に知られたくないという事情があることもあり、「契約締結に向けた検討業務を行っていること」および「秘密保持契約を締結していること自体」を秘密とする内容の秘密保持契約を締結するということもあります。

(ii) **秘密保持契約締結における注意点**

しかし、多くの中小企業では、定型的な書式を用いて形だけ秘密保持契約書を作成するだけで満足してしまうことがあります。秘密保持契約を実効性あるものにするためには、以下のような点に注意することが重要です。

(ア) **秘密保持契約書の内容のチェック——「秘密情報」の定義は適当か**

秘密保持契約においては、「秘密情報」の定義が最も重要といっても過言ではありません。秘密情報の定義の仕方は、大きく分けて、「秘密である旨指定した情報のみを秘密情報とする（例：文書や電子情報に「マル秘」と付記しておく等）」というものと、「原則的に当事者間で授受された一切の情報を秘密情報とする」というものの2通りがあります。

どちらの定義がより適当かは、扱う情報の性質や当事者としての立場（主に情報の提供側か受領側か）にもより、一概にはいえませんが、あまりに広範な定義は、当事者を萎縮させて十分な経済活動をできなくさせたり、逆に情報ごとの秘密性の軽重が判断できなくなり、結果的に秘密性の高い情報の管理が杜撰になってしまったりする危険もありますので注意が必要です。

なお、具体的な秘密保持契約書の記載の仕方については、前掲秘密情報保護ハンドブックに豊富な実例が掲載されていますので、ご参照ください。

(イ) **秘密管理の厳格化**

業務上当該秘密情報を必要としない従業員が秘密情報に接することのないよう、秘密管理を厳密に行う必要があります［詳しくは、→①(ii)］。

(ウ) **現実に秘密情報に接する従業員等への周知徹底**

秘密情報に接する従業員に対して秘密情報の重要性および保持契約の内容を周知徹底することが重要です。場合によっては、後述(3)のように、個々の従業員に

対し守秘義務契約の締結または誓約書の提出を求めるなどすることも有用です。
(3) 従業員による営業秘密漏洩防止
① 守秘義務契約・誓約書
　雇用する従業員によって、会社の秘密情報が不当に開示・漏洩されたりすることがあります。多くは営業秘密保護についての無知・無関心によるものですが、ときには自らの利益のためまたは第三者に利益を得させるため、あえて営業秘密の不当開示をすることがあります。特に退職時、競合他社に就職してそこに元の勤務先の秘密情報を開示したり、または自ら独立開業し、元の勤務先の秘密情報を利用して利益を上げようとしたりするというケースが目立ちます。
　このようなことを防ぐため、会社がその従業員に対して守秘義務契約を締結させたり、誓約書を提出させたりすることがあります。しかし、守秘義務契約書や誓約書における保護の対象となる秘密情報の内容があまりにも広範だったり、表現が抽象的だったりすると、明確性に欠け、従業員としてはどのような情報を秘密として守らなければならないかわからず、過度な萎縮効果をもたらしかねません。
　したがって、従業員に守秘義務契約の締結や誓約書の作成を課す場合には、対象となる秘密情報の範囲を明確にすることが重要です。
② 退職時の競業避止義務
　また、退職者に対し、将来の競業行為（競合他社への就職のほか、独立開業も含まれる）を禁止し、それに同意する内容の誓約書を作成させるということもよく行われています。
　確かに、競業行為自体を禁止したほうがより元の勤務先の営業秘密の開示や漏洩は防げますが、他方でこのような義務を課すことは退職者の職業選択の自由・営業の自由を制限するものですので、あまりに退職者の利益を害する内容ですと、公序良俗（民法90条）に反して無効となるおそれがあります。
　どのような内容の誓約書であれば有効といえるかですが、判例を分析すると、競業が禁止される期間、場所的制限の有無、代償行為の有無等の事情によって判断されているようです。具体的には、競業禁止期間が1～2年程度である、競業禁止期間が多少長くても競業が禁止される地域が限定されている、競業禁止の代償として相応の経済的利益を与えているといった場合には有効とされるケースが多く、逆に、「無期限に競業避止義務を課すケース」「期間が比較的長く、かつ満足な代償措置がなされていないケース」等は、無効とされることが多いようです。
　有能な人材を手放す中小企業としては、退職者に対してつい過酷な条件を課してしまいがちですので、弁護士が相談を受けた場合には、守秘義務契約書や誓約書が無効と判断されてしまうような内容となっていないかどうかチェックし、適

切な内容についてアドバイスすることが求められます。

③ 秘密保持誓約書等の記載例

従業員の入社時・退職時の秘密保持契約書の記載の仕方の具体例についても、秘密情報保護ハンドブックを参考にしてください。

10 個人情報の保護——個人情報保護法

(1) 個人情報保護法成立および改正の経緯

① 個人情報保護の重要性

情報化・IT化が進んだ現代においては、インターネット等を通じて個人情報を取得顧客や取引先等の個人情報の取得が容易となりました。個人情報は事業を行うに当たっては大変有用なものですが、反面、その扱いを誤れば、当該個人情報の持主である個人のプライバシーを侵害して多大な迷惑をかけてしまいます。そのような場合、事業者としては損害賠償請求リスクを負うだけでなく、このような個人情報をめぐるトラブルが発生したことが明らかになれば、社会的な信用を失い、事業に取返しのつかない打撃を被ることもあり得ます。

② 個人情報保護法の成立および2015年・2020年・2021年改正

1990年代に個人情報の漏洩が社会問題化し、また個人情報保護に対する意識が高まってきたことを背景に、2003年5月、個人情報の有用性に配慮しつつ、個人情報を保護することを目的とした個人情報保護法が成立しました。その後、情報通信技術の発達等の社会の変化を受けて、個人情報保護法の大幅な改正がなされました（2015年9月成立、2017年施行）。この改正では、それまで個人情報保護法の適用外であった5000人分以下の個人情報を取り扱う事業者も適用対象となり、ほぼすべての中小企業にとって個人情報の保護は無視できない身近な問題となりました。

その後、2020年には、保有個人データ（(2)③）の定義の拡張、個人データ（(2)②）の漏洩等への対応の法的義務化、仮名加工情報の総説、外国事業者に対する法の域外適用、越境移転（国境を越えて第三者に個人データを提供すること）規制の強化といった細かな改正が行われました。

さらに、2021年の改正では、それまで個人情報を扱う主体（民間、国の行政機関、独立行政法人等、地方公共団体）によって適用法令が異なっていたところ、個人情報保護法、行政機関個人情報保護法、独立行政法人等個人情報保護の3つの法律を個人情報保護法に統合した外、法令によって異なっていた「個人情報」の定義を統一するなどしました。

なお、2021年改正法は、地方公共団体に関するもの以外は2022年4月1日に施行されていますが、地方公共団体に関するものについては、2023年春頃の施行が

予定されています。

なお、本項で解説する事項の具体例については、個人情報保護GLに詳しく掲載されていますので、参考にしてください。

(2) 「個人情報」の定義

個人情報保護法には、「個人情報」「個人データ」「保有個人データ」等外見上よく似た概念が出てきます。これらのうちどれを保護の対象とするかで個人情報保護法上課される義務が異なってきますので、混乱しないように整理して理解する必要があります。

① 「個人情報」とは

「個人情報」とは、生存する個人に関する情報であって、当該情報に含まれる氏名、生年月日その他の記述等(文書、図画もしくは電磁的記録〔電磁的方式(電子的方式、磁気的方式その他人の知覚によっては認識することができない方式をいう)〕に記載され、もしくは記録され、または音声、動作その他の方法を用いて表された一切の事項〔個人識別符号を除く〕をいう)により特定の個人を識別することができるもの(他の情報と容易に照合することができ、それにより特定の個人を識別することができることとなるものを含む)、または個人識別符号が含まれるものを指します(個人情報保護法2条)。

「個人識別符号」とは、次のいずれかに該当する文字、番号、記号その他の符号をいいます(個人情報保護法2条2項)。

① 特定の個人の身体の一部の特徴を電子計算機の用に供するために変換した文字、番号、記号その他の符号であって、当該特定の個人を識別することができるもの

② 個人に提供される役務の利用もしくは個人に販売される商品の購入に関し割り当てられ、または個人に発行されるカードその他の書類に記載され、もしくは電磁的方式により記録された文字、番号、記号その他の符号であって、その利用者もしくは購入者または発行を受ける者ごとに異なるものとなるように割り当てられ、または記載され、もしくは記録されることにより、特定の利用者もしくは購入者または発行を受ける者を識別することができるもの(旅券番号、免許証番号、個人番号〔マイナンバー〕等)

② 個人データとは

「個人データ」とは個人情報データベース等を構成する個人情報をいいます(個人情報保護法16条3項)。「個人情報データベース等」とは、紙媒体、電子媒体を問わず、検索性があり、体系的に構成されている個人情報集合物をいいます。個人情報データベース等といえるためには検索性・体系性があればよく、「電子メールソフトに保管されているメールアドレス帳」「取引先等の名刺の情報を業

務用パソコンの表計算ソフト等を用いて入力・整理して従業員一般が検索できるようにしたもの」「顧客や登録者等の氏名を50音順に整理し、50音順のインデックスを付してファイルしたもの」等は個人情報データベース等に含まれます。

③ 保有個人データ

「保有個人データ」とは、個人情報取扱事業者が、開示、内容の訂正、追加または削除、利用の停止、消去および第三者への提供の停止を行うことのできる権限を有する個人データであって、その存否が明らかになることにより公益その他の利益が害されるものとして政令で定めるもの以外のものをいいます（個人情報保護法16条4項）。

④ ①から③の関係

このように、「個人情報」が最も広い概念であり、その中に個人データが、さらにその中に保有個人データが包含されるという関係にあります。

他方、それぞれについて個人情報取扱事業者が負う義務も異なります。具体的には、課される義務の範囲が、個人情報＜個人データ＜保有個人データの順に広がります。

(3) 個人情報取扱事業者の義務

① 「個人情報取扱事業者」とは

個人情報保護法上の義務を負うのは「個人情報取扱事業者」です。「個人情報取扱事業者」とは、「個人情報データベース等」を事業の用に供している事業者のことをいい（個人情報保護法16条2項）、法人か個人事業主か、営利団体か非営利団体（NPO法人等）かといったことは問いません。

② 個人情報取得時の義務――「個人情報」の保護

(i) 利用目的の特定

個人情報取扱事業者は、個人情報を取り扱うときは、その利用の目的をできる限り特定しなければなりません（個人情報保護法17条1項）。また、利用目的を変更する場合は、変更前の利用目的と関連性を有すると合理的に認められる範囲内に限られます（同条2項）。

(ii) 利用目的の範囲内での利用

個人情報取扱事業者は、あらかじめ本人の同意を得ないで、利用目的の達成に必要な範囲を超えて個人情報を取り扱ってはなりません（個人情報保護法18条1項）。

(iii) 取得方法の適正

個人情報取扱事業者は、偽りその他不正の手段によって個人情報を取得することが禁じられています（個人情報保護法20条1項）。また、要配慮個人情報（本人の人種、信条、社会的身分、病歴、犯罪の経歴、犯罪によって害を被った事実その他本人に対する不当な差別、偏見その他の不利益が生じないようにその取扱いに特に配慮を

要するものとして政令で定める記述等が含まれる個人情報）については、本人のあらかじめの同意なくして取得することが禁じられています（同条2項）。

　(iv)　**利用目的の通知・公表・明示**

　個人情報取扱事業者が個人情報を取得した場合は、速やかにその利用目的を本人に通知し、または公表しなければなりません（あらかじめその利用目的を公表している場合を除く。個人情報保護法21条1項）。これにかかわらず、個人情報取扱事業者は、本人との間で契約を締結することに伴って契約書等の書面（電磁的記録を含む）に記載されたその本人の個人情報を取得する場合や本人から直接書面に記載されたその本人の個人情報を取得する場合は、原則として、あらかじめ本人に対しその利用目的を明示しなければなりません（同条2項本文）。

　③　**安全管理措置――「個人データ」の保護**

　個人情報取扱事業者は、その取り扱う「個人データ」の漏洩、滅失または毀損の防止その他の安全管理のために必要かつ適切な措置を講じる必要があります（個人情報保護法23条）。詳細な措置例は個人情報保護GLに定められています。

　④　**従業者・委託先の監督――「個人データ」の保護**

　個人情報取扱事業者は、「個人データ」を従業者に取り扱わせる場合は、当該個人データの安全管理が図られるよう、当該従業者に対する必要かつ適切な監督を行わなければなりません（個人情報保護法24条）。同様に、個人データの取扱いの全部または一部を委託する場合、委託を受けた者に対し必要かつ適切な監督を行う必要があります（同法25条）。

　⑤　**第三者提供の制限・オプトアウト――「個人データ」の保護**

　個人情報取扱事業者は、あらかじめ本人の同意を得ないで個人データを第三者に提供してはなりません（個人情報保護法27条1項。ただし法令に基づく場合等一定の場合は除外される。同項各号）。なお、個人情報取扱事業者は、本人の求めに応じて個人データの第三者への提供を停止している場合であって、一定の事項について、あらかじめ本人に通知し、または本人が容易に知り得る状態に置くとともに、個人情報保護委員会に届け出たときは、本人の同意なく当該個人データを第三者に提供することができます（オプトアウト。同条2項）。ただし要配慮個人情報は、オプトアウトの対象となりません。

　⑥　**トレーサビリティ――「個人データ」の保護**

　個人情報取扱事業者は、第三者に個人データを提供する場合には、受領者の氏名等を記録し、一定期間保存する義務があります（個人情報保護法29条1項本文・2項）。他方、第三者から個人データを受領する場合も、提供者の氏名やデータの取得経緯等を確認、記録し、一定期間その内容を保存しなければなりません（同法30条）。

⑦ 個人データが漏洩したときの対応──「個人データ」の保護

個人情報取扱事業者は、その取り扱う個人情報の漏洩、滅失、毀損その他の個人データの安全の確保に係る事態であって個人の権利利益を害するおそれが大きいものとして個人情報保護委員会規則で定めるものが生じたときは、原則として、当該事態が生じた旨を個人情報保護委員会に報告しなければなりません（個人情報保護法26条1項）。

その場合、当該個人情報取扱事業者は、本人に対し、当該事態が生じた旨を通知しなければなりません（個人情報保護法26条2項）。

⑧ 保有個人データの開示・訂正等──「保有個人データ」の保護

(i) 利用目的等の通知

個人情報取扱事業者は、保有個人データに関し、すべての保有個人データの利用目的等について本人の知り得る状態に置かなければなりません（個人情報保護法32条1項）。また、本人から自身が識別される保有個人データの利用目的の通知を求められたときは、本人に対し遅滞なくこれを通知しなければなりません（同条2項柱書本文）。

(ii) 開示請求

本人は、個人情報取扱事業者に対し、自身が識別される保有個人データの開示を請求することができ（個人情報保護法33条1項）、個人情報取扱事業者は、前記請求を受けたときは、本人に対し、遅滞なく当該保有個人データを開示しなければなりません（同条2項）。

(iii) 訂正等

本人は、個人情報取扱事業者に対し、自身が識別される保有個人データの内容が事実でないときは、当該保有個人データの訂正、追加または削除を請求することができます（個人情報保護法34条1項）。個人情報取扱事業者は、前記請求を受けたときは、原則として利用目的の達成に必要な範囲内において、遅滞なく必要な調査を行い、その結果に基づいて当該保有個人データの内容の訂正等を行わなければなりません（同条2項）。

また、個人情報取扱事業者は、保有個人データの訂正等を行ったとき、または訂正を行わない旨の決定をしたときは、本人に対し、遅滞なくその旨（訂正等を行った場合はその内容を含む）を通知しなければなりません（個人情報保護法34条3項）。

(iv) 利用停止

本人は、保有個人データが利用目的による制限（個人情報保護法18条）、取得方法の制限（同法20条）の規定に反して取り扱われているときは、当該保有個人データの利用の停止または消去を請求できます（同法35条1項）。また、第三者提

供の制限（同法27条1項・28条）の規定に違反して第三者に提供されているときは、本人は当該保有個人データの第三者への提供の停止を請求できます（同法35条3項）。当該保有個人データを個人情報取扱事業者が利用する必要がなくなった場合も同様です（同条5項）。

　これらの請求がなされた場合であってその請求に理由があることが判明したときは、個人情報取扱事業者は、違反を是正するために必要な限度で遅滞なく利用停止や第三者への提供の停止等を行い、その結果を本人に通知する必要があります（個人情報保護法35条2項本文・4項本文・6項本文・7項）。

　⑨　仮名加工情報と匿名加工情報
　仮名加工情報とは、個人情報を加工して、他の情報と照合しない限り、特定の個人を識別することができないようにされた個人に関する情報をいいます（個人情報保護法41条）。2020年改正で新設されました。

　仮名加工情報は、それ単体では特定の個人を識別できないものの、加工前の元データと照らし合わせれば特定の個人を識別できるので、厳密には個人データに該当します。ただし、仮名加工情報は、これだけでは特定の個人を識別することはできない等の特殊性から、例外的に利用目的の制限がなく、本人に通知・公表している利用目的以外の目的で利用できます（個人情報保護法41条9項）。また、仮名加工情報は分析による事業者内部での活用を念頭に置かれていることから、委託先や共同利用先を除き、第三者に提供することができません（同法42条1項）。さらに、仮名加工情報は、開示請求等（同法33条1項）の対象にならず、漏洩した場合の報告等（同法26条）の義務もありません。

　仮名加工情報と似た概念として、匿名加工情報があります。匿名加工情報は、特定の個人を識別することができないように個人情報を加工した個人に関する情報であって、当該個人情報を復元することができないようにしたものです（個人情報保護法43条1項）。2015年改正で新設されました。仮名加工情報が、他の情報と照合することによって特定の個人情報を復元できるのに対し、匿名加工情報では復元ができないところ、仮名加工情報が事業者内部での分析を念頭に置いているのに対し、匿名加工情報は流通を念頭に置いているところ等に違いがあります。

　匿名加工情報は、第三者提供を柔軟に行えるところに特徴がありますが、無制限に提供できるわけではなく、第三者提供の際には、情報の項目およびその提供方法を公表し、提供先に対して匿名加工情報である旨を明示する必要があります（個人情報保護法44条）。また、匿名加工情報の利用に際しては、元の本人を識別するための行為が禁じられています（同法45条）。

　⑩　罰則等
　個人情報取扱事業者が個人情報保護法の各規定に違反した場合、本人からの差

止請求や損害賠償請求を受け得るほか、個人情報保護法上、行政処分（個人情報保護法144条・145条）、刑事罰（同法174条〜178条）。なお、法人の場合は両罰規定（同法179条1項）等の制裁が用意されています。この罰則は、2020年改正で強化されました。

(4) プライバシーポリシー

個人情報との関係で、中小企業になじみが深いのは「プライバシーポリシー」です。プライバシーポリシーとは、収集した個人情報およびプライバシー情報をどう扱うのかについての方針のことを指し、個人情報保護方針ともいいます。

前述した通り、個人情報保護法上、「利用目的」「第三者提供」「保有個人データに関する事項」等の一定の事項について「明示」「公表」または「本人の知り得る状況」に置くことが義務付けられています。インターネットで取引を行う事業者の多くは、これらの事項について「明示」「公表」または「本人の知り得る状況」に置く場として、自己のウェブページにプライバシーポリシーを掲載しています。また、取得した個人情報の第三者提供など本人の同意を得ることが求められている場面がありますが、プライバシーポリシーに同意する旨のウェブ上のボタンを設け、これをユーザーにクリックさせることによって、前記第三者提供等に同意させるというケースもよくみられます。

プライバシーポリシーは、その内容を「本人（ユーザー）が容易に知り得た」といえるよう、ユーザーが確実に閲覧できる方法で提示する必要があります。具体的には、ウェブページのトップページから1回の遷移で到達できる場所へ掲載しておくといった方法が推奨されています（個人情報保護GL参照）。

11 トラブル・悪質クレーム対応

(1) 総論

① 中小企業でよくあるトラブル・クレーム

ここでは、中小企業が巻き込まれやすいトラブル・クレームについて取り上げます。

日常の事業活動においては、顧客や取引先など、多数の利害関係者と接する以上、どんなに気を付けていても、予期せぬトラブル・クレームに巻き込まれることがあります。その意味では、どのような中小企業であっても、決して他人事ではないといえるでしょう。

② 対応の視点

(i) 予防の重要性

ここで取り上げるトラブル・クレームについては、日常の事業活動で巻き込まれやすいにもかかわらず、対応を誤ると事業者に大きな損失が生じてしまう可能

性があるものです。他方で、近年は手口が巧妙化・複雑化しているものもあり、事後的に訴訟等で解決しようとしても十分な証拠が揃わないなど、有効な解決先を見出しにくいこともあります。

そのため、可能な限り事前に備えておき、事業者としても意識を高くもち、トラブルを予防することがまずは重要といえます。また、いざ巻き込まれたときに備えて、対応方法や方針をあらかじめ定め、従業員も含めて共有をしておくとよいでしょう。

(ii) 行政情報の活用

トラブルの予防のためにも、対応方法の策定のためにも、事前の情報収集が重要になりますが、行政にもかなりの情報が集積され、対策も含めてその一部は公表もされています。後に触れますが、マニュアル化されているものもありますので、積極的に活用しましょう。

(iii) ビジネス面とのバランス

上記(i)で述べた通り、ここで挙げるトラブル・クレームに対しては、発生後の対応を誤ると大きなダメージを受けることがあるため、毅然とした対応をとることは重要です。他方で、その毅然とした対応が、かえってビジネス面での悪評につながってしまうおそれもあります。そのため、法務面とビジネス面のバランスが求められることもあります。

(2) 悪質クレーム・不当要求

① 総論

本来、顧客等からのクレームや苦情は、商品・サービスや接客態度・システム等に対して不平・不満を訴えるもので、必ずしもそれ自体が問題とはいえず、業務改善や新たな商品・サービス開発につながることもあります。

他方で、こういったクレームの中には、過剰な要求を行ったり、商品やサービスに不当な言いがかりをつけるものもあります（後述の、反社会的勢力による不当要求に該当するものもあり得る）。このような不当・悪質なクレームは、クレームを受けた事業者の従業員に過度に精神的ストレスを感じさせたり、事業者の業務に支障を生じさせることもあり、事業者に金銭・時間・精神的な苦痛等、多大な損失を招くことが想定されます（以上、厚労省「カスタマーハラスメント対策企業マニュアル」の「はじめに」参照）。また、事業主としても、このようなカスタマーハラスメントにより労働者が就業環境を害されることのないよう、雇用管理上の配慮を行うことが望ましいとされており（「事業主が職場における優越的な関係を背景とした言動に起因する問題に関して雇用管理上講ずべき措置等についての指針」〔令和2年厚労省告示第5号〕第7項参照）、事業主が適切な対応をしていない場合、被害を受けた従業員から責任を追及される可能性もあります。あるいは、その内

容によっては、業務が遅滞して他の顧客等がサービスを受けられなくなったり、環境・雰囲気が悪化してしまうという形で、他の顧客へも悪影響が生じる可能性すらあります。

したがって、法的な面だけでなく、ビジネス面からも、悪質クレーム等への対応は重要な意義があります。

なお、ここでは、特に顧客等からの著しい迷惑行為、いわゆるカスタマーハラスメントを念頭に置きます（反社会的勢力によるものは後述）。

② 対策・対応
(ⅰ) 事前の準備

まず、カスタマーハラスメントを想定した事前の準備について、厚生労働省「カスタマーハラスメント対策企業マニュアル」（https://www.mhlw.go.jp/content/11900000/000915233.pdf）に沿って説明します。

(ア) 事業主の基本方針・基本姿勢の明確化、従業員への周知・啓発

当該企業としてのカスタマーハラスメント対策への取組姿勢を明確に示します。従業員の安心感につながるだけでなく、従業員による現実のカスタマーハラスメント対応の指針ともなります。

(イ) 従業員（被害者）のための相談対応体制の整備

カスタマーハラスメントを受けた従業員のため、あるいは実際に発生したカスタマーハラスメント対応やカスタマーハラスメントが発生しそうな場合に備えての相談窓口等を設置します。当該企業の規模等からして、社内に自前で窓口を設置することが現実的ではない場合、外部の弁護士を相談窓口とすることも有用でしょう。

(ウ) 対応方法、手順の作成

カスタマーハラスメントが発生したときに、現場の従業員が慌てず適切な対応をとれるように、事前に対応方法等を定めておくことが有用です。ハラスメントの類型ごとに対応方法は異なってきます。上記マニュアルにも対応例が記載されていますが、業種・業態によっても生じやすいカスタマーハラスメントの類型やその対策が異なりうるため、実情に応じたアレンジを行いましょう。外部の連携先（警察や弁護士など）も、あらかじめ決めておくと有用です。

(エ) 社内対応ルールの従業員等への教育・研修

上記(ウ)で定めた対応方法等について、従業員に周知しておきます。単に情報として知らせておくだけでなく、定期的な研修などを実施して身につけさせることが望ましいといえます。

(ⅱ) カスタマーハラスメントが実際に起こった際の対応

上記(ⅰ)の対応方針に従い、前提として正確な事実関係の把握をした上で組織的

に対応を行うとともに、被害の拡大や再発の防止も考える必要があります。以下、上記(i)で挙げたマニュアルに沿って説明します。

　　(ア)　事実関係の正確な確認と事案への対応
　まず、顧客等からのクレームが正当なものなのか言いがかりなのかを判断することになりますが、前提となる事実関係も含め、確かな根拠に基づき、また複数名で確認・判断します。その上で、上記(i)(ウ)で定めた対応方法に沿った対応をします。

　　(イ)　従業員への配慮の措置
　カスタマーハラスメントにはさまざまな態様がありますが、従業員が暴力やセクハラを受けるということも考えられます。事業主としては、従業員の現場での安全確保や精神面への配慮のため、当該顧客対応を代わる、弁護士や警察と連携をとる、産業医等によるアフターケアを行う、などといった対応が考えられます。

　　(ウ)　再発防止のための取組み
　当該顧客に原因がある場合は再発防止といっても簡単ではありませんが、従業員による顧客対応がカスタマーハラスメントを誘発する1つの要因となっていたような場合、その顧客対応の見直しをすることも重要な再発防止策です。また、発生したトラブル事例やその対策を社内で共有することも有用です。

　　(エ)　その他、カスタマーハラスメントの予防・解決のために取り組むべきこと
　従業員からの相談や報告を待つばかりでなく、能動的な情報収集体制を整えておくことが有用です。定期的な従業員との面談や、営業日誌・業務日誌による情報共有で、カスタマーハラスメントの予兆を捉えられることもあります。

(3)　悪徳商法対応（事業者の消費者被害等）

①　総論

　特に実態が一般消費者に近いような小規模事業者が巻き込まれやすい、詐欺的な商法がみられます。例えば、「求人広告会社から、インターネットによる求人広告を3週間無料で掲載できるサービスを利用しないかとの勧誘の電話があり、契約事項をよく読まずに申込書を送付（契約）したため、3週間経過後に契約期間が自動更新され、高額な掲載料金を請求された」などという事例です（後述の中企庁ホームページ「事業者間トラブル事例」参照）。
　この種のトラブルには、次のような特徴があるため、一度生じてしまうと、リカバリーが非常に困難になるというリスクがあります。

　　(i)　消費者保護法制で保護されない
　事業者が営業のためにあるいは営業として締結する契約に係るものには、一般消費者に認められているクーリングオフ等の適用はありません（特定商取引に関する法律26条1項1号参照）。事業者は、一般消費者とは異なり、あくまでも自己

の責任のもとに契約を締結することが前提とされているためです。

したがって、一度契約を締結してしまうと、契約関係を解消するのは容易ではなく、すでに支払ってしまった代金の返還を求めることも困難になります。

(ⅱ) **契約書を覆す立証が困難**

この種のトラブルでままみられる手口として、悪徳業者側が、口頭での説明とは異なる、あるいは口頭で説明をしていない内容の条項が契約書に盛り込まれているのに（あえて盛り込んでおき）、急いで契約書にサインをさせ、事業者に契約書を確認させる余裕を与えない（事業者側も、口頭での説明でよしとしてしまう）ということがあります。

このような場合、現実に締結した契約書がある以上、事業者が後になって「内容をよく理解していなかった」「当初の話と内容が違っていた」などと主張しようとしても、難しいことが多くなります。法律構成としては、民法の規定に基づいて、契約不成立、あるいは錯誤や詐欺による取消し（民法95条1項・96条1項）、信義則違反（同法1条2項）、債務不履行解除（同法541条・542条）といった主張の可能性はありますが、現実に締結した契約書を覆すだけの立証は、そう簡単ではありません。

(ⅲ) **コストに見合わない可能性**

この種のトラブルは、リース料や広告料が割高になっているといっても、月数万円単位であることも多くみられます。また、悪徳業者側から、想定される弁護士費用等よりも小さい金額を事業者が支払うことでの和解を打診してくる例もあるようです。

そうすると、仮に事業者が悪徳業者に対して訴訟提起等をするとしても、弁護士費用のほうがかえって高くついてしまう、あるいは証拠集めの手間がかかりすぎてしまう、などということが考えられ、コストに見合わないとして経営者が対応を諦めてしまう、あるいは和解金を支払ってしまうという可能性があります。

② **典型的な類型**

実際に中企庁相談室に寄せられたトラブル事例については、中企庁ホームページ「事業者間トラブル事例」（https://www.chusho.meti.go.jp/faq/soudanjirei.html）に掲載されていますので、予防の参考にしてください。

例えば、次のような類型が挙げられています。

- 求人広告会社から、インターネットによる求人広告を3週間無料で掲載できるサービスを利用しないかとの勧誘の電話があり、契約事項をよく読まずに申込書を送付（契約）したため、3週間経過後に契約期間が自動更新され、高額な掲載料金を請求された。
- 半年前にSEO対策の契約を行ったが、一向に検索順位が上がらず、むしろ悪

化している。契約時に営業担当者から説明された内容と異なるので解約したい。営業担当者は間違いなく検索順位が上がると言っていたが、契約書には「効果については保証しない」という旨の記載がある。
・工事業者を対象とするウェブサイトの運営会社と契約を締結した。メールで顧客を紹介されるが、成約の有無に関係なく、紹介1件当たり○万円の支払が発生する内容となっているが、紹介された顧客に連絡すると、すでに別の工事業者と契約していた。なかには、半年前に工事が完了している顧客もいた。
・インターネットを光回線サービスに変更したら安くなると説明され契約したが、電話番号が変わってしまった。電話番号が変わることやパソコン関係の手続をすべて変更しなければならないことは聞いておらず、元に戻してほしいと言ったら、違約金と工事費を請求された。

③　**対策・対応**

(i)　予防が第一

この種のトラブルは、気を付けてさえいればかなり防げるものです。まず、相手の説明内容を鵜呑みにせず、疑問に思ったら、インターネット等による情報収集を行ったり、相手の信用調査を行うことが考えられます。また、提案されたサービス等が本当に必要なものなのかどうか、一度立ち止まって考えてみることも有用です。

そして、決定的に重要なのが、相手方から契約書が送られてきたら、むやみにサインせず、中身をよく確認することです。上記①でふれたとおり、この種のトラブルの手口として、口頭で説明を受けた内容と異なる条件が付されていることも多くあり、他方で、一度サインしてしまうとそれが証拠として使われてしまいます。現実に書面が送られてきており、内容を確認する機会があった以上、「気づかなかった」「よく読んでいなかった」という反論はなかなか通りません。とはいえ、中小企業の場合は、自身で契約書の内容をすべて確認することは難しいかもしれませんので、積極的に弁護士に相談しましょう。

(ii)　同一業者を相手方とする弁護士や被害者との連携

悪徳業者に対して何らかの主張や請求を行う場合、コスト対策として、当該業者を相手方としてすでに訴訟提起等をしている被害者と連携し、同一の弁護士に共同して依頼するという方法が考えられます。各地の弁護士会の担当委員会が情報をもっていたり、大規模なものであれば被害対策弁護団が結成されていることもあります。

(iii)　証拠の収集

①で述べた通り、一度契約書を締結してしまうと、それを覆す立証は非常に困

難です。基本的には関係者の供述等によるしかないことが多いと思われますが、場合によっては、上記(ⅱ)を通じて、同種手口が多発していることや、相手方が同種事例でよく問題になっている業者であるなどといった情報、あるいは証拠収集等の手がかりを得ることができるかもしれません。

(4) 反社会的勢力対応

① 総論

2007年の政府指針「企業が反社会的勢力による被害を防止するための指針」で反社会的勢力との取引を含めた一切の関係遮断が規定され、2011年には、各都道府県で暴力団排除条例が定められました。

暴力団排除条例においては、一般的に、反社会的勢力に対する利益供与が禁止されていますが、利益供与に限らず反社会的勢力と関係をもつことは、不当要求等の被害に遭うリスクがあるだけでなく、①社会的信用を失う、②取引契約等の暴力団排除条項に該当するとして契約が解除されてしまう、などといったリスクがあります。特に①は、法令違反を理由に勧告や公表等の制裁を受けてしまったり、金融機関からの融資を受けられない、監督官庁による処分を受ける、入札参加資格を失う、などといった具体的な事柄を伴うことがあり、それだけで事業が立ちいかなくなるほどの致命的な影響が生じかねません。コンプライアンスの観点からも、中小企業であっても反社会的勢力対応は重要になってきます。

② 対策・対応

(ⅰ) 契約を締結しない

対策として、そもそも反社会的勢力と関係性をもたない、具体的には契約を締結しないということが肝要です。

しかしながら、相手が反社会的勢力であるか否かは必ずしもはっきりと事前に判断できるとは限らないため、取引機会の喪失リスクもありますし、契約を締結しないことで、報復（恐喝や危害を加えられる）のリスクもあります。

そこで、反社会的勢力であるか否かの調査には慎重を期した上で、締結予定の契約書や約款に、相手方等が反社会的勢力でないということの表明を求める、いわゆる暴力団排除条項を設けておき、後に相手方等が反社会的勢力であると判明した場合に、当該条項違反を理由として速やかに契約を解除し、関係を解消できるように備えておくことが有用です。

なお、暴力団情報については、まずはインターネットや登記情報、業界内での情報収集などから始めることになるでしょう。その上で疑いが出てきた場合などは、警察や都道府県の暴力追放運動推進センターに相談することになります（平成31年3月20日警察庁刑事局組織犯罪対策部長通達「暴力団排除等のための部外への情報提供について」においても、守秘義務や個人情報保護等との兼ね合いではあります

が、「積極的な情報提供の推進」ということが謳われている）。

(ⅱ) **契約を解消する**

すでに契約を締結してしまっている先が反社会的勢力であることが判明した場合、契約を解消して関係遮断を図ることになります。

ただし、現実的には、反社会的勢力の疑いには濃淡があるため、対処方針としては、次のような対応が挙げられています（法務省ホームページ「企業が反社会的勢力による被害を防止するための指針に関する解説」(4)参照）。

① 直ちに契約等を解消する
② 契約等の解消に向けた措置を講じる
③ 関心をもって継続的に相手を監視する（＝将来における契約等の解消に備える）

この点、契約等の解消について、上記(ⅰ)で述べた暴力団排除条項があれば、それによる契約関係の解消を検討することになります。当該条項がない場合、合意解約や更新拒絶、債務不履行解除（民法541条・542条）などの可能性を検討することになります。事案によっては、詐欺・強迫（同法96条）、錯誤（同法95条）を理由とした契約の取消しができることもあるかもしれません。事案に応じて、訴訟リスクとの兼ね合いで対応を検討することになります（詳細は長崎県弁護士会民事介入暴力被害者救済センター編『Q&A企業のための反社会的勢力排除実践マニュアル』〔商事法務、2016〕112頁以下参照）。

(ⅲ) **不当要求対応**

実際に不当要求を受けた場合、上記(2)のカスタマーハラスメント対応も参考にしつつ、その日時・内容・態様・回数などについて記録を行うことが有用です。必要に応じて、録音や録画も検討しましょう。相談先としては、警察や都道府県の暴力追放運動推進センター、そして弁護士が考えられますが、いずれにしてもこれらの記録が重要な証拠となります。

日常的な備えとしては、暴力追放運動推進センターが行っている不当要求防止責任者に対する講習等を通じて、不当要求に対する対応要領等を把握しておくことも考えられます。

なお、上記「企業が反社会的勢力による被害を防止するための指針に関する解説」(3)では、不当要求の類型として、次の２つの類型とその対応方針が挙げられています。

① 接近型（反社会的勢力が、機関誌の購読要求、物品の購入要求、寄付金や賛助金の要求、下請け契約の要求を行うなど、「一方的なお願い」あるいは「勧誘」という形で近づいてくるもの）
→契約自由の原則に基づき、「当社としてはお断り申し上げます」「申し訳あ

第2部　各　論

りませんが、お断り申し上げます」等と理由を付けずに断ることが重要である。理由をつけることは、相手側に攻撃の口実を与えるのみであり、妥当ではない。
② 攻撃型（反社会的勢力が、企業のミスや役員のスキャンダルを攻撃材料として公開質問状を出したり、街宣車による街宣活動をしたりして金銭を要求する場合や、商品の欠陥や従業員の対応の悪さを材料としてクレームをつけ、金銭を要求する場合）
→反社会的勢力対応部署の要請を受けて、不祥事案を担当する部署が速やかに事実関係を調査する。仮に、反社会的勢力の指摘が虚偽であると判明した場合には、その旨を理由として不当要求を拒絶する。また、仮に真実であると判明した場合でも、不当要求自体は拒絶し、不祥事案の問題については、別途、当該事実関係の適切な開示や再発防止策の徹底等により対応する。

(5) インターネットトラブル
　① 総論
　インターネットの普及に伴い、インターネット上のトラブルが増加しています。例えば、不正アクセスやサイバー攻撃、コンテンツの盗用や著作権侵害なども生じますが、ここでは、第三者によるインターネット上での書き込みや情報発信で、誹謗中傷等の被害を受けたような場合を取り上げます。
　この種のトラブルの場合、情報があっという間に拡散していってしまうため、都度対応するのでは追いつかないこともあります。そのため、他のトラブル以上に、予防、あるいは迅速な対応が重要な意味をもってくるといえます。
　② 対策・対応
(i) 概要
　考えられる法的な対応としては、①当該情報を削除する、②当該情報の発信者に対して民事（損害賠償請求）・刑事（刑事告訴）の各種責任追及を行う、というものが考えられます。
　また、法的な対応以外にも、例えば虚偽の内容の情報発信がなされているのであれば、事業者から積極的に注意喚起や訂正を知らせるリリース等の情報発信を行うことも考えられます。当該情報の削除だけでは追いつかない場合もありますし、否定しないままでいると当該情報が真実であると受け取られてしまいかねないような場合は、このような対応をとらざるを得ないときもあるといえます。
　相談先としては、法的な対応をするには弁護士ですが、総務省が設置・運営している「違法・有害情報相談センター」に相談することも有用です。また、事業者向けに限定した内容ではありませんが、総務省が「インターネットトラブル事

例集」を作成して公表していますので、予防や対策の参考にするとよいでしょう。

　(ii)　対応の流れ
　　(ア)　対象の確認・特定
　問題となる書き込みや情報発信の内容と、当該書き込み等がされているウェブサイトのURLを確認し、記録しておきます。発信者の調査については、上記(i)で触れた「違法・有害情報相談センター」のホームページの「ネット利用者用のFAQ」のQ6（https://ihaho.jp/faq/netuser.html#a6）を参照してください。

　また、当該ウェブサイトやサーバーの運営・管理者も調査します。削除請求等の相手方となり得るためですが、当該ウェブサイトに記載がされていることがほとんどでしょう。

　　(イ)　証拠資料等の準備
　問題となる書き込み等があったことを示すスクリーンショットなど、そしてそのウェブサイトのURLの2点が重要ですので、これらを中心に証拠資料を確保します。後者については、ヘッダーやフッターにURLが表示される設定にしてプリントアウトしておくことが有用です。

　また、どのような対応方法を選択するかによって、公的な身分証明書などの本人確認書類が必要となることもありますので、留意しましょう。

　　(ウ)　ウェブサイト管理者等に対する削除請求
　削除請求の手順については、「違法・有害情報相談センター」のホームページの「削除依頼の流れについて」（https://ihaho.jp/guide/reqdelflow.html）をご参照ください。

　大まかには、①掲示板やブログ等であれば、その作成者または管理人に連絡して削除依頼をする、②ウェブサイト管理者やウェブサービス提供者に連絡して削除依頼をする、③プロバイダに連絡して削除依頼する（「プロバイダ責任制限法　名誉毀損・プライバシー関係ガイドライン」も参照する）、といった順序になります。

　　(エ)　削除請求が拒否された場合のサイト管理者等に対する仮処分
　上記(ウ)の任意の対応で成果を得られなかった場合、裁判手続によることとなります。具体的には、サイト管理者等を相手方として、当該書き込み等の削除や発信者情報（IPアドレス）開示を求める仮処分を申し立てます。本案訴訟では時間がかかりすぎるため、後述のアクセスログの保存期間との関係も踏まえると、仮処分によるほうが簡便かつ迅速であるとされています。

　なお、実体法上の要件は、特定電気通信役務提供者の損害賠償責任の制限及び発信者情報の開示に関する法律（いわゆる「プロバイダ責任制限法」）4条1項を参照してください。

第2部　各　論

　　(オ)　プロバイダの調査
　サイト管理者等から発信者のIPアドレス等を取得しただけでは、発信者の住所・氏名まで判明するとは限りません。そのため、IPアドレスから書き込み等に使用されたプロバイダを調査し、そこから発信者の情報開示を求めていくことになります。

　　(カ)　プロバイダに対する発信者情報消去禁止請求
　プロバイダが保有しているアクセスログは、多くの会社で数か月間程度しか保存されていないようです。このアクセスログが残っていないと、発信者情報開示訴訟で勝訴しても発信者の特定ができなくなってしまうおそれがありますので、プロバイダに対し、このアクセスログの保存を求めることが必要です。
　方法としては、プロバイダに任意の協力を依頼する方法と、仮処分による方法とがあります。事案の性質やプロバイダの協力姿勢に応じて使い分けることになるでしょう。

　　(キ)　プロバイダに対する発信者情報開示訴訟
　プロバイダを被告として、発信者情報開示訴訟を行います。上記(エ)の方法で任意に開示を受けられればそれで済みますが、自身が責任追及されるおそれもあることから、発信者の同意なしに任意の開示を受けることは難しいようです。
　この訴訟では、当該書き込み等が原告の権利を侵害したことが明白か否かという点が争点となります。開示請求を認容する判決が出ればプロバイダは発信者情報を原告に開示してくれます。
　なお、職場やインターネットカフェ等からの書き込みであった場合、プロバイダから開示された情報だけでは、依然として発信者の住所・氏名は明らかでないままです。そのため、開示された者に対して、さらに発信者情報開示請求を行うこととなります。

　　(ク)　発信者に対する損害賠償請求・刑事告訴など
　発信者が特定できたら、民事上の損害賠償請求や、名誉棄損や業務妨害を理由とした刑事告訴を検討します。名誉棄損のような親告罪については、「犯人を知った日から6か月」の告訴期間（刑事訴訟法235条本文）に注意しましょう。

　　③　自社関係者による炎上リスク
　ここまでは第三者によるインターネットトラブルについて解説してきましたが、近年、自社関係者によるインターネットトラブルも多発しています。特に多いのが、従業員がSNSに不適切な投稿を行い、それがきっかけでいわゆる炎上状態となり、会社も被害を受けるというような事例です。
　このような場合、就業時間外も含めて全面的にSNS利用を禁止することは現実的には難しいため、就業規則やソーシャルメディア・ポリシーを整備するととも

に、従業員の教育を行い、規則の理解を得て浸透を図ることが有効な対策となります。詳細は中小機構が運営するJ-Net21のビジネスQ&A「従業員のSNS投稿による炎上リスクについて教えてください」を参照してください（https://j-net21.smrj.go.jp/qa/development/Q1136.html）。

12 コンプライアンス

(1) 中小企業とコンプライアンス

　コンプライアンスとは何でしょうか。広辞苑によれば、「要求や命令に従うこと。特に、企業が法令や社会規範・企業倫理を守ること。法令遵守」とされています。単なる法令遵守だけではないことに注意が必要です。いうまでもなく、企業がコンプライアンス重視を要求されるのは、事業の適正かつ健全な事業活動を実施していくために必要と考えられるからです。

　コンプライアンス重視自体は、極めてもっともなことですが、実際には、コンプライアンス違反による企業不祥事は後を絶ちません。名だたる大企業が不祥事を起こすたびに、コンプライアンス違反を反省し、コンプライアンス遵守を叫びながらまた不祥事を起こします。最近では、某自動車メーカーが度重なるコンプライアンス違反事件を引き起こしたことは記憶に新しいところです。

　大企業であろうと中小企業であろうとコンプライアンスは当然のことですので、何か違いがあるわけではありません。大企業でも社長の指示に逆らうことができなかったことを原因に挙げる場合がありますが、例えば、中小企業でもワンマンの創業者社長のいうことが絶対であるとの企業風土があり、役員や従業員が社長の指示に逆らうことができないという事態は想定されますし、あってはならないことですが、従業員による横領行為は、企業規模の大小は関係ありませんので、コンプライアンス違反による企業不祥事の内在的な危険性は、大企業であろうと中小企業であろうと存在するのです。

　特に、インターネットの発達は、情報が一瞬にして拡大する怖さがあります。消費者からのクレーム対応を誤り、その情報がインターネットを通じて、一気に企業のブランドを失墜させる危険性があります。高度情報化社会における企業リスクの理解と対策は、中小企業でも当然必要となります。

　上場企業については、遵守すべき行動規範をまとめたものをコーポレートガバナンス・コードとして公表され、2015年6月から適用されています。中小企業に適用されるものではないのですが、東京証券取引所等のホームページ等で公表されていますので、参考にしてください。

(2) コンプライアンス違反の実例

　企業のコンプライアンス違反の実例としては、どのような場合が想定されるで

しょうか。過去の不祥事事件から拾い出してみると粉飾決算等の不正企業会計に関する問題（山一證券事件、オリンパス事件、不適切な会計事件として東芝事件）、知的財産権の侵害を含む不正競争や商品の販売方法等（例えば、ミートホープによる牛肉ミンチの品質表示偽装事件等）に関する問題、顧客情報（個人情報）の漏洩問題（ベネッセ事件等）、パワハラ、セクハラ、解雇等の労働問題等が挙げられます。そのほかマスコミで公表された事件としては、東洋ゴム工業事件（免震ゴム装置のデータを改ざんしていた事件）、ダスキン事件（ダスキンが運営するミスタードーナツで販売されていた商品に国内で無認可の添加物が使われていたが、この事実を長期間公表していなかった）、パロマ事件（屋内設置型のFE式瞬間湯沸器について、同排気ファンの動作不良を原因とする一酸化炭素事故が発生していたにもかかわらず消費者に対する告知がなされていなかった）等が挙げられます。

(3) コンプライアンス違反の責任

過去の不祥事事件での実例でもおわかりの通り、コンプライアンス違反の結果、企業そのものが倒産するといった重大な事態を招いている例もあります。いずれにしてもコンプライアンス違反は、程度の問題はありますが、企業に重大な影響を及ぼすことを肝に銘ずるべきです。

企業のコンプライアンス違反の法的責任としては、主に①民事責任（取引先や顧客からの契約解除、返品、損害賠償請求、株主代表訴訟等）、②刑事責任、③行政処分（行政許認可の取消等）が考えられますが、法的責任以外にも消費者を裏切る結果、企業ブランドを失墜させ、市場から撤退せざるを得ないといった事態も引き起こす可能性があります。コンプライアンス違反は、第三者に対する責任だけでなく、企業の経営を困難にし、従業員の雇用を喪失させることにもなります。

(4) コンプライアンス違反の原因

コンプライアンス違反の原因には、多くの要因が存在しています。経営者の認識不足、経営者の売上至上主義、消費者に健康上の被害が出なければ問題ないという誤った認識の存在、従業員等への教育の不徹底、偽装表示を一般消費者が見抜くことの困難性、同業他社との過度な競争の存在が考えられますが、外部要因よりは内部要因が主たる原因であることのほうが多いでしょう。

(5) コンプライアンス違反の防止

すでに述べた通り、コンプライアンス遵守が叫ばれながら、コンプライアンス違反が一向になくならないという現実が違反防止の困難さを表しています。コンプライアンス違反の防止策は、さまざまなところで議論されてきましたが、大きく企業内部からのチェックと企業外部からのチェックの2つに分けられます。

① 企業内部からのチェック

まず、現在のコンプライアンス体制のチェックと評価が必要です。その上で、

改善すべき点があるとすれば、十分な議論と検討を行い、コンプライアンス体制の改善策を策定し、それを実行に移すことになるでしょう。内部通報制度もその1つですが、中小企業では未整備であることが多いのではないでしょうか。内部通報制度については、弁護士が通報の窓口となる場合が多いと思われますが、通報を受けた場合の処理方法については、慎重な対応が必要となるので、弁護士が助言・指導し、マニュアル等を作成して、企業側の受入れ態勢に対する支援を積極的に行うべきです。

② 企業外部からのチェック

大企業の場合、ここでは主に上場会社を想定していますが、社外役員（社外取締役、社外監査役）によるガバナンスが期待されています。しかし、中小企業では、社外役員が就任する場合が少ないので、第三者によるチェックがききにくいということはいえるかもしれません。しかし、法的支援が不十分と思われる中小企業にこそ、社外役員の必要があるのではないでしょうか。顧問弁護士制度と併せてコンプライアンス支援を行うことが理想ですが、顧問弁護士制度がなくとも社外役員として弁護士が就任することにより、第三者によるチェックが期待できますので、社外役員への就任は積極的に推進すべきです。

コンプライアンス遵守をチェックする方法としては、大別すると前記の通り、社外のチェックによる方法、内部チェックによる方法が考えられます。中小企業の場合、社外からのチェックは難しいのですが、顧問弁護士がいる場合は、継続的な相談体制を整えることにより、事前予防の観点からそれなりの役割が期待できますが、意図的なコンプライアンス違反まではチェックできません。中小企業の場合、税理士あるいは、公認会計士との接点が頻繁ですから、税理士あるいは公認会計士と顧問弁護士との連携があれば、効果的なチェックが期待できるかもしれません。

(6) 弁護士によるコンプライアンス支援

以上の通り、コンプライアンスについて、その概要を述べましたが、コンプライアンス遵守について、弁護士による具体的な支援としてどのようなものが挙げられるでしょうか。

① コンプライアンス遵守に向けた啓蒙活動

コンプライアンスについては、何よりも経営者はじめ、役員や従業員がその意義を十分に理解してもらわなくてはなりません。そこで、企業内の研修や各種講演会等へ弁護士が講師として講演する中で、コンプライアンスに対する認識を深めてもらうことが必要です。コンプライアンス研修では、管理職向けと一般従業員向けに分けて実施することが必要です。

② 社内の組織体制に対する支援（コンプライアンス違反の予防対策）

　前記の通り、コンプライアンス遵守に向けた社内体制が必要ですが、各規程の整備や事案の相談等に当たって、顧問弁護士制度の活用が考えられます。問題が発生した場合、まず、法律の専門家である弁護士に相談するという体制作りが必要ですので、普段から接触のある弁護士との間で顧問契約を締結することが望ましいでしょう。当然ながら、弁護士コストが問題となりますが、コンプライアンス違反による企業の損失と比較すると弁護士費用にそれなりのコストをかけることには合理性があるものと考えられます。何よりも、問題が発生した場合に、外部の専門家を入れない独りよがりの企業内の事情を考慮した判断には相当なリスクがあると考えるべきでしょう。特に、知的財産権や労働問題など専門分野に関する問題は、弁護士や弁理士等の専門家の助言がぜひとも必要となりますので、企業内だけで問題を解決するのは難しいと会社側に理解してもらうことが必要です。

　弁護士側も普段から企業とのコミュニケーションを十分に図り、相談しやすい態勢を整えることが必要ですし、弁護士コストも合理性のあるレベルにすることも考えなければなりません。企業側からの不満として、弁護士とすぐに連絡がとれないとか、回答が遅すぎるといった不満が聞かれることがありますが、弁護士側でも注意が必要です。現在では、ウェブ会議がかなり普及していますので、ウェブ会議を活用して迅速な相談を実施して、対策を早急に講ずることが必要と思われます。

③ コンプライアンス違反の問題が発生した場合の支援

　残念ながら、企業不祥事は、絶対に防止することは難しいかもしれないという現実論があります。そこで、万一、問題が発生した場合の体制作りも重要となります。ここでは、被害の発生を最小限に食い止めることが必要です。

　仮に問題が発生した場合は、事態の正確な把握とそれに対する対策が必要ですが、問題発生に対する迅速な対応が遅れたため、さらに、事態を悪化させることがないよう注意が必要です。特にマスコミ対応については、弁護士による助言が必要となります。マスコミ対応を誤り、かえって社会の反発を招いた例もあります（船場吉兆事件等）。

　場合によっては、発生した問題を客観的に調査するための第三者委員会の設置が必要となる場合があり、弁護士が委員として積極的にかかわることになるでしょう。第三者委員会については、日本弁護士連合会が2010年12月17日付けで「企業等不祥事における第三者委員会ガイドライン」を公表していますので（日弁連のホームページを参照。なお同ガイドラインの解説が㈱商事法務から単行本として刊行されている）、参考にしてください。

企業によっては、身近に相談できる弁護士がいない場合も考えられます。弁護士会でも法律相談体制の充実を図っていますが、中小企業の経営者と普段から接触がある各地の商工会議所、商工会等の中小企業関連団体による相談体制を通じて相談して、そこから弁護士への相談につなげる体制が必要です。

　やはり、普段から経営者と弁護士がコミュニケーションを図り、身近にすぐ弁護士に相談できるような体制作りが不可欠であり、前述した通り、弁護士との間で法律顧問契約を締結することが好ましいといえます。

第2部 各 論

第3章　事業拡大時の問題

1　M&A

(1)　M&Aの基本概念

①　M&Aとは

M&Aとは、英語の「Mergers（合併）and Acquisitions（買収）」の略で、企業の合併および買収を意味します。M&Aというと大企業の話のようにも思われますが、必ずしも大企業だけのものではありません。新規事業に取り組む場合、自社で一から事業を立ち上げて育てるのは時間がかかり、またリスクもありますが、M&Aで既存の会社を買収すれば、時間をかけずリスクを抑えて事業を開始することができます。また、販売ネットワークの拡大など既存事業の拡大の場面でもM&Aは活用されています。他方、**第6章**において後述するように、近時は事業承継の方法の1つとして、M&Aによる社外への引継ぎも増えており、中小企業においてもM&Aは無縁のものではなく、これを理解しておく必要があります。なお、中企庁も2020年3月に中小M&AGLを策定しています。契約書のひな形等もあり、大変参考になりますのでぜひご参照ください。

②　M&Aの手続フロー

M&Aは、概要、以下の手続フローに従って進みます。

> (i)　**買収対象会社（売主側の場合は買主候補）の探索**
>
> まずは、買収対象の候補となる会社（売主側の場合は買主候補）の探索から始まります。一般的には、売主側からM&A仲介業者等を通じて買主側にアプローチしてくることが多いですが、買主側から候補先を絞り込んで買収提案をしていくこともあります。
>
> (ii)　**秘密保持契約の締結**
>
> 候補先がみつかると、より詳細な情報を入手して検討するために、売主側・買主側との間で秘密保持契約を締結します。
>
> (iii)　**基本条件の交渉**
>
> 入手した情報等をもとに対象会社の事業評価等を行った上で、基本条件の交渉に入ります。この段階で、大よその譲渡価格（あるいは譲渡価格の考え方）や、M&Aの手法（株式譲渡、事業譲渡、会社分割など）、M&A後の役職員の処遇、経営者保証の解除等といった、基本となる重要事項について交渉し、相互の要望の擦り合わせを行います。

(iv) 基本合意書の締結

前記の基本条件や、独占交渉権（一定の交渉期間中は他の相手と交渉しない旨の約束）、デューデリジェンス（以下、「DD」という）の実施、最終契約（後述）の締結時期等について合意をします。一般的に、基本合意書の締結から最終契約までの期間は2〜3か月程度に定められることも多く、比較的短期間で進めることになります。

(v) DD（財務、税務、法務、ビジネス等）

基本合意ができたら次に、買主による対象会社の事業内容等の実態および問題点の有無等を把握するための調査（DD）が行われます。大別して、財務、税務、法務、ビジネス等のDDがあります。

(vi) 売主・買主間の最終契約交渉

DDの結果も踏まえ、最終契約の交渉として詰めを行います。

(vii) 最終契約の締結

株式譲渡であれば株式譲渡契約、事業譲渡であれば事業譲渡契約などのM&A取引手法に合わせた契約を結びます。

(viii) クロージング

クロージングで取引実行を行います。代金の決済や、権利移転に必要な書類のやりとり、株式譲渡の場合で株券発行会社であれば、株券交付をしたりします。

なお、特に買主の場合は、クロージング後のPMI（Post Merger Integration、後記(4)参照）という段階も重要になります。M&A取引を実行した後今まで違っていた企業文化を統合したり、統一されていない労働条件を統一したり、クロージング後に出てくるいろいろな問題を処理していきます。

③ M&A取引の手法

M&A取引の主な手法には、以下のようなものがあります。

(i) 株式譲渡

対象会社のオーナーが、対象会社の株式を譲渡することにより支配権を移動する手法です。オーナーに株式売却の資金が入り、手続も容易です。法人格に変動はないため、次に述べる事業譲渡や会社分割の手法と違って原則として許認可等の取直しが必要になることはありませんが、簿外債務・偶発債務もそのまま残ることになるため、一般論として、より詳細なDDを要することになります。この手法においては、売主は株主であって対象会社ではありません。

(ii) 事業譲渡

対象会社の事業の全部または一部を譲渡する方法です。対象会社の特定の事業部門のみを買収したい場合や、債務超過会社において金融機関の了承の下に一部の金融負債等を残した上で優良事業を売却する場合等に用いられます。個別に資産、負債、契約等の移転手続をとる必要があり、対象会社の取引先から契約移転の同意を得る必要があるほか、不動産であれば名義変更の登記を行うための登録免許税がかかったり、事業に必要な許認可についても再取得が必要になる場合があるなど、株式譲渡の手法に比べ、手続が煩雑になりがちです。他方、譲渡の対象となる財産を選択することができ、元の会社の法人格と切り離すことができるため、簿外債務・偶発債務のリスクは比較的遮断しやすいです。この手法においては、事業譲渡の対価は対象会社に入ることになります。

(iii) 会社分割

会社分割は、対象会社の事業に関する権利義務の全部または一部を切り出して、株式譲渡または合併（吸収分割）の方法により承継させる方法です。事業譲渡は個別の承継であるのに対し、会社分割の場合は、分割契約等に定めた資産・負債、取引上の契約や従業員との雇用契約など当事者関係の権利義務が効力発生日に包括的に承継されます。手続面では、労働者異議申出手続その他会社法上の各種手続が生じます。また、権利移転に対抗要件を要する場合には、包括承継であったとしても、第三者対抗要件の具備が必要になると解されており、事業に必要な許認可も通常は自動的には引き継がれずに、再取得が必要になります。このため、株式譲渡に比べれば煩雑にはなります。この手法においては、承継の対価は原則として対象会社（分割会社）に入ることになります。

(iv) 第三者割当てによる募集株式の発行等

第三者割当増資の引受等により支配権を取得する方法です。この手法の場合、買主は株式を取得しますが、売主は株式譲渡の場合とは異なり、対象会社となります。買主が一定の持株比率を達成するためには、株式譲渡による場合よりも多額の資金が必要になる一方、その資金はオーナーではなく対象会社に入ることになります。

(v) その他の手法

ほかにも合併、株式移転、株式交換等がありますが、中小企業ではそれほど利用されていないと思われます。特に合併は、潜在債務も含めてすべて譲受会社に承継されてしまうため、リスクが非常に高くなります。最終的に合併する計画であっても、一旦株式譲渡の手法で子会社化し、一定期間様子をみて潜在債務その他の問題がないことを確認した上で合併するのがリスク低減のために

はよいでしょう。

なお、M&Aに当たっては、売主、買主、対象会社のそれぞれについて各種税金が関係してくることになります。一般に、その影響額は非常に大きく、タックス・プランニングが非常に重要となります。ここでは税務面についての説明は割愛しますが、M&A取引の手法の決定に当たっては、必ず税務の専門家にも関与してもらう（あるいは、少なくとも税務面については依頼者側で税務の専門家の確認をしてもらう）必要がある旨留意しましょう。

④ M&Aにおける弁護士の役割

M&Aに弁護士がどのように関与していくかについてですが、弁護士の役割として次のようなものが挙げられます。

- M&A取引の手法についての検討（法的観点からの実施可能性、手続等について検討）
- 秘密保持契約書、基本合意書、株式譲渡契約書などの契約書作成・修正、交渉（M&A仲介会社に依頼する場合にはM&A仲介契約書についても）
- 法務DDの実施（買主側の場合）
- クロージング対応（議事録等の書類作成、権利移転に必要な書類の準備、当日対応その他）
- M&A取引のスケジュール管理
- その他M&A取引全般に関するアドバイス

以下ではその中から、M&A取引の契約および法務DDについて説明します。

(2) M&A取引の契約

M&Aにおいて弁護士が関与する役割の1つに、M&A取引に関する契約の作成・交渉があり、これは①最初に締結する秘密保持契約、②基本条件がまとまった段階での基本合意書、そして、③最終契約の3つの段階があります。

① 秘密保持契約

M&A取引の交渉を進める際には相互に秘密情報のやりとりがなされますが、秘密情報の目的外利用や第三者への開示を防止するため、まずは秘密保持契約を締結します。また、M&A取引を円滑に進めるためには、その取引の存在および内容についても公表できるような段階になるまで秘密にしておく必要性があり、この点の秘密保持も非常に重要です。

M&Aの秘密保持契約の場合、秘密情報の定義において、秘密情報の範囲を広めに設定する（秘密情報であることを明記したものに限定しない、書面に限らず口頭での開示を含む等）ことが合理的な場合が多いです。これはM&Aの場合、スピードが要求されるため、開示するに当たり秘密情報であることを明記したり、書面

化することが実務的に困難である場合があるためです。

② 基本合意書

基本合意書は、最終契約以前の交渉中の段階で、その時点における当事者の了解事項を確認し、基本的な項目について合意するために締結します。基本条件のほか、独占交渉権、買主が行うDDへの協力義務、M&A取引のスケジュール等につき定めるのが一般です。法的拘束力までもたせないことも多いですが、各条項の法的拘束力の有無を明記することが重要です。なお、仮に法的拘束力がなくとも、最終契約に向けた交渉において、不合理に基本合意書から離れた提案を行った結果、交渉が決裂したような場合には、いわゆる契約締結上の過失等が問題になる可能性がありますので注意が必要です。

また、通常、譲渡価格の額または算定方法についても基本合意書の段階でおおむね合意されます。中小企業のM&Aの場合、譲渡価格は「簿価純資産法」、「時価純資産法」または「類似会社比較法（マルチプル法）」といった手法により算定した株式価値・事業価値を基に交渉するケースが多いといわれていますが、最終的には当事者の合意により決まることになります。詳細については、中小M&AGL34頁および中小M&AGL参考資料2「中小M&Aの譲渡額の算定方法」が参考になります。

③ 最終契約（株式譲渡契約）

最終契約として、株式譲渡や事業譲渡・会社分割、株式引受等についての契約がなされますが、ここでは、株式譲渡契約につき簡潔に取り上げて説明します。

(i) 契約書の構成

M&A取引ではない株式譲渡契約の場合、内容として、①株式の譲渡、②株券の交付（株券発行会社の場合）、③譲渡承認を得ること、④名義書換請求への協力等が規定される程度で、分量としても1～2頁程度のことも多いですが、M&A取引における株式譲渡契約では、典型的には以下のような構成で、ある程度の分量となることが多いです。

1　譲渡の合意
2　譲渡価格
3　取引の実行（クロージング）
4　取引実行（クロージング）の前提条件
　(1)　売主の義務の前提条件
　(2)　買主の義務の前提条件
5　表明保証
　(1)　売主の表明保証
　(2)　買主の表明保証

> 6 誓約（表明保証以外の約束事）
> 7 補償
> 8 解除・終了
> 9 一般条項

なお、M&A取引における株式譲渡契約の具体的な内容については、藤原総一郎編著『M&Aの契約実務〔第2版〕』（中央経済社、2018）、戸嶋浩二ほか『M&A契約――モデル条項と解説』（商事法務、2018）が詳しく、参考になります。

(ii) **表明保証**

M&Aの最終契約には、特有な条項として表明保証条項が規定されるのが一般です。表明保証とは、契約の一方当事者が他方当事者に対し、一定の時点（契約締結時およびクロージング時が一般）における、契約当事者に関する事項および契約の目的物の内容に関する事項等について、当該事項が真実かつ正確であることを表明し、その表明した内容を保証するものです。

表明保証は英米法において発展した概念で、本来、表明保証には以下の機能があるといわれています。

> ① リスク分配機能：当事者間で以下のようにリスクの分配をする。
> （買主）売主から開示を受けた情報の真実性・正確性や、買主がDD等で把握仕切れていないリスク等がないことについて表明保証してもらい、これに違反する場合には、クロージングしないことができる、契約を解除できる、譲渡価格を調整することができる、補償請求をすることができる等を定めることでリスクを回避することができる。
> （売主）開示した情報の真実性・正確性、買主がDD等で把握仕切れていないリスク等がないことを表明保証することで、それを前提とした適正な価格にて対象会社を売却することができる。
> ② 情報開示を促進する機能：買主が表明保証を求めた項目につき、売主から表明保証できないという箇所が出てきた場合、買主としては、なぜ表明保証できないのか売主に説明を求めることになり、問題点がいぶり出され情報開示が促進される。

ただし、日本法上の意義・法的性質については必ずしも明らかではなく、日本の裁判例（東京地判平成18・1・17判時1920号136頁、東京地判平成19・7・26判タ1268号192頁、東京地判平成23・4・19判時2129号82頁など）では、前記のリスク分配機能とは異なった解釈（正確な情報提供を行うべき責任とする解釈）がなされているようです。そのため、リスク分配機能を期待する場合には、少なくとも前記判例を意識した上でその意図を契約書に明記しておくことは必要と考えられます（ただし、どのように判断されるか不明なところはやはり残る）。

第 2 部　各　論

(3) 法務DD

買主側の場合、M&Aにおける主な弁護士の役割の１つとして法務DDの実施があります。また、売主側の立場でも、法務DDを受けるに当たってのアドバイスが求められます。

① 法務DDの目的

法務DDには、主に以下のような目的があります。

> (i) M&A取引実行の妨げとなる法的問題点の発見
>
> 例えば、「売主が対象会社株式の真の所有者ではなかった」「事業の根幹をなす部分が第三者の知的財産権を侵害していた」「M&A取引の実行が重要な契約の解除事由となっている」など、M&A取引実行の妨げとなる法的問題点の発見が挙げられます。なお、M&A取引の手法によって取引実行の妨げになる程度が異なるため、各手法の特徴を理解した上で対応方法を検討する必要あります。
>
> (ii) 対象会社の価値評価に影響する法的問題点の発見
>
> 例えば、経済的インパクトの大きい偶発債務（訴訟、リコール、為替デリバティブ等）の存在の発見などが挙げられます。
>
> (iii) その他買主側として把握しておくべき法的問題点の発見
>
> 例えば、コンプライアンス意識が薄く、将来的に自社のレピュテーションに悪影響を及ぼす不祥事が発生する可能性があるといった点などの発見が挙げられます。なお、必ずしも法的問題点に限らず、PMI（買収後の経営統合作業）での課題等の発見なども含まれます。

② 法務DDにより顕在化した問題点への対処方法

法務DDにより問題点が発見された場合には、以下のような対処がなされます。

> (i) M&A取引の手法の変更
>
> DDで発見された問題点が、当初予定していたM&A取引の手法では回避できないものの、手法の変更で回避できる場合には、手法の変更により対応する場合があります。例えば、対象会社にA事業（本命）とB事業（本命ではない）があり、当初株式譲渡の手法による両事業の取得を予定していたが、B事業に潜在債務があることが判明した場合、手法を変更して事業譲渡あるいは会社分割の手法でA事業だけを譲り受けることが考えられます。
>
> (ii) 取引実行の前提条件・誓約事項等の追加
>
> 問題点が発見された場合、問題点を改善することを最終契約において取引実行の前提条件にしたり、誓約事項としたりすることで対応する場合があります。

例えば、工場の敷地が経営者個人の所有地であるにもかかわらず、賃貸借契約なく、事実上工場敷地として使用されている場合に、賃貸借契約を締結して使用権限を確保することを取引実行の前提条件とすることで対応したりします。

(iii) 対象会社・対象事業の価値評価への反映

問題点が発見された場合に、譲渡価格等に反映させることで対応することも考えられます。

(iv) 取引の中止

重大な問題点が発見されたが、前記のような対応では対処不能な場合などには、取引中止という対応になることもあります。

③ 法務DDの検討範囲およびチェックポイント

法務DDにおける検討範囲は本来的には、会社組織、株式・株主、許認可、事業、人事・労務、資産（知的財産を含む）、負債、コンプライアンス、訴訟・紛争、子会社・関係会社などの分野に分かれ、かつ、非常に多岐の事項にわたります。中小企業が買主となるM&A取引の場合、費用の関係で法務DDが実施されていないことが多々ありますが、少なくとも当該M&A取引において重要と考えられる項目については、範囲を絞っても実施することが望ましいと考えます。

法務DDにおける具体的なチェックポイントについては、ここでは詳細に述べることはできませんが、長島・大野・常松法律事務所編『M&Aを成功に導く法務デューデリジェンスの実務〔第3版〕』（中央経済社、2014）が詳しく、実際に法務DDに関与する場合には非常に参考になります。

なお、問題になりやすい重要なポイント（これらに限られない）の例としては、以下のようなものが挙げられます。

・譲渡対象となる株式に関する権利（真の所有者か）
・事業に関する許認可
・重要な契約の内容（契約書の有無を含む）、契約におけるチェンジ・オブ・コントロール条項、競業禁止条項、独占権付与条項の有無
・事業活動を継続するのに不可欠な不動産・動産・知的財産権等の使用権限等
・係属中の訴訟、潜在的な訴訟・紛争、偶発債務の有無
・グループ会社間取引（M&Aによりグループ会社でなくなった場合に問題が生じる取引を含む）など

④ 法務DDの進め方

法務DDは、一般的に以下のような手順で進められます。

(i) 事前準備

買主側の立場で法務DDを実施する場合、まず依頼者である買主と事前協議を

行います。対象会社の概要、M&A取引全体の概要をまず理解し、その上で法務DDの範囲を協議の上、決定します（前述の通り、重要なところに絞って調査するなど）。

買主と事前協議後、売主側も含めた関係者によるキックオフミーティングを行うことが一般的です。この場で、売主、買主の関係者の顔合わせを行い、DDの実施方法、例えば、DD実施期間、開示を求める資料のリスト・開示方法、資料のコピーの可否、担当者への質疑応答のやりとり方法、経営陣への聴取調査（マネジメントインタビュー）に関する事項（対象者等）などについての確認を行います。

そして、買主側から提示された開示請求資料リストをもとに、売主側は資料の準備を行います。

(ii) **DDの実施**

具体的なDDは一般的には資料開示から始まります。資料は、コピーやPDF等のデータで渡されることもありますが、資料開示を行う場所（データルーム）が設けられ、そこで原本を開示されることもあります。なお、データルームでの開示の場合、必要に応じコピーが許される場合もあれば、そうでない場合もありますので事前に確認しておく必要があります。なお、対象会社がM&A取引を従業員に対して内密にしていることが通常なので、対象会社内にデータルームが設けられる場合には入室方法も確認しておく必要があります。

資料の検討が一定段階進んできた頃に、資料内容の疑問点等について、経営陣や担当者へのインタビューを設定するのが一般的です。インタビューは事前に質問リストを作成して行います。なお、Q&Aシートを作って、書面でのやりとりを行う場合もあります。

(iii) **DD報告書の作成**

最終的には、法務DD報告書の形で依頼者である買主に報告します。個々の案件の特殊事情にも配慮しつつ、依頼者にわかりやすいような体系立てを工夫しながら報告書を作成します。DDの性質および限られた時間の制約上、内容の正確性を疑う特段の事情がない限り、原則として開示された資料およびインタビューの結果に顕れた事実が正確であることが前提とされるのが一般的です。

〈M&Aに関する参考文献等〉藤原総一郎編著『M&Aの契約実務〔第2版〕』（中央経済社、2018）、戸嶋浩二＝内田修平＝塩田尚也＝松下憲著『M&A契約──モデル条項と解説』（商事法務、2018）、長島・大野・常松法律事務所編『M&Aを成功に導く法務デューデリジェンスの実務〔第3版〕』（中央経済社、2014）、東京弁護士会中小企業法律支援センター・弁護士研修センター運営委員会編『事業承継支援の基礎知識（弁護士専門研修講座）』（ぎょうせい、2019）、日弁連会員研修「中小企業支援に関する連続講座(5)

『M&A法務の基礎知識と中小企業M&A法務のポイント』」(2015)、「事業承継の実務に関する連続講座(5)『事業引継ぎ（M&A）』」(2018)、「事業承継の手法としてのM&Aの実務に関する連続講座」（全5回、2021）、「中小M&Aにおける買い手支援の実務に関する連続講座」（全5回、2022）。

(4) 中小PMIGL

① 中小PMIGL策定の趣旨

中企庁の中小M&AGLにおいては、M&Aの仲介業者のいわゆる両手仲介は、構造的な利益相反の可能性およびM&Aの仲介業者やアドバイザリー（FA）の報酬の適正性という2つの課題についての手当てがなされ、売り手が安心できる取引を確保するための取組みの道筋が示されました。

では、買い手が安心できる取引を確保するための取組みはどうでしょうか。これから中小M&Aを増加させていくに当たり、「会社や事業を買収したが手に負えなかった」といった噂が広まれば、買い手に対して萎縮効果を与えてしまいます。中小PMIGLにおいては、中小M&Aにおける買い手支援の1つとして、買い手が買収後、対象会社や対象事業をうまく運営・統合することにより、当該買収が成功したと判断し、次の中小M&Aへチャレンジする流れを作ることで、日本での中小M&Aを加速度的に増加させる狙いをもって、中小M&A成立後の経営統合の実務の取組みが整理されました。

② 中小PMIとは何か

(i) 中小PMIとは何か

中小PMIGLは、中小M&AにおけるPMI（Post Merger Integration）に関するものです。ここでいう中小M&Aとは、後継者不在等の中小企業の事業を、廃業に伴う経営資源の散逸回避、生産性向上や創業促進等を目的として、M&Aの手法により、社外の第三者である後継者が引き継ぐ場合をいいます（中小M&AGL11頁、中小PMIGL7頁）。一般にM&Aは、売り手および買い手、とりわけ買い手の成長戦略の一環としてなされるものですが、中小M&Aにおいては、売り手の後継者不在等を理由とする廃業の回避を目的としてなされることがあり、売り手の経営規模が相当小さく、買い手の企業規模も小さいこともある点に特徴があるということができます。この中小M&AにおけるM&A成立後の買い手による対象会社や対象事業の運営・統合の営為を中小PMIといいます。

(ii) 中小PMIの3つの段階

一般的にPMIとは、M&A成立後の一定期間内に行う経営統合作業をいいますが、中小PMIGLはこれを狭義のPMIとしつつ、狭義のPMIの前後の期間における取組みの重要性を鑑み、狭義のPMIの「前（プレ）」、つまりM&A成立前の取組みと、狭義のPMIの「後（ポスト）」の継続的な取組みを含めたプロセス全

般（PMIプロセス）を、より広義の概念として（中小）PMIと定義しています（中小PMIGL 7頁）。さらに、このPMIプロセスにおける段階を区別するために、下記の図のようにPMIプロセスを、①"プレ"PMI（M&A成立前におけるPMIに関連する取組み）、②PMI（M&A成立後から一定期間〔1年程度〕におけるPMIの取組み）、および③"ポスト"PMI（②の後に継続するPMIの取組み）、というように3つの段階に分けています。

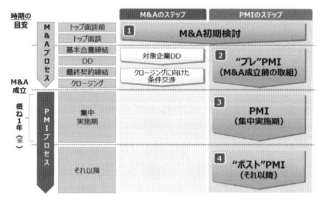

③ 中小PMIGLの概要

中小M&Aにおいては、売り手や買い手の企業規模及びM&Aの目的はさまざまであり、また、買い手も人員や資金面での経営資源に制約がある中でPMIを進めていく必要があります。そこで、中小PMIGLでは、売り手および買い手の企業規模に応じて、小規模案件と中規模・大規模案件の2つのパターンに分け、前者については基礎編を中心に、後者については基礎編に加えて発展編を参照するように提唱しています。

(i) 基礎編のエッセンス

基礎編は、経営統合、信頼関係構築および業務統合と3つの領域から構成されています（中小PMIGL39頁）。中小M&Aにおいては、売り手も買い手も中小企業であり、組織というよりは人と人との関係性で経営が成り立っている側面が強いことに配慮し、信頼関係構築の記載が重要となっています。そこでは、対象会社の経営者および従業員、ならびに取引先との信頼関係の構築について、M&A初期の検討から"プレ"PMIおよびPMIのそれぞれの段階において、買い手がやるべきことが実際の取組例を紹介しながら具体的に記載されています。

(ii) 発展編のエッセンス

発展編においては、信頼関係構築に加えて、成長戦略としてのM&Aの目的が

整理され（中小PMIGL57頁）、M&Aの目的や買い手と対象会社のシナジー（売上シナジーとコストシナジー）を生み出す方法が示されています。発展編の記載は、中小PMIGLの全体頁数の半分以上を締め、実践的な記載がなされています。

④ 弁護士による買い手のPMIの支援

PMI、とりわけPMI（狭義のPMI）は、対象会社の企業経営そのものであり、法律実務家である弁護士にとってとっかかりにくいものです。しかし、弁護士が買い手の法務DDを担当する場合には、弁護士は"プレ"PMIに深く関与するわけで、これを通して、PMI（狭義のPMI）に参加することは可能です（例えば、M&A成立後に買い手において法務DDのフォローアップ会議を開催する等）。ここから始め、中小PMIGLを読み進めて、より広く深く買い手のPMIを支援することがよいと思います。この点、中小PMIGLには、人事労務・法務の業務統合における弁護士の役割が明記されています（中小PMIGL36頁）。

2 各種の提携契約

(1) 総論

① 企業提携の必要性と特質

企業が自社の活動を発展させて利益を確保していくために、企業提携の実践、すなわち、他企業と資金、人材、技術等の経営資源を出しあって、既存事業の拡大や新規事業の立上げを行うことは極めて有用です。企業提携においては、単なる個々の取引の関係ではなく、継続的なビジネス上の関係が生まれることになるため、当事者間に長期間にわたってさまざまな権利義務が生じることになります。したがって、安定的な関係を続けるためには、提携を開始する前に、当事者間で権利義務を具体的かつ詳細に定めた契約を書面にて締結することが必要となり、また、提携を続けていく中で、提携前には当事者が予測し得なかったような事情が発生する場合には、一旦定めた契約を見直して締結し直すことも検討されなければなりません。さらに、提携関係を解消せざるを得ない場合は、それまでに当事者が長期的な提携の存続を見込んで行った投資等の清算処理が必要となってきます。

② 企業提携の種類

企業提携の種類としては、契約関係に基づく業務提携と、資本関係に基づく資本提携に分けられます。業務提携には、①販売提携（商品の販売に関する提携であり、他企業の有する販売資源〔ブランド、チャネル、人材等〕を活用するもの）、②技術提携（他企業の有する技術資源を、自企業の開発、製造、販売などの活用するもの）、③生産提携（販売店がメーカーの生産資源を活用して、自ら指定した設計・仕様に基づいた製品を製造させ、その供給を受けるもの）があります。資本提携には、①

第 2 部　各　論

経営関与のない株式の取得（単に株式の持合いをするだけで経営に発言権を有しない場合）、②合弁契約（複数の企業が共同事業を行うために、自ら出資して作る独立した企業体である合弁会社を設立して、合弁事業を行う）があります。なお、本節においては、支配権の移動を伴うM&A（株式譲渡、事業譲渡、会社分割、合併等）と資本提携は区別するものとします。

③　弁護士の役割

(i)　契約書の締結に対する支援

　企業提携を支援していく上で重要となるのは、提携を開始する前に、契約書を作成したり精査することでしょう。また、場合によっては、企業の代理人として、相手方企業と契約締結の交渉を行うこともあります。企業提携の契約書の作成や精査に当たって、留意しなければならないのは主に次の点です。

(ア)　リスクの洗い出し

　長期にわたって提携を続けていく以上、さまざまな不利益が生じるリスク（責任を追及される、不利な条件を押しつけられる等）があるため、これを予測し、適切に防止し得る内容の契約条項を定めなければなりません。そのためは、幅広い観点から、なるべく多くのリスクを洗い出していくことが必要です。弁護士として他の案件で実際に生じたトラブルの解決や契約書の作成精査にかかわった経験、日頃習得した知識等を総動員します。また、企業の事業内容は当然として、属する業界の常識や慣行にも通じる必要があるでしょうし、提携の目的や背景も理解する必要があります。企業の担当者や役員から、現実にどのようなリスクを想定しているかを聞き出すとともに、客観的で一歩離れた立場から問いかけて、どのようなリスクがあり得るかを考えてもらうことも有効です。

(イ)　契約条項の策定

　リスクを洗い出した後は、これに対処するために適切な内容の条項を設けることが求められます。ここで重要なのは、まずは、法令や判例、商慣習等に照らして、最大限有利な内容の条項を起案してみることです。契約交渉というのは相手方があることであり、力関係や営業政策（その提携をどこまで実現したいのか）等により、契約内容をどこで着地させるかの匙加減は考慮しなければなりませんが、まずは当方にとって最大限有利な条件とはどこまでなのかを考えておく姿勢は大切です。その上で、契約条項の内容について双方の要望に乖離が出てきた場合には、契約締結の目的に照らしてどこまで譲れるかを担当者と相談しつつ検討する必要があります。また、いざ提携を開始してみると所期の目的を達成することができず、契約を解消しなければならない事態に至ることがあります。そのため、なるべく当方の負担が重くならないように提携を一方的に解消できる契約期間や中途解約等の条項を意識して工夫する必要があります。契約の締結に当たっ

ては、相手企業から一方的にひな型が送られてくる場合もあります。そのような場合であっても、まずは条項の内容を逐一詳細に検討し、当方に最大限有利な条件を主張できるようにすべきでしょう。また、一般論としては、契約書の原案はなるべくこちら側から作成するようにすべきでしょう。

(ⅱ) **提携の解消に対する支援**

企業提携の解消の申入れをした場合に、相手方が提携の継続を望んでいるときは係争に発展する可能性があります。相手方が解消に同意した場合でも、少なからぬ経営資源を投じて長期的な関係を築いているため、提携を前提とした投資はどうなるのか等、清算の処理についても係争に発展する可能性があります。企業提携の解消は、双方に認識や要望の相違があると初期段階の紛争が深刻化するおそれがあり、法的観点からも検討を要する面が多いため、弁護士が支援する必要性が高いといえます。単に企業の相談を受けてアドバイスを与えるだけでなく、代理人として対外的な交渉や折衝を担うことを求められるケースも少なくありません。その場合に留意しなければならないのは主に次の点です。

(ア) **裁判例**

提携の解消に当たっては、裁判例が多数出ているので、事案や結論、それに至る判断過程について十分に分析して、当該事案で最終的に訴訟になった場合、どの程度の結論になるのかという見通しをつけておく必要があります。代表的な判例としては、札幌高決昭和62・9・30（判時1258号76頁）があります。事案は、XがYより田植機を継続的に買い受けて北海道内において独占的に販売する旨の総代理店契約を締結し、期間は1年間、期間満了の3か月前までに更新拒絶の申出がない限り1年間自動的に延長するとの定めがあった場合に、YがXに対し更新拒絶の申入れをしたというもので、裁判所は、①本契約は毎年自動更新されている点、②田植機の営業活動期間が1年半ないし3年であること、③Xは田植機のソフト面の研究開発等に多大な資本と労力を投入していること、④系列化によりXが他のメーカーと販売代理店契約を締結することは不可能であること、⑤契約終了によりXは販売権益を失い多大な損害を受けるのに対し、Yは労せずしてXが開拓してきた販売権益を手中に収めることができること等の事情から、Xが田植機の在庫分を適正に処分するに必要な期間に限り、Yの第三者への販売を禁止する仮処分を発令しました。

(イ) **交渉力**

提携の解消において当事者間で認識や要望が相違する場合であっても、粘り強く交渉して円満に着地させることが双方にとって最善であることが多いため、どのような交渉態度で臨むべきかの検討は重要です。一般的には、弁護士が前面に出るよりも、まずは担当者同士で円満に話合いを行い、条件を摺り合わせていく

ことが肝要といえます。双方の条件に開きがあり、法的観点からの検討が必要な場合は、弁護士が代理人として交渉を行うことも考えられます。交渉を重ねた上での最終的な判断は、訴訟となったときの結論の可能性を見据えて、費用対効果、リスクとベネフィットとのバランスから考えていき、その結果、ある程度譲歩しても協議により解決するのが望ましいというケースも少なくありません。もっとも、相手が法外な要求を譲らないのであれば、訴訟も辞さない姿勢で対応することも求められます。個別の事案は、企業同士の関係、解消に至るまでの経緯、従前の提携の状況やすでに行われた投資等によって、千差万別であるといってよく、事案の性質に応じて、適切に対応していく柔軟性も求められます。

〈参考文献〉実務面では、淵邊善彦『シチュエーション別提携契約の実務〔第3版〕』（商事法務、2018）が参考になります。理論面では、現代企業法研究会編著『企業間提携契約の理論と実務』（判例タイムズ社、2012）。

(2) 販売提携（販売店契約）

① 販売店（ディストリビューター）と代理店（エージェント）

販売提携には、主に販売店方式と代理店方式の2種類があります。販売店契約は、メーカーが販売店に製品を売り切り、販売店が指定テリトリー内で自己の名前と計算で当該製品を顧客に再販売します。この場合、原則として販売店が製品の在庫リスクを負担します。これに対し、代理店契約では、代理店は、メーカーから販売委託を受けてメーカーの代理人として製品を顧客に販売し、メーカーから販売手数料（コミッション）を得ます。この場合、製品の売買契約はメーカーと顧客との間で直接締結することになり、代理店は原則として在庫リスクを負いません。ただ、「販売店契約」や「販売店」と契約書に記載しさえすれば、一義的に在庫リスクは販売店が負うことになるとは限りませんので、トラブル回避のため、販売店契約であれば、販売店がメーカーから製品を買い取り、在庫を負担した上で顧客に再販売する旨を契約に明確に規定すべきです。

② 販売店契約で規定する主な条項

以下では、販売店契約で定める重要な条項について、主にメーカー側の立場から簡単に説明します（なお、一般条項についての説明は割愛する）。なお、販売店契約は、後記第4章④で取り上げられる海外展開の間接進出の方法としても用いられることから、海外企業との販売店契約の場合の留意事項についても適宜付記するようにします。

(i) 販売権の付与

「販売権」とは、販売店がメーカーから許諾を受けて対象製品をテリトリーで販売することのできる権利です。

(ア) 販売権の種類

販売権の種類としては、「独占販売権」と「非独占販売権」があります。

独占販売権の場合、メーカーはテリトリーで他の第三者に販売権を付与することができませんが、メーカー自身もテリトリーでの販売が禁止されるかを明確にしないと後でトラブルになるリスクがあります。メーカーが顧客に直接販売することを確保したいのであれば、契約にその点を明記する必要があります。

新規に販売開拓するテリトリーでいきなり販売店に独占販売権を付与するのはリスクがあり、慎重に考慮する必要があります。

(イ) 販売テリトリー

テリトリーの設定は慎重に考慮する必要があります。狭すぎると販売店が十分な販売をできなくなるリスクがあり、広すぎると、特に独占販売権を付与する場合、販売店が実績を上げられないとメーカーに不利益となるリスクがあります。テリトリー外への対象製品の販売を一切禁止するかどうかも考える必要があります。

(ii) 対象製品

販売権の対象製品は、特に独占販売権を付与した場合にその範囲が問題となることもあります。したがって、「メーカーの取扱製品」といった漠然とした定め方ではなく、別紙に対象製品リストを作成して具体的に定めるべきです。

(iii) 最低購入数量（金額）義務

独占販売権の場合、販売店が対象製品をメーカーから購入する最低数量（金額）を定めることが一般的です。数量（金額）の決め方は販売店の販売力などを考慮する必要があります。最初から販売店に「ノルマ」を課すのが厳しい場合、契約期間の途中から最低購入数量（金額）を設定することもあります。

販売店が設定した最低購入数量（金額）を達成できない場合のペナルティについても考えておく必要があります。設定した数量（金額）と実際の達成量の差を補填する義務を課したり、非独占販売店に変更したり、契約の解除権をメーカーに与える規定を定めることが多いです。

(iv) 競合品の取扱禁止

特に販売店に独占販売権を付与する場合、販売店に対象製品の類似品や競合製品の取扱いを禁止する義務を課すことが一般的です。

(v) 注文と支払

(ア) 販売店契約と注文書・受注書（個別契約）の関係

販売店契約に対象製品の受発注と代金支払に関する原則を定めることが通常です。販売店契約は「基本契約」であり、契約期間中に継続的に行う対象製品の受発注を包括的に規律するものです。対象製品の受発注は注文書や受注書（請書）

によって行うことになり、それらの「個別契約」にも個々の取引条件を定めることになります。「個別契約」の条件が販売店契約の条件と異なる場合、どちらの条件が優先するか販売店契約で定めるべきです。

なお、商法509条では契約の申込みを受けた者の諾否通知義務が定められ、遅滞なく諾否の通知をすることを怠ったときは、契約の申込みの承諾を擬制されることに注意する必要があります。一定期間受注書の送付がなければ発注を無効としたいのであれば、その旨を販売店契約に明記すべきです。

　(ⅴ)　再販売価格

メーカーとしては対象製品の値崩れを起こさないよう販売店の顧客への再販売価格を維持したいところですが、再販売価格をメーカーが拘束することはテリトリーでの独占禁止法の再販売価格の拘束に当たり、違法となる可能性が非常に高いです。

　(ⅵ)　品質保証

販売店契約に限らず、対象製品の保証をどこまでするかが問題となりますが、保証期間、保証範囲、保証方法をどうするか、という視点が大切です。

　　(ア)　保証期間（いつまでに請求する必要があるか）

販売店が対象製品を在庫保管することを考慮すると、メーカーの販売店への保証期間を、販売店の顧客への保証期間よりも長く設定しなければ、販売店は顧客からの製品クレームをメーカーに請求できなくなる可能性があります。したがって、メーカーの販売店への保証期間を、販売店の顧客に対する保証期間より長くするか、販売店の顧客への販売日から開始させることが合理的です。

　　(イ)　保証範囲（何を保証するのか）

保証範囲を曖昧にするとトラブルになります。対象製品が仕様を満たすことのみ保証し（この場合でも仕様を明確に決めていることが大前提である）、それ以外は一切保証しないことを明記することも多いです。一方、販売店の立場が強い場合、使用目的・用途への適合性などについても保証することがあります。

　　(ウ)　保証方法（どうやって補償するのか）

販売店への保証クレームの請求方法や対象製品の欠陥や故障に対する販売店の修理や交換、代金の減額等の処置を規定し、補償内容に上限や制限を設けるときはそれを明記します。海外取引の場合、製品修理や製品交換の対応を行うのは大変ですので、実施可能かどうか検討する必要があります。

　(ⅶ)　製造物責任

顧客など第三者から製造物責任に関してクレームがあったときの対応やメーカーの責任が認められたときの補償について規定すべきです。

製造物の欠陥には、一般に、設計上の欠陥、製造上の欠陥および表示上の欠陥

の3種類がありますが、第三者からの請求に対して、メーカーと販売店がその帰責事由に応じて損害賠償の責めを負うのが公平です。

いずれにせよ、製造物責任の問題は顧客を含む契約外の第三者もからむため、販売店契約だけで規律するのは限界があります。メーカーも販売店としても、製造物責任保険に加入して責任負担を軽減することを検討すべきです。

(ⅷ) 宣伝広告・販売促進

宣伝広告および販売促進は、販売店が責任をもち、費用も販売店負担とするのが通常です。メーカーは、宣伝広告および販売促進のための資料や情報を与えたり、宣伝広告や販売促進資料の内容を承認する権限をもつことが多いです。特に販売店は対象製品の販売拡大に躍起になり、宣伝広告および販売促進の内容が誇大であったり、虚偽であったりすることもあるため、メーカーとしては内容を管理する権限をもつ必要があります。また、海外取引の場合、メーカーがもっている日本語の製品情報などを外国語にする必要があり、翻訳費用をどちらが負担するかも決める必要があります。

(ⅸ) 商標ライセンス

対象製品にテリトリーで登録している商標を付して販売する場合、当該商標の使用を販売店に許諾します。製品に商標を付すだけでなく宣伝広告資料にも付す場合、どういった方法での商標使用を販売店に許諾するか、商標使用の許諾料を別途請求するか否かといった点も検討が必要です。

(ⅹ) 販売店の報告義務

販売店の販売状況(販売先や販売数量など)を把握するため、販売店に販売状況を定期的に報告させる義務を課すことは有効です。

(ⅺ) 知的財産権に関する規定

(ア) 表明保証

メーカーが販売店に知的財産に関する表明保証を行うことがあります。その内容には、無効原因がないこと、第三者の権利を侵害していないこと、第三者から権利侵害されていないことなどがあります。メーカーがテリトリーでの知的財産権の状況を完全に調査することは現実的には困難ですので、メーカーとしては、販売店契約の締結に当たっては、このような表明保証は一切行わないことを条件とするか、表明保証を行うとしても内容を限定するか、表明保証違反の場合の違約金(違約金以上の賠償責任は負わない)を定めるなどの対応が必要でしょう。

(イ) 権利侵害の対応

権利侵害に関しては、①対象製品が第三者の知的財産権を侵害した場合と、②対象製品の知的財産権が第三者により侵害された場合について検討しておく必要があります。対象製品にこのような侵害があると販売店は製品の販売に支障を来

すため、メーカーによる対応の必要が出てきます。

①の場合、侵害により生じた損害の補償が問題になります。例えば、対象製品に使われている技術が第三者の特許権を侵害している場合、第三者から販売店に販売差止めや損害賠償を請求されることがあります。その場合販売店が被る損害をメーカーがどの範囲で補償するか決めておくべきです。

②の場合、例えば、第三者が販売している製品に使用している技術がメーカーの特許権を侵害している場合、販売店はその事実をメーカーに通知し、メーカーは自らの責任と費用で第三者に対して特許権侵害訴訟を提起することを規定することが多いです。

(xii) 契約期間および契約終了

契約期間が長いと、販売店側に問題があった場合に、契約違反等による中途解除しかできなくなり契約に拘束されるという不利益が生じます。他方で、契約期間が短いと、販売店の販売意欲を削ぐおそれがあり、双方のバランスをとる必要があります。

期間満了前にいずれの当事者からも更新しない旨の意思表示がなければ、契約を自動更新とすることが多いです。

なお、後記③で述べるように、継続的供給義務があると認められる場合には、必ずしも契約書に定めた契約期間が満了しても契約を解消できない場合があるので注意が必要です。また、海外取引の場合、中東や中南米など国によっては、販売店の保護法制があり、契約でこれに反する規定を設けても無効とされたり、正当な理由なくメーカーが契約を解除する場合は補償金を販売店に支払うよう法律で定めている国もあるので注意が必要です。

(xiii) 契約終了時の対応

契約終了時に販売店が抱える対象製品の在庫処理に関する規定を設ける必要があります。在庫分に限って一定期間の販売を認めたり、廃棄を求めたり、値崩れを防ぐためにメーカーが買い戻すことが考えられます。

③　継続的契約関係の解消

継続的契約関係を解消するに当たっては、個別の商品の供給義務があるかどうかが前提として問題となります。この点、相当な期間継続的に個別契約が締結されて供給が続いており、申込みをすれば供給はされるだろうという販売店側の信頼が保護に値するものであれば、継続的な供給義務が認められ、相当な理由がない限り、継続的契約関係を解消することができないと解されます。

継続的供給義務がある場合に、一方当事者（多くはメーカー）が販売店契約（継続的契約関係）を解消するためには、①契約を継続しがたいやむを得ない事由があること、②適正な額の損害賠償をすること、③相当な予告期間を定めること

のいずれかが必要となります。①については、相手方に重大な背信行為があったり、支払が遅れるなど相手方の信用に不安がありこれを払拭する措置を求めたが講じられていないこと等が要件として必要となります。

〈参考判例〉
① 東京地判昭和55・9・26（判タ437号139頁）：買主が売主に無断で他社製品に売主のラベルを添付して販売した事案で、背信行為ありとして売主の解除が認められた。
② 東京地判昭和58・9・8（判時1105号70頁）：買主が傘下の特約店に対し売主のライバル商品を買うように勧め、売主の再三にわたる勧告も無視した事案で、背信行為ありとして売主の解除が認められた。
③ 東京地判昭和58・12・19（判時1128号64頁）：一旦木材の取引数量の合意は成立したが、買主が手形の延期を求め、売主が買主の資産状態を調査したところ、多額の債務超過であることが判明し、売主は再建計画案の提示を求める等したものの、木材の供給が停止したまま買主は営業廃止に追い込まれた事案において、売主が個別的売買契約の締結を拒否したのは信義則上やむを得ない措置であり違法でないと認められた。

②については、契約の継続を信頼して支出した金員（信頼利益）に加えて、将来の得べかりし利益（逸失利益）が賠償額として認められることが多く、提携が長期にわたることを信頼してなされた投資が回収できないときは、その分が信頼利益として賠償しなければならないことが多いと思われます。逸失利益として賠償が認められるのは、おおむね半年から1年の間の限界利益（売上から変動費を控除したもの）が判例の傾向であるようです。

〈参考判例〉
○継続的供給契約の解約が違法であるとして、認められた損害賠償の額および内容
① 東京地判平成5・2・10（判タ848号221頁）：3か月分の粗利益の50％（契約条項によれば契約終了までの約18か月分の取引額相当の逸失利益の賠償を要するが、過失相殺の法理を類推適用して合理的な額に制限した。製品は受注してから納品まで約2か月を要するので、買主の損害を最小にするためには最低3か月は製品の供給を継続すべきであった）
② 大阪地判平成7・11・7（判時1566号85頁）：1年間の営業上の逸失利益（解除前の4年間の平均値をとり、売上高－原価－変動経費で計算）
③ 大阪高判平成9・3・28（判時1612号62頁〔前記②判例の控訴審〕）：5か月間の営業上の逸失利益（解除前の4年間の平均値をとり、売上高－原価－変動経費）なお、20年余にわたる長期の契約継続、類似商品への移行の難易度、1年という比較的短期の契約期間と自動更新条項が定められ、予告期間を1月とする解約権留保条項もあること、等を理由とする。

第2部 各 論

③については、契約関係がどれくらい続いたか、取引に対する依存度等の個別的な事情によって決まってきます。前記判例は逸失利益の期間としておおむね半年から1年程度を認めている傾向にあるようですので、同程度の予告期間が必要であると思われます。

継続的契約関係の解消については、継続的供給義務違反として一定の予告期間を要するとされるケースが多いでしょうが、その場合でも裁判例が賠償すべき逸失利益の期間として要求するのは半年から1年間というのが通常であるため、提携の解消を求める側が、ある程度の補償を支払ったり、一定の予告期間を設ける等して、結果的には解消に至ることが多いようです。その場合でも、補償額をどうすべきか、どの程度の予告期間とすべきかについては、(1)③(ii)(イ)で述べた通り、いずれかの企業から依頼を受けた弁護士としては、事案の内容や裁判例を検討しつつ、交渉等により依頼企業のために粘り強く解決していくべきでしょう。

参考文献としては、升田純『現代取引社会における継続的契約の法理と判例』（日本加除出版、2013）が、裁判例が網羅されていてコメントも付され、大変充実しています。

(3) 技術提携（技術ライセンス契約）

① 意義等

技術ライセンス契約は、知的財産権の権利者（ライセンサー）が、第三者である相手方（ライセンシー）に有償または無償で権利の実施を許諾する契約です。ライセンス契約に当たっては、ライセンサー側からは、自社技術の保護と適正な対価の回収が、ライセンシー側からは技術の利用可能性と適正な対価の支払が、それぞれ重要な関心事となります。ここでは、主にライセンサーの立場を念頭に置いて、ライセンス契約の重要なポイントを解説します。また、技術ライセンス契約は、後記第4章④で取り上げられる海外展開の間接進出の方法としても用いられることから、海外企業との販売店契約の場合の留意事項についても適宜付記するようにします。なお、海外企業との技術ライセンス契約の場合、中国やベトナムなどのアジア新興国では、当局に契約の登録や届出が必要となることがあります。また、契約の準拠法にかかわりなく、現地法の規定が強制的に適用されるケースもあり、許諾地域（テリトリー）の法令の適用可能性も確認する必要があります。

② ライセンスの重要な検討ポイント

(i) 独占実施権か非独占実施権か

販売店契約と同様に、ライセンス契約でも、許諾対象の独占実施権と非独占実施権を明確に規定する必要があります。独占実施権と規定しても、テリトリーにおいて、ライセンサー自身が実施できるかどうか明らかにはなりません。した

がって、ライセンサー自身が実施する予定があるのであれば、契約にその旨を明記すべきです。

(ⅱ) **許諾範囲**

実施権の範囲については、テリトリーや実施（契約）期間等を明確に規定します。

テリトリーの設定は慎重に行う必要があります。特許などの登録により権利が発生する知的財産権の場合はテリトリー内で登録していることを確保する必要があります（特に海外でのライセンス契約では注意が必要である）。また、テリトリーが狭すぎるのもライセンシーにしてみれば十分な販売ができなくなりますし、広すぎるのも、特に独占実施権の場合、ライセンシーが実績を上げられないとライセンサーに不利益となるリスクがあります。ライセンシーによるテリトリー外への許諾製品の販売や輸出を一切禁止するかどうかも考える必要があります。

実施期間は、特許などの登録する知的財産権の場合は当該知的財産権の有効期間とすることが多いです。一方、ノウハウには登録制度がないため、任意に期間を設定することになりますが、ノウハウは時間とともに陳腐化する性質があるため、この点を考慮して有効期間を短めにすることも検討する必要があります。

(ⅲ) **許諾対象の特定**

特許などの登録する知的財産権の場合は、テリトリーで登録または出願している番号や権利内容を契約書に記載して特定することになります。

一方、ノウハウには登録制度がないため、契約上いかに内容を具体的に規定するかが問題になります。ライセンサーからすればできるだけ限定したいですし、ライセンシーからすれば広く許諾を受けたいところです。また、ライセンシーとしては、ただ書面化された資料や図面などをもらえば実施できるわけではなく、技術指導を受けて書面化が難しい「コツ」のような部分まで含めてライセンスを求めてくることがあり、この点をどこまで明確化するかを双方で検討、協議することが必要となる場合もあります。

③ **ロイヤルティ**

(ⅰ) **ロイヤルティの種類**

ロイヤルティは、その算定方法によりいくつかの種類がありますが、その主なものを解説します。

(ア) **ランプサム・ペイメント（固定額方式）**

最初にまとまった金額を支払い、追加支払をしない方式です。ライセンサーからすればまとまった金額が最初に入ることで、技術開発費用の回収が一度にでき、また契約時に全額支払われるので回収リスクがありません。しかし、最初に金額を決めた結果、後でライセンシーが許諾製品を予想以上に販売してもっと高

193

㈠　ランニング・ロイヤルティ（出来高方式）
　この方式は許諾製品の売上げまたは利益の一定割合でロイヤルティがもらえるため、契約締結時に不確実な将来の販売予測で一括金額を決定し、どちらかが損失を負担するということはありません。しかし、ライセンシーが将来にわたってきちんと許諾製品を製造・販売し、正確にライセンサーに報告し、かつ支払能力があることが前提となるため、両者の信頼関係とライセンシーの収益力が重要となります。ランニング・ロイヤルティは、許諾製品の販売額に基づき単位価格を決め、その何％という定率で決めることが通常です。

　　㈢　イニシャル・ペイメント＋ランニング・ロイヤルティ
　ランプサム・ペイメントもランニング・ロイヤルティも一長一短があるため、最初に一時金を受け取り、さらに許諾製品の販売売上からランニング・ロイヤルティをもらう方法をとることがよくあります。

(ii)　ランニング・ロイヤルティの算定方式と発生時期
　　㈠　算定方式
　算定方式として広く用いられているのは、販売額をベースにした定率式のロイヤルティです。この方式のロイヤルティの額は、許諾製品の販売価格に一定の料率をかけることによって算出することが多いです。

　　㈡　発生時期
　発生時期を明確に取り決めておくべきです。発生時期としては、許諾製品の販売契約締結時、引渡時、所有権移転時、検収完了時、代金請求時、代金受領時などがあり得ますが、ライセンサーにとって一番有利なのは販売契約締結時です。なお、許諾製品の販売価格が外貨建の場合、当該外貨のままライセンサーが受領するのでしたらよいですが、日本円で受領する場合は当該外貨から日本円への換算レートの決め方を規定すべきです。

(iii)　ミニマム・ロイヤルティ
　独占的ライセンスの場合、ライセンサーは、テリトリーでは他の第三者にライセンスすることができないため、ライセンサーとしてはロイヤルティを確保することが非常に重要となります。したがって、独占的ライセンス契約では、ミニマム・ロイヤルティの規定を入れることが一般的です。ライセンシーとしては、許諾製品を販売できなくても、一定額の支払を義務付けられるため、無理な金額設定をすると経営の圧迫要因になったり、支払意欲をなくしてしまうおそれもあります。そのため、ミニマム・ロイヤルティを設定するときは、ライセンシーの製造力、販売力、製品の市場性、景気動向などを考慮して、適正額を設定する必要があります。

第3章　事業拡大時の問題

(iv) ロイヤルティの支払

(ア) ロイヤルティの計算期間、報告書

ロイヤルティの計算期間は、毎月の計算は煩雑ですので、四半期、半期、1年ごとにするケースが多いです。計算方法は、ロイヤルティを算出した計算根拠をロイヤルティ報告書として作成し、ライセンサーに通知することが一般的です。

(イ) 支払時期

ロイヤルティの支払時期については、できる限り詳細に規定すべきです。特に、ノウハウは一度開示してしまうと元の状態に戻すことは難しいため、開示前にまとまった対価を受領できる規定にしたほうがよいでしょう。

(ウ) 帳簿の作成保管、ロイヤルティ監査の実施

特にランニング・ロイヤルティの支払を正しく行わせるため、ラインセンサーによるライセンシーの帳簿等の閲覧・検査権（ロイヤルティ監査）を契約上規定すべきです。この規定がないと、ライセンサーがライセンシーの帳簿等を閲覧・検査することはできないでしょう。また、ロイヤルティ監査を実効的に行うため、ライセンシーに計算根拠となった帳簿等の作成・保管義務を課すべきです。

(v) 契約の終了

契約違反等による中途解除条項を入れることは当然ですが、ライセンス契約では、ライセンシーにおいて企業買収などにより経営支配権が代わった場合に契約を解除できる旨の規定（チェンジ・オブ・コントロール条項）を入れることが多いです。これを規定しておくと、例えばライセンサーの競合会社がライセンシーの経営支配権を取得した場合にメリットがあります。

また、契約終了時に許諾製品の処理に関する規定を定める必要があります。ライセンシーに在庫分に限って一定期間の販売を認めたり、廃棄を求めたり、値崩れを防ぐためにライセンサーが買い戻すことが考えられます。

(vi) その他の重要ポイント

(ア) 許諾対象技術の保証

ライセンス対象となっている特許権等が有効である旨や第三者の特許権等を侵害していない旨の表明保証をすることがありますが、特に海外での技術ライセンス契約の場合はかかる表明保証をすることには慎重であるべきです。海外の特許権等は、国によって登録制度も登録審査の程度も異なり、ライセンサーがその有効性を保証するのは危険です。さらに、海外における第三者の特許権等の侵害の有無を調査するのは困難ですので、ライセンサーとしては、契約締結時点で侵害クレームはないといった点の表明にとどめるべきです。ただし、国によっては、許諾対象技術の完全性を保証することや第三者の権利侵害についてはライセンサーが責任を負う旨の規定が強制的に適用されることもあり、契約でライセン

サーを完全に免責することが難しい場合もあります。
　(イ)　**許諾対象技術の改良技術**
　許諾対象技術に関連した改良技術は、合意がなければ各当事者は自ら行った改良技術を相手方に許諾する義務を負いません。しかし、ライセンシーが発明した改良技術についてライセンサーに通知する義務を課したり、改良技術をライセンサーに実施許諾する義務を課すこともあります。改良技術の取扱いにつき契約で定める際には、当該定めが独占禁止法上問題ないかを確認する必要がありますが、海外でのライセンス契約の場合、改良技術のライセンサーへの非独占的な実施許諾は独占禁止法上問題ないのが通常ですが、独占的実施許諾や譲渡義務を課すと違法になるおそれがあります。

(4)　**生産提携（生産委託契約）**
　①　**意義**
　生産委託契約は、委託者が自社の仕様に沿った製品の製造を受託者に委託することを目的とする契約です。生産委託契約は、後記第4章④で取り上げられる海外展開の間接進出の方法としても用いられることから、海外企業への生産委託契約の場合の留意事項についても適宜付記するようにします。なお、日本企業がコストが低い国の企業に生産委託する場合、安価に製品を製造できる点でメリットがありますが、品質維持の難しさ、技術流出や秘密漏えいリスクなどのデメリットもあります。本項では、主に委託者の立場から、留意すべき事項を述べます。

　②　**委託業務の内容**
　生産委託契約では、設計図、仕様書、試作品などで委託生産品の内容を確定します。特に海外企業への生産委託の場合、日本企業は高い水準を求めがちで、双方の認識にずれがないよう細かく仕様を確定すべきです。
　業務内容に関しては、委託者が原材料等の供給を行うか、委託者がどこまで業務を指示するか、技術指導を行うかなどを明記します。受託者が原材料等を手配して委託生産品を製造する場合でも、品質管理の観点から、原材料等の購入先を指定する必要があることもあります。

　③　**再委託**
　再委託の可否についても規定すべきです。再委託を認める場合でも、委託者の事前の同意を条件とすべきであり、品質管理や情報漏えいに注意しつつ、委託者としては再委託者の製造能力を完全に把握するのは難しいので再委託先にも製造委託契約と同じ義務を負わせ、違反した場合は受託者が責任を負う旨規定すべきです。

　④　**委託生産品の納入**
　委託生産品の納入時期や検査方法等について規定する必要があります。委託者

側で設計図や仕様書通りか否か検査し、その検査完了をもって納入とします。なお、海外企業への生産委託の場合、日本に現物を移転して検査するのでは、不合格の場合の対応が煩雑となるため、生産地で委託者や第三者が検査することも検討すべきです。また、不合格の場合の対応や不合格品の処分方法などについても規定すべきです。

　⑤　業務委託料

　業務委託料については、検査完了時に一括で確定額を支払ったり、検査合格品の数量に応じて支払うケースもありますが、受託者も製造コストがかかるため、契約時と納品時に分けて段階的に支払うケースもあります。

　⑥　技術指導

　特に海外企業への生産委託の場合、仕様書や試作品で業務内容を確定できるとしても、日本企業が求める水準に達するまでには技術指導が必要なケースも多いでしょう。また製品の生産状況の管理や検品目的も兼ねて技術指導者を派遣する場合もあるでしょう。委託者が技術指導を行う場合、その期間や場所、技術指導料をとるかどうか、技術指導者の交通・宿泊費、日当などの負担について規定すべきです。

　⑦　技術流出の防止策

　受託者から技術が漏えいするおそれがあるため、受託者に厳しい秘密保持義務を課し、秘密情報の管理方法も具体的に規定すべきです。また、原材料等を供給して委託生産品の生産数量を管理して横流しを防止したり、受託者の生産現場や帳簿等の閲覧検査権を定めることも必要でしょう。また、技術流出したとしても影響の少ない工程だけを受託者に任せ、高レベルの技術やノウハウの必要な工程は自前で行うといった対応も必要でしょう。

(5)　合弁契約

　①　意義

　合弁契約は、複数の企業が経営資源を提供し合って共同して一定の事業を行うために合弁会社を設立し、その運営や管理に関する事項等について合意する契約です。合弁契約は、後記第4章4で取り上げられる海外展開の直接進出の方法としても用いられることから、海外企業との合弁契約の留意事項についても適宜付記するようにします。

　②　合弁契約の重要な検討ポイント

(ⅰ)　目的・合弁参加者の役割

　合弁会社により行う事業の目的を記載します。また、合弁会社および合弁への参加者が合弁事業において果たす役割についても、合弁事業のビジネスモデルや採算性を決定する上で重要であることから、契約書で明示しておくことが一般的

第2部　各　論

です（例えば、合弁会社を通じて商品Xを製造・販売することを目的とする事業において、参加者Aが製造技術を提供し、参加者Bが合弁会社から商品Xを購入し、顧客に販売するなど）。

　なお、合弁事業のビジネスモデルや採算性については、契約書に落とし込むまでの段階で十分に検討・交渉しておく必要があります。例えば、先の合弁会社を通じて商品Xを製造・販売することを目的とする事業の場合、合弁参加者の収益源としては、合弁会社からの配当のほか、参加者Aの場合は、製造技術提供のライセンス料、商品Xのコア部品をAが提供するとした上でのコア部品販売の利益、合弁会社の配当などが考えられ、参加者Bの場合は、商品Xの転売利益などが考えられるところ、これらの収益分配の考え方につき交渉を通じて十分摺り合わせておく必要があります。

　(ii)　出資比率

　株式会社の場合、出資比率は原則として合弁会社の株主総会の決議に直結しますので、非常に重要です。なお、公平であるとの理由で出資比率を50：50にすると、合弁会社としての意思決定ができない状態（デッドロック）に陥りやすいことに十分注意を払う必要があります。このため、一方当事者が議決権の過半数を保有することが多いです。なお、海外で合弁会社を設立する場合には、国によっては外国企業の出資比率に規制があったり、また、株主総会の決議に必要な議決権割合が日本と異なっていたりするため、現地の法制度を理解しておく必要があります。

　(iii)　機関設計・役員の選解任権

　機関設計（取締役会を設置するか否か等）、役員の選解任権（参加者がそれぞれ何名の取締役・監査役を選任することができるか、代表取締役はどの参加者が指名することができるか等）を規定します。これらの事項は、合弁会社の業務についての意思決定（取締役会決議など）に直結してきます。なお、海外で合弁会社を設立する場合には、現地の会社法制を踏まえる必要があります。

　(iv)　重要事項についての意思決定方法（拒否権）

　少数の出資持分しか有しない合弁参加者であっても、少なくとも一定の重要事項に関しては拒否権をもてるように、当該重要事項については参加者全員の同意が必要であるとする規定や、株主総会・取締役会の決議要件を加重する規定を設けることが考えられます。

　(v)　追加的資金調達

　合弁会社において、当初の出資に加えて追加的に資金調達の必要が生じた場合に、どのように資金調達を行うか（参加者が追加出資義務・貸付義務を負う等）について規定します。なお、海外の合弁会社の場合、追加出資や貸付、送金などに現地

法の規制がある場合がありますので、実行可能かどうかについて留意が必要です。

(vi) **剰余金の配当**

各参加者により、配当収益を期待するのか、あるいは内部留保による事業の安定を期待するのかが異なる場合があり（上記(i)で述べた合弁事業のビジネスモデルや採算性に関わってきます。）、合弁会社の配当方針につき規定しておきます。

(vii) **知的財産権の処理**

合弁会社が事業で使用する知的財産権に関する定め（参加者が合弁会社にライセンスする、あるいは権利を移転する等）、事業の遂行中に生じた知的財産の権利帰属、合弁解消に伴う知的財産の権利帰属等を規定します。なお、特に海外で合弁会社において、日本企業が合弁会社に対し知的財産権を移転させてしまったために、撤退の際に知的財産権が合弁会社のものになってしまい、現地において日本企業が当該知的財産権を利用できなくなってしまったという話をよく聞きますので、合弁会社に知的財産権を帰属させることには慎重であるべきでしょう。

(viii) **競業避止義務**

合弁参加者が合弁会社と競業することで合弁会社の事業を阻害する可能性があることから、競業を制限する規定を設けることがあります。当該規定を設ける際には、合弁参加者の既に行っている事業との兼ね合いや、事業を不当に制限しないか等を考慮します。

(ix) **株式の譲渡制限**

合弁事業は合弁参加者の信頼関係を前提としていますので、合弁会社株式の譲渡に一定の制限を加える条項を設けるのが通常です。他方、合弁参加者が合弁事業から一切撤退できないとするのは過剰な制限であることから、一部の合弁参加者が撤退する場合にはその保有する合弁会社株式を他の参加者が優先的に買い取ることができる旨（買取価格についても）等の規定を設けることがよくあります。

(x) **合弁契約違反があった場合等の措置**

相手方に合弁契約違反があった場合に、自己が保有する合弁会社株式を相手方に高く買い取らせる義務を課し、あるいは相手方が保有する合弁会社株式を安く買い取る権利を有するものとすることによって、合弁事業を解消できるようにしておくことが考えられます。

(xi) **合弁事業に重大な障害が生じた場合の措置**

合弁会社の経営不振時や、デットロック状態に陥ったときなど、合弁事業を継続するのに重大な障害が生じた場合の対応するかについて参加当事者間であらかじめルールを定めておくことが重要です。また、どのような場合に合弁事業をやめるかということは双方で十分に協議し擦り合わせをして、明確な撤退基準（例えば、○年間経過後も合弁会社が債務超過であるときなど）を設けておくことは大切

です。合弁事業を解消する際には、単独でも合弁会社を存続させたい当事者がいる場合の株式買取・株式売却手続、合弁会社を存在させたい当事者がいない場合の解散手続等についてあらかじめ規定を設けておくことが考えられます。

なお、合弁契約（株主間契約）の条項の詳細に関しては、淵邊善彦『シチュエーション別提携契約の実務〔第3版〕』を参考にされるとよいでしょう。

③ 支配権争い

(1) 支配権争いの場面

事業拡大期は、会社の経営方針の大きな転換期です。創業期から順調に業績を伸ばし、会社の収益、経営者と従業員らの収入も会社の事業業績とともに伸びていた期間においては、支配権の争いは少ないです。しかし、創業経営者の高齢化、社会・経済的状況の変化に対応するため、会社の経営方針の大きな変革が必要な状況が生じます。具体的には、会社の事業譲渡や他社の事業譲受け、会社分割、合併等の会社組織の変更を行う場合です。その変革期においては、経営方針の変革を巡って意見の対立が生じ、支配権の争いに至ることがあります。
支配権の争いは、会社の業務執行を決定する取締役会の多数派となることであり、株主総会において多数派を形成することによりほぼ決します。

また、中小企業においては、株主は、創業時のメンバー、親族や親しい知人等の身近な関係者であることが多く、株主権の帰属をあいまいにしたまま会社が設立されていたり、あるいは、現実には出資をしていない名義株が存在するなど、いざ、経営方針を巡る意見の対立が顕在化したときに、真実会社の株主は誰であるかが問題となることが多いことも特徴的です。

本稿では、支配権争いに関する法的争点について、解説します。

(2) 取締役の解任と新たな取締役の選任

① 問題の所在

支配権争いにおいて、取締役を退任させ、新たな取締役を選任しようとする場合、取締役の解任と選任は株主総会決議事項ですから、株主総会の開催が必要です。

株主総会は、取締役会設置会社においては、取締役会決議により（会社法416条4項4号・399条の13第5項4号・6項）、代表取締役が招集します（同法296条3項・4項・325条）。取締役会設置会社以外においては、取締役（取締役が2人以上の場合は、過半数で決定〔同法348条2項〕）が決定して、招集します（同法298条1項・325条）。

したがって、取締役の多数派であれば、不都合な取締役を解任するための株主総会招集は容易に行うことができます。しかし、取締役の多数派を占めていない

側が上記の手続で株主総会を招集することは困難であるため、現経営陣を退任させて、新たな取締役を選任するには、少数株主権の行使によることになります。

②　少数株主による株主総会の招集
(i)　取締役に対する株主総会招集請求

総株主の議決権の100分の3以上の議決権を有する株主は、取締役に対し、「株主総会の目的である事項」と「招集の理由」を示して、株主総会の招集を請求することができます（会社法297条1項・2項）。この請求は、書面で行います（同法876条、会社非訟事件等手続規則1条）。

「総株主の議決権の100分の3以上の議決権を有する株主」の要件は、1名で満たす必要はなく、合算して100分の3以上となる複数の株主により請求することもできます。

株主総会招集請求は、代表取締役に対し、配達証明付きの内容証明郵便で行うべきです。相手方への通知の内容と事実が証明され、その後の裁判所に対する株主総会招集許可申立ての疎明資料となるからです。

(ii)　裁判所の許可を受けて株主総会招集
(ア)　株主総会招集手続がなされない場合

少数株主による株主総会招集請求後、会社により遅滞なく株主総会招集手続が行われない場合（会社法297条4項1号）、会社が株主総会招集請求の日から8週間以内の日を株主総会の日とする株主総会招集通知が発せられない場合（同項2号）には、株主総会招集請求をした株主は、裁判所の許可を受けて、自ら株主総会を招集することができます（同項）。

(イ)　株主総会招集許可申立て

裁判所の許可を得るには、株主総会招集許可申立てを書面で行います（会社法876条、会社非訟事件等手続規則1条）。管轄は、会社の本店所在地の地方裁判所です（会社法868条1項）。

株主総会招集許可申立てには、その原因となる事実を疎明することが必要です（会社法869条）。そのため、株主総会招集許可申立書には、添付書類として、以下の資料が必要とされています。

- 会社の登記事項証明書
- 会社の定款、持株要件の疎明資料
- 株主総会招集請求書
- 郵便物配達証明書
- 取締役が株主総会の招集を怠っていることの疎明資料

株主総会招集許可申立てがされると、裁判所は、会社の代表取締役等に対し、申立書と疎明資料とともに、審尋期日呼出状を送付し、審尋期日前に申立書に対

第2部 各 論

する意見や反論を記載した意見書の提出を求めることが通常です。

　審尋期日において、裁判所は会社の意見を聴取しますが、会社に対して株主総会の開催を勧告し、会社が任意に株主総会を開催し、株主総会招集許可申立ては取下げで終了する事例が多いとのことです。かような勧告がされるのは、裁判所において、申立原因の疎明がされているとの心証があることに基づくものと思われます。よって、会社側として、勧告に応じない場合は、許可決定がなされる可能性が高いと判断されること、許可決定に対する不服申立てはできないこと（会社法874条4号）、許可決定がされ、少数株主の招集による株主総会では、定款の規定とは関係なく議長を選任すること（広島高岡山支決昭和35・10・31下民集11巻10号2329頁、横浜地決昭和38・7・4下民集14巻7号1313頁）などを考慮して、勧告に従うのか、勧告には応じず、裁判所の判断を受けるのかを選択すべきです。

　株主総会招集許可申立事件においては、持株要件が争点になることが多いです。会社が、当該申立人は、株主ではない、あるいは法定の持株数を有しないと反論して却下を求める場合です。かような場合においては、株主権の確定にある程度の困難があると考えられる場合には、株主総会招集を許可しても、株主総会決議に瑕疵が存在することになり得るので、裁判所は、後述する、株主権確認の訴え等によって、株主権の確定を求めて、申立てに対する決定を留保するか、いったん申立てを取り下げるよう勧告することが少なくないとされています。

株主総会招集請求書

　通知人は、貴社の発行済株式総数1000株の100分の3以上である30株の株式を有しています。そこで、会社法第297条1項に基づき、貴社に対し、下記のとおり株主総会を招集するよう請求いたします。

記

1　株式総会の目的である事項
　○○株式会社取締役A、同B、同Cの任期満了による後任取締役3名選任の件
2　召集の理由
　⑴　取締役A、同B、同Cは、令和○○年○○月○○日に任期が満了しているにもかかわらず、改選のための株主総会の招集が行われていない。
　⑵　よって、本書面到達の日から○週間以内の日を総会開催日とする臨時株主総会を招集するよう請求する。

令和○年○○月○○日
　　　　○○県○○市○○町7丁目8番9号
　　　　　　　○○株式会社代表取締役○　○　○殿
　　　　○○県○○市○○町1丁目3番5号

第3章 事業拡大時の問題

	通知人　○　○　○　○

この郵便物は令和　○年○○月○○日
第○○○号書留内容証明郵便物として差し出したことを証明します。
　　　　　　　　　　　　　　　　　　日本郵便株式会社

株主総会招集許可申立書

|印紙|
|貼付|

　　　　　　　　　　　　　　　　　　令和　　年　　月　　日

○○地方裁判所民事部　御中

　　　　　　　　　　　　　申立人代理人弁護士　○　○　○　○　印
　　　　　　〒○○○－○○○○　○○県○○市○○町1丁目3番5号
　　　　　　　　　　　　　申立人　　　　　　　○　○　○　○
　（送達場所）〒○○○－○○○○　○○県○○市○○町2丁目4番6号
　　　　　　　　　　　　　○○法律事務所
　　　　　　　　　　　　　申立人代理人弁護士　○　○　○　○
　　　　　　　　　　　　　　　　　　TEL　03-1234-5678
　　　　　　　　　　　　　　　　　　FAX　03-1234-5679
　　　　　　〒○○○－○○○○　○○県○○市○○町3丁目5番7号
　　　　　　　　　　　　　相手方　　　○　○株式会社
　　　　　　　　　　　　　同代表取締役　○　○　○　○

　　　　　　　　　　申立ての趣旨
　「下記の決議を目的とする株主総会を申立人において招集することを許可する。」との裁判を求める。

　　　　　　　　　　　　記
　○○株式会社取締役A、同B、同Cの任期満了による後任取締役3名選任

　　　　　　　　　　申立ての理由
1　相手方は、発行済株式の総数1000株の定款に株式譲渡制限の定めがある株式会社である（甲第1、2号証）。
2　申立人は、相手方の発行済み株式の100分の3以上を有する株主であり、その持株数は30株である（甲第3号証）。
3　相手方は、取締役の任期が令和○年○○月○○日に満了しているにもかかわらず、後任の取締役選任のための株主総会を開催しない（甲第1、2号証）。
4　そこで、申立人は、令和○年○○月○○日、代表取締役○○○○に対し、

招集の理由を記載した内容証明郵便による書面をもって申立ての趣旨記載の決議を目的事項とする株主総会の招集を請求した（甲第4、5号証）。
5　しかし、その後今日に至るまで、代表取締役○○○○は、株主総会招集の手続を怠っている（甲第6号証）。
6　よって、申立人は、会社法297条4項に基づき、申立ての趣旨記載の決議を目的とする臨時株主総会の招集の許可を求める。

疎明方法

甲第1号証　　履歴事項全部証明書
甲第2号証　　定款
甲第3号証　　株主名簿記載事項証明書
甲第4号証　　株主総会招集請求書（内容証明郵便）
甲第5号証　　郵便物配達証明書
甲第6号証　　陳述書

添付書類

相手方の履歴事項全部証明書　　1通
申立書副本　　　　　　　　　　1通
委任状　　　　　　　　　　　　1通
甲号証写し　　　　　　　　　　各2通

以上

(3) 取締役の地位をめぐる攻防（訴訟手続）
① 問題の所在

　支配権争いは、代表取締役の地位を獲得すること、そのために取締役会で多数派を形成することが必要となるから、反対派の取締役の地位を覆そうとすることになります。現経営陣と反対派との間に取締役の地位をめぐる攻防として、取締役の選任決議の効力をめぐる争いがあります。

　そして、中小企業においては、実際には株主総会を開催することなく、株主総会議事録だけを作成している会社も少なくありません。また、一応株主総会と称する会合は行われているものの、ワンマン社長の会社運営のもと法律を遵守した総会手続がなされていない場合もあります。そのような会社運営は法律違反であっても、平常時においては問題が顕在化することはあまりありません。しかし、支配権争いが発生すると、株主総会を開催していない役員選任決議等の効力が争われることになります。株主総会決議の効力を争う方法としては、株主総会決議不存在確認の訴え、株主総会決議無効の訴え、株主総会決議取消しの訴えがあります。以下、それぞれについて詳述します。

② 株主総会決議取消しの訴え
(i) 訴訟当事者・管轄裁判所・提訴期限

株主総会決議取消しの訴えは、後述する決議取消事由がある場合に、決議取消しの訴えを提起してその判決を受けることにより、初めて決議の無効を主張することができる形成訴訟です。

株主総会決議取消しの訴えができるのは、株主、取締役、執行役または監査役（監査の範囲が会計に関する者に限定されたものを除く）であり（会社法831条1項・828条2項1号）、被告は会社です（同法834条17号）。会社の本店所在地を管轄する地方裁判所の専属管轄です（同法835条1項）。

株主総会決議取消しの訴えは、決議の日から3か月以内に提起しなければなりません（会社法831条1項）。

(ii) 決議取消事由

株主総会決議の取消事由となるのは以下の事由です。
① 株主総会の招集手続または決議の方法が法令もしくは定款に違反し、または著しく不公正なとき
② 株主総会の決議の内容が定款に違反するとき
③ 株主総会の決議について特別の利害関係人が議決権を行使したことによって、著しく不当な決議がされたとき

株主総会の招集手続または決議の方法が法令または定款に反するときであっても、その違法の事実が重大でなく、かつ決議に影響を及ぼさないものであると認めるときは、裁判所は請求棄却することができます（会社法831条2項）。

(iii) 判決の効力

判決により株主総会決議が取り消されると、判決は第三者に対しても効力（対世効）を有し（会社法838条）、当該株主総会決議は遡って無効となります。

取締役選任決議の取消判決が確定した場合には、裁判所の嘱託により、商業登記簿にその旨登記がされます（会社法937条1項1号ト、商業登記法15条）。

③ 株主総会決議不存在確認の訴え

株主総会の決議が事実としてないのに、決議があったかのように議事録が作成され、登記がされたような場合を株主総会決議不存在といい、決議が物理的に存在しない場合のほか、何らかの決議はあっても、法的に株主総会決議と評価できない場合をいうとされています。例としては、一部の株主が勝手に会合して決議した場合（東京地判昭和30・7・8下民集6巻7号1353頁）、代表取締役以外の取締役が取締役会決議に基づかずに株主総会を招集した場合（最判昭和45・8・20判時607号79頁）、招集通知漏れが著しい場合（最判昭和33・10・3民集12巻14号3053頁）が挙げられています。

株主総会の決議が不存在で効力がないことは、誰から誰に対しても、いつでもいかなる方法でも主張することができます。よって、あえて株主総会決議不存在確認の訴えを提起する意味は、会社を被告として、当該訴えを提起し、勝訴判決が確定すると、その判決は第三者に対しても効力（対世効）を有する（会社法830条1項・834条16号・838条）点にあります。この判決の対世効は、法律関係の画一的処理の要請から認められているものです。

④ 株主総会決議無効確認の訴え

株主総会の決議の内容が法令に違反する場合であり、当該決議は当然に無効であり、誰から誰に対しても、いついかなる方法でも無効を主張することができます。あえて株主総会決議無効確認の訴えを提起する意味は、会社を被告として、当該訴えを提起し、勝訴判決が確定すると、第三者に対しても効力（対世効）を有する（会社法830条2項・834条16号・838条）点にあります。この判決の対世効は、株主総会決議不存在確認の訴えと同様、法律関係の画一的処理の要請から認められているものです。

(4) 取締役の地位をめぐる攻防（保全手続）

① 取締役の職務執行停止と職務代行者選任の仮処分

取締役の地位を覆すべく訴訟提起した場合、訴訟手続は、少なくとも第1審判決まで1年程度の期間を要することが一般であり、また、第1審で勝訴しても、相手方が控訴し、さらに上告することになれば、その間、取締役はその地位にとどまり権限を行使します。

そこで、このような場合には、仮処分の申立ても検討すべきです。具体的には、取締役職務執行停止と職務代行者選任の仮処分です（民事保全法23条2項）。

② 法的位置づけ

(i) 仮の地位を定める仮処分

取締役の職務執行停止と職務代行者選任の仮処分は、民事保全法上の仮の地位を定める仮処分です（民事保全法23条2項）。

この仮処分は、対象となる取締役に対して、その職務執行をしてはならないこと、会社に対して、当該取締役に職務執行をさせてはならないことを命じ、当該取締役の職務執行が停止される期間、取締役の職務を行う、職務代行者の選任を命じるものです。

本仮処分の管轄は本案訴訟の管轄裁判所ですから（民事保全法12条1項）、会社の本店所在地の管轄裁判所となります。

(ii) 被保全権利

本件仮処分の被保全権利は、以下の本案訴訟の請求です。したがって、当該本案訴訟の原告適格を有する者が仮処分の債権者となります。債務者は、会社と職

務執行を停止される取締役であるとされています。
・取締役選任の株主総会決議不存在確認の訴え、同無効確認の訴え、同取消しの訴え
・取締役の解任の訴え
・代表取締役選任の取締役決議の不存在・無効確認の訴え
・取締役の地位不存在の訴え
・設立無効の訴え（会社法828条1項1号）

(iii) **保全の必要性**

本仮処分が発令されるためには、争いのある権利関係について、「債権者に生じる著しい損害」または「急迫の危険」を避けるために必要であることが要件となります（民事保全法23条2項）。

本仮処分においては、本案訴訟が会社の組織に関する事柄であること、株主は共益権の行使として、会社の利益のために本案訴訟の提起が認められていること等から、会社に損害が発生しない以上は、仮処分の発令はできないと解されており（大阪高決昭和26・2・28高民集4巻2号32頁、東京高決昭和52・11・8判時878号100頁、名古屋高決平成2・11・26判時1383号163頁）、民事保全法23条2項の「債権者」は会社と読み替えられています。

仮の地位を定める仮処分の手続においては、口頭弁論または債務者が立ち会うことができる審尋期日が開かれます（民事保全法23条4項）。裁判所は、会社および対象とされた取締役に対して、審尋期日呼出状を送付し、申立書に対する反論等の意見書の提出を求めるのが通常です。

職務代行者に選任されるのは、通常、利害関係人のない弁護士です。職務代行者の権限は、仮処分命令に別段の定めのある場合を除き、常務に限定され、常務外の行為を行う場合には本案の管轄の裁判所の許可を得ることが必要となります（会社法352条1項・868条1項）。

保全命令の発令には、裁判所が定める担保を立てることが必要であり（民事保全法14条1項）、また、職務執行代行者の選任には、担保決定と同時に、職務代行者の報酬額の予納が命じられます（民事訴訟費用等に関する法律12条、民事執行法14条）。予納金の額として職務代行者の報酬額は裁判所が1か月の報酬額を決定し、6か月分相当程度の予納が求められた例があります。

取締役の職務執行停止が命じられ、職務代行者が選任されるとその旨登記がされます（会社法917条）。

第2部 各　論

仮処分申立書

|印紙貼付|

　　　　　　　　　　　　　　　　　　　　令和　　年　　月　　日

○○地方裁判所民事部　御中

　　　　　　　　　　　　　債権者訴訟代理人弁護士　○　○　○　○　印

　〒○○○－○○○○　○○県○○市○○町1丁目2番3号
　　　　　　債権者　　　　　　　　　　　　　○　○　○　○
　〒○○○－○○○○　○○県○○市○○町4丁目5番6号（送達場所）
　　　　　　上記代理人弁護士　　　　　　　　○　○　○　○
　　　　　　　　　　　電話
　　　　　　　　　　　FAX
　〒○○○－○○○○　○○県○○市○○町7丁目8番9号
　　　　　　債務者　　　　　　　　　　　　○○株式会社
　　　　　　同代表者代表取締役　　　　　　　　　　甲
　〒○○○－○○○○　○○県○○市○○町2丁目3番4号
　　　　　　債務者　　　　　　　　　　　　　　　　乙

職務執行停止・代行者選任仮処分申立事件
　ちょう用印紙額　2000円

第1　申立ての趣旨
　1　債務者○○株式会社において、債務者甲は取締役兼代表取締役の、債務者乙は取締役の、各職務をそれぞれ執行してはならない
　2　債務者○○株式会社は、上記各債務者に上記各職務を執行させてはならない
　3　上記職務執行停止の期間中、代表取締役、取締役の各職務を行わせるため、裁判所が選任する者をそれぞれ職務代行者に選任する
　4　申立費用は債務者らの負担とする
第2　申立ての理由
　1　当事者
　　(1)　債権者は、債務者○○株式会社（以下、「○○社」という。）の株式○○株を所有する株主である（甲1）。
　　(2)　○○社は、平成○年○月○日に設立された○○を目的とする株式会社であり、発行済株式の総数は○○株、資本金の額は○○○万円である（甲2）。
　　(3)　債務者甲は○○社の代表取締役、債務者乙は同社の取締役として登記されている者である（甲2）。

2　○○社において、令和○年○月○日、株主総会が開催され、債務者甲及び乙が同社の取締役に、それぞれ選任する旨の決議がなされたことを原因として、上記1(3)の登記がされているが、上記株主総会の開催は、取締役会において決議されたものではなく、かつ、株主たる債権者に対する通知なくなされてたものである（甲3）。
3　よって、当該株主総会の招集手続に法令違反があり、上記株主総会決議は取り消されるべきである。
4　債権者は、株主総会決議取消しの訴えを提起するべく準備中であるが、本案判決の確定を待っていたのでは、その間に、債務者らによって会社の重要な財産が処分され、会社に著しい損害が生じるおそれがある（甲4）。
5　したがって、債権者は、代表取締役甲、取締役乙の各職務執行を停止し、その職務代行者の選任を求めるため、本申立てに及んだ次第である。

証　拠　方　法

1　甲第1号証　　株券、株主名簿の写しなど
2　甲第2号証　　履歴事項全部証明書
3　甲第3号証　　株主総会議事録の写し
4　甲第4号証　　（保全に必要性を根拠づける疎明資料）

附　属　書　類

1　履歴事項全部証明書　1通
2　訴訟委任状　　　　　1通

(5) **新株発行をめぐる争い**

　① **新株発行差止仮処分**

(i) **仮処分の申立て**

　支配権争いにおいては、株主として多数派を形成することでほぼ勝敗が決します。そのため、株主として多数派となることを目的として、あるいは多数派であっても反対派の少数株主権を失わせること等を目的として、反対派の持分比率を低下させようと、新株発行や自社株式の処分（以下、「新株発行等」という）がなされることがあります。

　かような支配権争いにおける新株発行等は、法令・定款に違反していたり、著しく不公正な方法により行われることがあります。その場合の反対派株主の対抗手段としては、新株発行差止請求権があります（会社法210条）。

　新株発行差止請求権は、実体法上の権利であるので、株主が会社に対して、法令違反等の新株発行等をやめるよう請求すればよいものでありますが、会社がそのような通知に応じることは考えにくいので、新株発行等を阻止するには、仮処分の申立てが必要になります（民事保全法23条2項）。

　また、株主総会や取締役会において募集事項を決議してから新株が発行されるまでの期間は2週間程度ですから、新株発行差止請求訴訟によっては、判決を得

る前に新株発行の効力が生じてしまい、訴えの利益を欠き却下されることになりかねないため、仮処分は、新株発行等を阻止するための重要な対抗手段です。

新株発行差止めの仮処分は、会社に対して新株発行をしてはならない旨の不作為を命じるものであり、本案たる新株発行差止請求訴訟による判決と内容が同じであり、満足的仮処分といわれます。発令の可否は、口頭弁論または債務者が立ち会うことができる審尋期日を開いた上で判断されます（民事保全法23条4項）。

(ii) 被保全権利と保全の必要性

被保全権利は、新株発行差止請求権です。よって、仮処分の申立てにおいては、当該新株発行等が法令または定款に違反することあるいは当該新株発行等が著しく不公正な方法により行われるものであることを主張し、疎明します。

法令違反としてては、第三者に対する有利発行の場合に株主総会の特別決議を欠く場合（会社法199条2項・309条2項5号）、募集事項が不均等な発行（同法199条5項）、株主総会の特別決議（取締役会設置会社では取締役会決議）を欠く譲渡制限株式の割当て（同法204条2項・309条2項5号）等があります。

また、著しく不公正な方法による新株発行としては、一般に不当な目的を達成する手段として新株発行がされる場合が該当するとされています。裁判例としては、取締役が議決権の過半数を維持または争奪する目的で新株発行を行う場合（東京地決平成元・7・25判時1317号28頁、さいたま地決平成19・6・22判タ1253号107頁）や反対派株主の少数株主権を奪う目的による新株発行の場合（新潟地判昭和42・2・23判時493号53頁、大阪地決昭和48・1・31金判355号10頁）などがあります。

新株発行差止の仮処分は、満足的仮処分ですから、被保全権利の疎明については証明に近い高度の心証が必要とされますが、保全の必要性については、新株発行が一旦効力が生じてしまうと、新株発行差止請求権を行使することはできなくなるため、保全の必要性が否定されることはあまりないとされています。

② 新株発行無効の訴え

新株発行無効の訴えは、新株発行手続に法令・定款に違反する重大な違反がある場合などに、法律関係の画一的処理と法的安定性確保を図るために、その発行を一体として無効にすることを求める訴えです（会社法828条1項2号）。新株発行無効の判決は、形成判決であり、対世効を有し、将来に向かってのみ効力を生じます。

新株発行差止請求ができずに新株発行がされてしまった場合に、事後的に、新株発行を無効とするものです。

新株発行無効の訴えができるのは、新株発行の効力が生じた日から、公開会社では6か月ですが、中小企業は株式譲渡制限があることが通常ですから1年になることが多いと思われます（会社法828条1項2号括弧書）。訴訟提起ができるのは、株主、取締役、監査役、清算人または執行役（同条2項2号）であり、被告

は会社です（同法834条2号・3号）。会社の本店所在地を管轄する地方裁判所の専属管轄に属します（同法835条1項）。

(6) 株主権をめぐる争い
① 問題の所在

1990年の商法改正以前においては、株式会社は、会社成立の要件として、7人の発起人（株主）が必要でした。そのため、親類や親しい友人の名義を借りて会社を設立することもありました。時の経過とともに、当事者間の権利関係が曖昧になったり、当事者に相続が生じるなどして、真実の持株の有無や持株数がわからなくなることが生じます。また、中小企業においては、株主総会も実際には開かれていなかったり、配当をしていないことも多く、長期に渡り、株式の帰属が問題として現れないことがあります。ところが、中小企業の支配権争いが生じると、株式の帰属の問題が顕在化し、会社の原資定款や税務申告書等に記載されている株主とその持株数は、真実の株主と持株数を表すものではないとして紛争となることがあります。株主権の存否や数の争いが、支配権争いの勝敗を分けるポイントとなることも多いです。

② 株主権確認の訴え

株主であることや持株数について、会社との関係や株主間で争いがある場合、自身が株主であることとその持株数の確認を求める訴えを提起する方法があります。

株主であることを主張する者が原告となり、それを争う会社と株主が被告となる。管轄は、被告の住所地の地方裁判所です（民事訴訟法4条）。

③ 株主の認定

他人名義により株式の引受けがなされた場合、株主となるのは名義貸与者か名義借用者のいずれかが問題となり、名義人を株主とする形式説と実質上の引受人を株主とする実質説がありますが、実質説が判例です（最判昭和42・11・17民集21巻9号2448頁、最判昭和50・11・14金法781号27頁）。

そして、実質説において、実質上の引受人とは、通常は払込金の財源、つまり経済的出捐を誰がしたかを認定することによって判断するほかありませんが、払込資金の貸借の場合など、名義貸与者と名義借用者との話し合いの内容いかんによっては、簡単には、実質上の株式引受人がどちらかを決せられないこともあるとされています。

したがって、株主名義がないのに株主であると主張する場合、あるいは持株数について争う場合には、出資当時の払込金を誰がどのように出捐したかについての主張、立証が必要になります。

会社の設立時に遡って実質上の引受人が誰かを立証するのは、当事者の記憶が

第2部　各　論

あいまいになっていること、証拠が散逸している場合もあるなどの事情から容易でないこともあります。収集すべき証拠としては、会社の原始定款、設立や増資時の出資履歴（通帳や銀行預金の取引履歴など）、税務申告書、株主総会議事録、取締役会議事録、株式譲渡契約書等が考えられます。

第4章　国際業務支援

1　中小企業の国際業務における法的支援の必要性

　ビジネスのグローバル化が進む中、海外との貿易や海外進出等の「海外展開」を進める中小企業が全国的に増加傾向にあるとともに、他方で外国企業や外国人のインバウンドの増加に伴い、これら外国企業や外国人と中小企業との取引も増加しており、中小企業の国際業務に対する法的支援の必要性が高まっています。

(1)　予防法務とトラブル発生時の初期対応の重要性

　まず留意すべきは、国際業務、特に海外展開においては、深刻なトラブルになってからの事後対応では救済が困難なことです。

　海外で訴訟等になった場合には、現地の弁護士費用や翻訳コスト等で千万円単位の費用がかかることも珍しくありません。国によっては訴訟制度そのものの信頼性が乏しく、手続が極めて長期化する場合もあります。

　また、例えば、海外展示会に出展したら当該国で自社の商標が他者により先に登録されてしまった、海外企業に生産を委託したら生産委託先から技術が流出した等のトラブルは、予防策を講じることでリスク低減が可能であるものの、被害が出てからの対応では損害回復が著しく困難です。

　このように、中小企業の国際業務、特に海外展開では、トラブルを未然に防ぐ予防法務とトラブル発生時に損害を最少化する初期対応が、国内の場合以上に重要です。

(2)　海外展開の3つの類型と類型ごとの法務ニーズ

　中小企業の海外展開は、大別すると、貿易型展開、間接進出型展開、直接進出型展開の3つの類型に分けられます。

①　貿易型展開

　日本国内にいながら、海外企業との契約によって輸出入等の貿易取引を行う類型です。自社製品の海外への販売、海外からの商品仕入れや原材料・部品調達、海外提携先への技術ライセンスや海外企業からの技術導入によるライセンス生産などがこれに当たります。

　貿易型展開の法務ニーズとしては、主に以下が挙げられます。

（予防法務）
・契約に関する支援の基本3点セット（リスク分析と対処策助言、契約書の作成・チェック、交渉への助言）
・知的財産権保護（商標・意匠など。もし技術ライセンス取引をするなら技術

> ・現地法令に関する助言：輸出入規制、消費者保護（安全衛生、ラベル表示など）
> （紛争対応）
> ・代金トラブル・製品トラブル・ライセンス取引トラブルなど

② 間接進出型展開

　貿易型展開よりも一歩進んで、海外企業との契約により自社の分身となるような販売代理店や生産委託先を海外に置き、いわば片足だけ海外に乗り出して自社製品の販売や製造をする類型です。海外への関与度合いが貿易展開型より格段に強まり、海外紛争のリスクも高まります。

　間接進出型展開の法務ニーズとしては、貿易展開型における法務ニーズに加えて、販売代理店および生産委託に特有の複雑なトラブルを防ぐための助言や、実際にトラブルが生じてしまった場合の対応等が挙げられます。

③ 直接進出型展開

　海外に自社の子会社や支店、あるいは現地企業との合弁会社を設け、自ら直接に海外進出して事業を行う類型です。現地に資本、人員、資材、技術を直接投下して海外事業に深く関与することになります。

　直接進出型展開の法務ニーズとしては、貿易型展開、間接進出型展開における法務ニーズに加えて、主に以下が挙げられます。

> （予防法務）
> ・現地で外国企業が事業を行うために必要な法令クリアランス
> ・現地での各種契約に関する助言（外資規制、労務、オフィス賃貸借、取引契約など）
> （紛争対応）
> ・合弁契約トラブル／労務紛争／贈賄、汚職／知的財産権侵害
> ・外資規制、関税・貿易規制、環境法、消費者保護法、独占禁止法・競争法等の各種法令の違反など

(3) 日本の弁護士による支援の意義
① 日本の弁護士の専門的知識と専門的技能の活用

　海外展開の場合、そもそも海外展開先の外国の法曹資格をもたない日本の弁護士に、いかなる法的支援ができるのかという疑問もあるでしょう。確かに、直接進出先の現地で具体的な法的トラブルに巻き込まれた場合など、現地弁護士の協力なしには対応できない場面もありますが、多くの中小企業が直面する法的課題は、必ずしも直接進出型展開における現地でのトラブルだけではありません。実際には、貿易型展開や間接進出型展開のような、海外取引に関する典型的・類型的なものが大半であり、必要とされる法的支援の中身も、多くは基本的な予防法

第4章　国際業務支援

務やトラブル発生時の初期対応の助言などです。
　このような法的課題の場合、日本の弁護士が有する法曹としての実体的な実力を活用することできます。確かに外国の法令、手続、事業環境（文化、風土、国民性、実務慣行など）は日本とは違いますが、多くの共通点があります。具体的には、①法というもののコアバリューと基本構造（権利と義務、約束と実行、ルールと制裁、公正／フェアネス、法典と裁判例の関係、法典の構成、強行法と任意法など）、②「企業法、経済法」の基本構造（外資規制、公開会社法、独禁・競争法、消費者保護法、環境保護法など）、③法的な作業（証拠による事実認定、法的意味と結果の分析、法的論点の主張・交渉、法的書面化、手続遂行など）といった根幹的部分の考え方は共通するところも多く、日本の弁護士が会得している「専門的知識」と「専門的技能」を活かせば、問題点を見い出しその解決策の大枠や解決に向けた手順の方向性を示すことができます。実際にも、従前から日本の渉外事務所は、海外展開案件に対応してきています。
　②　現地弁護士との協働と管理・監督
　他方、現地での個別具体的な問題点や、解決策の詳細、特に現地の法的手続の解明や実施については、的確な現地弁護士を的確なタイミングで起用し、的確な指示を出し、的確な情報と助言を得るなど、プロセス最適化に貢献できます。同じ弁護士という立場で事案をみることができるので、中小企業が直接現地弁護士とやりとりするよりスムーズに意思疎通ができ、適切に指示および監督ができます。
(4)　日弁連中小企業国際業務支援弁護士紹介制度
　日弁連では、国際業務の法的支援を行う弁護士へのアクセスを容易とするため、「日弁連中小企業国際業務支援弁護士紹介制度」を創設し運営しています。本制度は「外国企業との契約書を作成・点検してほしい」「海外に進出する場合の法的リスクやトラブルの予防法を知りたい」などの悩みをもった中小企業の方々に、国際業務の経験を積んだ「支援弁護士」を紹介するもので、現在、全国14地域（札幌、宮城、東京、神奈川、新潟、石川、愛知、京都、奈良、大阪、兵庫、広島、香川、福岡）の弁護士を紹介しています。
　なお、本制度は日弁連と連携している団体のアドバイザー等への相談を経由する仕組みになっていますが、弁護士への相談経由のものも受け付けており、普段国際業務を扱わない弁護士が顧問先から国際業務の相談を受けた際にも活用できます。本制度の詳細は、以下のウェブサイト（http://www.nichibenren.or.jp/activity/resolution/support.html）をご参照ください。
　また、日弁連においては、国際業務支援を担う弁護士の人材の裾野を広げるべく、国際業務にかかわる実務上の諸問題等を扱ったeラーニング講座の制作やラ

215

第2部 各 論

イブ研修の実施をしています。日弁連会員であれば日弁連総合研修サイトにて視聴可能ですのでぜひご活用ください。

2 契約書の重要性

中小企業は、国内取引においては、いわゆる信頼関係をベースとして、契約書を整えることなく、見積書、電子メール、または口頭のやりとりのみをもって受発注を行うことも多いですが、文化も慣習も異なる国際取引において同様の運用を行うことは大変危険です。多くのリスクが伴う国際取引では、必ず契約書を締結すべきです。

国際取引の契約書は、準拠法や国際紛争解決、貿易条件に関する条項をはじめ、国内取引にはない特有の条項を含むため、日本国内で使用しているひな型等をそのまま外国語訳するだけでは不十分です。また、外国語で作成されることが多い国際契約では、専門的な用語や表現が使用されます。したがって、国際契約に詳しい弁護士の支援を受けて作成することが肝要です。なお、契約書を外国語で作成する場合は、英語を中心としたできるだけ馴染みのある言語とすることが望ましいです。

(1) 合意内容を明確化

慣れない外国語でのコミュニケーションには、誤解や勘違いが付き物です。例えば、物事を肯定または否定するときの表現は、国によってかなり異なり、よく誤解の原因となります。また、取引相手の文化や慣習は日本のそれとは大きく異なりますので、日本国内取引において常識と考えていることは通用しないと考えておくべきです。日本人特有の、信頼関係をベースとした阿吽の呼吸による取引を外国人に期待することは大変危険です。契約書という確定的な書面に合意内容を明確に、かつ網羅的に記載し、当事者間の意思の合致を客観的に確認することが必須です。特に欧米の実務では、合意内容を契約書に一元化する傾向にあります。

翻って、契約書以外の見積書や電子メール、口頭といったやりとりのうち、契約書と相反するものについては、契約内容に含まれないことを明確にすべきです。

また、国際契約においては、どの言語によるものを正文とするのかを明記することが一般です。例えば、契約書を英語で作成しつつ、他言語での参考訳も作成される場合、英語版と参考訳に齟齬が生じると後にトラブルの原因となることから、英語版が正文であり、それのみが効力を有することを明記します。

(2) 国際取引の条件は複雑

国際取引は、国内取引よりも複雑な形態になり、また取り決めるべき内容も多岐にわたる傾向にあります。

例えば、メーカーが海外市場に自社商品を展開するに際し現地パートナー企業の協力を得る場合、その具体的な内容は販売店契約、代理店契約、フランチャイズ契約、合弁契約などさまざまなものが考えられます。そして、例えば代理店契約であれば、特定の商品や地域について独占権を与えるのか、与えるのであればどのような条件を独占権付与の前提とするのかなど、必ず取り決める必要があります。ところが、日本のメーカーが国内で商品を販売する方法は、直売か卸売といったシンプルな形態であることが多く、代理店についても独占権という条件が付されることは多くないため、中小企業はそのような基本的かつ重要な条件についてすら、認識が曖昧なまま海外パートナーとの取引を進めることがあります。特にアジア諸国など、規範意識の未熟な国においては、取引相手もその点について意識を向けないまま取引が続き、いざ紛争になった場合に解決の拠りどころがないという事態に陥ります。

　一見、単純に思える貿易型の直接取引であっても、国際取引においては、準拠法や紛争解決方法といった一般条項に加え、信用状を利用した支払や、インコタームズを用いた貿易条件の設定など、国内取引よりも専門的な知識が求められます。

　中小企業の海外展開を支援する立場としては、相談者の想定している取引形態の法的性質、またその形態を安心して実施するために必要な条件を判断し、その内容を明確に書面化するよう助言することが必須といえます。

(3) 準拠法の明確化

　日本企業同士の契約では、何も取決めがなければ日本法が適用され、契約書の解釈に疑義が生じた場合や契約書に記載がないことが問題となった場合、さらには契約書が存在しない場合であっても、日本法を参照するか、身近な日本の弁護士に相談することで、各当事者が法律上どのような権利義務を有し、どのような主張をすることができるのかを比較的容易に知ることができます。

　これに対し、国際取引では、当事者の一方が日本企業であるからといって、日本法が適用されるとは限らず、取引相手の国の法律が適用されるかもしれません。このように、国際取引において当該契約に適用される法律を準拠法といい、国際取引では不可避的に問題となります。ここで取引相手の国の法律が適用されるのであれば、例えば、代金を支払わない買主に対し、売主としてどのような法的主張ができるのかについて、当該相手国の資格を有する弁護士に助言を求めなければなりません。それは多くの場合、外国人弁護士ですので、中小企業にとっては情報収集のためのハードルが高くなります。

　準拠法は、両当事者が合意すればそれに従うことになり、極めて明快です。しかし、両当事者が合意していない場合は、各国が独自に制定するいわゆる国際私

法の準則に従うことになり、最終的には当該案件を判断する裁判所が自国の国際私法を適用して準拠法を決定します。日本には「法の適用に関する通則法」が国際私法として機能しており、ある国際契約上の訴えが日本の裁判所に提起された場合は、当該裁判所は前記法律を参照して当該契約にどちらの国の法律が適用されるかを判断します。これに対し、当該契約上の訴えが取引相手国の裁判所に提起された場合は、当該裁判所は当該国の国際私法を適用し、当該契約にどちらの国の法律が適用されるかを判断します。このように、準拠法についての合意がない場合は、そもそもどちらの国の法律が適用されるかという点から不確定な状況となり、トラブル時の予測可能性が大きく阻害されます。なお、どの国の裁判所で訴えることができるかという国際裁判管轄の問題は後述します。

したがって、国際契約においては、準拠法を明確に定めることが肝要です。日本企業にとっては日本法を適用することができればもちろん有利ですが、仮に譲歩して相手国法や第三国法となっても、予測可能性の観点からは明確であることが望ましいです。ただし、新興国など法制度が未熟な国を準拠法とすることはできるだけ避けるべきです。

なお、物品の国際売買については、国際物品売買契約に関する国際連合条約（通称、ウィーン売買条約）が存在し、その締約国間（日本でも2009年から発効）での売買契約については、契約書において同条約の適用を排除しない限り同条約が自動的に適用されることになります。

(4) トラブル発生時の拠りどころ

このように、契約書は、実際にトラブルが発生した場合にはもちろんのこと、トラブルが予測される場面においても、あらかじめどのような救済手段があるのかを把握する拠りどころになります。国際取引において信用できるものは契約書のみといっても過言ではありません。取引相手の規範意識が低い場合は、契約書が軽視されることもありますが、それがなければ交渉材料すらないことになります。

③ 貿易取引と代表的リスク

貿易取引、すなわち海外顧客への直接売買は、比較的シンプルな取引ではありますが、国際取引ならではのリスクが潜んでいます。ここでは代表例として、取引開始時の注意点と、代金回収に伴う問題点について説明します。

(1) 取引開始時の注意点

展示会などにおいて海外企業から引合いがあっても、喜び勇んで軽率に取引を開始すると痛い目に遭いかねません。

① 取引相手の確認

まず、取引相手の実在や法人格の有無から確認します。契約は、契約書に記載された名義人についてのみ拘束力が生じるところ、商品を売却した後に、名刺に記載された法人が存在しないことが判明する場合もあります。法人のようにみえて実は個人事業主の場合もあります。ウェブサイトの調査は必須であり、さらに現地の登録情報を入手することが望ましいです。

また、取引相手との間で代金回収についてトラブルが生じると、後述のように大変な負担とリスクを負いますので、国内取引にも増して信用情報に注視すべきです。費用はかかりますが、Dun & Bradstreet社などの国際的な信用調査会社から入手することが可能です。

② 詐欺に注意

海外からの引き合いから詐欺に巻き込まれるケースもあります。例えば、大量注文や代金の事前送金といった一見おいしい話をもちかけ、サンプルやデモ機の送付を求めて詐取する手口や、現地の規制の関係で費用が必要であるから負担してほしいと送金を求める手口などがあります。そのような詐欺は巧みであり、一旦対応してしまうと、次々にエスカレートした要求がくるようになりますが、すでに支出をした立場としては、何とかそれを取り戻そうと考え、またここを乗り越えれば大きな収入が得られると誘惑されて平常心を失い、支出を繰り返してしまうことがあります。このような被害に遭わないためには、前記のように信用調査を行うとともに（このような詐欺集団はホームページ自体が怪しいことも多い）、あまりに有利な条件をもちかけられたときは冷静に身構えることが大切です。

③ 契約内容・条件の確認

取引相手が信用に足りると判断した場合でも、軽々に商品を発送してはいけません。前に述べたように、契約書をもって、取引条件を明確にするとともに、紛争時にも備えた条項を設けた上で取引を開始すべきです。サンプルやデモ機の提供であっても、所有権の確認や返還の条件などを明確にした上で行うべきです。

④ 知的財産権の保全

海外で商品を展示会に出展したり、本格的に流通させようとするときは、それらに先立ち、自社の商標などの重要な知的財産を保全すべきか検討します。知的財産の保護は国ごとの制度に従ってなされ、当該国においてのみ効力を有しますので、例えば日本で商標権を登録していても外国では当該標章の独占権はありません。そして、ほとんどの国では商標権などについて先願主義を採用していますので、第三者が先に登録してしまうと、当該第三者の許諾を得なければその国では当該標章を使用できないこととなります。

外国、特にアジアでは、不当な利益を得る目的で他人の標章を勝手に登録する

者は珍しくありません。展示会での出展等を通じて、当該国でのプレゼンスが高まれば高まるほど、そのブランドを勝手に登録され、また模倣される可能性も高まります。

中小企業は、事業の見通しが不透明な海外展開の初期段階では、費用をかけて商標などを登録する必要まではないと考える向きもあります。しかし、万が一、第三者に商標等を先に登録されてしまえば、せっかく獲得したその国でのビジネスが出鼻をくじかれてしまいますので、あらかじめ当該国で商標などの登録を行うよう助言することが大切です。

(2) 代金回収リスク

商品を直接販売する貿易取引において最も陥りやすく、また損失の大きいリスクは、代金回収に関するトラブルです。あわせて国際紛争解決についても概説します。

① 代金不払が生じた場合の対処方法（商品出荷前）

代金が前払である場合は、契約を解除し、商品を出荷しないことをもって基本的には解決に至ります。このように、代金を前払とすることが、代金回収リスクの最も有効かつ確実なヘッジ方法となります。

② 代金不払が生じた場合の対処方法（商品出荷後、納品前）

商品の出荷後、納品完了前に代金の不払が判明した場合は、運送業者に指示して納品を留め置くことができないかを検討します。代金支払時まで商品を留置することを法的にも正当化できるよう、契約書において、商品の所有権は代金の全額支払時まで売主に留保される旨を記載しておくことが理想です。

③ 代金不払が生じた場合の対処方法（納品後）

納品後に代金を支払わない場合、契約を解除するか、または前記のように商品の所有権が代金の全額支払時まで売主に留保される旨の条項があればそれを根拠として、商品の返還を求めることが考えられます。しかし、そのように代金支払に窮するような買主は、売却できる商品は現金化して運転資金に充ててしまうことが容易に想定され、素直に商品の返還に応じることはあまり期待できません。

そうすると、代金を回収するほかなくなりますが、外国においてそれを行うには多大なコストと手間を要します。

最も簡便な方法としては、国際取引に詳しい弁護士をもって英語等で通知書を送り、所定期間に支払わない場合は法的手続を行う旨を示唆することで支払を促すことが考えられます。もっとも、これはあくまで相手方が任意に応じることを期待するものであり、強制力はありません。強制力をもって代金の回収を行うには、裁判または仲裁の手続を経る必要がありますが、それには大きな障壁があります。

④ 紛争解決（裁判）

　取引相手が外国にある場合、まずどの国の裁判所に訴訟を提起するべきかが問題となります。裁判は、最終的に判決を得て、相手方の資産に対して強制執行を行うことが目的であるところ、取引相手の資産は通常その所在国にあります。そして、裁判は国家権力の行使であることから国ごとに制度が異なり、外国の判決が別の国で有効になるとは限りません。各国はどのような場合に外国判決を自国の判決と同様に認めて執行するかというルールを有しており、最終的には執行を求める国の裁判所がこれを判断します。例えば、現在、中国は日本の判決は一切承認しないという立場をとっていますので、中国の取引相手を被告として日本の裁判所でせっかく勝訴判決を得ても、それについて中国国内で執行判決を得ることはできません。したがって、訴訟を提起するときは、取引相手の国が日本の判決を承認・執行するかどうかを確認し、承認・執行されないリスクがある場合は取引相手の国の裁判所に直接訴えを提起することを検討しなければなりません。

　なお、契約書においては、紛争解決の方法を明確に定めることが望まれますが、特定の裁判所を専属的な管轄裁判所と定めることもあります。その場合には、その裁判所の判決を取引相手の国で執行することも念頭に置いて決める必要があります。中小企業は、常に東京地方裁判所などとしておけば安心と考える節もありますが、前記のように日本の裁判所の専属管轄ではかえって支障が生じる場合もありますので注意が必要です。

　また、強制執行するための資産の調査は、外国においてはさらに困難となります。せっかく強制執行可能な判決を入手しても、対象となる資産が見当たらなければ紙切れ同然となってしまいます。

⑤ 紛争解決（仲裁）

　このように、裁判所での判決は他国での強制執行が認められない可能性があること、またその国の地域的要因に影響されて公平な判断が得られないおそれがあることや手続が公開されてしまうことなどから、国際取引では紛争解決方法として仲裁が広く活用されています。

　仲裁とは、当事者が紛争の解決を第三者である仲裁人の判断に委ねる合意をし、それに基づいて行われる紛争解決手続です。訴訟と異なり、当事者の自主的な紛争解決を目的としますが、当事者は仲裁判断に拘束されます。あくまで当事者の仲裁合意の存在を前提とし、一方的に提起することはできません。一般的には、契約書において仲裁合意がなされ、それに基づいて仲裁が行われます。代表的な国際的な仲裁機関としては、国際商工会議所仲裁裁判所（The Court of Arbitration、International Chamber of Commerce）、アジアでは香港国際仲裁センター（Hong Kong International Arbitration Center）、シンガポール国際仲裁セン

ター（Singapore International Arbitration Center）、また日本には一般社団法人日本商事仲裁協会などがあります。仲裁合意の条項は、各仲裁機関が開示しているモデル条項を参照することをお勧めします。

　仲裁の最も大きなメリットは、外国仲裁判断であっても強制執行が比較的容易なことです。この点、「外国仲裁判断の承認及び執行に関する条約」（通称、ニューヨーク条約）があり、外国の仲裁判断は締約国においては条約に定められた要件を満たせば執行判決を経ることなく強制執行が認められます。締約する国と地域は現時点で160か国以上で、日本も加盟しています。

　また、仲裁では、仲裁人を自ら選ぶことができること、手続が非公開であること、比較的手続が迅速であることなどのメリットもあります。

　他方、仲裁にも、仲裁人が判断する基準が不明確である、不利益な判断に対しても上訴できないといったデメリットもありますが、国際取引では全体としてメリットのほうが大きいといえます。

⑥　代金回収リスクを防ぐために

　代金回収のリスクを防ぐ最も有効な方法は、代金支払を前払とし、代金の受領を確認した上で商品を出荷することです。

　前払が叶わない場合には、信用状（Letter of Credit）付きの荷為替手形を利用することが安全です。信用状とは、買主の依頼に基づきその取引銀行が発行するもので、同銀行は、売主が交付する船積書類の記載が信用状条件に一致していれば手形代金を支払う仕組みですので、売主として代金回収をほぼ確実に行うことができます。

　次善策としては、代金の支払を複数回とし、できるだけ出荷前の支払分を大きくすることや、継続的な取引であればデポジットを預かることが考えられます。完全後払で高額な商品を販売するのは、信頼を得られた後とするべきです。

④　間接進出と代表的リスク

　「海外進出」や「海外展開」というと、100％出資や現地企業との合弁で現地法人を設立して、現地で製造販売を行うイメージがあります。ただ、現地法人を設立するとなると、会社設立や工場設立の手続も大変ですし、運営費用も含めた多額の資金が必要です。また、現地法人の人材をどう確保するかという課題もあるでしょうし、簡単にはできません。

　むしろ、こうした直接進出の前段階として、あるいは直接進出は行わずに、「間接進出」、つまり日本にいながら海外の現地企業を通じて現地取引を展開することも多いと思います。間接進出の代表的ケースとしては、①販売店契約、②生産委託契約および③技術ライセンス契約が挙げられます。これらの契約の特徴と

注意点については、第3章2の「(2)販売提携（販売店契約）」「(4)生産提携（生産委託契約）」「(3)技術提携（技術ライセンス契約）」の箇所で解説しており、海外企業とこれらの契約を締結する場合の留意点も指摘していますので、当該箇所を参照してください。

なお、販売店、生産委託、技術ライセンスなどの取引を行う前に、秘密情報をお互いに（または日本側が一方的に）開示して、取引を行うかどうかを検討したり、取引条件などについて協議することがありますが、そのときは「秘密保持契約」を事前に締結した上で秘密情報を開示する必要があります。

5 直接進出（直接投資）の代表的リスク

(1) はじめに

貿易取引や間接進出ではなく、直接進出として、海外に自社の現地法人等を設立することを選択する場合、さまざまな動機があると思われます。もっとも、直接進出は、「資金、資産や人材の海外への移転」が必要であり、日本国内とは法制度、言語、文化等が異なる遠隔地での対応が必要となることから、日本国内で実施できる貿易取引や間接進出よりも、明らかにリスクが増加します。

したがって、直接進出については、まずは、「なぜ、当社は直接進出を選択するのか」および「なぜ、その国に直接進出するのか」を十分に検討する必要があります。

例えば、「取引先からの要請で、やむなく進出する場合」であれば、「当該取引先との関係を今後、どの程度まで維持・発展できるか」「万が一、当該取引先との関係が悪化した場合、どのような対応が可能か」等についても検討すべきです。

また、「生産コストの削減を図る場合」であれば、「当該地域で生産コストを削減できる根拠は何か」「当該生産コスト削減効果を将来も維持できる根拠は何か（＝当該地域の賃金上昇率やインフラ整備状況の確認）」「部品調達ルート、製造ライン、輸送ルートを確保できるか」等が重要となります。

そのほか、「新規市場を開拓する場合」であれば、「現地（および周辺地域）には、当社商品の需要があるか」、「現地等の市場に対し、当社の商品は発展性、継続性があるか」等についても検討すべきです。

そして、根本的なことですが、さらに確認すべきこととして、「そもそも当社の事業は、その国において、どのような形態での直接進出が可能か」があります。すなわち、例えば発展途上国においては、自国の産業を保護する必要があることから、「突然に外国企業がわが国にやってきて、市場を独占するようなことがあっては困る」等の発想に基づき、「外国企業による直接進出」を制約することが多いです。

(2) 直接進出の手法

各国によって制度の詳細は異なりますが、直接進出の手法としては、一般的に、①駐在員事務所の設立、②支店の設立、③現地法人の設立が考えられます。

① 駐在員事務所

通常、「海外に事務所を開設した」という場合は、この「駐在員事務所」を指します。概念としては「日本本社の一部」であり、これを設立するには、基本的に現地当局の認可が必要です。

もっとも、駐在員事務所は、通常、当該国において営業活動はできず、「業務連絡、製品の紹介、市場調査研究、技術交流等の業務活動」等にその活動範囲が制限されます（例えば、中国の「外国企業常駐代表機構登記管理条例」13条1項は、「代表機構は、営利性活動に従事してはならない」と明記している）。

このような状況からすると、「直接進出については、まずは駐在員事務所の設立からスタートすべき」というものではありません。

② 支店

支店についても、駐在員事務所と同様に「日本本社の一部」であり、また、これを設立するには、基本的に現地当局の認可が必要です。支店については、その設置が認められた場合、営業活動も可能となるところ、例えば支店が現地で取引をした場合、その当事者はあくまでも日本本社であり、当該取引の効果は日本本社に帰属します。

もっとも、多くの国では、外国企業による支店の設置を銀行業等の一部の業種に限定するなど、外国企業による支店形態での進出を制限していることが多いので、現地の法令等の確認が必要です。

③ 現地法人

現地法人を設立する場合も、大きく分けると、「100％子会社」（日本企業の単独資本）とするか、現地企業等の現地パートナーとの共同出資による「合弁会社」とするかを選択することになります。

いずれの場合も、当該現地法人は、日本企業とは別個の法人格をもち、かつ、その国の企業として、独自に営業活動等を実施することが可能です（なお、具体的な出資形態は、各国の法制度によるが、「出資した金額の範囲内で責任を負うこと」を原則とする、「有限責任」とすることが通常である）。

このような外国資本による企業の設立については、前述の通り、「国内産業保護」の観点から、外資規制が存在することが通常であり、多くの国においては、「現地当局による認可」を必要とし、また、「ネガティブリスト方式による、外国資本が進出可能な分野の制限」「資本金額、出資比率の制限」等が存在します。

一方で、特に発展途上国においては、「外資を誘致することで、国内経済全体

を活性化させる」という要望も同時に存在することから、「外資優遇政策」を実施していることも多いです。優遇の具体例としては、「現地法人の所得税等の一定期間の免税や優遇税率の適用」「製造設備や原材料についての輸入関税や付加価値税の免除」「保税区や経済特区等を設置した上での優遇措置」等があり得ますので、対象国の状況を個別に確認する必要があります。

(3) 合弁会社
① 合弁会社の特徴

現地法人を設立する場合で、「合弁会社設立」を選択することの特徴は、「現地パートナーの存在」です。

例えば、「当社が進出したいと考えている営業分野については、その国では、外国企業の100％子会社を設立することはできない」ということもあり、その場合は、やむを得ず、合弁会社を選択することになります。

なお、合弁会社については、以下のようなメリットもあることから、状況によって、「積極的に合弁会社設立を選択すること」もあります。

① 現地パートナーの人材・人脈、販売網、事業上のノウハウ等を活用できる。
② 現地での事業リスクおよび投資額について、現地パートナーも、原則として、その出資の範囲内で責任を負う。

特に、以前から、販売関係、製造委託関係、ライセンス契約関係等にある相手方が現地に存在する場合は、有力な現地パートナー候補になるといえます。もっとも、このような「現地パートナーの存在」は、「現地法人の経営等について、必ず現地パートナーの意向を反映させ、または尊重しなければならない」という意味で、柔軟性・機動性を欠くことがあり、また、「もしも、現地パートナーとの間で紛争が発生した場合、現地法人の経営が困難となる」というデメリットにもなり得ます。そのため、以下で述べるように、合弁契約を締結する際には、「将来、もしも合弁パートナーとの間で紛争が発生した場合は、どのような方法で解決するか、また、どのような方法で円満に合弁会社から離脱するか」についても検討しておくべきです。

② 合弁契約

第2部第3章②(5)の「合弁契約」を参照してください。

海外展開に際しては、当該進出対象国の法制度、規制内容を確認した上で、「合弁契約書」を締結する必要があります。すなわち、日本法であれば、「合弁契約」について特に民法や会社法等に規定があるわけではなく、単なる「株主間での会社運営についての合意書」にとどまるところ、多くの国々では、前述の通り、外国資本が過当に自国へと進出してくることを抑制するために、現地企業と外国企業とが合弁企業を設立すること自体について、認可を必要としています。

(4) 現地法人の管理
① 現地法人を管理・監督する必要性

　現地法人が無事に設立され、経営を開始した後も、当該現地法人が順調に経営され、設立目的を達成できるように、日本本社から継続的に管理し、監督する必要があります。

　特に合弁会社の場合は、現地パートナーが存在することから、その出資割合にもよりますが、日本本社から派遣された人員についても、権限が制約されていることが多いため、出資者の立場からの経営の管理・監督を不断に実施すべきです。

　例えば、「海外の現地法人の経営方針と本社の経営方針との整合性の確保」「現地法人における内部統制システムの適切な構築と運用」「現地法人の会計および税務の適正性と信頼性の確保」「現地における特有のリスク・問題・課題の確認」等が重要な項目となります。

　以下では、海外に現地法人を設立したことによって発生しやすい特有のリスク等について、説明します。

② 知的財産権管理
(i) 知的財産権管理の必要性

　知的財産権の問題は、海外展開の関係でも、「ブランド保護」の観点が重要となります。すなわち、「当社の製品を海外に販売しようとしたところ、すでに現地で、同様の名称の商標が他社によって登録されており、当社は、これを使用できなかった」(冒用商標問題) ということや、「当社の製品の模倣品が、現地で販売されていた」(模倣品問題) 等の問題が発生する可能性があります。

　この点については、①自社の知的財産権 (特許権、意匠権、商標権等) は、日本国内のみならず、海外にも積極的に登録すること、②自社の知的財産権を侵害するもの (冒用者や、模倣品) が存在するか否か、市場を監視し、そのような侵害者が現れた場合、即座に法的対応をとることが必要です。

(ii) 知的財産権の管理方法

　各国の知的財産権は、国際的に認められた属地主義の原則により、その成立、移転、効力等は当該国の法律によって定められ、その効力は当該国の領域内に限られます。そのため、その保護のために登録を必要とする知的財産権については、進出予定先または進出先の各国で、登録を出願しておくべきです。もっとも、特許、実用新案、意匠および商標については、多くの国がパリ条約およびWTO加盟国であることから、日本における出願に基づく優先権の主張が、出願後一定の期間であれば、可能です。なお、特許については、多くの国が特許協力条約に加盟していることから、日本における国際出願に基づいて、これらの国でも保護されます。また、商標については、中国、ベトナム、インド等がマドリッ

ド協定協議書に加盟していることから、日本における出願または登録を基礎とした国際出願により、これらの国でも保護されます。意匠についても、2015年5月13日以降、ジュネーブ改正協定に基づき、日本での国際出願ができるようになりました。

例えば、典型的な紛争事例である「自社と同一または類似の商標が、進出予定先の国で、第三者によってすでに出願または登録されている場合」については、現地の法令上、「著名商標等として保護を受けられる可能性」や、「当該相手方の商標を違法な商標として争える可能性」を検討の上で、買取交渉等に切り替えるかを判断することになります。

そして、そもそもこのような事態が発生することを防止するためにも、「知的財産権の積極的な出願登録および運用管理」をしておくべきです。

③ 営業秘密保護

いわゆる「営業秘密」について、日本の不正競争防止法2条6項は、その定義を「①秘密として管理されている、②生産方法、販売方法その他の事業活動に有用な技術上または営業上の情報であって、③公然と知られていないもの」と、定めています。その特徴は、「特許権等として出願すると、法律上の保護を受けられる代わりに、その内容を公表しなければならない。しかし、営業秘密として、外部には公表せず、社内でのみ使用することによって、当社の強みを将来にわたって保持することが期待できる」ということにあります。したがって、海外展開の関係では、「そもそも、当社における営業秘密とは何か」「現地法人を設立するに際して、どこまでの情報を日本本社から現地法人に開示し、使用させるのか」「具体的には、現地法人のどのレベルの人員にまで開示するのか」等について、検討する必要があります。

その上で、将来、現地法人においても独自に「営業秘密」を保持することがあり得るところ、「現地法人において、どのような方法で、営業秘密を管理するのか」についても検討する必要があります。特に、日本には、「終身雇用が原則」という、世界的には稀といえる慣行があるところ、海外においては、「転職」は頻繁に発生する事象であり、例えば「基幹従業員が競合他社に転職することによって、当社の秘密情報が他社に漏洩する」等の事件が、日本よりも発生しやすいといわざるを得ません。よって、現地法人においては、日本本社と同様、またはそれ以上に「営業秘密管理」を厳密に行い、「自社グループの強み」を継続的に保持できるように努めるべきです。

具体的な方法等については、日本の経産省が「営業秘密管理指針」(最終改訂：2019年1月23日)」等を作成し、公表していますので、これらを参考に、現地法人も含めた営業秘密管理体制を構築してください (https://www.meti.go.jp/policy/

economy/chizai/chiteki/guideline/h31ts.pdf）。

④ 労務管理

　現地法人は、その多くが「製造工場」として、「現地の安い労働力を活用すること」を期待していると思われます。基本的に、いずれの国においても、労働法の多くは強行規定であり、労働者が労務を提供する地である進出先国の労働法の適用を受けます。例えば、「書面による労働契約の締結義務」「雇用期間の定め」「就業規則の適用」「解雇の要件・手続」「最低賃金」「時間外等割増賃金」「退職手当」「労働時間」「休暇」等の点で、日本法とは異なる規制が存在する可能性があるため、進出先である国の労働法の状況についても、事前に確認しておく必要があります。

　なお、基本的に、労働者には労働組合を結成することが認められており、使用者は労働組合と労働協約を締結することができますが、その法的位置付けや、実際の結成・活動状況は、諸国によって異なります。

6　トラブルへの対応

(1) 貿易取引・間接進出において発生しやすいトラブル

　自社製品の海外への輸出販売、海外からの原材料等の輸入、海外提携先への技術ライセンス、委託生産等を実施する場合に発生しやすいトラブルは、そもそも「相手方が遠隔地に所在すること」も原因の1つとなり得るほか、「法制度の違い」「言語、文化の違いによる、行き違い」等によって、日本国内での場合と比べて、手間のかかる紛争となりがちです。

　典型例は「代金回収問題」［→3(2)］ですが、その他にも、以下のようなものが挙げられます。

① 製品品質問題

　「海外から輸入した原料の品質が悪く、日本国内では使えない」「当社から海外の業者へと納入した製品について、相手方から『キズがある』との苦情申立てがあり、それを理由に代金の支払が遅れている。しかし、実際にどのようなキズであるのか、具体的なことがわからない」

　→事前に契約書において、「目的物の品質」を明記し、「目的物の引渡と検収」「品質保証期間」「品質不適合が判明した場合の通知および対応」等についても明記しておくべきです

② 技術指導、技術ライセンス契約上の問題

　「当社から現地の提携先企業へと技術提供することを合意し、指導を実施したところ、『これは、最新の技術ではない』『もっと、こちらの従業員が理解できるようになるまで、明確なマニュアル等で説明してほしい』等と苦情を述べられ、

約束したロイヤルティ、ライセンス料が送金されない」
→事前に契約書において、「どのような技術を提供するのか」「どのような方法で提供するのか」「技術提供によって達成すべき目標（数値）」「相手方において、当該技術を習得するために準備しておくべき条件（優秀な従業員の雇用確保、インフラの確保、目的物等の動作条件）」等を明記しておき、できる限り、争いの発生を回避すべきです。

③ 税務、海外送金問題

「海外の取引先から代金を支払ってもらう際に、現地で税金が差し引かれるなど、送金を受けることに手間がかかった」
→事前に、当該取引について発生し得る税務問題を確認し、また、現地当局や銀行等に、「海外送金を実施する、または受ける際の手続」についても確認しておくべきです。

(2) 現地法人（直接進出）において発生しやすいトラブル

次に、海外に現地法人を設立した場合は、現地の取引先等との契約にとどまらず、現地に資本、人員、資材、技術等を投下し、以後、当該現地法人は、進出先国の法人として行動することになるため、(1)で列挙したもの以外に、次のような、現地での事情に基づく紛争が発生することが予測できます。

典型例としては、「合弁相手とのトラブル」「労働問題（従業員の雇用管理等に関する紛争）」「贈賄、汚職問題（現地当局や取引先との癒着）」「知財問題（現地での模倣品発生、営業秘密の漏洩等）」「環境問題（現地での規制違反）」等が考えられます。

このような現地での紛争は、当該紛争が発生した時点で、即座に現地で対応すべきものです。もっとも、これらの紛争は、いずれも「海外の現地法人で発生する事象であるため、日本本社から目が届かなかったこと」「現地の法令上の問題であるため、日本本社において気付かなかったこと」等が、紛争の長期化の原因となり得るため、前述の通り、普段から現地法人への適正な管理・監督を実施しておくことが必要です。

(3) 事業再編・撤退

例えば、「合弁会社を設立したが、その後、現地パートナーと経営方針の不一致が発生し、やむを得ず、合弁契約を解消することになった場合」を想定すると、選択肢としては、「合弁会社を解散し、清算する」「現地パートナーまたは第三者に対し、当社が保有している合弁会社の持分全部を譲渡する」または「現地パートナーから、先方が保有している持分全部を譲り受けて、当該合弁会社を当社の100％子会社に変更する」等が考えられます。

① 現地法人の解散・清算

具体的な手続は進出先国の制度によりますが、「会社の経営を終了させ、会社

第 2 部　各　論

資産を換価し、出資者（株主）に払い戻す制度」として、「会社の解散・清算制度」が存在することが通常です（なお、現地法人が債務超過の状態にある場合は、具体的には進出先国の制度によるが、裁判所での倒産手続等の法定手続が必要である。ただし、「現地法人が倒産したこと」等の風評リスクが発生することを防止するため、事業再編、撤退のための費用を日本親会社から追加出資する等して、倒産手続等になることを回避することが多い）。

　もっとも、「外国企業が投資した会社」（現地法人）の解散・清算については、当該地域の税収や振興に影響が出る可能性があることから、現地当局からの協力が得にくく、また、例えば、「現地法人の解散を決議したが、すぐに現地当局から税務調査を実施され、その間、解散手続を進めることができなかった」等のトラブルが発生することもあり得ます。

　また、現実の問題としても、一旦投資した資本に基づいて現地法人が取得した各種の財産を換価することは、時間を要することと、かつ、高額での処分が期待できないことや、追加費用が発生する可能性もあることから（例えば、現地法人で従業員を雇用している場合、「労働契約の中途解除」を実施するために、「経済補償金」等の追加費用を支払う必要があり、結論として、日本本社の費用負担が増加することになる）、すべての投資資本を回収することは困難であることが通常です。

　したがって、現地法人についての事業再編・撤退の手法として、解散・清算を選択することは、これが原則的な対応であるとは決して、いえません。

②　持分譲渡、譲受け

　特に現地法人として合弁会社を設立している場合は、「現地パートナーに対し、当社が保有している合弁会社の持分全部を譲渡する」または、「現地パートナーから、先方が保有している合弁会社の持分全部を譲り受ける」とすることが考えられます。

　具体的な手続は進出先国の制度によりますが、前者は「外国企業との共同出資による合弁会社から、進出先国の内国資本100％の通常の内資会社への変更」であり、また、後者は「合弁会社から、外国企業の100％子会社（独資会社）への変更」であることから、いずれにせよ、進出先国の現地法人の認可等の手続が必要となります。

　もっとも、このような持分譲渡（＝株式譲渡）または持分譲受（＝株式譲受）は、その後も現地法人自体は存続することから、手続は比較的に容易であり、それゆえに、最も頻繁に用いられているといえます。

　実際のところ、合弁パートナーとの間で紛争が発生し、合弁関係を解消する場合、日本側としては、「当社が保有している合弁会社の持分を、できるだけ高値で、現地パートナーに引き取ってもらいたい」または「現地パートナーが保有し

ている持分を、できるだけ安く買い取りたい」と考えるところ、現地パートナーは当然ながらまったく逆のことを考えるため、さらに紛争が悪化し、長期化して、結局のところ、「現地パートナーが主張する価格で、当社が保有している合弁会社の持分を譲渡する」となることがあり得ます。

したがって、合弁契約を締結する時点で、このような「将来に、合弁契約を解消する可能性」についても検討し、できるだけ、「譲渡価格の決定方法」等についても、事前に取り決めておくべきです。

7 越境EC

(1) 越境ECとは

越境EC（Electronic Commerce）とは、一般的には、インターネットの通信販売サイトを通じて企業や個人が海外に向けて行う電子商取引のことをいいます。

スマートフォンの普及により、海外の商品を容易に購入できるようになった今日、越境ECの市場規模が着実に拡大してきています。越境ECサイトを運営する法人や個人は、海外に直接出店するリスクやコストを軽減することができ、初期投資を抑えながら海外市場の開拓ができます。他方、購入者側も、現地に行かなくても、欲しいものを手軽に手に入れられるという利便性があります。

2021年において、日本・米国・中国の3か国間における越境ECの市場規模は、いずれの国の間でも増加しました。特に、中国消費者による日本事業者からの越境EC購入額は2兆1382億円（前年比9.7％増）、米国事業者からの越境EC購入額は2兆5783億円（前年比11.5％増）であり、2020年に引き続き増加しています。販路拡大を目指す企業にとっては、無視のできない市場になりつつあるといえるでしょう。

【図表】日本・米国・中国3ヵ国の越境EC市場規模

国	越境EC購入額 （2019年）	越境EC購入額 （2020年）	越境EC購入額 （2021年）	伸び率 （2021年）
日本	3,175億円	3,416億円	3,727億円	9.10％
米国	1兆5,570億円	1兆7,108億円	2兆409億円	19.30％
中国	3兆6,652億円	4兆2,617億円	4兆7,165億円	10.70％

出典：経産省「令和3年度デジタル取引環境整備事業（電子商取引に関する市場調査）」。

越境ECのための取引サイトは、大きく「自社EC型」と「ECモール型」に分けられます。

「自社EC型」とは、インターネット上で独自にドメインを取得して、自らで

運営するECサイトを指します。この場合、自社で多言語多通貨対応や海外配送への対応を行うだけでなく、自社サイトまで消費者の誘導を行うことが大きなハードルとなります。近時は、越境EC用のサイトを簡易に構築できるECシステム（例えば、Shopify等）を利用することも可能です。

次に、「ECモール型」とは、複数のショップが集まるプラットフォーム型のECサイトを指します。例えば、中国向けでは天猫国際（T-MALL GLOBAL）、天猫商城（Tmall.com）、京東商城（JD.com）、拼多多（pinduoduo.com）等が、アメリカ向けでは アマゾン（Amazon.com）、メルカリ（mercari）等のプラットフォームが有力なECモールとなっています。これらのECモール型では、言語・通貨・決済対応等のツールが提供されており、また、納品・輸送・保管などについても商社・船会社・運送会社などを紹介してもらえる場合があります。さらに、プラットフォーム内で自分の商品を見つけてもらう努力が必要となるものの、当該プラットフォームへの多くの訪問客を呼び込むことが可能となります。

(2) 越境ECの留意点

越境ECは輸出の一形態であるため、翻訳、決済方法、物流など、国際取引としての各種実務的な対応が必要となります。また、越境ECの場合は外貨で決済が行われる場合が多いため、国内取引と比べて為替レートの変動などによるリスクが大きくなります。

次に、越境ECでは、多くの場合、消費者が住む国・地域の法律が適用されます。そのため、販売先の法律（特に、貿易取引に関する法律や消費者保護関係の法律）を調べておく必要があります。

例えば、中国の場合、「電子商取引法」「サイバーセキュリティ法」「個人情報保護法」「データセキュリティ法」等、IT関連の法規制が多く存在します。インターネットサイトの開設・運営には「ICP（Internet Content Provider）」と呼ばれる登録がなければ、サイトを開設できませんし、中国で電子商取引を行うためには、商用ICPライセンスの取得が必須となります。さらに、商品の種類、例えば、食品、化粧品、医薬品などに応じた営業許可証を取得したり、消費者のための表示規制を守る必要があります。そのため、法規制を理解するとともに、現地語での対応が必要となります。

さらに、外国へ商品を輸出する場合には、その商品が相手国へ輸出できるものでなければなりません。輸出入の許可リストは、各国の税関ホームページに掲載されていますので、越境ECで取り扱う商品が、販売国で輸出入が禁止されていないかどうかを事前にチェックしておく必要があります。

加えて、国境を超える取引には、商品やサービスに対して関税が発生することがあります。そのため、相手国が何に関税を設け、どのくらいの通関手数料を設

定しているかを調査する必要があります。

　また、VAT等の付加価値税の納税が必要な場合もあるため、VAT番号の取得が必要か、課税対象となる品目なのか、税率はいくらか、軽減税率の対象とならないか等について調査が必要となります。

　その他、国による決済方法の違いにも注意が必要です。例えば、中国で多いのがモバイル決済やスマホ決済であり、特に利用が多いのはアリペイなどのキャッシュレス決済です。他方、アメリカではペイパルの他、クレジットカードやデビットカードの決済方法も主流なので、これらの導入も検討が必要となります。

(3) トラブル時の責任対応

　越境ECにおいても、国内のEC取引の場合と同様に、消費者の手元に商品が届かない場合、届いていたにもかかわらず届いてないと言われる場合、商品が不良品であるという場合等を想定しなければなりません。

　これらのリスクに対応するためには、まず、あらかじめ発生し得る具体的な事象を想定したうえで、自社で対応すべき責任範囲を明確化して、販売規約に明記することになります。販売規約には販売者に有利な規定を設けることになりますが、現地の消費者保護法上無効になるリスクがあることを念頭に置く必要があります。また、国ごとに異なるクーリングオフ制度やECモールでの返品ルールがある場合があります。さらに、消費者への注意事項は、商品ページや商品説明書等にも記載しておくことが望ましいといえます。

　外装に破損や汚損がなく届いた商品に瑕疵があった場合には、通常は、販売者側として代替品の提供や返品・返金などの対応が求められます。

　また、配送の過程で商品破損や汚損が生じた場合、消費者への対応に加えて、配送事業者への補償請求を検討することになります。

　さらに、商品に瑕疵がある場合には、規約（契約）上の責任に加えて、消費者の国の製造物責任法に基づく責任を負う場合があり得ます。この点、詳細な要件は、当該国の製造物責任法に従うことになりますが、おおむね、日本法の製造物責任法と同様に、商品の「欠陥」により、消費者その他の他人の生命、身体または財産を侵害した場合には、その損害を賠償する責任を負うという責任を課せられることが多いです。製造物責任法に基づく責任は、特にアメリカで著しく高額になる場合がありますので、製造物責任保険をかけるなどの対応を検討しておくべきです。

　消費者との間で法的な紛争が発生する場合には、規約に記載した準拠法に基づいて、規約に記載した紛争解決機関（例えば、販売者の国の裁判所）において争われるのが原則的な考え方です。しかしながら、越境EC取引においては、購入者が消費者の場合も多いため、消費者保護の観点から、準拠法が消費者の現地国の

第2部 各 論

法律になったり、紛争解決機関が消費者の住所に管轄を有する裁判所とされる可能性も否定できません。したがって、そのようなリスクを織り込んで（また、上記の通り現地法における留意点を確認するために）現地の法律専門家とのコネクションをもっておくことが望ましいといえます。

なお、国際取引において紛争解決機関を裁判所にするのか、仲裁にするのか、また、外国判決や外国の仲裁判断の承認・執行等については、**第2部第4章3(2)④⑤**を参照してください。

8 留意すべき外国法

(1) 個人情報保護法関連

① はじめに

中小企業といえども、商品を海外に輸出し、または、自社（日本）のECサイトで海外顧客から注文が入る等により、海外顧客の個人情報を取得することがあり得ます。

まず、たとえ海外顧客の個人情報であっても、当該企業が日本で事業を行う限り、日本の個人情報保護法に基づき、当該個人情報を保護しなければなりません。では、海外の個人情報保護法は、検討不要でしょうか。これは、場合によります。以下、紙面の都合上、「なるべく適用を避けたい」と考えると思われる中小企業向けに、どこまで回避可能かという点に絞って論じます。

② EU

EU規則2016/679号、一般データ保護規則（General Data Protection Regulation）は、日本でも「GDPR」として知られるEU域内（厳密にいうとEEA域内）におけるデータ保護の規則（前身のデータ保護指令〔Data Protection Directive〕と異なり「規則」となっている。指令〔Directive〕は、EU域内の加盟国内で直接私人間効力をもたず、国内法整備を必要とする。他方規則〔Regulation〕は、国内法整備なしに直接適用される）です。世界でも最も企業に厳しい個人情報保護規制として有名です。以下「GDPR」といいます。

GDPRは、EU域内の管理者（controller）または処理者（processor）に対しては、一切の個人情報（GDPRでは、文言上「個人データ（Personal Data）」について規定している。ただし、わが国の個人情報保護法でいう「個人データ」の定義と異なり、「個人情報データベース等を構成する個人情報」である必要がない〔つまり、集合物であるデータである必要がない〕。したがって、本文中で、GDPRの規制する「個人データ」を「個人情報」と訳している）の取扱いに対し適用され（GDPR3条1項）、域外の管理者または処理者に対しては、個人情報の主体がEU域内に存する場合に限り、適用されます（同条2項）。つまり、日本の中小企業であっても、EU域内の個人情

報を取り扱う限りは、その範囲でGDPRの適用を受け、かつ、域内に管理者または処理者を置く場合には、全面的にGDPRの適用を受けます。例えば、日本企業がEU域内の企業に代理店を依頼する場合であって、当該代理店と日本企業との間で、EU域内の個人情報を共有するような場合は、当該日本企業にとって、その代理店がGDPRにおける「処理者」に該当し、当該日本企業の個人情報(EUと関係のない日本国内の個人情報を含む)の取扱いすべてに対してGDPRが適用されることになります。そのような扱いを回避したい日本企業は、EU域内に「管理者」「処理者」を置いたと解釈されることがないよう、EU域内企業との間で個人情報の共有をやめる等、対策が必要です。逆に言えば、適切な対策をとれば、日本企業に全面的にGDPRが適用される事態を回避することができることが多いと思われますが、EU域内の個人情報をもつのであれば、部分的なGDPRの適用はやむを得ないと思われます。

③ 中華人民共和国

中華人民共和国(以下、「中国」という)の民法典が2021年1月より施行され、個人情報の保護に関する規定が新設され(民法典1034条以下)、さらに個人情報保護法が2021年11月より施行されました。中国の個人情報保護法は、形式的にはGDPRと類似する部分も散見される一方、より強力な国家管理の可能性を示唆する規定も存在しており、日本の個人情報保護法と比較すると中小企業により重い負担となる部分が多く存在します。

中国の個人情報保護法は、中国にて個人情報を処理する場合に適用される(同法3条1項)ほか、中国国内の自然人に商品またはサービスを提供する目的で行われる中国国外にて中国国内の自然人の個人情報を処理する場合等にも適用されます(同条2項)。言い換えるならば、中国の個人情報を「たまたま」取得する場合であって、中国国内の自然人に商品またはサービスを提供する「目的」を有していない事業に対しては、中国の個人情報保護法は適用されません。逆に言えば、中文でECサイトを構築し、中国国内向けの商品またはサービスの提供を可能とする等、「目的」があることが明らかであれば、中国の個人情報保護法が適用されることになります。

④ 米国

米国では、連邦法レベルでは、包括的な個人情報保護のための法律は特に制定されていません。日本企業との関係で留意すべき個人情報保護に関連する法制度としては、例えばカリフォルニア・プライバシー権法(California Privacy Rights Act、以下、「CPRA」という)を挙げることができます。CPRAは、カリフォルニア消費者プライバシー権法の改正形式で、より消費者の権利を拡大するために制定されたものです(条文そのものは、巨大なCivil Code〔民法典〕の中に成文で規定さ

れています。民法典1798.100条～1798.199.100条）。CPRAは、2020年11月に制定されたカリフォルニア州の州法で、その主要な条文は、2023年1月1日より施行されます。米国で最も包括的な個人情報保護に関係する法律といえます。

　ある「事業」は、カリフォルニア州にて、①毎年1月1日時点で、前暦年の年間総売上2500万ドル（1798.185条(a)により調整される）を超える場合、②単独または複数で、毎年10万人以上の消費者または世帯の個人情報を購入、販売、または共有する場合、または③消費者の個人情報の販売または共有から年間収益の50％以上を得ている場合のいずれかに該当するときにCPRAの適用を受ける可能性があります（民法典1798.140条(d)）。したがって、日本の中小企業の大半は、CPRAの適用を回避することができるのではないかと考えますが、いずれかの条件に該当する可能性のある企業は、留意が必要です。

(2) 外国公務員贈賄関連
① 概要

　外国市場での商取引の公正を保つため、現在、多くの国において外国公務員等への贈賄等は禁止されています。それらの多くは1997年にOECD（経済協力開発機構）において採択された外国公務員贈賄防止条約に基づいており、わが国においても不正競争防止法（18条・21条2項7号）がこれを定めています。外国市場への進出に際しては、当該国の同種の法令に留意すべきことはもちろん、以下に述べる米国や英国の厳格な法令が域外適用され得ることを認識する必要があります。また、中国のようにいわゆる商業賄賂（ビジネス上の利益を得るために民間人に対して提供する賄賂）も取り締まられている場合があることにも注意するべきです。

② 米国海外腐敗行為防止法（The Foreign Corrupt Practices Act / FCPA）

　世界に先駆けて1977年に米国で成立したFCPAは、大別して贈収賄禁止規定と会計規定で構成されます。後者は、取引内容を正確に帳簿に記帳することを義務付けるものですが、適用対象は米国における上場企業であるため、中小企業が主に注意すべきは前者です。贈収賄禁止規定は、米国以外の政府関係者や公務員への賄賂を禁止するものであるところ、その適用対象はとても広く、米国企業やその海外子会社が当事者になる場合に加え、外国企業が米国内で行為の一部を行う場合（米国内での行為とみなされる範囲も広く解釈される）、また米国に管轄権がある場合（米国の銀行を通じて賄賂が送金される場合等）も適用されることがあります。

③ 英国贈収賄法（UK Bribery Act / UKBA）

　2010年に成立したUKBAは、外国企業が主たる行為を英国外で行った場合でも適用されることがある等、FCPAに類似した性質を有していることに加え、い

わゆる商業賄賂にも適用される可能性があることや、FCPAでは認められているファシリテーションペイメント（手続円滑化のための少額の支払）の例外が認められないことから、FCPAよりも厳格であるといわれています。

④　中小企業としての対応方針

中小企業にとって、これらに基づく重たい罰則を受けることは死活問題となります。新興国等ではグレーな利益の供与が常態化している現実もありますが、コンプライアンスを優先するべきです。担当者はもちろん、現地のエージェントやコンサルタントにも贈賂禁止を徹底することが必要です。また、委託先や代理店等との契約において、FCPAやUKBAを含む適用される贈収賄関係法を遵守することを明記しておくことも推奨されます。

9　外国人労働者の雇用

(1)　はじめに

日本で働く外国人（出入国管理及び難民認定法〔以下、「入管法」という〕2条2号に同じ）は増加しています。厚労省が公表する労働施策総合推進法28条1項に基づく雇用状況の届出の結果によれば、2021年10月末時点で約173万人の外国人が日本で働いてくれています。2008年時点では約48万人であったことから、この間、日本で働く外国人は約3.6倍になったことになります。約173万人という数字は、厚労省が公表する「労働者派遣事業報告（令和3年6月1日現在の状況報告）集計結果（速報値）」によれば、約169万人の方が派遣労働者として仕事に就いていることからすると、労働者派遣と同程度かそれより規模の大きいものとして外国人雇用があることが理解できます。

この背景には、少子高齢化に伴う生産年齢減少により未熟練・若年労働者の採用が難しくなっていることや、企業のグローバル化により多様な人材を採用する必要が生じていること等が背景にあるものと思われます。

(2)　外国人労働者の雇用と法令遵守

①　外国人労働者を雇用する際に注意すべき法令

原則として、日本に在留する外国人には、労働関係法令は国籍に関係なく適用されます。そのため、日本人を雇用する場合と同様に労働関係法令を遵守することは重要です。また、外国人労働者の場合、出入国管理関係法令についても遵守する必要があります。入管法に代表される出入国管理関係法令は、出入国のときだけ適用されるものではなく、日本で活動する間、適用され続けるものです。

そのため、外国人労働者を雇用する場合、労働関係法令だけではなく、出入国管理関係法令についても理解し、法令を遵守することが重要となります。

② 労働関係法令の注意点

外国人を採用する場合でも、前述のとおり、労働関係法令は日本人を雇用する場合と同様に適用されます。ですが、これは、日本人と同様の対応をすればよいということを必ずしも意味するものではありません。

例えば、労働基準法106条の法令等の周知義務について、日本人の労働者だけであれば就業規則は日本語だけでも周知したことになると思います。他方で、日本語を使用しない労働者が増えた状況で、日本語のみの就業規則を周知した場合、それが同条にいう実質的周知として有効かについては、現在定まった解釈はないように思います。このように、通説という解釈が定まっていない新しい問題が生じています。

また、外国人労働者の場合、社宅や寮を提供し、社宅等の費用を給与から控除することが考えられます。このとき、社宅等の費用を賃金から控除するには、労働基準法24条に基づくいわゆる賃金控除に関する労使協定が締結されていることが必要です。このように、日本人と同じように法令が適用される一方で、外国人労働者を雇用する際に特に注意すべき点が存在します。

同様に、外国人労働者は、技能実習生（外国人の技能実習の適正な実施及び技能実習生の保護に関する法律〔以下、「技能実習法」という〕2条1項に同じ）や特定技能外国人（入管法19条の18第2項1号に同じ）のように、産業やサービスの現場で労務を提供する人が多い点にも特徴があるといえます。産業やサービスの現場での就労は、オフィスでのデスクワークより、労働安全衛生への対応の重要性が相対的に高まるといえます。実際に、厚労省が公表している「技能実習生の実習実施者に対する監督指導、送検等の状況（令和3年）」によれば、最も違反項目が多いのは「安全基準（労働安全衛生法20条等）」です。労働安全衛生法は、労働者の心身を保護するものとして重要な法令であるというだけではなく、同法に違反し罰金刑に処せられた場合、技能実習計画の認定取消事由であり（特定技能雇用契約及び一号特定技能外国人支援計画の基準等を定める省令〔以下、「技能実習法」という〕16条1項3号〔10条9号〕・16条1項7号）、技能実習計画の認定取消しは特定技能所属機関としての欠格事由でもあるため（入管法2条の5第3項1号、特定技能基準省令2条1項4号ト）、それぞれ技能実習生および特定技能外国人の雇用ができなくなるという重大な結果を招きます。

その他に、社会保障関係法令であれば、外国人労働者が帰国する際に、厚生年金保険の脱退一時金に関する手続や、税務においても母国に扶養家族がおり仕送りをしている場合における年末調整等、それほど一般的ではない手続も発生します。

このように、外国人を雇用する場合、労働関係法令は日本人を雇用する場合と

同様に適用されるのですが、すべて日本人の場合と同様というわけではなく、外国人雇用特有の論点や手続がある点は注意が必要な点だといえます。

③ 出入国管理関係法令の注意点

外国人労働者を雇用する場合、日本人を雇用する場合と異なる点が、この出入国管理関係法令の適用があることだと思います。出入国管理関係法令について①就労が在留資格の範囲内であるか、②在留管理制度上の手続を履行しているか、③技能実習制度等の個別制度の法令を遵守しているかという点が主な注意点となります。

(i) 就労が在留資格の範囲内であるか

日本では、現時点で29種類の在留資格が存在します。なお、29種類とは入管法別表第1の表および第2の表で定められた在留資格の種類であり、その中でも例えば「技能実習1号イ」と「技能実習1号ロ」は別の在留資格であるように、個々の在留資格の個数は29種類より多いです。

そして、この29種類の在留資格の中には、①就労に制限がない在留資格、②在留資格の範囲内でしか就労を行うことができない在留資格、③資格外活動の許可を取得していない場合には原則として就労を行うことができない在留資格に分類することができます。

外国人労働者は、このような在留資格制度によって就労することができる範囲が限定されています。これを採用する側から見ると、自社でどのような仕事をしてもらう人材を採用するかを決め、当該仕事を行うことができる在留資格が何であるかを特定し、当該在留資格を取得するための要件を特定した上で採用を行わないと、時間と費用をかけて外国人を採用しても、在留資格上の制限から当該外国人が行ってほしかった仕事を行うことができないという事態が生じ得ます。すると、本来は行ってはならない類型の就労を行わせ、外国人に不法就労活動をさせるとともに、使用者に不法就労助長罪（入管法73条の2第1項）が成立するという事態を招き得ます。

その他に、特定技能の在留資格のように、働く法人が指定される種類の在留資格については、例えば事業再編の際に合併や分割手続によって雇用契約の当事者となる法人が変更される場合には、在留資格変更許可申請（入管法20条）を行い、働く法人の指定を変更する必要があります。当該変更を行わずに、指定を受けている法人と別の法人で就労すれば、それは同じグループ内の会社であっても、不法就労活動に該当します。

このように、在留資格制度に基づく就労の範囲は、採用、配置転換・出向、組織再編等、企業活動全体を通して問題となることが多く、十分な理解と注意が必要な事項といえます。

(ⅱ) 在留管理制度上の手続を履行しているか

在留管理制度上、外国人本人または所属機関である使用者に一定の事項について届出を行うことが義務づけられています。例えば、外国人は、働く法人を追加・変更した場合や引っ越しをした場合に手続が必要となります。企業は、直接は労働施策の総合的な推進並びに労働者の雇用の安定及び職業生活の充実等に関する法律28条1項により定められた手続ですが、外国人（アルバイト等も含む）雇入時と離職時に届出が必要となります。これらの届出には、違反した場合に罰則が設けられているものもありますし、その後の在留審査で不利になることもあり、遵守に向けて注意すべき点だといえます。

(ⅲ) 技能実習制度等の個別制度の法令を遵守しているか

昨今、技能実習制度は、さまざまな報道がなされ、注目が集まっている制度だといえます。技能実習制度の目的は、人材育成を通した技能等の移転による国際協力の推進であり（技能実習法1条）、労働力の需給の調整の手段として行われるものではありません（同法3条2項）。技能実習制度は、原則として、技能検定制度を中心に職種・作業が作られ、行うべき業務が定められている等厳格な制度となっています。制度の悪用や誤用がないように個別の制度への理解と法令を遵守することも重要な点だといえます。

(3) 日本の法令遵守の先へ

日本の法令のほかに、外国人労働者は出身国の法令で保護されている項目も多く、出身国の法令を遵守することも重要になってきています。また法令だけではなく、厚生労働大臣が定める「外国人労働者の雇用管理の改善等に関して事業主が適切に対処するための指針」や産業団体が定めたガイドラインもあります。加えて、こういった法令遵守等をしても外国人労働者は弱い立場に立ちやすいといえます。そういった外国人労働者の脆弱性を利用しない・利用させないことが外国人雇用に関する法務において最も重要な点だといえます。

第5章 事業承継

1 事業承継総論

(1) 事業承継とは

　事業承継とは、経営する事業を後継者に引き継ぐことをいいます。一口に事業といっても、そこには経営権や財産権が複雑に絡み合っています。入念な準備をすることなく、形式的に「事業」を後継者に引き継ぐだけでは、その後の経営に困難を来すことがあるでしょう。

　例えば、これまで築き上げてきた取引先や協力者との関係や内部の従業員との関係を適切に引き継がなければなりません。中小企業の経営に必要であり、かつ引き継ぐべき資産が経営者の個人資産であることもあります。その場合、何が経営に必要な資産なのかをあらかじめ整理して、引き継ぐ準備をしておくことも必要でしょう。

　また、中小企業の場合、経営者であるオーナー社長が当該企業の強みそのものになっていたり、経営者の個人資産が中小企業の経営に欠かせないものであったりすることもしばしば見受けられます。そのような場合には、引き継いだ後もこれまでと同様に事業を運営することができるように、なお一層従前から準備をしておかなければなりません。

　次に後継者問題があります。かつては、多くの場合に親から子へと承継されていましたが、少子化が進んだことや、環境や経済のめまぐるしい変化、グローバル化に伴って企業経営がなお一層困難になっていることから、親が子に承継させない、子が承継しないという選択がとられることも増えてきました。身の回りに適切な後継者がいないのであれば、当該事業を廃業しない限り、時間をかけて後継者を育てていくか、外部から見つけてこなければなりません。

　さらに、事業を後継者に引き継ぐ際、経営者は個人資産や当該企業の株式を譲渡することになります。

　当該企業の価値が高ければ、株式の評価が高くなりますので、適正な価格で譲渡するためには相当の資金を後継者が用意する必要があります。逆に低い金額で譲渡したり相続したりするのであれば、贈与税や相続税をあらかじめ検討しておかなければなりません。

　このように事業承継を行うには、現状を把握した上で、会社と経営者の資産の切り分け、後継者問題、株式を含む資産の譲渡方法や相続税、贈与税などの税金対策等、事前に検討しておくべき課題が複数あり、その中にはさまざまな法的問

第2部　各　論

題が含まれています。

(2)　現在の中小企業の状況

　2016年6月における中小企業者の数は357万8000者（企業全体の99.7％）、そのうち小規模事業者数が304万8000者（企業全体の84.9％）を占めています（平成28年経済センサス活動調査）。中小企業者の従業者総数は3220万人でわが国の雇用の約68.8％を占めています。しかしながら、中小企業者の数は、1999年から2016年までの間に120万者以上減少しています。2014年から2016年までの2年間でも、約20万者減少しています。

企業数の推移

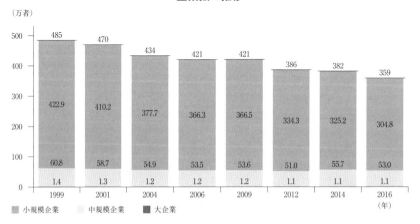

資料：総務省「平成11年、13年、16年、18年事業所・企業統計調査」、「平成21年、26年経済センサス・基礎調査」、総務省・経済産業省「平成24年、28年経済センサス・活動調査」再編加工

(注) 1．企業数＝会社数＋個人事業者数とする。
　　 2．「経済センサス」では、商業・法人登記等の行政記録を活用して、事業所・企業の捕捉範囲を拡大しており、「事業所・企業統計調査」による結果と単純に比較することは適切ではない。
　　 3．グラフの上部の数値は、企業数の合計を示している。

出典：中企庁「2020年版中小企業白書」Ⅰ-110頁。

　経営者の交代率は、1990年は4.58％、1991年は4.96％と4％台後半だったのに対し、2014年は3.83％、2015年は3.88％、2021年は3.92％と3％後半まで低下しており、経営者の交代が順調に進んでいない現状がうかがえます。一方、経営者の交代率の低迷とは逆に、経営者の平均年齢は上昇しています。1990年時点における経営者の平均年齢は約54歳だったのに対して、2020年には60歳を超え、2021年には約60.3歳になっています。

　その結果、60歳以上の経営者の割合は、1990年には29.8％だったのに対して、2021年には51.8％まで大幅に上昇し、80代以上の経営者も2021年には約5％と

第5章 事業承継

社長交代率の推移

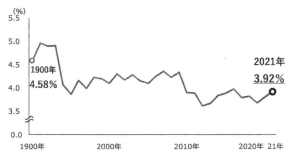

出典：帝国データバンク「特別企画：2021年全国社長年齢分析調査」3頁。

社長の平均年齢の推移

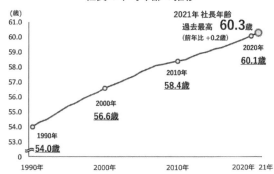

出典：帝国データバンク「特別企画：2021年全国社長年齢分析調査」2頁。

規模別・事業承継時期別の経営者の平均引退年齢の推移

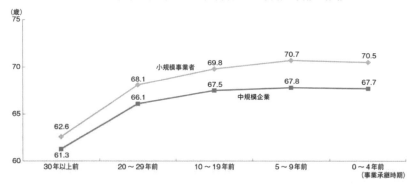

資料：中企庁委託「中小企業の事業承継に関するアンケート調査」(2012年11月㈱野村総合研究所)。

なっています(帝国データバンク「2012年全国社長分析」、「2016年全国社長分析」、「2021年全国社長年齢分析調査」)。

　高齢化が進んでいることに伴って、経営者が事業から退く年齢も上昇傾向にあります。1990年当時、中規模企業と小規模事業者の経営者平均引退年齢がそれぞれ66.1歳、68.1歳だったのに対し、2000年にはそれぞれ67.5歳、69.8歳、2010年にはそれぞれ67.7歳、70.5歳に上昇しています(中小企業白書〔2013年版〕第2-3-1図参照)。

　これらを総合すると、50％以上の経営者が、今後10年間の間に経営者を引退する年齢に差しかかると考えられ、まさに多くの中小企業において、事業承継が大きく問題になることが予想されます。

(3)　中小企業の事業承継対策の状況

　2015年9月に行われたアンケート調査によれば、中小企業のうち、後継者を決定しているのはわずか12.4％という結果が出ています。これらの中小企業のうち、経営者が60歳以上の企業に限っても、後継者が決まっているのは、約16.7％にすぎません(日本政策金融公庫総合研究所「中小企業の事業承継に関するインターネット調査」〔2016年2月〕)。また、2015年2月に行われた調査において、事業承継をすでに準備していると回答した企業は、約34.3％にとどまっています(帝国データバンク「中小企業における事業承継に関するアンケート・ヒアリング調査」〔2015年2月〕)。

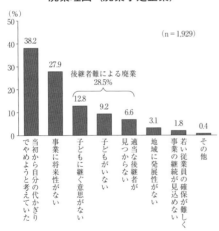

出典：日本政策金融公庫総合研究所「中小企業の事業承継に関するインターネット調査」の概要6頁。

　さらに60歳以上の経営者のうち、50％超が廃業を予定していると回答しています。廃業を予定している企業の廃業の理由として最も多いのは、「当初から自分の代かぎりでやめようと考えていた」(38.2％)ですが、「子どもに継ぐ意思がない」(12.8％)、「子どもがいない」(9.2％)、「適当な後継者が見つからない」(6.6％)という、後継者問題を理由に廃業を予定している企業が28.5％も含まれています。

　後継者難を理由に廃業を予定している企業の中には、同業種の企業と比較して業績がよく、後継者問題が解決すれば企業として存続可能な企業が多数存在するものと考えられます。このような企業に対しては、適切な後継

者を見つけて事業承継を行える仕組みを構築することが求められています。

(4) 事業承継の形態とその傾向

事業承継には、大きく分けて、①経営者の子どもや親族に事業を承継させる方法（親族内承継）、②親族以外の役員や従業員、または外部から適当な人材を企業に招き承継させる方法（企業内承継）、③第三者に事業を売却することによって承継させる方法（第三者承継）の3つの方法があります。かつて中小企業の事業承継は、親族内承継によるところがほとんどでしたが、近年は企業内承継や第三者承継の割合が急増しています。事業承継の時期ごとに現経営者と先代の経営者の関係について調査した結果によれば、20年以上前に行われた事業承継では、92.6％が親族内承継であり、企業内承継が4.2％、第三者承継が3.2％にすぎませんでしたが、9年前までに行われた事業承継では、親族内承継の割合が60.5％に減少し、企業内承継および第三者承継の割合がそれぞれ21.5％、18.0％に増加しています。

事業承継時期別の現経営者と先代経営者との関係

時期	息子・娘	息子・娘以外の親族	親族以外の役員・従業員	社外の第三者
20年以上前	83.4%	9.2%	4.2%	3.2%
10～19年前	67.2%	13.6%	13.3%	5.9%
0～9年前	48.5%	12.0%	21.5%	18.0%

n = 3465　※親族外承継＝親族以外の役員・従業員＋社外の第三者

出典：中企庁委託調査「中小企業の事業承継に関する調査に係る委託事業報告書」（2012年11月）株式会社野村総合研究所　再編加工。

少子化の問題や子どもに継ぐ意思がないケースが増えていることから、企業内承継や第三者承継等の親族外承継を視野に入れて、後継者探しをしている企業が増えていることがうかがえます。

後継者の問題以外にも、各方法にはメリットとデメリットが存在します。これについては、それぞれの方法について説明している箇所をご参照ください。

いずれの方法をとるにしても、事業承継の実行に際し、解決しておくべき問題が多く存在します。例えば親族内承継を行って経営者の資産を承継するのであれば、相続問題を事前に検討しておくことが必要です。会社の経営権を移転させるのに会社法に関連する問題が生じることも多々あります。また、事業承継では税

務・会計の問題、特に相続税対策がつきものです。これらの問題は、個別に発生するだけでなく、相互に絡み合っていることも多く、必要に応じて専門家と協働して進めるのが望ましいといえます。特に、法的な問題は、税務・会計の問題と異なり、経営者は普段からあまり意識していないことが多いところですが、なおざりにしていると事業承継が想定通り進まなくなる可能性もあり、法律専門家の助言が必要な分野です。

(5) 事業承継関連施策
① 経営承継円滑化法

　中小企業庁においても、近年事業承継は特に力を入れている分野であり、さまざまな施策を実行しています。2008年5月には、事業承継円滑化のための総合的な支援策の基礎となるべき経営承継円滑化法が成立しました。経営承継円滑化法では、①非上場会社の株式に係る相続税または贈与税の納税猶予制度や②民法上の遺留分制度に対する制約に関する特例等が定められました。その後親族外への事業承継を円滑に行えるようにすること等を背景に2018年に大きな改正が行われるとともに、2027年12月31日までの特例制度が設けられています。この点に関する詳しい説明は、本章4(3)を参照してください。

② 引継ぎ支援センター

　国は、後継者問題により事業の存続に悩みを抱え、廃業を考えている中小企業が増加していることに鑑み、そのような後継者不在の中小企業の事業承継をM&A等を活用して支援する事業として2011年から「事業引継ぎ支援事業」を開始しました。後継者が存在しない場合、事業承継を行うにはM&Aが必要であるところ、M&Aの支援を行っている民間業者は一定の手数料収入が見込まれる支援を中心として取り扱っており、中小企業のM&Aに対応しないケースも多くみられました。そのため、産業活力の再生及び産業活動の革新に関する特別措置法の改正により、当該事業が開始しました。当初は全国47都道府県の商工会議所や都道府県等の中小企業支援センター等の支援機関に「事業引継ぎ相談窓口」を設置するとともに、東京および大阪にプロジェクトマネージャーを配置して、より専門的な支援を行う「事業引継ぎ支援センター」が設置されました。その後、2014年4月に事業の全体を管理し、地域をまたぐ広域マッチングの支援のために、中小機構に「中小企業事業引継ぎ支援全国本部」が設置されました。また引継支援センターを全国各地に順次設置し、2016年春に鹿児島県に鹿児島県引継支援センターが設置されたことにより、全47都道府県すべてに引継ぎ支援センターが設置されました。

　その後、2020年6月の産強法の改正に伴い、第三者承継支援を行っていた「事業引継ぎ支援センター」に、親族内承継支援を行っていた「事業承継ネットワー

第5章 事業承継

ク」の機能を統合し、事業承継・引継ぎのワンストップ支援を行う組織として「事業承継・引継ぎ支援センター」に改組されています。

③ GLの策定

中企庁は、中小企業の経営者の高齢化が進むなかで、特に親族内における後継者の確保が困難になっていることから、中小企業の事業承継の円滑化に係る総合的な検討を行うため、士業団体や中小企業関係団体等と協力して、2005年10月に事業承継協議会を設置しました。そして、また事業承継協議会は、親族内承継に関して、2006年6月、「事業承継GL」を策定公表しました。

その後、中小企業の経営者の高齢化はさらに進み、事業承継の準備を進めている企業の割合が4割に満たない現状を踏まえ、2014年3月以降「事業承継を中心とする事業活性化に関する検討会」を開催し、中小企業の事業承継に関する問題についての検討が行われ、同年7月に中間報告が発表されています。そして2016年4月に同検討会を再開し、10年ぶりに「事業承継GL」の改訂作業に着手し、中小企業における事業承継のあり方や、事業承継の円滑化に真に有効な支援策等について、中小企業経営者、中小企業支援機関および行政機関の認識・取組みの方向性を共有しました。そして、新たな「事業承継GL」が策定されました。さらに、経営者の高齢化に歯止めのかからない現状や長期化している新型コロナウイルス感染症の影響で事業承継が後回しにされている現状を踏まえ、増加しつつある企業内承継や第三者承継に関する説明や後継者目線に立った説明を充実させる改訂が行われ、2022年3月に中企庁のウェブサイトに公開されています。

また、親族内承継によらず、M&A等による事業の引継ぎ（第三者承継）の必要性が近年高まっていたことから、中企庁は2014年12月以降、中小企業向け事業引継ぎ検討会を開催して、2015年3月、M&Aの手続や、手続ごとの利用者の役割や留意点、トラブル発生時の対応等を記載した「事業引継GL」と経営者がM&A等を活用する際の手引書として使用することができる、同GLをまとめた「事業引継ぎハンドブック」を策定・公表しています。これらのGLも中小企業庁のウェブサイト上で公開されています。また、中小企業の経営者にはM&Aに関する知見を有しておらず、長年経営してきた自社を第三者に売却することを躊躇する者がいる現状や、中小企業のM&Aを円滑に促進するためには、仲介業者や金融機関等が適切に支援を実施することが重要なことから、2020年3月に経産省は「事業引継GL」を全面改訂した中小M&AGLを策定し、経産省のホームページに公開しています。

さらに事業承継を行う場合に、前経営者の個人保証の取扱いが問題となる場合があります。中小企業の経営者保証に関する契約時および履行時等における中小企業、経営者および金融機関による対応に関する準則として、2013年5月に策

定・公表された「経営者保証GL」では、事業承継時の主たる債務者および後継者における対応と対象債権者における対応がまとめられています。経営者保証GLに関する情報も、中企庁のウェブサイトの経営者保証GLについてのページ上にまとめられています。

2 中小企業の事業承継の準備と課題

(1) 中小企業の特徴

中小企業は大企業と異なり、①経営者の高齢化傾向が著しいこと、②企業資産と個人資産が分別されていない場合が多いこと、③関係者や親族等の人的関係が影響しやすいこと、④専門家に依頼する資金に乏しい場合が多いこと、⑤労働問題や契約などの法的脆弱性を抱えている場合が多いこと、などの特徴があります。こうした特徴により中小企業においては事業承継の準備における課題を抱えています。

(2) 事業承継の最適年齢

本章①でも述べましたが、経営者の交代率の低下に伴い経営者の平均年齢が上昇傾向にあり、2020年には初めて60歳を超えました。事業承継のタイミングとして一般的には65歳が目処といわれており、これから多くの中小企業にとり事業承継が大きな問題になることが予想されます。後継者については、事業承継のタイミングとしてちょうどよい時期は年齢が43.7歳頃といわれています（中企庁委託「中小企業の事業承継に関するアンケート調査」〔2012年11月㈱野村総合研究所〕）。個々の企業の置かれた状況により異なるとはいえ、事業承継のタイミングにおける理想と現実には大きな隔たりがあるといえます。

中小企業が事業承継をするには、経営権や財産権が複雑にからみあっているため、法的、経営課題の解消など入念な準備が必要です。さらに、後継者問題については後継者を選定し、後継者を育成、取引先や金融機関に受け入れてもらうなど検討課題は多数に上ります。後継者の育成に要する期間の見込みについて、後継者の育成には最低でも5年以上かかるとの意見が過半数との統計があります（日本公庫「中小企業の事業承継」）。育成のほかにも課題はあるので中小企業が事業承継の準備に着手してから完了まで5～10年は必要です。

そのため、事業承継の目処といわれる65歳までに事業承継を完了するためには、少なくとも経営者が60歳になるまでに事業承継の準備に着手する必要があるといえます。万一、事業承継の準備を怠ると経営者の引退年齢の到来により廃業を選ばざるを得なくなります。事業承継の準備に早めに着手することはとても重要なことといえます。

(3) 事業承継準備期間中のリスク

　事業承継の準備期間は長期にわたるため、準備初期段階や準備期間中のさまざまなリスクがあります。そういったリスクに十分に備えておくことが事業承継成功の鍵ともいえます。経営面において経営環境の悪化などのリスク、事実面において後継者の引き継ぎ意思の減退などのリスクもあります。本節におきましては法的側面のリスクについて詳述します。

① 経営者の高齢化、判断能力の減退のリスク

　経営者が病気や老衰により判断能力が低下すると、経営者が有している資産等の移動や株主権の行使などの意思表示ができなくなる可能性があります。また、遺言能力も欠如してしまうと遺言による事業承継対策もできなくなります。多くの企業では相続対策はしてあっても経営者の判断能力が欠如した場合の対策を施していないことが多く、トラブルが深刻化することがあります。

② 関係者の高齢化、判断能力の減退のリスク

　中小企業では、会社の株を親族間で持ち合ったり、会社の敷地などが先代の所有のままになっていることもあります。また、過去に在籍した番頭が株を所有していることなども多くあります。事業承継の準備をする際、重要な関係者が病気や老衰により判断能力がなくなってしまった場合には直接本人と交渉することができず、事業承継環境を整理することに手間取ることがあります。また、関係者が死亡した場合には相続が発生し、企業のことを理解しない相続人と交渉せねばならない場合も生じます。

③ 契約書不備や紛失のリスク

　中小企業においては、契約書を作成していない企業が多数あります。また、せっかく作成した契約書も古いものになると紛失していることもあります。そういった場合、契約の内容が不明確になったり、経営者の認識に頼るしかない場合もあります。契約内容が不明確のため取引先との無用なトラブルを招いたり、事業承継を契約解消の契機にされてしまうかもしれません。

④ 労働問題のリスク

　中小企業においては労働環境が脆弱な企業も多数あります。事業承継の準備期間中に現経営陣が弱体化することにより従業員の不満が噴出することもあります。

⑤ 予測し得る資金準備を怠るリスク

　予期せぬ支出に対しては資金的な備えや保険加入などを検討する必要があります。一方、予測し得る資金については十分な資金計画を立てる必要があります。一般的なものとして、工場設備の整備資金、従業員の退職金など、また、事業承継特有のものとしては、経営者の株の買取資金や資産の購入資金、専門家に対する費用などが予測されます。

ここに取り上げたリスクのほかにも、さまざまなリスクは生じ得ます。例えば許認可基準変更のリスク、経営者の個人的な借金に対するリスクや経営者保証の引き継ぎリスクなども考えられます。

事業承継の準備については、これらのリスクを踏まえた対応が必要です。

弁護士として事業承継の準備に着手した際には、会社の経営状況の見える化、事業承継課題の見える化を早期に進めるべきでしょう（事業承継GL参照）。

具体的には、下記のようなことを準備をすべきです。

- 経営者の不動産などの資産と中小企業との関係を明確にする。
- 経営者や重要関係者の年齢、健康状態、事業承継への意向を確認する。
- 後継者候補がいる場合は年齢、生活状況、事業承継への意欲を確認する。
- 株主を把握し、事業承継に支障のない株式支配構成か否かを確認する。
- 経営者の判断能力が欠如した場合に備え、株式の移動や重要資産の権利移動の計画を立てる。
- 重要関係者とスムーズな交渉ができるよう計画を立てる。
- 重要な取引契約については、契約書を新たに作成するなど将来の契約継続に対する備えをする。
- 将来の人員構成にも配慮しつつ、労働問題が現実化しないよう法的整備をする。
- 経営者や重要関係者の将来の相続発生に備えた準備をする。
- 必要な資金が準備できずに事業承継が失敗に終わり、意図せぬ廃業に至らぬように資金計画を立てる。

個々の中小企業においてはさまざまなリスクがあるので、ここに挙げた具体例に限らず企業の特性に応じた対策を立てられるようにすべきでしょう。

(4) **事業承継の相談体制**

ここまで見てきたように、事業承継には多くの法的課題があるため相談役としては弁護士が最適であるといえます。もっとも、事業承継には会計的な課題の解消や経理の引継ぎも必要です。弁護士は税理士、会計士と連携を図り、中小企業の代弁者として説明することもできるため、会計面でも有用な存在といえます。

事業承継が円滑に進まなかった企業に対してその理由を尋ねたところ、「事業承継に関して誰にも相談しなかった」ことを挙げている者が約1割存在しました。こうした者に、なぜ事業承継について誰にも相談しなかったのかを聞いたところ、「相談しても解決するとは思えなかった」と回答した者が約8割を占めました（中企庁委託「中小企業者・小規模企業者の経営実態及び事業承継に関するアンケート調査」〔2013年12月㈱帝国データバンク〕）。

また、後継者問題の相談相手として「相談相手はいない」と回答した経営者は36.5％で、2007年の9.8％に比べて大幅に上昇しました。一方、相談相手について

尋ねたところ、弁護士は2007年の０％から増加して2014年3.2％となりましたが低い水準にとどまっています（法政大学大学院中小企業研究所・エヌエヌ生命保険㈱「中堅・中小企業の事業承継に関する調査研究」〔2015年４月〕）。

このように、弁護士に対して事業承継についての相談は積極的にはなされていない現状があります。

その一方、事業承継の課題として、自社株式に係る相続税、贈与税の負担といった税金上の課題があるものの、将来の経営不安、後継者（候補含む）が不在、借入金・債務保証の引継ぎ、親族間の調整、相続時に自社株式が散逸してしまうおそれなど、弁護士が関わるべき課題についても多く挙げられています（中企庁委託「中小企業における事業承継に関するアンケート・ヒアリング調査」〔2015年２月㈱帝国データバンク〕）。

相談相手として「相談相手はいない」と回答する中小企業の中には事業承継の課題に自ら積極的に関わろうとしない姿勢がうかがわれます。弁護士としては、でき得る限り中小企業との接点をもち、セミナーや相談会を開催するなど企業との積極的なかかわりが求められます。また、弁護士は事業承継問題について、会計や後継問題など単独で対処できない場合もあるので、引継ぎ支援センターなどの支援団体や、税理士、会計士とも共同して課題解決を図るよう検討すべきでしょう。

3 事業承継計画書の作成

(1) 事業承継書を作成する意義

事業承継を円滑に進めるためには、自らの会社、会社を取り巻く環境を正確に把握しておくことが必要です。そのため、中長期の経営計画を策定し、その中で「いつ」「どのように」「何を」「誰に」承継するかを具体的に定めた計画（事業承継計画）を作成しなければなりません。事業承継計画書を作成することによって、事業承継を準備する上で必要な対応やその時期が明確になり、会社の抱えるリスクや将来の見通しが明らかになります。また、後継者が決まっている場合には、後継者と一緒に事業承継計画書を作成することによって、今後の会社の経営方針や経営課題・目標を共有した上で事業承継の準備体制を構築することができ、事業承継後の事業との一貫性も担保することができます。

事業承継計画は、法的問題や税務問題、親族の問題なども検討して作成することになるため、計画策定の際に弁護士、公認会計士、税理士、金融機関、事業承継のアドバイザー等に相談し助言を求めるのも有効です。

(2) 事業承継書の作成手順

事業承継計画書の具体的な作成方法は以下の通りです。

① 会社、会社を取り巻く状況の正確な把握

　事業承継計画書で会社の将来の計画を策定するために、まず会社および会社を取り巻く現在の状況を正確に把握することから始めます。この中には、会社の資産やキャッシュ・フローなどの財務状態、従業員数やその年齢構成、会社のノウハウ等の経営資源、会社を取り巻く状況が変化した場合に予想される経営上のリスクに加えて、経営者が保有する会社株式や経営者名義の事業用資産、経営者の個人保証の状況といった経営者に関する状況も含まれます。また、後継者が明確に決まっていない場合には、事業承継に係る関係者の状況を把握して、後継者の候補を挙げておくことも必要です。

② 中長期目標の設定

　会社や会社を取り巻く状況を整理し、そこから把握した会社の現状とリスクを踏まえて、中長期目標を設定します。会社が抱える経営上の課題がある場合にはそれを明らかにして、対応策も考えておくことが必要でしょう。この際、会社の10年後を見据えて、事業の拡大、縮小、強化すべき事業分野等の方向性（経営方針）を検討し、それを基に、具体的な経営目標を設定します。この経営目標は、売上高、経常利益、借入金残高、マーケットシェアなどについて、具体的な数値を設定します。

③ 事業承継計画の策定

　中長期目標を踏まえて、「誰に」「いつ」「どのように」経営・資産を承継するかを記載した事業承継計画書を策定します。承継時期は、経営者と後継者の年齢や、中長期計画の状況、相続税と贈与税対策、承継に係る資金の準備状況などの要素を考慮して決定します。事業承継計画に具体的な対応策を盛り込み、行う対応策とその実施時期を明確にしてスケジュール化します。

4 親族内承継

(1) 親族内承継の内容とその流れ

① 親族内承継のメリット・デメリット

　経営者が事業承継を真剣に考えたとき、候補者としてすぐに頭に描かれるのは、親族ではないでしょうか。本章1でも述べたように、中小企業の事業承継全体の過半数が親族内承継という結果も出ています。

　親族内承継のメリットとしては、次のような点が挙げられるでしょう。

(i) 現経営者にとってよく知る身近な存在が後継者であり、安心感がある。
(ii) 現経営者の理念などが伝わりやすい。
(iii) 企業内外（従業員・取引先）から受け入れられやすい。

> (ⅳ) 事業に必要な資産の取得が相続による財産権の承継というかたちで行えるので、計画的に実行することで資金的負担が軽減できる。
> (ⅴ) 相続による事業用資産の承継を計画的に実行することで、税制上のメリットがある。
> (ⅵ) 中小企業では、経営者が金融機関や取引先との契約の際に個人保証を行っている場合が多く、相続人であれば相続によって負債を引き継ぐこともあるので、事業承継による連帯保証債務の引継ぎに違和感が少ない。

他方で、デメリットしては、次のような点が挙げられます。

> (ⅰ) 親族内での対立・紛争が生じやすい。
> (ⅱ) 古くから会社内にいる従業員からの不満が出ることがある。
> (ⅲ) 相続人が多数いる場合の株式の集約に困難を伴うことがある。
> (ⅳ) 承継後も前経営者が経営方針に介入しがちである。
> (ⅴ) そもそも適当な候補者がいない。

デメリット(ⅰ)については、承継候補者と他の親族（きょうだい）の間で、「お兄ちゃんばかり優遇されて」などという不公平感を生まない工夫が必要になろうかと思います。

デメリット(ⅱ)については、古くからいる従業員にとって、会社を支えてきた、あるいは自分たちの技能や営業力が会社にとって不可欠だと考えているところに、手腕に不安がある経営者の子どもが新社長として登場してくることに対して違和感を生じる場合があり得るところです。この点は、現経営者において理解を求める努力が必要となります。

デメリット(ⅳ)については、私たち弁護士が事業承継をしようとする経営者から相談をお受けしていてよく出くわす場面です。例えば、「長男に会社の経営を任せたい」と相談をされた社長さんに株式の承継方法について切り出すと、「いや、株式は自分が保有したままで会長となり、社長職だけを長男に引き継がせたい」などという希望を出される場合があります。

企業の将来を見据えて事業承継の決断をする、そのためにしっかりと経営全般を任せることができるまで後継者教育を実践する、という考え方が大事です。

② 事業承継計画の策定

候補者が固まったら、中長期の経営計画に、経営を引き継ぐ時期やそれまでの対策を盛り込んだ事業承継計画表の策定を進めます。企業の規模や関係者の多少、人間関係などによって、どこまで詳細な事業承継計画を策定するかは違ってくると思いますが、対策の漏れがないように計画自体の策定は必須と考えるべきです。特に、株式会社の場合、株式の集約を行っていくためには周到な準備が必要です。

第2部 各　論

③　関係者の理解

　親族内承継に限りませんが、後継者にスムーズにバトンタッチするためには、まずは社内（従業員）、次に取引先や金融機関等に候補者を適任の後継者（新社長）として理解してもらう努力が必要になります。

　そのためには、当該候補者が将来の経営者であることを事前に告知（周知）しておくことが必要かつ重要になります。1つの方法として、一従業員として早くから入社させて、さまざまな場面に同行することによって次期社長に就任するであろうことを広く認識してもらうということも考えられてよいでしょう。

④　後継者教育

　取引先や金融機関からみた社長の印象は、その会社のすべての評価につながります。従業員の目も、労働意欲に影響します。社長の一言・姿勢にはそれだけ重みがあるということを候補者に認識してもらい、「社長の子ども」でもなければ、「一従業員」でもない、経営者としての自覚を培ってもらうことが大切です。

　もっとも、頭ごなしに説教をしても反発を招くだけです。先代経営者自らが普段の生活の中で、営業の場面での相手方への応対等で手本をみせるという気持ちが必要です。

　また、経営者の能力として欠かせないのが「数字」です。具体的には決算書や資金繰り表の中味を理解して日頃の経営面に活かせることが必要です。もっとも、それは、簿記などを机上で学ぶということではなく、実際に役立つのは、培ってきた実践経験やノウハウです。まさに会社の中に生きた教材があるといえます。それゆえ、候補者をさまざまな部署に配置して、細かい金額の出入りがどうして発生するのかを間近で見ることも重要な経験になると思います。

　そのほか、労務面の知識も重要です。私たち弁護士が相談を受ける中には、「社員の勤務態度が悪いので、懲戒解雇にした」などと驚くほど簡単におっしゃる社長さんもいます。そのような考え方がまかり通らないことを、肌身で強く感じることが必要です。

　根本的な経営理念や会社の実情を踏まえた後継者教育は、現経営者が行うとしても、それには限界があります。そこで、各中小企業機関・団体が開催する後継者向けの事業承継セミナーに参加させるというもの1つの方法です。

　また、商工会議所や地元商工会の集まり、青年部への加入等を通じて、同じ承継者の立場としての情報共有を幅広く行うことも、後継者教育の一環として受け止められてよいかと思います。

⑤　自社株式の集中（会社法の活用）

　会社の場合、後継者が安定して会社の支配権を得るためには、自社株式を後継者の下に集約することが重要です。

相続人が複数いる場合に、何らの対策も立てていなければ、その株式は、相続分で分割されるのではなく、遺産分割協議が調うまで、いわゆる準共有の状態になってしまいます。準共有の状態になると、株主権の行使の上でも支障を来しますが、後継者においては経営面でのイニシアティブをとりづらくなることは間違いありません。

100％株式を保有できればこの上ありませんが、少なくとも2分の1、株主総会での重要事項を決議するために必要な3分の2以上の議決権確保が目安となるでしょう。

株式については、100％保有しているオーナー社長であれば、その承継方法を検討するということになりますが、すでに現時点で株式が分散している場合には、買取等を実施して、自社株式を集約する必要があります。

⑥ **事業用資産の分散防止の必要性（相続対策）**

自社株式と並んで、事業用資産も、相続財産の主要なものになる可能性があります。

事業用資産が分散すれば、安定した経営は成り立ち得ません。この点、事業用資産が分散されないよう、生前から対策を立てる必要があります。

⑦ **生前贈与の活用**

自社株式や事業用資産について、相続発生前に後継者に移転させる方法として、生前贈与が考えられます。生前贈与は、先代経営者が存命中、後継者の地位および経営を安定させる点で有効です。

しかし、生前贈与によって移転した資産については、特別受益として、相続発生後、後継者以外の相続人の遺留分による制約を受けます。この点は、十分な検討が必要です。もっとも、2018年の相続法改正によって、遺留分算定の基礎財産に算入される相続人への生前贈与（特別受益）が原則として相続開始前10年以内になされたものに限定されることとなりました（民法1044条3項・1項）。そのため、早期に生前贈与がなされた場合には、遺留分侵害自体が生じなくなる可能性もあります。自社株等の承継の手段としての生前贈与については、法的安定性が増したということができます。

また、2018年の相続法改正では、遺留分を侵害された相続人の救済方法が、以前からの遺留分減殺請求による事後的な財産の取戻し（いわゆる「物権的効果」）から、遺留分侵害額請求という金銭請求に変更されました（民法1046条）。そのため、生前贈与による後継者への自社株等の承継が他の相続人の遺留分を侵害していたとしても、その効力自体が減殺請求によって事後的に覆ることがなくなりました。その反面、後継者としては、遺留分侵害額請求という金銭請求への対応を迫られることになります。この点は、事業承継の計画を立てるに当たって大きな

ことです。あわせて、遺留分対策として、経営承継円滑化法における民法の特例の活用が検討されるべきでしょう。

また、高額の贈与税の負担が生じるおそれがありますが、相続時精算課税制度、事業承継税制の活用が可能です。

⑧　株式等の有償譲渡

現経営者の生前に後継候補者との間で行う承継方法として、自社株式等の資産を有償で譲渡することが考えられます。

代金額が相当であれば、生前贈与のような遺留分対策が不要となります。特に、自社株の評価額が低い場合には、経済的負担が少なくて済むので、選択肢として視野に入れておくべきです。

⑨　遺言の活用

前述のように、生前に何らの対策も立てないと、自社株式や事業用資産の分散を招き、経営が不安定になってしまい、ときには廃業へと至る危険もあります。

そこで、生前の対策として、遺言書の作成が考えられるべきです。

遺言書を作成することによって、後継者に自社株式や事業用資産を集中させることが可能となります。遺言の方式（普通方式）には、自筆証書遺言と公正証書遺言がありますが、これに2020年7月から施行された遺言書保管法（法務局における遺言書の保管等に関する法律）の適用を受ける自筆証書遺言というバリエーションが加わりました。

公正証書遺言は、一定の費用が必要であることや、作成時に2人以上の証人を要することなどの負担はあるものの、公証役場において作成・保管されるため、方式の不備、紛失・改ざんの危険が少ないことや、家庭裁判所での検認手続が必要ないなどのメリットが大きく、弁護士が相談を受けた場合も、公正証書遺言の作成を助言することが多いと思われます。もっとも、遺言書保管法の適用を受けた自筆証書遺言であれば、紛失・改ざんのおそれがなく、検認も不要ですから（遺言書保管法11条）、この点に関しては、公正証書遺言との差異はほぼなくなったといえます。2018年の相続法改正により、遺産目録について、自筆による必要はなく、パソコン等による作成や不動産の登記事項証明書や預貯金通帳の表紙等のコピー等の添付によることが可能となるなど自筆証書遺言の方式が緩和されたこともありますので（民法968条2項）、弁護士としても、それぞれの方式の特質等を考慮した助言が必要となります。

なお、遺言書ではじめて後継者が判明する、というのでは、親族、従業員、取引先、金融機関といった企業を取り巻く関係者に、後継者が事業を承継することへの理解を得ることが難しくなります。

それゆえ、遺言書をもって、自社株式や事業用資産の集約を狙うとしても、関

係者の理解や後継者教育といった、事業承継計画上重要な対策は、並行して進める必要があります。

⑩ **信託を活用したスキームの検討**

2007年に信託法が全面的に改正されましたが、その立法過程で事業承継の円滑化のための信託の活用が議論されました。

信託を活用した事業承継スキームとして、次のような類型が考えられます（中企庁・信託を活用した中小企業の事業承継円滑化に関する研究会「中間整理～信託を活用した中小企業の事業承継の円滑化に向けて～」）。

① 遺言代用信託を利用した自益信託スキーム　現経営者が委託者となり、生前に、自社株式を対象に信託を設定し、信託契約において、自らを当初の受益者とし、現経営者が死亡したときに事業承継者が受益権を取得する旨定めるもの
② 他益信託を利用したスキーム　現経営者が委託者となり、生前に、自社株式を対象に信託を設定し、信託契約において、後継者を受益者と定めるもの
③ 後継ぎ遺贈型受益者連続信託を利用したスキーム　経営者が委託者となり、自社株式を対象に信託を設定し、信託契約において、後継者を受益者と定めつつ、当該受益者たる後継者の死亡により、その受益権が消滅し、次の後継者が新たな受益権を取得する旨定めるもの

信託を活用したスキームに関しては、そもそも会社法上の解釈として株主の自益権と共益権（議決権）を分離することが可能かなど検討すべき課題があるほか、多くの中小企業経営者にとって信託を事業承継スキームの1つとして活用するイメージがあまりないと思われますが、ⅰ事業承継の確実性・円滑性、ⅱ後継者の地位の安定性、ⅲ議決権の分散化の防止、ⅳ財産管理の安定性などといった点でメリットがあると指摘されており（前掲・中企庁・信託を活用した中小企業の事業承継円滑化に関する研究会「中間整理」）、事業承継スキーム策定の相談を受ける弁護士あるいは支援機関側としては検討の対象としてアドバイスすべき分野かと思われます。

⑪ **生命保険の活用**

先代経営者が死亡した場合の死亡保険金には、相続税の計算上一定の非課税枠があり、相続税負担の軽減に活用できます。また、指定された保険金受取人が受け取った保険金は、原則として遺産分割の対象とならず、遺留分算定のための財産の価額に含まれないメリットがあります。後継者を保険金受取人として指定することにより、後継者は、保険金を納税資金や株式・事業用資産の買取資金等と

して活用することができます。目的に応じた適切な保険契約の締結、支援機関への早めの相談が肝要といえます（事業承継GL参照）。

(2) 相続
① 相続制度の概要
(i) 法定相続分

法定相続人の優先順位と法定相続分については、詳しくは以下の図の通りとなります。なお、同順位相続人が数人いる場合は、原則として各自の相続分はその中で均等配分となり（民法900条4号本文）、異父母兄弟姉妹の場合のみ父母共通の兄弟姉妹の50％の相続分となります（同号ただし書）。

相続人の構成	相続人	法定相続分
配偶者と子	配偶者	1/2（民法900条1号）
	子	1/2（民法900条1号）
配偶者と直系尊属	配偶者	2/3（民法900条2号）
	直系尊属	1/3（民法900条2号）
配偶者と兄弟姉妹	配偶者	3/4（民法900条3号）
	兄弟姉妹	1/4（民法900条3号）

(ii) 共有

複数人に相続される財産は、財産ごとに「共有」となります。

共有については、物権の場合と債権の場合で処理が異なります。物権の場合は原則として次の表の割合で共有者の賛成が必要になります。

	具体例 （共有物：建物）	必要な共有者割合	根拠条文
全体の処分・ 著しい変更行為	増設工事	全員の同意	民法251条1項
管理行為 （軽微な変更を含む）	賃貸借の設定	持分価格の過半数	民法252条1項
保存行為	雨漏りの修繕	1人でも可能	民法252条5項

なお、物権の個別の共有持分の譲渡については、各人が自由に行うことができます。

債権債務の場合、原則として単純分割で相続されます（民法264条ただし書・427条）。例えば会社への貸付金は、分割債権として、相続分に応じて当然分割されます。ただ、債権債務の共有ルールには多くの例外があります。例えば定額郵便

貯金債権は当然分割されず遺産分割協議の対象となります（最判平成22・10・8民集64巻7号1719頁。なお、その他の預金についても、最大決平成28・12・19民集70巻8号2121頁により従前の判例が変更され、当然分割されず遺産分割協議の対象となるとの判断がなされた）。また、身元保証などについては、相続されません（大判昭和18・9・10民集22巻948頁）。相談を受けた際には類似裁判例を調査すべきでしょう。

なお、現金や有価証券（株式）については、（債権ではなく）物権類似として、民法249条以下の規定が適用されることになります。

民法249条以下の共有の規定が適用される場合、2021年の改正によって、所在等不明共有者がいる場合の変更・管理についての定めができました。従前は不在者財産管理人を選任（民法25条等）して協議が必要でしたが、改正後は、裁判所の決定により①所在等不明共有者以外の共有者全員の同意により共有物に変更を加えることができることとされるとともに、②所在等不明共有者以外の共有者の持分の価格の過半数により管理に関する事項を決することができることとされました（同法251条2項・252条2項1号）。

② 事業承継と相続
(i) 自社株の相続

株式は、当然分属せず、各相続人が共有することとなります。さらに、株主権を行使するには、持分の過半数の賛成（管理行為。民法252条本文）により、権利行使者を定める必要があります（会社法106条）。

そのため、非後継者の相続人が過半数を占めてしまうと、遺産分割終了時までの間会社運営が困難となります。さらに遺産分割協議の際、後継者に不利な交渉となる結果、財産の流出も招きます。

(ii) 債権（貸付金債権等）

原則として、法定相続分に従って当然分属します（民法427条）。

会社への貸付金債権を分属するに至った、非後継者は会社に対して即時返還を求める可能性があり、これによって、会社の資金繰りが逼迫する事態が発生し得るといえます。その事態を避けるため、後継者に不利な条件での遺産分割協議を強いられることにもなりかねません。

さらに、会社の資金と先代経営者の資金の混同を生じている場合には、会社の運営資金が先代経営者個人の預金に入っていることがあります。その事態の早期解消のために、後継者に不利な条件での分割協議が強いられる可能性もあります（対抗策として、相続財産中の特定の預貯金債権を仮に取得させる仮分割の仮処分〔家事事件手続法200条2項〕の活用が考えられる）。

(iii) 不動産・工場機械等

先代経営者名義の不動産や工場機械等の動産は、法定相続分に従って各相続人

が共有することとなります。共有者であれば使用収益権があり、共有持分を処分できる立場にあるため、非後継者の協力が得られない場合に経営が不安定になり、後継者に不利な条件で遺産分割協議が強いられる可能性があります。

(iv) 債務の相続

債務は、相続分に応じて分割されることになります。銀行の保証債務も、相続人の持分に応じて分割されることになります。なお債務は、相続後は債権者の同意がなければ他の人に承継させることができないという問題があります。

(v) 依頼者への説明時の注意

相続の共有の理論は、一般人の直感とは異なるため十分な説明が必要です。さらに、相続財産の内容を勘違いしている場合もあります。例えば「経営権」という権利・権限があり、それが相続の対象になると思っている場合や、場合によっては「代表取締役」という地位さえも相続の対象と考えている場合もあります。

法律家にとって当たり前の部分であっても、依頼者には適切な説明をすることが求められているといえるでしょう。

③ 被相続人死亡後の対応

事業用資産と株式を後継者に集中させるため、以下の対応が必要となります。財産流出を避けるため、迅速な対応が求められます。

(i) 相続放棄

相続放棄とは、相続開始により一応生じた相続の効果を確定的に消滅させる行為をいいます。非後継者全員に相続放棄をしてもらうことで、先代経営者の債権債務すべてを後継者に承継できるため、速やかな事業承継が可能となります。ただ、相続放棄により新たな法定相続人が発生し得るため、相続人確定作業を行うことが必要です。相続放棄は、被相続人の死亡前に行うことはできず、自己のため相続の開始があったときから3か月以内にしなければならないという制限があります。相続放棄は、被相続人最後の住所地を管轄する家庭裁判所に対して申述手続を行います。

(ii) 限定承認

限定承認は、相続財産を責任の限度として相続することをいいます。先代経営者の負債を相続したくない場合に用いられることがあります。ただ、熟慮期間中に破産類似の書類整備が必要になるなど、かなり煩雑な手続のため、ほとんど使われていません。方法や申出の期間は相続放棄と同様です。

(iii) 遺産分割協議

遺産分割協議とは、死亡後に相続人が被相続人の財産の処遇を相続人間で決める手続になります。この遺産分割協議において、株式や事業用資産を後継者に引渡し、円滑な事業承継を目指していくことになります。後継者の代理人弁護士の

第5章　事業承継

仕事の具体的な流れは、次の通りです。

(ｱ)　相続人・相続財産の調査

先代経営者（被相続人）の最後の戸籍から出生時までの戸籍を順次追いかけて、相続人に漏れがないようにしなければなりません。

事業承継に関わる株式や事業用資産などの内容については、確定申告書の控えなどで確認をします。そのほか、顧問税理士がいれば、財産についての問い合わせをすることも重要です。

(ｲ)　相続人へのヒアリング

弁護士は、相続人に、相続についての希望（放棄意思の有無）、相続財産などになる可能性のある財産の有無についてヒアリングを行います。そこで、任意の交渉で協議が進められるか、それとも調停に移行すべきかを決めることとなります。

(ｳ)　協議ができる場合

各相続人の意見を聴き、事業用資産等を後継者に集める形で遺産分割協議書を作成して相続人全員の署名捺印を取得していきます。

(ｴ)　調停の場合

任意の交渉では難しいような場合は、速やかに遺産分割調停の申立てをすることとなります。

しかしながら、事前の対策がなければ、後継者にとって不利な交渉となることが多いといえます。事業用資産や株式を確定的に後継者に承継させるためにも、事前の対策は必要となります〔→(4)〕。

(3)　中小企業における経営承継円滑化法

①　背景

従来の事業承継制度の問題点として、①後継者による相続税の負担、②後継者以外の相続人による遺留分侵害額請求（旧遺留分減殺請求）制度の弊害（詳しくは後述）、そして③後継者が株式や事業用資産を買い取るための資金調達の困難が挙げられます。

これらの問題を解決するため、事業承継円滑化の総合的支援策として制定されたのが経営承継円滑化法です。

②　経営承継円滑化法制定の経緯

(i)　従来制度（民法の原則）の問題点

円滑な事業承継を行い、安定した経営を維持するためには、後継者に株式や事業用資産を集中するのが理想的です。

しかし、民法の原則によれば、仮に先代の経営者（経営承継円滑化法では「旧代表者」という）が株式や事業用資産の全部を後継者に贈与して集中させたとしても、後継者以外の相続人が遺留分侵害額を請求（民法1046条）することができま

すので、その場合、会社の財産が分散されてしまいます。特に株式が分散してしまうと、会社の支配権を維持できない事態にもつながります。その結果、円滑な事業承継および安定した経営が阻害されかねません。

(ⅱ) 経営承継円滑化法の制定

そこで、前記のような問題を解消し、円滑な事業承継を可能とするための民法の特則として2008年5月に成立したのが、経営承継円滑化法です。

経営承継円滑化法においては、遺留分に関する民法の特例、事業承継資金等を確保するための金融支援や事業承継に伴う税負担の軽減の前提となる認定が盛り込まれています。

また、2021年8月2日施行の「産業競争力強化法等の一部を改正する等の法律」に伴う経営承継円滑化法の改正により、所在不明株主に関する会社法の特例が設けられました。

③ 対象となる事業者（経営承継円滑化法2条）

経営承継円滑化法の対象となる事業者は、中基法上の中小企業に加え、一部の業種については政令によりその範囲が拡大されています。

④ 民法の特例

経営承継円滑化法では、民法の特例として、「除外合意」や「固定合意」により、遺留分侵害額請求による自社株式等の会社財産の分散の防止や、後継者独自の努力による会社財産の価値上昇分の保持等を可能としています。なお、民法特例は後継者が相続人以外の者である場合、すなわち親族外承継のケースにおいても適用されます（2015年改正）。

また、民法特例は会社のみでなく個人事業主も対象としていますが（経営承継円滑化法4条）、次に述べる(ⅱ)の固定合意を利用することはできません。

(ⅰ) 除外合意（経営承継円滑化法4条1項1号）

旧代表者の推定相続人および後継者は、その全員の合意をもって、後継者が旧代表者から贈与等によって取得した自社株式およびその他一定の財産（以下、「株式等」という）の全部または一部について、その価額を遺留分算定の基礎となる財産の価額から除外することができます。

この合意により、後継者は、遺留分権利者からの遺留分侵害額請求による株式等の分散を防止できるほか、後継者の経営努力による株式等の価値増加分を維持することも可能となります。

(ⅱ) 固定合意（経営承継円滑化法4条1項2号）

旧代表者が自社株式を後継者に生前贈与した後に後継者の経営努力により企業の業績が上がり、株式の価値が上昇した場合、遺留分算定の際には当該株式の価額は相続開始時点の評価（上昇した価額）で計算されてしまうのが民法の原則で

す。しかしそれでは、後継者は自らの経営努力による株式価値上昇分まで遺留分侵害額請求者へ支払わなければならないことになり、後継者の業績向上への意欲がそがれる結果となってしまいます。

そこで、経営承継円滑化法では前記民法の原則を修正し、推定相続人および後継者全員の合意により、株式等の全部または一部について、遺留分算定の基礎財産の価額に算入すべき価額を当該合意時の評価額とする（固定する）ことができることにしました（合意の対象となる価額は、弁護士、公認会計士、税理士等によって「相当な価額」として証明されたものに限られる。なお評価方法の考え方については、「経営承継法における非上場株式等評価ガイドライン」を参照）。

この合意により、後継者は、自らの経営努力による株式等の価値増加分を保持することができます。

(i)(ii)の合意は、いずれか一方のみをすることもできますし、併用する（自社株式の一部について除外合意、残りについて固定合意をする）こともできますが、(ii)の合意を利用できるのは会社のみであり、個人事業主は利用できません。

(iii) **適用要件**

民法の特例を利用するためには、会社の経営の承継の場合、個人事業の経営の承継の場合それぞれにおいて、以下のそれぞれの要件を満たす必要があります。

【会社の経営の承継の場合】

会社	・中小企業であること ・合意時点において3年以上継続して事業を行っている非上場企業であること
先代経営者 (旧代表者)	・過去または合意時点において会社の代表者であること
後継者 (会社事業後継者)	・合意時点において会社の代表者であること ・先代経営者からの贈与等により株式を取得したことにより、会社の議決権の過半数を保有していること

【個人事業の経営の承継の場合】

先代経営者 (旧個人事業者)	・合意時点において3年以上継続して事業を行っている個人事業者であること ・後継者に事業の用に供している事業用資産を贈与したこと
後継者 (会社事業後継者)	・中小企業者であること ・合意時点において個人事業者であること ・先代経営者からの贈与等により事業用資産を取得したこと

(ⅳ) 推定相続人全員および後継者の合意（経営承継円滑化法4条4項・5項）

前述の通り、(ⅰ)(ⅱ)の合意は推定相続人および後継者全員による必要がありますが、その際、書面によって、次の場合に非後継者がとり得る措置に関する定め（合意の解除や制裁金等）をしなければなりません。

【会社の経営の承継の場合】

・後継者が合意の対象とした株式等の処分行為をした場合
・旧代表者の生存中に後継者が代表者として経営に従事しなくなった場合

【個人事業の経営の承継の場合】

・後継者が合意の対象とした事業用資産の処分行為をした場合
・当該個人事業後継者が当該事業用資産を専らその営む事業の用以外の用に供している場合
・旧個人事業者の生存中に後継者が代表者として経営に従事しなくなった場合

(ⅴ) 民法特例適用の手続の流れ

(ⅰ)の除外合意および(ⅱ)の固定合意の効力を生じさせるためには、経済産業大臣の確認を受け、さらに家庭裁判所の許可を受ける必要があります。

これらの確認および許可申立てについては、後継者が単独で手続を行うことができ、当事者全員が個別に申立てを行うことが必要である従来の遺留分放棄制度（民法1049条）に比べ、非後継者にとっては負担が軽く、後継者にとってはより利用しやすいという制度となっています。

⑤　金融支援（経営承継円滑化法13条・14条）

事業承継の際に必要となる資金について、都道府県知事の認定を受けることを前提に、融資と信用保証の特例措置（具体的には中小企業信用保険法の特例、日本公庫および沖縄振興開発金融公庫法の特例）も定められており、事業承継における資金需要に対応できるようにしています。

⑥　所在不明株主に関する会社法の特例（経営承継円滑化法15条）

会社法では、株式会社は株主に対して行う通知が5年以上継続して到達しない等の場合、当該株主の有する株式の買取等の手続が可能とされていますが（会社法197条）、「5年」という期間の長さから使い勝手の悪さが指摘されていました。

そこで、非上場の中小企業のうち、事業承継ニーズの高い株式会社に限り、都道府県知事の認定を受けることと所定の手続を経ることを条件に、上記「5年」を「1年」に短縮する特例が設けられました。

(ⅰ) 経営承継円滑化法に基づく認定の要件

会社法特例を利用するためには、次の2つの要件を満たし、都道府県知事の認

定を受けている必要があります。
　① 経営困難案件：申請者の代表者が年齢、健康状態その他の事情により、継続的かつ　安定的に経営を行うことが困難であるため、会社の事業活動の継続に支障が生じている場合であること
　② 円滑承継困難案件：一部株主の所在が不明であることにより、その経営を当該代表者以外の者（株式会社事業後継者）に円滑に承継させることが困難であること

　(ⅱ) 会社法特例適用の手続の流れ
　会社法上、株式会社が、利害関係人が一定期間（3か月以上）内に異議を述べることができる旨等を官報等により公告し、所在不在株主等に個別催告する必要がありますが（会社法198条）、会社法特例を利用する場合には、これに先行して、特例措置によることを明示した異議申述手続を行う必要があります（手続の二重保障。経営承継円滑化法15条2項）。
　所在不明株主の非上場株式の売却（自社による買取りを含む）については、裁判所の許可が必要です。

(4) 事業承継の方法――株式や事業用資産の承継方法
　親族内における事業承継は、前述(1)の流れに沿って、計画書の作成、後継者の育成や関係者の説得、税務処理など、さまざまな作業が必要となります。弁護士として特に求められるのが、株式や事業用資産を後継者に円滑に移転する方法の検討になります。具体的には、売買や生前贈与等によって現経営者の生存中に株式や事業用資産を後継者に移転する方法、遺言や死因贈与によって現経営者の死亡後に株式や会社資産を移転する方法があります。
　現経営者の生前に事業を承継させる売買や贈与は、現経営者の生前に株式や事業用資産の移転がなされます。現経営者の存命中に後継者を客観的に明らかにできるため、取引先や金融機関等への橋渡しもしやすくなります。また、現経営者が亡くなってからあらためて資金調達や事業用資産の取得をする必要がないため、会社経営に空白が生じにくいというメリットがあります。他方、生前に株式や事業用資産について、承継者に固定資産税や贈与税等の負担がかかるというデメリットが考えられます。
　遺言や死因贈与は現経営者の死亡時に株式や事業用資産の所有権移転の効果が生じますので、現経営者はいつでも撤回や変更が可能であり、最後まで現経営者が経営の実権を握り、場合によっては遺言の撤回等により後継者を変更することが可能であるため、慎重に後継者を見極めたい場合にはメリットはあります。他方、遺言書作成時から効果の発生までタイムラグがありますので、遺言書作成時には想定していなかった経営状況や親族間の人的関係の変化が生じ、現経営者

意図した承継がなされないおそれがあります。また、現経営者自身の判断力の低下により、経営に問題が生じるおそれもあります。加えて、相続税への配慮が必要です。

① 売買および生前贈与

(i) 売買

売買による場合、専門家による査定を受け、適正な価格で株式や事業用資産売買を後継者に売却することが重要です。廉価で売買を行ってしまうと贈与とみなされ、「みなし贈与財産」として贈与税の課税対象となることもありますし、現経営者の死後に相続問題が生じた場合に相続開始前10年間になされた贈与として特別受益として遺留分侵害額請求権を行使されるおそれがあります（民法1044条・1046条）。

売買によるメリットは売買契約時に確実に権利移転が生じ、遺留分減殺の対象とならないため、後に取り消される可能性もないため迅速性や法的安定性に資することにありますが、後継者に買取資金が必要となりますので、後継者の資金調達が一番の課題となります。逆に後継者の資金調達の問題さえクリアできれば、事業承継の方法としては最も確実です。

(ii) 生前贈与

生前贈与による場合、贈与による場合は贈与税という非常に高い税率の税負担の問題が生じるので贈与税対策が必要になります。贈与税の課税方法には暦年課税と相続時精算課税があり、いずれかを選択できます（それぞれの内容については、日本弁護士連合会・日弁連中小企業法律支援センター編『事業承継法務のすべて〔第2版〕』〔金融財政事情研究会、2021〕92頁～95頁）。

暦年課税であれば、毎年、基礎控除額である110万円の範囲で株式等を後継者に移転する承継方法が考えられます。しかしながら、安易に行うと税務調査の対象となり、受領した金額全額を給付事由発生時に一括して贈与したものとみなされ課税されるおそれがあるため注意が必要です。

相続時積算課税であれば、非課税相当の贈与（2500万円）までは課税されず、税率も20％にとどまるため、暦年課税と比較して有利とされています。

いずれを選択するにせよ、税の問題については専門家である税理士との協働が望ましいでしょう。

また、相続開始前10年間になされた生前贈与の場合、遺留分侵害額請求権の対象となるため、現経営者の他の相続人に対する遺留分への配慮が欠かせません。この点について、前述の通り、経営承継円滑化法による遺留分に関する民法の特例が定められており、かかる特例の活用により生前贈与した株式・事業に不可欠な財産（土地、建物等）については、遺留分算定の基礎として算定されなくな

り、円滑な事業承継が可能になります。

　現経営者以外の相続人の協力が得られる場合には、遺留分を放棄してもらって遺留分をめぐる問題をそもそも回避してしまう方法が最も確実です（民法1049条）。そのほか、贈与の減殺は後の贈与から順次前の贈与に対してなされるため（同法1047条）、株式や事業用資産については早めに贈与してしまう方法が考えられます。

　遺留分侵害額請求権を行使された場合を想定した対策としては、侵害額の支払に充てるため、後継者を受取人とする生命保険を設定する方法が考えられます。この場合、死亡保険金は民法上は受取人の固有財産となりますが、税法上は相続財産に含まれるため注意が必要です。

　② **遺言および死因贈与**
（i）　**遺言**

　遺言による場合、当然、公正証書遺言が望ましいことはいうまでもありません。ただし、現経営者の急病等で自筆証書遺言によらざるを得ない場合もあります。そのような場合には後継者が事業を引き継ぐために最低限必要な株式・事業用資産と全文・日付・氏名を自書し、押印するという要件だけは注意する必要があります。

　また、「相続させる」との遺言であれば不動産を承継した相続人が単独で相続できるため、「相続させる」遺言が望ましいといえます。相続分を超える部分については第三者対抗要件として登記が必要となりましたので注意が必要です（民法899条の2第1項）。

　遺言に記載すべき内容としては、相続にまつわる争いを防止するためすべての相続財産の分配方法を記載すること、他の相続人の協力が得られない場合でもスムーズに手続を進めるために遺言執行者を指定し、遺言執行者の報酬を記載しておくことが必要になります。

　遺言による場合にも、現経営者の他の相続人に対する遺留分への配慮が必要となります。

　加えて、遺言による場合、相続税に対する配慮が必要となります。相続税に詳しい税理士との協働が必要になります。

（ii）　**死因贈与**

　死因贈与の場合、贈与者の死亡によって贈与の効果が発生する点では遺贈と共通ですが、遺贈と異なり契約であるため、受贈者に一定の義務を負わせる負担付死因贈与が可能になります。

　遺留分に対する配慮が必要になることは生前贈与や遺言と同様ですが、死因贈与の場合、登録免許税や相続税の税率が遺言の場合よりも高くなる等のデメリッ

第2部　各　論

トがありますので注意が必要です。

　　③　他士業との協働

　以上のように他の相続人にも配慮して現経営者死後に生じる紛争をできる限り予防するとともに、会社や後継者の経済的負担もできる限り減らすことが大切ですが、そのためにも、税理士等の他の専門家と協働して計画的に株式や事業用資産の移転を行うことが重要です。

〈参考文献〉本文中記載のほか、①中小機構「事業承継関連法の解説」、②中企庁「事業承継を中心とする事業活性化に関する検討会（第1回）」参考資料「事業承継の支援施策」、③中企庁財務課「中小企業経営承継円滑化法利用申請マニュアル」。

5　企業内承継

(1)　意義

　事業承継は、大きく親族内承継、親族外承継に分類されます。親族外承継のうち、ここでは、企業内承継を扱います。親族外承継の場合、純粋な第三者が承継する場合（M&A）は、別項で扱いますが、第三者をあらかじめ後継者候補者に予定し、企業内に取り込んでいく場合も本稿で扱うこととします。

　事業承継GL26頁によれば、近年、親族内承継の減少を補うように企業内承継の割合が増加していると指摘されています。その原因として、これまで企業内承継における課題であった株式取得資金の問題についての検討が進んだことや親族外の後継者も事業承継税制の対象に加えられたこと等の事情があるとされています。

(2)　想定される候補者

　企業内承継における後継者の候補者としては、①役員、②従業員となります。前記の通り、あらかじめ、第三者を企業内に入社させている場合も役員か従業員のどちらかになるでしょう。①の役員に承継する場合をMBO（Management Buy Out）、②の従業員に承継させる場合をEBO（Employee Buy Out）といいます（東京弁護士会親和全期会『成功する事業承継のしくみと実務〔第2版〕』〔自由国民社、2015〕273頁等）。

　役員クラスの具体的な後継候補者としては、親族以外の共同創業者、副社長、専務クラスの役員が対象となると思われますが、優秀な若手経営陣、工場長等も候補者となり得ます。しかし、社内に適当な人材がいない場合は、取引先の企業等の外部から人材を招くこと（外部招聘）も検討することが必要です（事業承継GL90頁）。

(3)　想定される企業側の事情

　企業内承継が想定される企業は、親族承継が困難な場合と思われます。例え

ば、経営者に子がおらず、それ以外の親族にも適当な候補者がいない場合が想定されます。また、経営者に子やその他の親族がいる場合でも何らかの事情（子が承継を拒否している場合や能力等の問題から後継者に相応しくないと判断される場合など）で当該親族が後継候補者とならないような事情が存在する場合です。

　なお、企業側の事情で将来的に現経営者の親族に承継させることを想定して、一時的に企業内承継が実施されることもありますが、この場合は、後記の所有と経営を分離する手法が採用されるものと思われます。このような場合は、典型的な企業内承継ではないので、本稿では扱わないこととします。

(4) **方法**

　役員や従業員が株式を経営者から承継して代表取締役に就任する（所有と経営の一致）場合と、役員や従業員が代表取締役に就任するものの株式は現経営者およびその親族が所有する場合（所有と経営の分離）とが想定されます。

　所有と経営を分離する方法は、前記の一時的な企業内承継を実施する場合や、自社株式の評価が高額で後継者候補の役員や従業員が自社株式を買い取ることが困難な場合が想定されます。しかし、株主総会において、経営の重要事項や役員人事等が否決される危険性を内在しており、後継者による経営がかなり制約を受ける可能性が高く、後継者の地位が不安定になるため、後継者の経営に対する意欲をそぐ可能性もあります。このような将来的な紛争を内在した方法を選択する場合、弁護士として助言・指導する場合には、将来のリスクを関係者に十分説明するなどの注意を払うことが必要となります。

　後継候補者が取得する自社株式の割合ですが、特別決議事項（会社法309条2項）を考慮し、全株式の3分の2以上を取得することが必要と思われます。

　本稿では、所有と経営を一致させる前者の方法について述べることとします。

(5) **企業内承継における課題・問題点**

　事業承継自体、実現までにさまざまな困難がありますが、企業内承継にも次のような課題・問題点が指摘されています。

① **後継者の選定**

　親族内承継の場合は、候補者が親族内であるので、自ずから候補者が絞られています。これに対して、親族外承継の場合は、後継候補者以外の他の役員や従業員という社内からの反発も予想されるため、後継者の選定自体が重要です。実際に後継者を決定するに当たり重視される要素としては、自社の事業に関する実務経験、専門知識、社内・取引先とのコミュニケーション能力といった資質・能力とされているようです（事業承継GL89頁）。

　役員や従業員として優れていても、必ずしも経営能力が優れているということにはなりませんし、候補者に経営者としての責任を果たす覚悟があるのかといっ

た点から後継者の選定に困難を来すおそれがあります。候補者と目されるような人物であっても、金融債務の連帯保証人になることなどの必要性から経営者となることに二の足を踏むことが予想され、場合によっては、候補者の家族からの反対に遭うこともあります。実際にも企業内承継においては、後継者の了承を得ることに苦労していることが多いようですので（事業承継GL90頁）、結局、企業内承継を断念し、第三者承継に移行せざるを得ない場合も多いと予想されます。

また、事業承継GL88頁によれば、現経営者から後継者候補者に対して事業承継の意思を伝えられてから、経営者に就任するまでの期間が親族内承継に比較して短い傾向にあることが指摘されています。しかし、企業内承継においてもいくつかの課題があって、事業承継は容易ではありませんので、現経営者側も早めに準備を進めることが必要と思われます。

さらに、事業承継後、前経営者がどの程度、会社に関与するのか、明確にしておく必要があります。全面的に関与しないのであればよいのですが、ある程度の期間、助言する立場で会社に残る場合、経営手法等について後継者との間でトラブルになる可能性もありますので、事業承継後の役割分担を文書等で明確にしておいたほうがよいでしょう。

② 後継候補者の資金不足

前記の通り、所有と経営を一致させるためには、自社株式を後継候補者が購入して、経営権も承継して把握する必要があります。特に、自社株式の評価額が高い場合には、後継候補者が役員クラスでも購入資金を用意するのが困難となる場合が多く、従業員クラスでは、なお一層困難となります。

自社株式の評価が低い場合は、購入資金の金額が下がってきますが、その場合は、企業の借入金が多いと思われ、特に後継候補者が金融債務を個人保証付きで抱え込むことになりますので、承継への抵抗感が強くなってしまいます。無借金状態にすることが望ましいと思われますが、その状態で承継する場合には、自社株式の評価が高くなり、その分、購入資金が高額となってしまうので、自社株式の評価と借入金のジレンマに遭遇することとなります。このような場合、あえて自社株式の評価を下げるため、借入金を増やすことは、将来の企業経営に影響を及ぼすことも想定されるので、注意を要します。

③ 関係者（ステークホルダー）の理解

企業外承継の場合は、候補者が親族ではないため、企業を取り巻く取引先、メインバンク等の金融機関、従業員や他の役員等のいわゆるステークホルダーの理解を得るために時間を要する場合もあります。また、現経営者からの自社株式の購入に当たっては、将来の紛争を防止するため、その親族の理解を得る必要もあります。また、現経営者からの自社株式の購入に当たっては、将来の紛争を防止

するため、その親族の理解を得る必要もあります。特に、後継候補者が従業員の場合や社外の第三者である場合には、一定期間、役員に就任させて、助走期間を設けることにより、その間にステークホルダーの理解を深めてもらうことが必要と思われます。

いずれにしても、現経営者がステークホルダーの理解を得るための環境整備を積極的に行って、引き継ぎやすい環境を整える必要があります。

(6) **具体的な方法**

① **自社株式の取得**

前記の通り、所有と経営を一致させる企業内承継の場合、後継候補者が自社株式を取得しなければなりません。しかし、多くの場合に資金調達が困難であるため、この点が最大の課題です。

後継候補者が株式買取資金を調達する方法としては、次のような方法が考えられます。

(ア) 自己資金や自らの借入金で調達する場合

a **後継候補者が自ら金融機関から融資を受ける場合**　自社株式の買取資金がそれほど高額にならない場合には、自ら借入れをする方法です。

b **経営承継円滑化法の活用**　改正された経営承継円滑化法を利用することにより、同法の適用範囲が相続人だけでなく、後継者が従業員である場合にも拡張された結果、後継者の資金問題が緩和されることが期待されます。経営承継円滑化法では、主に以下のような支援措置が用意されています。

① 税制支援（贈与税・相続税の納税猶予および免除制度）の前提となる認定
② 金融支援（中小企業信用保険法の特例、日本政策金融公庫法等の特例）
③ 遺留分に関する民法の特例
④ 所在不明株主に関する会社法の特例

上記のような支援措置の適用を受けるためには、経営承継円滑化法に基づき、会社が「経済産業大臣の認定」を受ける必要がありますので注意が必要です。

①の税制支援では、親族以外の後継者でも「非上場株式に係る相続税・贈与税の納税猶予制度」が適用できることとなりました（親族要件の撤廃）。

②の金融支援では、第1に低利の融資を受けることが可能となりました。具体的には、日本公庫や沖縄振興開発金融公庫からの低利融資です。経営承継円滑化法に基づくものではありませんが、それ以外にも公的機関による貸付制度等の支援が用意されています。第2に信用保証ですが、金融機関から資金を借り入れる場合、原則として信用保証協会の通常の保証枠とは別枠が用意されることになりました。

③の遺留分に関する民法の特例は、先代経営者の推定相続人の合意のうえで、

先代経営者から後継者に贈与等された自社株式・事業用資産の価額について、除外合意、固定合意（両者の組合せも可能）が可能とするものです。これにより、承継後の相続人とのトラブルを防止することが可能となります。

④は、所在不明株主からの株式買取等に要する期間を短縮する会社法の特例を新設したもので、所在不明株式の整理に活用されることが期待されます。

(イ) **ファンドやベンチャー・キャピタル（VC）等からの投資による方法**

買取資金が高額になる場合などに使用される方法です。まず、受け皿となる会社を後継候補者が出資して設立し、受皿会社が金融機関からの借入れや、ファンドからの出資を受け入れて、買取資金を準備し、先代経営者から、受皿会社が自己株式を買い取って、受皿会社が対象会社を吸収合併するという方法です。この場合、ファンドからの出資を受け入れる場合は、ファンドから利益を上げるようプレッシャーを受ける可能性がありますし、金融機関からの借入れを行う場合は、返済条件が実現可能となるよう十分に注意する必要があります。

② **対金融機関との調整**

現経営者が自社株式を後継候補者に譲渡し、経営の第一線から退く場合、金融機関からの会社の借入金についての担保処理が問題となります。すなわち、現経営者の担保を解除し、その代わり、後継候補者が金融機関から連帯保証人になることを要求されたり、担保提供を要求されることとなる可能性が高いです。このことが、企業内承継の障害の1つとされています。

そこで、現経営者としては、金融債務の圧縮や連帯保証の負担に見合った報酬の設定などの措置を講ずることが必要となると思われます。

また、金融機関側として配慮すべき事項として、経営者保証GLに沿った対応が求められます。事業承継時に焦点を当てた経営者保証GLの特則が2019年12月に策定され、2020年4月から運用が開始されており、同特則の3頁によれば、新旧経営者からの二重徴求を原則禁止としています。金融機関は、現経営者が負担する保証債務について、後継者に当然に引き継がせるのではなく、必要な情報開示を得た上で、経営者保証GL4項(2)に即して、保証契約の必要性等についてあらためて検討するとともに、事業承継に与える影響も十分考慮し、慎重に判断することが求められています。

以上のような経営者保証GLおよび特則の運用により、後継者に金融機関に対する保証債務を負わせないことにより、よりスムーズな事業承継が可能になるものと期待されます。

③ **企業のステークホルダーの理解を深める方法**

現経営者による一定期間の後継者教育が必要であることは、親族内承継の場合と同様であるので、親族内承継を参照してください。

(7) 事例

　中小機構のホームページに2008年度、2009年度に全国に設置された事業承継支援センターにおける多数の支援実績から他の支援機関の参考になると考えられる23事例が掲載されていますが、そのうち、従業員等による親族外承継については、10事例が紹介されています。

　また、東京弁護士会弁護士研修センター運営委員会編『研修叢書(48)事業承継』（商事法務、2010）115頁では、弁護士による承継の実例が報告されています。

(8) **弁護士支援のあり方**

　企業内承継だけの問題ではありませんが、事業承継に関しては、長期間にわたる弁護士からの助言、指導が必要となりますので、現経営者との間の信頼関係、あるいは、後継候補者との信頼関係を築くことが必要となります。

　しかし、一方で長期間にわたるなかで現経営者と後継候補者との対立が生じる可能性もあるため、このような対立を回避しながら、事業承継を進める手腕が問われます。このような対立が予想される場合、あるいは、対立が生じてしまった場合には、支援する弁護士としての立場を明確にする必要があるのではないでしょうか。そのような観点からすれば、現経営者の代理人なのか、後継候補者の代理人という立場なのかを明確にし、場合によっては、双方に代理人がついて、交渉をすることも必要になるでしょう。当初は、現経営者からの相談で事業承継に関わる場合が多いでしょうから、後継候補者との距離は、ある程度保っておいたほうがよいのではないかとも考えられます。

　また、後継候補者との関係では、現経営者個人の資産や相続関係も情報開示する必要があるので、秘密保持契約を締結する必要があるかどうかも検討課題の1つです。

　さらに、弁護士費用についても検討課題です。事業承継は、広い意味では、企業の利益になりますが、他の社員としてのかかわり等を考慮すれば、経営者個人の問題としてとの側面が強く、会社の顧問弁護士に就任して費用請求するよりは、現経営者個人との間で、個人的な法律顧問契約を締結して長期間にわたる助言指導を実施するという方法が妥当ではないかとも思われます。

　〈参考文献〉本文中記載のほか、中企庁の「経営承継円滑化法による支援」および「経営者保証」に関するウェブサイト。

第2部 各論

6 第三者承継

(1) M&Aによる事業承継

① 第三者承継の概要・メリット

(i) **M&Aによる第三者承継の概要**

会社の経営者の親族による親族内承継や会社の役員や従業員等による企業内承継ではなく、社外の第三者による事業の引継ぎを第三者承継といいます。第三者承継においては、M&Aの手法が利用されることが一般的です。

M&Aとは、「Mergers and Acquistions」（合併と買収）を略したものであり、対象会社の事業等に対する経営権・支配権の移転行為を広く指す用語です。

M&Aで用いられる具体的な手法にはいろいろなものがありますが、代表的なものとして、株式譲渡、事業譲渡、合併、会社分割などがあります。

(ii) **M&Aの大まかな流れ**

M&Aの手法に応じて具体的な手続は異なりますが、一般には次のような流れで進められることが多いです。

まず、経営者が仲介者・アドバイザーに対し事業承継に関する相談を行い、とるべきM&Aの手法等を検討してもらいます。仲介者・アドバイザーと契約する際には、秘密保持契約を締結して、開示すべき基礎資料を渡し、事業評価をしてもらいます。

その上で、仲介者・アドバイザーから、経営者の希望する要件に合致する譲受け候補を紹介してもらい、候補先を絞りこんでいくことになります。

譲受け候補が選定されると、基本合意書を締結した上で、デューデリジェンス（事業を譲り受ける側による事業の価値の調査。以下、「DD」という）を受けることになります。

DD後、最終契約の締結に向けて交渉を重ねます。条件について合意ができれば、最終契約を締結します。その後は、締結された契約内容に従い、クロージングがされることになります。

(iii) **M&Aによる第三者承継が利用される背景**

(ア) **経営者の高齢化による事業承継の必要性**

わが国の中小企業においては、経営者が高齢化しており、事業承継の必要性が急務となっています。長年わが国の経済活動の屋台骨を支えてきた中小企業の優れた技術やノウハウをいかに承継していくかが、わが国の今後の経済活動の維持発展には必要不可欠です。

(イ) **少子化等の理由による親族内承継の限界**

従前、わが国において行われてきた親族内承継は、少子化が進んだことにより、

困難になりつつあります。それ以上に問題なのは、職業選択が自由化・多様化するなかで、従前、当然の義務として考えられてきた、経営者の子が後継者になるということが、最早義務ではなくなりつつあるという事実です。中小企業の経営者になるという選択は、経営者の子にとって魅力的ではなくなっている上に、親にとっても、中小企業の経営者として同じ苦労をさせるよりも、大企業の従業員として安定した暮らしをしてもらいたいという意識が強くなっているのです。

　(ウ)　**企業内承継の限界**

　前述の意識の変化は、会社の役員や従業員による企業内承継においても同様です。従前は、親族が事業を承継しない場合には、会社の役員や従業員が承継しなければならないという義務感がありましたが、昨今の役員や従業員には、会社の経営状況が厳しい状況で、あえて自ら重い経営責任を背負ってまで、会社の事業を承継しようとすることに躊躇する者が増えています。

　会社の経営状況が好調である場合には、事業を引き受けることを望む役員や従業員を見つけることは可能と思われますが、そのような場合には、従前の経営者やその親族が有していた会社の株式をどのようにして買い取るかが大きな課題になってしまいます。

　(エ)　**経営者の保証責任の承継による足かせ**

　親族内承継の場合も同様ですが、特に企業内承継においては、旧代表者がしていた連帯保証を新しい代表者が承継しなければならないことが、経営者の地位を引き継ごうとする者を躊躇させる大きな足かせとなっています。

　(オ)　**M&Aに対する意識の変化**

　従前、わが国では、M&Aに対して、あたかも「会社の乗っ取り」、「身売り」、「マネーゲーム」といった悪いイメージがありましたが、近年は、M&Aが企業活動の手法として広く認知され、一般化しつつあります。M&Aができることは、事業が評価されていることであると前向きに捉えることもできるようになってきています。

　(カ)　**M&Aをめぐる環境の変化**

　中小企業については、会社の価値を評価するための情報が不足しており、経営者同士が最適な候補者を見つけて、事業承継についての契約を締結するのが困難でしたが、近年は、M&Aをサポートする機関専門家が増え、買手候補会社とのマッチングをするためのプラットホームやシステムが形成されつつあります。

　また、従前は、M&Aに関する情報が「身売り」を検討しているなどとして広まってしまうことが、経営者を躊躇させる要因となっていましたが、近年は、専門家が関与することにより、M&Aに関する情報の秘密保持が徹底されるようになり、経営者が安心してM&Aを検討しやすくなってきています。

(iv) M&Aによる第三者承継の増加

以上のような事情により、事業承継の手法の中で、従前中心的に行われていた親族内承継や企業内承継が限界を迎えつつあるなか、まだ全体的な割合は低いものの、M&Aによる第三者承継は着実に利用される割合を伸ばしています。親族内承継の割合が顕著に減少する一方で、割合的には、第三者承継が急増しているといえます。

(v) M&Aによる第三者承継のメリット

(ア) 譲り受ける側から見たシナジー効果

M&Aは、事業を譲り受ける側からすれば、自ら資本を投入して新たな事業を最初から立ち上げることなく、できあがった既存事業を手に入れることができるものであり、譲り受ける側の事業との相互補完により会社の付加価値を増加させるシナジー効果を期待できます。

(イ) 譲り渡す側から見た雇用や取引先の維持

経営者からすると、従業員の雇用や取引先に迷惑がかからないことは重要であり、M&Aは、事業を引き継いでもらう側からしても、事業が継続されることにより、従業員の雇用や取引先との関係が維持されるという点で大きな意味があります。

(ウ) 従前の経営者の手元に残る資金の確保

事業から撤退する経営者は、事業の譲渡による対価によって、今後の生活資金を手元に確保することができるようになります。経営が苦しい会社の場合には、これまでの事業による負債を整理することもできます。

(エ) 後継者として適切な人材の確保

承継の対象となる事業にとっても、後継者を外部から広く求めることが可能なM&Aは、適任な経営者を見つけ、事業を拡大発展させるための好機といえます。

(オ) M&Aの手法に応じたメリット

前述の通り、M&Aには、さまざまな手法があり、各手法に応じて、メリットが異なってくるので、M&Aにより第三者承継をする場合には、その目的に応じて、とるべきM&Aの手法をよく検討することが重要です。

(vi) M&Aによる第三者承継の留意点

(ア) 専門家の協力が必須

M&Aでは、専門的・技術的な法務・税務・会計等の知識やスキルが必要になるので、専門家の協力が不可欠であり、経営者個人のみでこれを行うことは困難です。

(イ) 相手方との合意が条件

M&Aは、相手方との合意ができなければ成立しません。希望する譲受先を見

つけることは容易ではなく、一定の時間も必要となります。
　(ウ)　**情報漏洩による頓挫のリスク**
　M&Aでは、秘密の保持を徹底し、情報の漏洩に気をつける必要があります。情報が親族、従業員、取引先に漏洩することにより計画が頓挫することもあります。
　(エ)　**債務超過の場合の困難性**
　債務超過の会社では、相手方との合意の条件が調わず、M&Aを成立させることが困難な場合が多いので、負債の処理を検討しておく必要があります。なお、収益性のある事業を有している場合には、当該事業を切り離して、事業譲渡や会社分割などを行い、不採算事業を清算する再生方法を検討することがあります。
　(vii)　**M&Aによる事業承継の活用の推進**
　中小企業の事業承継がなかなか進まないことから、2011年に、後継者不在の中小企業等の事業承継をM&A等を活用して支援する引継ぎ支援センターが国の事業として開始されました。さらに、2015年に、「事業引継ぎ」についての理解を深め、安心してM&A等を活用することができるように、M&Aの手続、手続の流れごとの利用者や仲介者・アドバイザー等の役割・留意点、トラブル発生時の対応等が詳細に記載された事業引継GLが公表され、中小企業庁により、ガイドラインの内容がわかりやすくまとめられた「事業引継ぎハンドブック」が配布されました。2020年には、中企庁により、後継者不在の中小企業を対象とするM&Aの当事者となる中小企業やそのサポートをする各種支援機関の手引き・指針となる中小M&AGLが公表され、そのうち後継者不在の中小企業向けの手引きの内容をよりわかりやすく解説した「中小M&Aハンドブック」も配布されました。これらはいずれも中企庁ウェブサイトで閲覧できます。
　これらの後押しを受けて、中小企業の事業承継の手法におけるM&Aによる第三者承継の割合が今後より一層増加することが期待されています。
　②　**第三者承継の関与者**
　(i)　**譲り渡す側（売り企業）と譲り受ける側（買い企業）の存在**
　ある意味当然のことですが、後継者が親族にも従業員にも不在でM&Aによる事業承継を希望する譲り渡す側の経営者が存在する一方で、新たな企業の成長戦略や事業基盤の強化を企図して、すでにある事業で実績を上げて顧客を獲得している企業を買収して、リスクと投資金額を抑えたい譲り受ける側の経営者があって、M&A承継による事業承継は成り立ちます。
　そして、譲り受ける側の経営者を予め譲り渡す側の経営者が知っている場合には、その他の関与者がなくとも事業承継は成り立つことになります。

(ii) アドバイザーの存在

しかしながら、例えば譲り渡す側の企業が事業の譲受先となる企業の宛てがない場合には、事業の買い企業探し、譲り渡す側と譲り受ける側の交渉のアドバイス、M&Aの実行スケジュールの作成・管理・アドバイス、DD実施時の支援、事業承継の最終的な合意成立に向けた段取りにおいて、専門家の関与が必要となります。

そこで、企業はM&Aについて、必要な範囲において、専門家であるアドバイザーに委任して助言を求めていくこととなります。弁護士もアドバイザーとなることがあります。

譲り渡す側の企業のアドバイザーの業務を詳述すると、譲り渡す側の経営者と相談し、候補先の要件を確認し、自社が保有する譲り受け企業情報の中から要件に合致する候補者のリストを作成します。次にアドバイザーは、リストに記載された候補先について、譲り受ける側の経営者と協議を行い、候補先を絞りこみ、優先順位を決めます。

当事者間の交渉によりおおむね条件合意に達した場合は、譲り渡す側と譲り受ける側との双方の企業の間でDD前の対価額や経営者の処遇、役員・従業員の処遇、最終契約締結までのスケジュールと双方の実施事項や遵守事項、条件の最終調整方法等、主要な合意事項を記載した基本合意書を締結します。弁護士がアドバイザーとなる場合、基本合意書のチェックが1つの重要な役割といえます。

アドバイザリー契約書の作成は、事前に委任の範囲について予測がつきにくいこと、後に具体的なアドバイザーに依頼した業務がアドバイザリー契約の定める業務につき争いが生じる可能性もありますので、無用なトラブルの防止のために重要といえます。

アドバイザリー契約書について特色のある条項としては、アドバイザーの承認を得ないでの当事者間の直接交渉の禁止、業務遂行過程における秘密保持義務、アドバイザリー契約の専属性、契約期間、損害賠償の範囲（多くは受領した報酬の範囲内）の規定などがあります。

(iii) 仲介者

M&Aによる事業承継においては、民間のM&A専門業者あるいは金融機関等が、あたかも不動産媒介業と同様に、譲り渡す側と譲り受ける側の双方の経営者・企業と契約し、双方に助言をする仲介者として存在することがあります。仲介者は、アドバイザーと異なり、事業承継を成約させることまでが契約の内容になります。

仲介者が関与する場合には、譲り渡す側と譲り受ける側の経営者の双方から手数料を受け取りますので、ある程度規模の小さい案件であってもビジネスとして

成り立つ強みがあります。また仲介者が関与する場合のメリットとしては、双方の経営者とも相手方の状況が見えやすいため、交渉が円滑に進む場合が多いといえます。アドバイザーに比してマッチングに適した企業の情報も多く持ち合わせているところです。また仲介者は、法律上の問題点や必要となる許認可の問題点について弁護士に対して助言を求めることも多く、弁護士は仲介者と連携して助言をしていくこととなります（なお、弁護士自身が仲介を行うことは、双方代理に該当するため、行うことはできない）。

しかし、特に民間の仲介業者においては成功報酬が1000万円および売却資産額に比例した金額に設定されるケースが多く、年商が３億円未満の中小企業においては仲介者の利用が困難です。

また、中立・公平を維持できる仲介者の選定に留意しなければなりません。不動産における公示地価あるいは路線価のような外部的にみて一律の基準は存在せず、高く事業を売却したい譲り渡す側の経営者と、安く買収したい譲り受ける側の候補者との利害の対立は不動産の仲介に比してより一層大きいといえます。後継者不在の状況で売却を急ぐ譲り渡す側の経営者に妥協させる形で仲介を急ぎ成立させるなど、中立・公平が維持できない仲介が行われることがないように留意しなければなりません。

金融機関が仲介者となる場合にあっては、仲介の対価は手数料として扱われ、民間の仲介業者よりは安価といえますが、仲介を頼むこと自体に融資条件についての影響が懸念されるところです。

したがって、中小企業においては仲介者の利用はその選択肢に上がりにくいところです。

(iv) 専門家としての士業

(ア) 弁護士

弁護士は法律の専門家として、譲り渡す側と譲り受ける側の企業の双方、またそのアドバイザーあるいは仲介者に法律上の問題点や必要となる許認可の問題点の助言をすべく、幅広い役割を担うことになります。

詳述するならば、M&Aの準備段階では、手法の選択など承継条件の検討における法的側面のチェックや、磨き上げを行う際の法的問題点の精査・認識や対応策の検討に携わります。

また、M&Aの実行段階では、秘密保持契約書、基本合意書および最終の承継のための契約書の検討のみならず、承継先が行う法務DDへの対応や条件交渉、最終合意の際の諸条件の充足についての分析・検討の役割がありますし、最終合意後の不足の事態に対する対応もあり得るところです。

第2部　各　論

　　(イ)　公認会計士・税理士

　もっとも、顧問先の事業承継の問題を別にすれば、一般的に事業承継問題の端緒となっているのは税理士あるいは公認会計士といえます。それぞれ会計・税務の専門家としてM&Aのさまざまな局面で幅広い役割を担う存在であり、弁護士が過誤のリスクを負わないためには、会計・税務の領域を日常の業務として取り扱っていない大半の弁護士は会計・税務の領域は税理士あるいは公認会計士に委ねてしまうのが適切な判断といえます。

　公認会計士や税理士は、M&Aの準備段階では手法の選択などの承継条件の検討における会計・税務面のチェックや、磨き上げの際の問題点の精査・認識や対応策の検討に関わり、また、売り企業の事業対価すなわち売却価格の算定を行うこともあります。

　M&Aの実行段階では、譲り受ける側の経営者が行う財務・税務DDの対応に関与します。

　また、事業承継そのもののみならず、事業承継の前後における経営者自身の会計・税務処理も欠かせない問題です。

　　(ウ)　中小企業診断士

　中小企業診断士は、企業者の後継者問題あるいは廃業か承継かの選択について、方向性を与えるとともに、事業の磨き上げについて、従業員の承継を必然的に伴うM&A承継において方向付けを担っており、実際に金融機関における仲介者やアドバイザーの資格者として中小企業診断士が多くみられるところです。

　　(エ)　社会保険労務士

　今日、社会保険労務士もM&A承継において、従前の労務管理の違法性をチェックして是正させることで事業の磨き上げに関わるほか、各種の社会保険関係の手続において関与者としての役割を担いつつあります。

　　(オ)　行政書士

　行政書士は事業承継の場面において、各種許認可の問題の対応について役割を担ってきたといえます。

　　(カ)　司法書士

　司法書士は事業承継の際の各種登記手続の申請が必要な場合に、対応する役割を担ってきたといえます。

　(ⅴ)　引継ぎ支援センター

　　(ア)　引継ぎ支援センターの設置

　本章①で述べた通り、中企庁による事業承継関連施策により、「中小企業事業引継ぎ支援全国本部」と全国47都道府県に「引継ぎ支援センター」が設置されました。全国本部では、各地の引継ぎ支援センター相互の情報交流や、個別の引継

ぎ支援センターでの支援が難しい場合の直接の個別的支援が図られていました。現在は、事業譲渡（M&A）、親族内承継、従業員・役員承継、経営者保証の解除など、事業承継に関する相談窓口を一本化し、あらゆるご相談に対しワンストップでの支援できるように、事業承継の必要がある事業者の掘り起こしや親族内承継を行っていた事業承継ネットワークと統合し、全国本部は「中小企業事業承継・引継ぎ支援全国本部」に、各都道府県（＋東京多摩地域）に設置されるものが「事業承継・引継ぎ支援センター」と名称が変更されました。

　（旧）引継ぎ支援センターの設置は、中小企業において多くある譲受け側の経営者と、譲受けニーズをもつ譲渡し側事業者との双方のニーズ情報のマッチングさせる必要に対して、公的機関として応えたものといえます。そのほか、設置の趣旨として、民間のM&A支援業者では成功報酬が1000万円および売却資産額に比例した金額に設定されるケースが多く、年商が3億円未満の中小企業においては利用が困難であること、取引先や従業員に対して情報が漏洩することで発生する風評被害というべき企業価値の低下が懸念されることに対する対応があり、さらに、今まで述べた関与者としての、特にアドバイザーのなり手となる専門家が現状において決して多くないため、専門家士業を外部専門家として集積し金融機関や支援機関と連携させる拠点としての役割が求められていることもあります。引継ぎ支援センターとなっても、その役目については変わるところはありません。

　コロナ禍においても事業承継支援のニーズは大きく、事業承継に関するセンターへの相談者数は2011年から2021年度までで8万1032者、2021年度だけで2万841者となっており、第三者承継の成約件数についても累計6470件、2021年度だけで1514件となっています（2022年6月9日中小機構News Release参照）。

　引継ぎ支援センター（以下、単に「センター」という）の事業者同士の中小M&A支援は、以下のような流れで行われます。

　（イ）初期相談対応（第1次対応）

　センターにおいては、まず、常駐する専門家による無料の相談対応を行います。具体的には事業の譲渡しを考えている経営者に対してヒアリングや面談等を通じて事業引継支援を実施するかどうか、および支援の方向性の判断を行います。センターは、中小企業活性化協議会やよろず支援拠点といった他の公的機関のほか、士業等専門家を含む支援機関とも連携しており、中小M&A以外の対応が適切であると判断した場合には、適切な支援機関への橋渡しも行います。たとえば経営改善等が必要であると認められる場合は、よろず支援拠点・商工会議所・商工会等の相談窓口を紹介し、再生手続が必要であると認められる場合は活性化協議会を紹介するなど、適切な支援機関に取次ぎを行います。

　この段階での相談内容は多岐にわたり、後継者候補の資質の問題、業績がよく

ないと考える事業者の売却（事業譲渡）の可能性、従業員の雇用の問題、など、事業の承継等に関わる相談全般の窓口となります。また、公的な相談窓口として、他の仲介者やFAからのアドバイスについてのセカンドオピニオンを求めることもできます。

相談のための資料としては、譲渡し側の経営者についていえば直近3期分の決算書ならびに税務申告書のほか事業の概要がわかる会社案内や製品カタログなどを相談者が持参の上で臨みます（譲受け側すなわち買い希望企業の場合は直近1期分の決算書持参で足りる）。この段階でセンターのほうで登録外部専門家（主として公認会計士や税理士）による簡易DDを行うこともあります。

売渡し企業の顧問弁護士は、顧問先企業の後継者候補がいないと相談を受けた場合、センターの活用を提案する、相談に同席して経営者の意思決定を補助する等の支援をすることが求められます。

　(ｳ)　第2次対応

第1次対応の結果として、相談した経営者が事業引継ぎ（M&A）に関する支援を希望し、その成立可能性があると判断した場合には、センターとしては第2次対応として、継続支援が必要と判断した案件について、企業名が特定されないように加工した企業情報（ノンネームシート）をセンターに登録された民間の事業引継ぎに係るマッチング支援機関へ送付し、関心を示した登録機関と相談者が面談を行い、支援の継続の可否を決定します。センターでは登録機関あるいは外部専門家として金融機関、M&A仲介会社のOBあるいは経験のある士業等を揃え、本格的なDDをはじめ、事業引継ぎを希望する経営者側の仲介および事業引継ぎ契約の成立に向けた支援等を行っています。登録機関等への支援を受ける場合には、登録機関等と仲介契約・FA契約を締結することになるため、手数料が発生しますが、登録機関等からよりきめ細やかな支援を受けられることが期待できます。

弁護士は、仲介契約、FA契約について、報酬の定めや専属契約かどうかなどについて法的観点からアドバイスをすべきでしょう。

　(ｴ)　第3次対応

センターの第3次対応としては、相談者と他者との間で事業引継ぎに関する事前合意が形成されている場合や、2次対応の不調案件も含めセンターが適当なマッチング相手を相談者に紹介できる可能性がある場合に、センターが直接事業引継ぎに必要な助言等の支援を行います。センターは、マッチングのための売り情報と買い情報についてデータベース化しており、当該都道府県の枠を超えて全国の売り情報をマッチングさせることを可能としています。ここからは、中小M&Aの一般的な流れとなるため、士業専門家の活用を含めた支援を行うことに

なります。

　この第3次対応で弁護士の活用が期待されています。具体的には代理人として交渉が必要な場面および最終契約の締結において契約内容の法的なチェックを要する場面が挙げられます。また、株式や事業用資産の整理・集約についても弁護士の役割が期待されています。最近は就業規則整備などの労務面での磨き上げでの弁護士の役割も期待されています。

　　(オ)　**後継者人材バンク**

　近時のセンターの取組みとして、静岡県センターで2014年4月に始まった「後継者人材バンク」というものがあり、これは後継者不在の小規模事業者（主として個人事業主）と創業を志す個人起業家をマッチングすることにより、「地域に不可欠な事業」を存続させるとともに、「意欲ある起業家による創業」を同時に実現する取組みで、起業家は現経営者から顧客や仕入先、生産設備等の経営資源を引き継ぐため、起業に伴うリスクを低減することが見込まれ、他方で現経営者は、事業を次世代に引き継ぐとともに、事業存続を望む従業員や取引先、地域からの期待に応えることができるというねらいがあります。この「後継者人材バンク」は、現在では全国で取扱いが開始されており、2021年度までに累計登録者数が5617者、累計成約件数は187件となっています（2022年6月9日中小機構News Release参照）。

　　(カ)　**センターの活用**

　センターの活用において弁護士がまず心すべきこととして、センター側から弁護士は廃業の相談を受けたときに破産手続を勧めてきた傾向が否めないとこれまではみられているということです。岡山県引継支援センターからM&A承継の当事者の同意の下公開されている成立例の報告によると、破産を勧められた事業者が金融機関に不義理を詫びに出向いたところでセンターを紹介され、第1次対応での簡易DDの結果として、事業者の個人所有の土地を事業体に組み入れることで借入金の返済が可能になることがわかり、結果としてM&Aによる事業の売却益で破産することなく老後の資金を作ることができたという例があります。

　弁護士としては、廃業や破産等の相談を受けた際の1つの選択肢として、センターの活用を考えるべきといえます。

　(vi)　**第三者承継のトラブル対応窓口**

　他方、中小M&AGLにおいては、事業引継ぎの実施過程や終了後にトラブル等が発生した場合の対応を示しています。

　その中には例えば、仲介者・アドバイザーから説明を受けた支援業務内容と実際の活動が相違している場合、仲介者・アドバイザーが譲渡企業に対して活動状況の報告や譲受候補者に関する情報を提供しない場合など、仲介者・アドバイ

ザーとのトラブルが中心として想定されています。

このような、M&A承継における関与者とのトラブルの場合の相談窓口としては、日弁連および全国52弁護士会による中小企業相談窓口「ひまわりほっとダイヤル」が中小M&AGLで紹介されています。

かかる事業承継のトラブル窓口として弁護士が仲介者やアドバイザーと連絡をとり、協力の上で解決することもまた期待されています。

(2) 中小企業の第三者承継の方法
① 譲り渡す側の会社における第三者承継の前提
(i) 会社資産と個人資産の分別

中小企業では、自動車やゴルフ会員権などの会社資産が経営者の個人資産のように利用されていることがあります。譲り受ける側としては、そのような資産を単に必要としないにとどまらず、経営者に対する実質的な利益の移転があるとみなされる税務リスクを懸念することもあります。第三者承継の障害になることもありますので、常日頃より会社資産と個人資産の分別を進め、会社経営の信頼性を高めておく必要があります。

(ii) 会社の組織化

経営者個人の経営能力に頼った経営がなされ、会社として組織化されていない中小企業は少なくありません。そのような会社は、経営者が交替してしまうと、競争力が落ちたり内部統制ができなくなったりするため、第三者承継に適していません。社内規程を整備し、決裁権限について定めるなど、経営者が交替しても発展できるようあらかじめ会社の組織化を進めておく必要があります。

(iii) 適正な手続の実施

中小企業においては、株式総会や取締役会などが、法律や定款に定められた通りに行われていないことが珍しくありません。会社経営の根幹に関わるような重要な内容について適正な手続がとられていない場合、譲り受ける側が第三者承継を見送ることもあり得ます。経営者が適正な手続について把握していないことも多いので、弁護士をはじめとする専門家がとるべき手続を確認し、過去の決議について不備があれば改めて決議するよう指導するなどの対処をすべきでしょう。

特に、過去に株式譲渡がある場合、当該株式譲渡が適切に行われていないとすれば、「売主が真に譲り渡す側の会社の株主である」という第三者承継の大前提を満たさないことになってしまいます。したがって、株券発行会社の株式譲渡に際して株券が交付されているか（会社法128条1項）、譲渡制限付株式の譲渡に当たって会社の承認があるか、株主名簿（同法121条）に適切に反映されているかなどについて、弁護士が確認して適切にアドバイスを行うべきといえます。

第5章　事業承継

(iv) 株式の集約
　(ア) 株式の主要株主への集約
　後述するように、中小企業の第三者承継の手段としては、株式譲渡と事業譲渡が用いられることが多いですが、いずれの手段においても、株式は主要株主に集約していることが望ましいといえます。

　(イ) 株式譲渡の場合
　第三者承継の譲り受ける側は、その多くが、譲り渡す側の会社の株主と元来緊密な関係にありません。そのような譲り受ける側にとって、一部であっても譲り渡す側の会社の株主が残存することは、たとえ議決権数が少なかったとしても、安定的な経営を行うための障害になります。そのため、譲り受ける側は、発行済み株式のすべてについて譲渡を求めることが通例であり、株式譲渡に反対する株主が存在する場合、株式譲渡を希望する株主は、株式譲渡に応じるよう反対する全株主を説得する必要があります。

　なお、2014年改正会社法において、総株主の議決権の10分の9以上を有する株主（特別支配株主）は、少数株主の有する株式の全部について、少数株主の承諾なく金銭を対価として取得することができるようになりました（特別支配株主の株式売渡請求権。会社法179条以下）。したがって、譲り受ける側の会社としては、総株主の議決権の10分の9さえ保有できれば少数株主の株式を取得することが可能です。

　(ウ) 事業譲渡の場合
　事業の全部の譲渡または重要な一部の譲渡の場合には、株主の利害に重要な影響を及ぼすことから原則として譲り渡す側の会社における株主総会の特別決議による承認が必要になります（会社法467条1項1号・2号）。事業譲渡に反対する株主が存在する場合、事業譲渡契約の締結が妨げられることがあります。

　(エ) 大株主である経営者へのアドバイスの必要性
　中小企業における少数株主の株式を主要株主の下に集約しておくためには、主要株主が少数株主から株式を譲り受ける必要があります。その場合、相応の譲渡対価と納税資金が必要になり、常に円滑に進むとは限りません。大株主である経営者に対して、親族を含む多くの第三者に株式を譲渡したりしないよう、常日頃から専門家がアドバイスをしておくことも有益といえるでしょう。

(v) 経営者の保証債務の整理
　中小企業においては、多くの会社の経営者が譲り渡す側の会社の債務について保証人（主として連帯保証人あるいは物上保証人）になっています。第三者承継に当たって、経営者は役員を退任するのが通例ですから、それらの保証を外す手段を探る必要があります。

譲り受ける側が弁済するなどの手段も考えられるところですが、弁済に至らない場合には、経営者の保証だけ外すという手段を検討する必要があります。その際、経営者保証GLおよび事業承継時に焦点を当てた経営者保証GLの特則（2019年12月策定）が拠りどころになります。当該特則においては、金融機関が前経営者に対して引き続き保証契約を求める場合には、前経営者の株式保有状況（議決権の過半数を保有しているか等）、代表権の有無、実質的な経営権・支配権の有無、既存債権の保全状況、法人の資産・収益力による借入返済能力等を勘案して、保証の必要性を慎重に検討するものとされています。それらの基準を念頭に、第三者承継に関わる弁護士をはじめとする専門家が適切にアドバイスをすることが求められます。

② 第三者承継の具体的進め方

(i) 手順

第三者承継の実行段階では、後記のような手順で手続が進むことになります。各手続の詳細は、**第3章①**を参照してください。

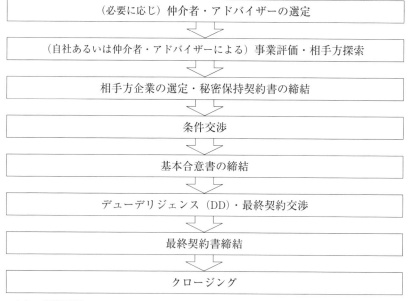

(ii) 手段選択

基本合意書あるいは最終契約書の締結に当たり、第三者承継の手段について検討する必要があります。考えられる手段について列挙するとともに、それぞれの特徴について記載します。

(ア) 株式譲渡

　株式譲渡とは、譲り渡す側の会社の株主が、所有している発行済株式を譲り受ける側に譲渡する方法です。株主は交替しますが、譲り渡す側の会社と第三者との間の権利義務関係や許認可は、原則として従前のまま存続します。したがって、特段の同意等を要することなく、従業員との間の雇用関係、取引先との間の契約関係、許認可などが引き継がれます。ただし、簿外債務や偶発債務も含めて承継されることになる点に注意が必要です。

(イ) 事業譲渡

　事業譲渡とは、譲り渡す側の事業（一定の事業目的のため組織化され、有機的一体として機能する財産〔得意先関係等の経済的価値のある事実関係を含む〕）の全部または一部を譲渡する方法です。個人事業主が譲渡人となることも可能です。

　事業譲渡においては、譲渡会社の事業のうち譲渡の対象とする資産や従業員を選別することができ、簿外債務や偶発債務について一切引き継がないようにすることも可能になります。一方で、譲渡対象となる事業のうち、契約関係など相手方があるものについては、それぞれについて相手方から移転の同意を取得しなければなりません。資産についても個別の移転手続が必要であり、例えば不動産であれば登記手続を要することになります。

(ウ) 会社分割

　会社分割とは、会社の事業に関して有する権利義務の全部または一部を他の会社に承継させることをいいます。複数の事業部門のうち1部門について第三者承継をする際には有益です。対象となる事業を既存の会社に承継させる吸収分割と、新設した会社に承継させる新設分割とがあります。

　事業譲渡と比較すると、分割された事業の権利義務関係がそのまま承継されることが大きな利点といえます。許認可も根拠法令によって承継されるものがあります。雇用関係は、会社分割に伴う労働契約の承継等に関する法律に定める諸手続に従い、分割される事業に主として従事する従業員との雇用関係が引き継がれます。株主総会の特別決議、事前・事後の開示や債権者保護手続などの法定手続の履践が求められます。

(エ) 合併

　合併とは、複数の会社を1つの法人に統合することです。合併により消滅する会社が存続する会社に吸収される吸収合併と、すべての会社を消滅させ、新たに合併により設立する会社に承継させる新設合併とがありますが、実務上の多くは吸収合併が選択されます。合併においては、統合される会社の権利義務関係はそのまま承継されるため、簿外債務や偶発債務についても承継されることになります。

第2部　各　論

合併では、複数の会社組織が1つになるため、両会社の雇用条件や組織体制を一本化する必要があり、周到な準備が求められます。また、株主総会の特別決議、事前・事後の開示や債権者保護手続などの法定手続の履践が求められます。

　(オ)　**株式交換**

株式交換とは、株式会社がその発行済株式の全部を他の株式会社または合同会社に取得させ、完全子会社（100％子会社）になることをいいます。

譲り渡す側の会社の株主には、譲り受ける側の会社の株式あるいは現金を交付することになります。譲り受ける側の会社の株式が対価となる場合には、譲り渡す側の会社の株主が譲り受ける側の会社の株主にもなるため、譲り渡す側の会社の株主が譲り受ける側の会社に関与し続けることになります。

仮に株式譲渡に反対する株主が一部にいたとしても、株主総会の特別決議により株式交換を実現することができますが、中小企業の場合、反対株主を押し切っての第三者承継は考えにくいため、全株主の同意を得て株式譲渡をするほうが一般的であるといえます。

　(カ)　**中小企業の第三者承継で選ばれる手段**

中小企業の場合、より手続が簡便な手段が選ばれる傾向にあり、事業全体を譲渡する場合には株式譲渡を、事業の一部を譲渡する場合には事業譲渡を選択することが多いでしょう。ただし、それらの手段では支障がある場合、譲り渡す側の会社の事業全体を譲渡するには合併や株式交換、事業の一部を譲渡するには会社分割を検討することになります。

　③　**第三者承継への弁護士の関与**

中小企業の第三者承継に当たっては、取引の規模が大きくないこともあって、なるべく手続を簡略化したいとの要請が強くあります。しかし、会社という実態把握の困難なものを取引対象とするため、クロージング後に譲り受ける側の会社が予期しなかった事態が発覚し、当事者間のトラブルにつながるという事例は少なくありません。そのようなトラブルを未然に防止するため、DDの実施や契約書の取り交わしなどを通して、両当事者が、譲り渡す側の会社の実態および取引の内容について共通の認識を得ておくことが重要です。

弁護士は、DDや契約締結といった個別の手続のみならず、第三者承継手続の選択や適切な手続の指導などにおいても主導的な役割を果たすことができるので、第三者承継手続全般について関与することが求められているといえるでしょう。

また、第三者承継のようなM&Aにおいては、M&A成立後の経営統合作業プロセスであるPMI（POST MERGER INTEGRATION）の重要性が謳われるようになっており、2022年3月には、中企庁から中小PMIGLが公表されています。弁

護士も、第三者承継後に継続的な助言・支援をし続けることが期待されています。詳細は、**第3章**①(4)を参照してください。

7 戦略的な事業承継スキーム

(1) 総論

後継者が安定的に経営をしていくためには、後継者に自社株式や事業用資産を集中的に承継させることが必要です。しかし、中小企業においては、経営者の保有資産の大半を、自社株式や事業用資産が占めている場合が多く、後継者以外の推定相続人の遺留分に配慮すると、後継者に自社株式や事業用資産を集中させることが困難な事例も多くみられます。この場合、後継者または会社が他の相続人から自社株式や事業用資産を買い取る等の対応が必要になりますが、株価が高額に評価される場合や、買取りに応じない株主が存在する場合には、買取りによる対応が困難です。

また、後継者候補に対する自社株式の集中を進めるとしても、後継者が経営に必要な資質を備えるまでの間、しばらくは経営者が経営権を維持したいとの経営者のニーズも十分にあり得ます。さらには、経営者の中には、子の世代だけではなく、孫の世代まで後継者候補を決定したいとのニーズもあり得るでしょう。しかし、現民法の相続制度のみでは、これら経営者のニーズに対応することが困難です。

そこで、事業承継における経営者のさまざまなニーズに対応し、より円滑かつ確実な事業承継を実現するためのスキームとして、①種類株式、②信託、③会社分割、④生命保険金、⑤持株会社などを活用する例があります（事業承継GL参照）。各方法の活用例と弁護士の役割について、以下に紹介します。

(2) 各スキームの活用例と弁護士の役割

① 種類株式等の活用

(i) 活用例

株式会社は、普通株式のほかに、種類株式（剰余金の配当、議決権などの権利内容の異なる株式）を発行することができますが（会社法108条）、自社株式（議決権）の集中や分散防止、経営者の経営権維持に活用できる種類株式として、以下のものが挙げられます。

(ｱ) 議決権制限株式（会社法108条1項3号）

議決権制限株式（株主総会での議決権の全部または一部が制限されている株式）を活用して、後継者には議決権のある株式を、それ以外の相続人には議決権のない株式を与えることで、後継者に議決権を集中させることが可能になります。

もっとも、非後継者には優先的に配当を実施するなどのバランスをとること

で、非後継者に納得してもらうための配慮が必要です。

議決権制限株式を導入するには、株主総会特別決議により同株式を発行する旨の定款変更を行い（会社法466条・309条2項11号。定款で定めるべき事項につき、同法108条2項3号、同法施行規則20条1項3号）、登記をする必要があります（同法911条3項7号）。

　(イ)　**拒否権付株式（黄金株）（会社法108条1項8号）**

経営者が、自社株式の大部分を後継者に譲るけれどもしばらくは経営権を維持したい、という場合には、経営者が拒否権付株式（株主総会または取締役会で決議すべき全部または一部の事項について、その決議のほか、拒否権付株式の種類株主総会決議が必要、という株式）を保有することで、後継者の独断専行経営を防ぐことが可能になります。

もっとも、経営者と後継者の間で意見が対立すると、どちらの議案も可決できないデッドロック状態に陥る危険性もあります。また、後継者以外の者が拒否権付株式を取得することのないよう、遺言書の作成または経営者の生前に消却する等の対応が必要です。

拒否権付株式を導入するには、株主総会特別決議により同株式を発行する旨の定款変更を行い（会社法466条・309条2項11号。定款で定めるべき事項につき、同法108条2項8号、同法施行規則20条1項8号）、登記をする必要があります（会社法911条3項7号）。定款記載例としては、以下が考えられます（神﨑満治郎ほか『会社法務書式集〔第2版〕』〔中央経済社、2016〕149頁）。

第○条　当会社の発行可能種類株式総数は、普通株式○株、A種株式○株とする。
　2　次の各号に掲げる事項については、株主総会の決議のほか、A種株式を有する株主を構成員とする種類株主総会の決議を要する。
　　①　組織変更、合併、会社分割、株式交換または株式移転
　　②　事業の全部または重要な一部の譲渡
　　③　定款の変更
　　④　解散

　(ウ)　**取締役・監査役選任権付種類株式（会社法108条1項9号）**

拒否権付株式同様、経営者が取締役・監査役選任付種類株式（種類株主総会において取締役または監査役を選任する権利を有した株式）を保有することで、後継者の独断専行経営を防ぐことが可能になります。経営者が後継者に当該種類株式を遺贈等することにより、後継者の経営権を確立することにも活用できます。

取締役・監査役選任権付種類株式を導入するには、株主総会特別決議により同株式を発行する旨の定款変更を行い（会社法466条・309条2項11号。定款で定めるべき事項につき、同法108条2項9号、同法施行規則19条）、登記をする必要がありま

第5章　事業承継

す（同法911条3項7号）。

　㈒　属人的株式（会社法109条2項・3項）
　さらに、非公開会社においては、属人的株式（議決権や配当などについて株主ごとに異なる取扱いをする株式）を活用することで、後継者に議決権を集中させることが可能です。例えば、定款に「代表取締役である株主が議決権の全てを有するものとする」等という規定を定めて、代表取締役に後継者を就任させることで後継者が全議決権を有することになります。
　属人的種類株式を導入するための定款変更については、反対株主による株式買取請求権の適用もありません。ただし、濫用的な属人的株式の導入は無効と解される可能性があるため、留意が必要です（東京地立川支判平成25・9・25金判1518号54頁は、属人的株式の導入について目的の正当性および手段の相当性を要するとして、経営陣と対立した特定株主の議決権および配当受領権を100分の1に縮減する旨の定款変更に係る株主総会決議につき、無効と判断した）。
　属人的種類株式を導入するには、株主総会の特殊決議（総株主の半数以上かつ総株主の議決権の4分の3以上の賛成）を経る必要があります（会社法309条4項）。

　㈓　その他会社法上の制度
　そのほかにも、株主の相続を機に、自社株式を後継者に集中しまたは分散防止を図る方法として、相続人に対する売渡請求制度（会社法174条。株式を相続した株主に対して、会社がその売渡しを請求できるようにする制度）を活用する例があります。
　もっとも、経営者が死亡して後継者が自社株式を相続する場合にも、他の株主が前記売渡請求制度を利用して、後継者に対して売渡請求がなされる（いわゆる相続クーデター）可能性がありますので、この点に対する手当ての検討が必要です。
　相続人に対する売渡請求制度を導入するには、株主総会の特別決議による定款変更（会社法466条・309条2項11号）が必要であり、売渡請求をする際にもそのつど、株主総会の特別決議（同法175条1項・309条2項3号）を経る必要があります。

　(ⅱ)　弁護士の役割
　前記種類株式等の活用については、経営者、後継者、他の株主等の意向を十分に理解して、種類株式を選択する（または組み合わせる）必要があります。また、株主総会および取締役会での決議等、会社法上の必要手続を履践する必要があります。
　種類株式の活用については、当該種類株式の経営に及ぼす影響が強力であるだけに、その有効性についてのちに紛争が生じるケースも多く、弁護士が制度設計から必要手続の履践まで関与する必要性が高いものといえます。

② 信託の活用

(i) 活用例

2007年に施行された改正信託法により、遺言代用信託や後継ぎ遺贈型受益者連続信託をはじめとする、中小企業の事業承継の円滑化に活用可能な信託類型が創設または明確化されました。信託を事業承継に活用するケースは近時増加しており（遠藤英嗣『新しい家族信託――遺言相続、後見に代替する信託の実際の活用法と文例〔全訂〕』〔日本加除出版、2019〕515頁）、事業承継に活用可能な信託類型としては以下のものが挙げられます（中企庁・信託を活用した中小企業の事業承継円滑化に関する研究会「中間整理――信託を活用した中小企業の事業承継の円滑化に向けて」〔2008年9月〕「事業承継GL」参照）。

なお、改正信託法において、特定の事業自体を信託対象とする事業信託を行うことも可能になりましたが、実務での活用事例はいまだ多くないようです（遠藤・前掲529頁）。

(ア) 遺言代用信託

経営者が委託者となって、その生前に、所有している自社株式を対象に信託を設定し、信託契約の中で、自らを当初受益者とし、自らが死亡したときに後継者が受益者として権利を取得する旨を定めておく方法が考えられます。

この方法によれば、経営者の生存中は引続き経営権を維持しつつ、後継者が確実に経営権を取得することが可能になります。

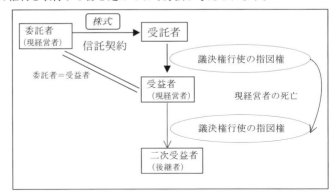

また、遺留分対策として、後継者への資産集中を避けるために、後継者および非後継者に受益権を分割して取得させ、議決権行使の指図権を後継者のみに付与することも可能です。もっとも、遺留分侵害の有無を判断するには、受益権の価値を算定する必要がありますが、受益権の評価方法が現時点で確立されておらず、確定的な判断が困難である点には留意が必要です。

(イ) 他益信託

経営者が委託者となって、その生前に、自社株式を対象に信託を設定し、信託契約において、後継者を受益者と定めつつ、議決権行使の指図権については現経

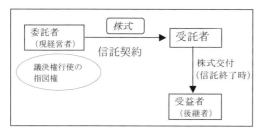

営者が保持する旨を定める方法が考えられます。

経営者が議決権行使の指図権を保持することで引続き経営権を維持しつつ、自社株式の財産的部分のみを後継者に取得させることができます。

さらに、信託契約において、信託終了時（信託の終了時点は、信託設定から数年経過時または経営者の死亡時等、柔軟に設定可能）に後継者が自社株式を取得することを定めておくことで、後継者の地位を安定させることが可能になります。

(ｳ) **後継ぎ遺贈型受益者連続信託**

経営者が自社株式を対象に信託を設定し、信託契約において、後継者を受益者と定めつつ、当該受益者たる後継者の死亡により、その受益権が消滅した場合には、次の後継者が新たな受益権を取得する旨を定める方法が考えられます。受益者の指定を通じ、後継者のさらにその次の後継者を決めることを可能にするものです。

(ii) **弁護士の役割**

信託は、「その目的が不法や不能でないかぎり、どのような目的のためにも設定されることが可能」であり、「したがって、信託の事例は無数にありうる」ものです（四宮和夫『信託法（新版）』〔有斐閣、1989〕15頁）。経営者や後継者その他

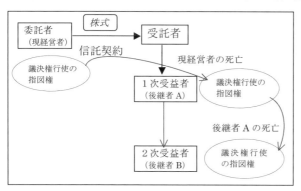

関係者のニーズを聴きとり、オーダーメイドでの信託契約書等を作成（公証役場の対応等を含め）することは、まさに弁護士が担うべき役割であるといえます。また、受益者保護の観点から、弁護士が信託監督人や受益者代理人といった信託関係人に就任することも役割の1つであるといえます。

③ **会社分割**

(ⅰ) **活用例**

後継者候補が複数名おり、それぞれが各事業部門を担当している場合に、特定

の事業部門を切り出して、新設会社に当該事業を承継させた上、分割会社株式は後継者の一方に、新設会社株式は後継者の他方に集中させる方法が考えられます。

(ii) **弁護士の役割**

会社法上の手続等を履践する必要があります。また分割後の両社が取引関係を継続する場合、業務提携契約等で分割後の取引関係を規律する必要があるケースもみられますので、弁護士による手続関与の必要性が高いものといえます。

④ **生命保険の活用**

(i) **活用例**

後継者が経営者の保有していた株式を相続する場合に、当該経営者の死亡保険金の受取人を後継者とすることで、相続税の納税資金を確保することが可能です（死亡保険金は原則として遺産分割の対象にならず、遺留分算定の基礎財産にも含まれない。また、死亡保険金には一定の非課税枠があるので、相続税の軽減策としてのメリットがある）。また、経営者の財産の大半が事業用資産である場合、後継者以外の相続人の不公平感をできるだけ生まないよう、後継者以外の相続人を生命保険金の受取人とすることで、バランスを図ることも可能です。

(ii) **弁護士の役割**

生命保険金の活用については、経営者、後継者、他の相続人等の意向を十分に理解し、オーダーメイドで事業承継スキームを組み立てる中で、必要性があぶり出されます。当該保険商品が事業承継の円滑な遂行に沿うかについても、弁護士による検証が有効といえるでしょう。

⑤ **持株会社の活用**

(i) **活用例**

後継者が持株会社を設立し、当該持株会社において、事業会社からの配当を前提として金融機関から融資を受け、経営者から株式を買い取るといった活用が可能です。経営者の生前に株式が現金化されるため、相続による株式の分散を防止することができます。

(ii) **弁護士の役割**

前記の通り、持株会社の活用に当たっては、事業会社からの配当を金融機関への弁済原資とすることが予定されますが、事業会社の業績悪化等により持株会社への配当が継続できなくなる等の問題も生じ得ます。事業会社の将来性や他の手法等の選択可能性を考慮しつつ、持株会社を導入することの適否を客観的総合的に検討することは、弁護士の役割といえます。

第6章　事業再生

1　事業再生総論

(1)　事業再生とは

　事業再生の定義は一義的ではありませんが、一般には窮境に陥っている企業体に含まれているいくつかの有望な事業を再生することです。これに対して、企業そのものを再生することを企業再生といいます。例えば、事業をグッドの部分とバッドの部分に切り分けて、グッド部分を株主総会の特別決議（会社法467条1項1号・2号・309条2項11号）を経て別会社に事業譲渡し、残ったバッド部分を特別清算（同法510条以下）等によって清算した場合には、元の企業は清算するので企業再生とはいえませんが、典型的な事業再生のタイプの1つであるといえるでしょう。本来、会社には、従業員、取引先、金融機関等の多数の利害関係者、そして何より世の中に経済的にも社会的にも寄与してきた事業そのものが存在するのですから、企業再生が困難と判断されたら、早期に事業再生を中心に考えるべきでしょう。

(2)　中小企業の力と早期事業再生の必要性

①　中小企業の潜在力

　わが国の中小企業数は約420万社といわれており、全企業数の99.7％を占めています。また、従業員数は、中小企業は全労働者の約70％を占めています（2016年版経産省「工業統計表」〔2014〕）。

　そして、2011年3月11日に発生した東日本大震災で明らかになったことですが、東北の一中小企業の生産停止により、日本の大手自動車会社の生産がストップしたように、中小企業の倒産が、大企業の工場の生産ラインに大きな影響を与えることがあるのが現状です。すなわち、大企業と中小企業は、日本経済の車の両輪といっても過言ではないのです（松嶋英機編著『ゼロからわかる事業再生』〔金融財政事情研究会、2013〕）。また、中小企業の中には、夜間塗料で世界一の技術を誇る企業や、設計した通りの形状に製氷できる機械を開発し、世界中から注文がきている金型メーカーなど世界に誇れる技術力をもっている中小企業もあれば、そうでなくとも、潜在的な能力を蓄えている企業も多いはずです。これら中小企業の発展が、日本経済にとって非常に重要であることはいうまでもないでしょう。

②　早期再生の阻害要因

　中小企業が金融機関から、設備投資資金や運転資金などの借入れをする場合には、ほぼ100％経営者から個人保証をとっています。中小企業の経営者は、まさ

に人生のすべてをその企業にかけているといっても過言ではありません。しかも、2人以上の保証人を求められる場合もあり、その場合は頼みやすい親戚や親しい友人に「決して迷惑をかけない」といって依頼します。しかし、いざ会社が倒産すれば、個人資産の何十倍、あるいは何百倍の借入金の連帯責任を、経営者本人のみならず連帯保証をした親戚や友人も追及されることになります。もちろん家族にも迷惑をかけることになります。また、中小企業の経営者の中には、長年、地方の名士も多いでしょうが、彼らは、すべての財産はもちろんのこと、地位や名誉の一切を失い、その街で住み続けることも困難になるでしょう。そのため、経営者は、当面の危機を乗り切るために何とか資金繰りをつけようと無理をして、ついには税金を滞納し、社会保険料の支払をやめ、懇意な支払先の支払を待ってもらい、高利であっても無理な資金調達を重ねて、挙げ句の果ては夜逃げか自己破産をするしかない場合があるのが現実です。

すなわち、経営者を早期に事業再生に向かわせるには、この保証債務を解決する道筋がみえている必要があるのです。そこで、後に述べる経営者保証GLの利用が非常に有効となるのです〔→第7章④・⑤〕。

(3) 事業再生の近時の歴史
① 整理屋の時代

かつての倒産手続は、「整理屋」といわれる、倒産事件の処理手続に債務者側あるいは債権者側から関与して、手続の過程で多額の利益を得ることを業とする者が跋扈していました。彼らは、言葉巧みに債務者に取り入り、白紙委任状、法人と個人の実印、印鑑証明登録カード等を入手し、手続を支配して本来配当に回るべき資産を食い物にしていたのです（田原睦夫「整理屋の時代と弁護士の倒産実務」伊藤眞ほか編『松嶋英機弁護士古稀記念論文集・時代をリードする再生論』〔商事法務、2013〕272頁。四宮章夫「私的整理の研究(1)」産大法学48巻1・2号〔2015〕270頁以下。いずれも、整理屋の実態について詳細な記述がされている）。この時代の弁護士は、整理屋等を含めた利害関係人の調整を主とする、弁護士個々の職人芸で倒産事件を処理していた時代であったといえましょう。

② 運用改善の試み

その後、1985年頃から、裁判所を中心に破産管財事件の適性化が図られていきました。また、1987年頃から、東京と大阪の弁護士や学者グループが集まって倒産5法（和議、会社更生、会社整理、破産、特別清算）をテーマに、東京と大阪での運用実態の相違、各種取扱いのメリット、デメリット、相違を裏付ける理論、根拠等について議論を行い、出版したこともあって実務運用の改善や理論面が深化していきました（田原・前掲289頁）。

③ 法的整理手続（管財人）の時代

その後日本経済は、いわゆるバブル景気を迎えて、一時、倒産事件も激減していきますが、1990年代以降にバブル崩壊を迎え、いわゆる「失われた10年」に突入し、1997年以降、東海興業、三洋証券、東食、第一コーポレーション、日本リースなどにとどまらず、日本長期信用銀行、北海道拓殖銀行、山一証券などが次々と破綻していき、2000年には、千代田生命保険や共栄生命保険が更生特例法の適用を受けるに至り、日本は大倒産時代を向かえました。この頃の倒産手続は、まさに「管財人の時代」であり、法的整理手続が全盛を迎えた時期でもありました。民事再生法が施行されたのも2000年です。また、この頃から外資が、DIPファイナンスやバルクセール代金等の形で潤沢な資金を国内事業再生の分野に持ち込むとともに、海外において商業的プロフェッショナルと共同開発し、駆使した不良債権投資、倒産手続投資の手法を日本に持ち込んできました。管財人も、外資と組むことにより、こうした「西洋の文物」を駆使して更生会社、更生手続を自在に処理する機会を与えられたのです（坂井秀行「事業再生手続の展開と将来像」松嶋英機ほか編『門口正人判事退官記念・新しい時代の民事司法』〔商事法務、2011〕15頁以下）。

④ 準則型私的整理手続の時代

一方、2001年政府が発表した「緊急経済対策」では、「金融機関の不良債権問題と企業の過剰債務問題の一体的解決」を促進するため、多くの対策が盛り込まれました。この対策の1つとして、経産省を中心に「私的整理ガイドライン」が策定され、企業の私的整理における準則を普及させました。特に「一時停止」通知とそれに対する第1回債権者会議での承認という簡単な手続で、会社更生法や民事再生法にみられる弁済禁止の保全処分と同様の効果を実現し、かつ「3年以内の実質的債務超過の解消」、「経常利益の3年以内の黒字化」、「支配株主の権利の消滅」、「既存株主の権利の消滅か大幅な減増資による希薄化」、「経営者の退任」等を定めて私的整理手続を準則化したことにより、私的整理が、金融界はもとより、経済社会からの一定の信認を獲得し、事業再生のツールとして定着する契機となっていったのです。実際にも、岩田屋、東洋シャッター、間組など約50件の大型案件が処理されました（須藤正彦ほか編集『事業再生と民事司法にかけた熱き思い――高木新二郎の軌跡』〔商事法務、2016〕78頁）。

2003年には、産業再生機構法に基づき、預金保険機構を主たる株主として設立された株式会社産業再生機構（IRCJ）が設立され、再建可能な企業が抱える債権を主力銀行以外の金融機関から時価で買い取り、主力銀行とともに当該企業の再建を支援するという機能をもって、ダイエー、ミサワホーム、カネボウ、大京等の大企業が私的整理で処理されました。

第2部 各論

　これらの活動と私的整理が準則化されたことにより、もともと会計と数字を専門とするコンサルティング・ファーム、ファイナンシャル・アドバイザー（FA）、公認会計士、証券会社、銀行、ターンアラウンド人材派遣業会社等が、瞬く間に、倒産ビジネスの世界の主流として台頭してきたのです。

　私的整理GLは、その後2007年の産活法の改正によって創設された事業再生ADRの基礎となり、また、産業再生機構は、2007年に清算しますが、その後2009年に、政府と金融機関が預金保険機構を経由するなどして創設された企業再生支援機構（ETIC）の元となり、さらには2013年以降は、REVICと商号を変更し、従前からの事業再生支援業務に加えて、地域経済活性化支援にかかわる新たな業務を担う組織として再出発しました。

　一方、中小企業においても、2003年以降、全国47都道府県に再生支援協議会（現在の活性化協議会。以下同じ）が設立されて、中小企業の再生支援の主力となっています〔→第7章③〕。これら再生支援協議会の準則も私的整理ガイドラインに準じてつくられています（数値基準として、①実質債務超過解消が5年以内〔リスケジュールの場合は10年〕、②経常黒字化が3年以内、③再生計画の最終年度〔原則として実質債務超過解消年度〕における有利子負債対キャッシュ・フロー倍率がおおむね10倍以内とされている〔中小企業再生支援協議会事業実施基本要領6(5)〕）。なお、特定調停法は2000年に施行されましたが、多重債務者の債務整理手続としては使用されたものの、事業者の私的整理の手法としてはほとんど使われていませんでした。

　　⑤　クロスボーダーの時代

　近時の事業再生における特徴の1つとしてクロスボーダーを挙げなければならないでしょう。中小企業の直接輸出企業数の統計をみてみると、2002年が3568社に対し2013年には6397社と約1.8倍に増加しています（経産省・中企庁調査室「2016年版中小企業白書概要」10頁）。また近時では、地方の中小企業が、例えば中国に子会社として工場をもっているなどということも珍しいことではなくなりました。

　しかし、前述の準則型私的整理手続であっても、それを海外の会社に適用することは困難です。また法的整理においても、例えば国内企業で法的手続を行う場合に、在外資産ないし事業を個別の執行からプロテクトするためにどのような方策をとるかということと海外子会社をどう処理するかは、現在も、非常に難しい問題として顕在化しています（南賢一「事業再生の変遷とこれからの立法的・実務的課題──我が師匠松嶋英機先生の古稀に捧ぐ」伊藤ほか編・前掲409頁）。

　(4)　手続選択
　　①　再生と清算の選択
　　（ⅰ）　営業キャッシュ・フロー
　それでは、企業を清算するか再建できるかの判断はどうすればよいのでしょう

第6章 事業再生

か。もちろん、画一的に決められるような簡単な問題ではありませんが、まずは、持続的に営業利益に減価償却費を可算したEBITDA（エビットディーエーと読む）でキャッシュを生むことができるか否かが重要な要素となるでしょう（減価償却費は他の費用とは違い現金の支出を伴わずキャッシュ・フローに変化はない。営業利益はすでに減価償却費が差し引かれているので、それを可算してキャッシュベースの利益に直してEBITDAを算出する必要がある。EBITDAは、会計基準や税金などの影響を除いたキャッシュベースの利益を表している）。ただし、この判断にしても現状のままの事業そのものである必要はなく、例えばA商品は黒字、B商品は赤字、C商品は黒字、そしてD商品は赤字という場合には、A商品とC商品のみを残して事業を継続する場合の営業利益を検討します。もちろん、その場合にもB商品とD商品の撤退費用がかかるので、それほど簡単な話ではありませんが、基本的には持続的に利益・キャッシュ・フローを生み出す体質でなければ再生は困難です。また、営業利益の段階で赤字を計上していたとしても、売上げの増加、原価コストの見直し、販売管理費の削減等の合理化によって、近い将来、キャッシュ・フローを生み出す会社に改善できる見通しが客観的な資料から読み取れるならば再建を検討できるでしょう（村松謙一『会社再建の実務Q&A』〔オーエス出版、1996〕60頁）。

　注意すべきなのは、企業の清算価値が継続企業価値よりも高い場合は、再生の経済合理性がなく、金融機関等から支持を得られないことです。例えば都心に店舗不動産を所有して商売を行っているとして、この不動産を処分すれば相当の金額になる（清算価値）という場合に、この店舗不動産による商売によっては、清算価値よりはるかに低い儲けしか得られないとすると、この場合は、清算価値が継続企業価値を上回っており、事業継続を正当化できないといえましょう（吉田広明『事業再生ナビゲーション』〔商事法務、2010〕43頁参照）。

(ii) 手続中の資金繰り

　再生手続をとることによって将来的には事業の再生を果たす見込みがあるといっても、手続の途中で資金が詰まるようでは再生などできません。特に、企業が法的再生手続をとった場合には、その事実が直ちに公知となるため、例えば、仕入先から前払や保証金を要請されたり、キャッシュオンデリバリーを求められることもあります。もちろん、これらにすべて応じているようでは資金繰りが続くはずはないのですが、代替性のない仕入先等のような場合にはやむを得ない場合もあります。他にも、倉庫に預けている原材料を早急に搬出する必要がある場合には、留置権の主張に対して和解的な処理をするために資金が必要になってきます。すなわち、特に法的な再生手続を利用する場合には、手続遂行中の少なくとも2～3か月の資金が回るのかを十分に検討しておく必要がありますし、仮に

第2部　各論

現金が少ない場合でもDIPファイナンスを受けるための担保（売掛金、受取手形、商品在庫）があるかを検討し、場合によっては事前にファイナンス先のあたりをつけておく必要がある場合もあるでしょう。

(iii)　**債権者の協力**

再建型の法的手続である民事再生や会社更生の場合も、再生計画案または更生計画案の成立に債権者の多数の同意が必要となります（民事再生法172条の3、会社更生法196条5項）。特に再生手続では、担保権者は手続に取り込まれない別除権となるため（民事再生法53条）、別途、別除権協定等を締結できないと担保権の実行を止められません（再生手続が開始しても、担保権は別除権として、再生手続外で権利行使できるのが原則だが〔同条1項・2項〕、例外的に、再生債務者の事業継続に必要な資産について担保権の実行中止命令〔同法31条〕の手続が認められている。ただし、「相当の期間」という制限がつけられるので期間内に交渉がまとまることが必要となる）。また、私的整理手続では、すべての債権者の同意が必要となります。手続を始める前には、あらかじめ各債権者がどのような対応をするかを予想しておく必要があります。もし、何らかの事情で、主要債権者や担保権者から同意を得られそうにないことが明らかであると思われる場合には、再生手続の選択自体を再検討する必要があるでしょう。

(iv)　**従業員の協力**

再生手続を遂行するために従業員の協力が必要であることはいうまでもありません。特に、事業の再生にとって不可欠のキーパーソンの協力が得られないようでは、さまざまな困難な事態が発生していく再生手続を進めることは困難となるでしょう。この辺りは、日頃の経営者と従業員との信頼関係が表れてくるところでもあります。

(v)　**経営者の意欲と代理人の能力**

再生手続を遂行する過程では、思いもかけないような困難な事態が次々と発生してくるものです。したがって、経営者が、何が何でも再生するのだという気概がなければ到底、困難を乗り切れるものではないことを自覚しておくべきでしょう。加えて、あらゆる事態を想定して準備を進めるには手続に精通した代理人を選任することも必要です。

②　**法的整理と私的整理の手続選択**

法的整理と私的整理とではどちらを選択するのが適切かという問題がありますが、これには①商取引債権保護、②倒産ダメージの影響、③迅速性、④多数決原理という4つの論点があります。それぞれの企業に応じて、内容をよく吟味して選択することが求められるでしょう。

(i) 商取引債権保護

　仕入先に対する買掛金債務等の商取引債権も、法的整理では金銭債務と一緒に弁済禁止、債務免除の対象となるのが原則です（もっとも、例外的に、少額債権の弁済の規定〔民事再生法85条5項、会社更生法47条5項〕により、①弁済により債権者を減少させて手続を円滑に進行できる場合、②弁済しなければ事業の継続に著しい支障を来す場合には、商取引債権を保護している場合もあり、実例としては日本航空、ウイルコム、林原などがある）。これに対し、一般的に行われている準則型私的整理では、金融債務のみを弁済禁止、債務免除の対象として事業価値の毀損を回避して、事業価値の毀損を最小限にしようとしています。

(ii) 倒産ダメージの影響

　再生の場合と清算の場合とを問わず、法的整理の場合には「倒産」と報道されることとなります。したがって、例えば結婚式場の運営会社などの「縁起物産業」では、法的手続をとって倒産と報道されてしまうと、今後の事業継続に致命的なダメージを与えますので、法的手続は不向きといえるでしょう。また、そのような業態ではない場合にも、「倒産」と報道されることによって大手の得意先から取引を断られたり、売上高が減少したり、また官公庁のルール上から受注が減少することもしばしばです。申立てを考える際には、事業の特性をよく把握して影響を考えねばならないでしょう。

(iii) 迅速性

　私的整理のメリットの1つとして迅速性が挙げられます。事業価値の毀損を考えれば、事業を再建できるか否かが不安定な時期はできるだけ短いほうがよいでしょう。私的整理では、再生計画の成立まで約3か月程度が想定されていますが、法的整理で比較的短いといわれている再生手続でも東京地裁の標準スケジュールでは申立てから計画案認可までが5か月間とされています。

(iv) 多数決原理

　以上に対し、私的整理の大きなデメリットは全対象債権者の100％の同意が必要だということです。1社でも反対したら私的整理が実現できないというのはなかなか厳しいものです（このような場合に、民事調停法の「17条決定」といわれる調停に代わる決定を利用する方法がある）〔→第7章5〕。ことに、金融機関の中でも、政府系の金融機関は同意を得るのが困難な場合も多いといえましょう。

　これに対して法的整理では、法律に基づいて多数決による債務免除が可能であり、成立は私的整理に比べればずっと容易といえるでしょう。

③ 再生型法的整理手続における手続選択

　再生型法的整理手続には、会社更生、民事再生、そして再生型でも清算型でも対応できるものとして特定調停があります。

第2部 各　論

　会社更生は、担保権を手続内に拘束する（会社更生法138条）強い権限をもった法律ですが、その分、裁判所の監督を強く受けることになり、重い手続になりがちです。また、原則として手続の開始決定日から、裁判所が選任した管財人が会社の事業のすべての権限を掌握することになります（同法72条）ので、中小規模の会社には不向きな制度といえるかもしれません（ただし、DIP型更生といって、例外的に従来の経営者が管財人に選任される場合もある。難波孝一ほか「会社更生事件の最近の実情と今後の新たな展開――債務者会社が会社更生手続を利用しやすくなるための方策：DIP型会社更生手続の運用の導入を中心に」NBL895号〔2008〕10頁以下参照）。この点、民事再生は、債務者自身が業務の遂行および財産の管理・処分を継続するDIP型を原則としますので、中小企業向きといえるでしょう。また、債権者が少数の場合には、特定調停［→第7章⑤］も有益な制度といえるでしょう。

　④　再生型私的整理手続における手続選択

　再生型私的整理手続には、私的整理GL、事業再生ADR、REVICおよび再生支援協議会、ならびに、これらの手続を用いずに私的整理を進めて最後に特定調停を使って解決するという方法があります。

　このうち私的整理GLは専門家アドバイザーが必要であり、事業再生ADRも手続実施者の選任が必要であって、いずれも手続面でも費用面でも、それなりの規模の会社向きで、中小企業には不向きといえるでしょう。

　REVICおよび再生支援協議会は、もちろん有効な制度なのですが、本書では、これらの公的機関を使わずに、債務者企業の独自性を保ったまま、準則型の私的整理の基準に沿った形で私的整理の手続を進めて金融機関の同意を取り付けておき、最終段階で、合意事項に債務名義を付して不履行の場合にも強制執行ができるようにしておくことと、金融機関が債権放棄した場合にも貸倒れとして損金算入できるようにして税務問題をクリアーにするために特定調停の手続を用いることを主眼として解説したいと思います［→第7章⑤］。

(5)　**特定調停**

　2009年に施行された金融円滑化法により返済条件の変更を受けて資金繰りを維持してきた中小企業は30万〜40万件といわれ、このうち5万〜6万社は事業再生や経営改善が必要な先であるといわれています（加藤寛史＝堀口真「協議会における『暫定リスケ』の活用状況と『出口』に向けた取組状況（事例紹介）」事業再生と債権管理154号〔2016〕16頁）。対象会社を6万社と想定した場合の政府の対応は以下の通りです（松嶋編著・前掲204頁以下）。

①　まず、対象会社6万社の半分の3万社は、金融機関がコンサルティング機能を十分に発揮して経営改善を行う。

②　残り3万社は、金融機関と債務者企業のみで経営改善するのは困難なの

第6章　事業再生

で、第三者機関の協力を獲て経営改善なり、ほかの必要措置を行う。3万社のうちの1万社は、全都道府県に設置されている再生支援協議会、残り2万社については認定支援機関によって経営改善等他の必要な措置を行う。

　しかし、これらの政策が直ちに功を奏するとは考えがたいでしょう。前述の通り、再生支援協議会で1万件の処理を目論んでいますが、その活動だけで追いつくはずもなく、また、企業再生支援機構（ETIC）時代からのREVICの累計処理件数は、2016年9月末時点でも90件に満たない状況にあるのです。すなわち、債務者企業自らが、これら公的機関の力を借りるのでなく独自の力で再生する途を容易しておくことが必要です。そして、この特定調停の中で前述の経営者保証GLの手続をとれば、法人と保証人個人を同時に処理することが可能となるのです。

　そこで本書では、従前の法的整理、私的整理手続のみならず特定調停を用いた再生手法の大幅な利用を提唱しているのです。

(6)　**自然災害GL**

　未曾有の被害をもたらした東日本大震災以降も、わが国には、地震や暴風、豪雨等によるさまざまな自然災害が発生しています。このような自然災害の影響によって、住宅ローン等を借りている個人や、事業性ローンを借りている個人事業主が、既往債務の負担を抱えたままでは再スタートが困難となることが考えられます。

　そこで、2015年12月に、金融機関等が、個人である債務者に対して、特定調停手続を利用した債務整理により債務免除を行うことによって、債務者の生活の再建支援を行うGLが取りまとめられました。

(7)　**中小企業版私的整理GL**

　2022年3月4日、「新たな準則型私的整理手続」として、事業再生GLが取りまとめられました。これは、2021年6月に公表された政府の「成長戦略実行計画」に由来するものです。

　2020年ころから始まったコロナ禍で、中小企業の多くは一気に資金繰りに苦しむことになり、官民の金融機関による実質無利子・無担保融資や租税の延納等によって資金繰りをつないできました。ところが、日本企業の債務残高は、コロナ前（2019年12月）の約565兆円から、2021年12月末には約637兆円となり、72兆円も増加しています。また中小企業では、「債務に過剰感がある」と約36％が回答しています（以上、内閣官房「新しい資本主義実現会議」第5回基礎資料・2022年4月12日）。すなわち、コロナ禍で「資金繰り」に苦しんでいた中小企業は、現在は、「増大した過剰債務」に苦しんでいるのです。これを脱却する方法の1つがこのGLです。

第2部 各 論

事業再生GLは、第1部で「本ガイドラインの目的等」、第2部で「中小企業の事業再生等に関する基本的な考え方」、第3部で「新たな準則型私的整理手続」として「中小企業の事業再生等のための私的整理手続」（中小企業版私的整理GL）を定めています。ここでは、第3部を中心に解説します。

この特徴は、①廃業型手続が策定されたこと、②第三者支援専門家の関与が必須とされたこと、③中小企業の実態を踏まえた手続であること。例えば、ⅰ入口段階で詳細な次号再生計画等は求めず支援等の開始決定までの要件を緩和し、ⅱ債務超過解消年数を5年以内、黒字化目処を3年以内、計画終了年度の有利子負債CF倍率10倍以内、小規模企業者には必ずしもこれらに限らない配慮していること、ⅲ経営者の退任を必須としていないこと、ⅳ自助努力が反映され、かつ経済的合理性があることを必須要件として債権者とのバランスに配慮したこと、④外部専門家や第三者支援専門家に、一定の要件で補助金が支給されること等です（小林信明「『中小企業の事業再生等に関するガイドライン』の解説」NBL1219号〔2022〕10頁以下）。

2　民事再生

(1)　民事再生とは

再生手続とは、経済的に窮境にある債務者について、債権者の多数の同意を得て、かつ、裁判所の認可を受けた再生計画を定めること等によって、債務者と債権者間の民事上の権利関係を適切に調整し、債務者の事業や経済生活の再建を目的とするものです（民事再生法1条）。

個人、法人を問わず、利用可能な手続であり、特に法人については、会社更生法や特別清算手続が対象を株式会社に限定しているのに対し、再生手続は、法人の種類による制限はなく、医療法人、社会福祉法人、学校法人などの再建手続として利用することができます。

(2)　再生手続の流れと標準スケジュール

①　再生手続の流れ

実際に再生手続申立てを行い、負債の減免を定める再生計画案を作成して、再生計画案に債権者の同意を得て、再生裁判所の再生計画認可決定を受けるまでの大まかな手続について、下記に東京地裁の標準スケジュールを紹介します。

【東京地方裁判所の標準スケジュール】

民事再生手続標準スケジュール	
手続	申立日からの日数
申立て・予納金納付	0日

保全処分発令	0日
監督委員選任	0日
(債務書主催の債権者説明会)	0〜6日
再生手続開始決定	1週間
債権届出期限	1か月＋1週間
財産評定書・報告書提出期限	2か月
債権認否書提出期限	2か月＋1週間
債権調査(一般調査期間始期から終期)	10週間〜11週間
再生計画案提出期限	3か月
監督委員意見書提出期限	3か月＋1週間
債権者集会招集決定	3か月＋1週間
書面投票期間	債権者集会の8日前
債権者集会期日・認否決定	5か月

② **再生手続申立て**

　再生債務者が営業者であるときは、その主たる営業所の所在地、営業者でないときや営業所を有しないときは、普通裁判籍の所在地を管轄する地方裁判所に申立てを行います（民事再生法5条）。再生手続申立ては、再生手続開始原因である「債務者に破産手続開始の原因となる事実の生じるおそれがある」ことまたは、「債務者が事業の継続に著しい支障を来すことなく弁済期にある債務を弁済することができない」ことを疎明して行います（同法21条・23条1項）。また、申立てのための手続費用として、裁判所に予納金納付が必要となります。これは、主として、再生手続申立後に裁判所が選任する監督委員等の費用に充てられます。

　民事再生により、事業の再建を図る場合、再生手続申立後も申立前と同様に業務を継続しなければなりませんが、再生手続申立てにより、法人の信用は一挙に低下し、法人の内外に一定の信用不安や混乱が生じるのは避けられません。よって、いかに再生手続申立てによる信用低下を最小限に食い止めつつ、事業継続を図るかが再生手続申立段階での最重要ポイントです。この検討結果を踏まえて、申立てのためにどのような準備を行い、いつ、再生手続申立てを行うかのXデーを決めることになります。

③ **保全処分発令と監督委員の選任**

　再生手続の申立てを行うと、債務者に対して、弁済禁止の保全処分が発令され、

第2部 各 論

監督委員が選任されます。弁済禁止の保全処分は、債務者に対して、申立前までの原因に基づいて生じた債務の弁済を禁止することがその内容となります（民事再生法30条1項）。資金繰りに窮した債務者にとっては、再生手続により再建を図るために、合法的に旧債務の弁済を停止できるということです。

　また、再生裁判所は、保全処分と同時に、監督委員を選任します（民事再生法54条）。監督委員は、再生債務者が行う一定の行為について、同意を与えるか否かを判断したり（同条2項）、再生債務者の業務や財産の状況について調査権を有し（同法59条）、再生手続の適正を担保します。債務者は、再生手続申立後も、法人の財産管理処分権を引続き保有して、経営を継続しますが、監督委員の権限の範囲で制約を受けることになります。

【監督命令】

令和○年（再）第○○号　再生手続開始申立事件
　　　　　　　　　　　決　　定
○○県○○市○○1－2－3
再生債務者　　○○○○株式会社
代表者代表取締役　　○○　○○
　　　　　　　　　　　主　　文
1　○○○○株式会社について監督委員による監督を命ずる。
2　監督委員として，次のものを選任する。
　　　○○県○○市○○町1番2号○○ビル
　　　○○法律事務所
　　　弁護士　○○　○○
3　監督委員は，再生債務者が，民事再生法120条1項に規定する行為によって生ずべき相手方の請求権を共益債権とする旨の裁判所の許可に代わる承認をすることができる。
4　再生債務者が次に掲げる行為をするには，監督委員の同意を得なければならない。
　(1)　再生債務者が所有又は占有する財産に係る権利の譲渡，担保権の設定，賃貸その他の一切
　の処分（常務に属する取引に関する場合を除く。）
　(2)　再生債務者の有する債権についての譲渡，担保権の設定その他一切の処分（再生債務者による取立てを除く。）
　(3)　財産の譲受け（商品の仕入その他の常務に属する財産の譲受けを除く。）
　(4)　貸付け
　(5)　金銭の借入れ（手形割引を含む。）及び保証
　(6)　債務免除，無償の債務負担行為及び権利の放棄
　(7)　別所権の目的である財産の受戻し

(8) 事業の維持再生の支援に関する契約及び当該支援をする者の選定業務に関する契約の締結
5 再生債務者は，令和○年○○月○○日以降毎月末日締切により，再生債務者の業務及び財産の管理状況についての報告書をその翌月10日までに当裁判所及び監督委員に提出しなければならない。
　ただし，再生計画認可決定があった後は，この限りではない。

　　　　　令和○年○○月○○日
　　　　　○○地方裁判所民事部
　　　　　　裁判長裁判官　○○　○○
　　　　　　裁判官　　　　○○　○○
　　　　　　裁判官　　　　○○　○○

これは正本である。
　同日同庁
　　　裁判所書記官　○○　○○

　　　　　　　　　　　[裁判所書記官印　○○地方]

【弁済禁止の保全処分】

令和○年（再）第○○号

　　　　　　　　　　決　　定

　　　　○○県○○市○○１－２－３
　　　　再生債務者　○○○○株式会社
　　　　代表者代表取締役　○○　○○

　　　　　　　　　　主　　文

再生債務者は，以下の行為をしてはならない。

　　　　　　　　　　記

令和○年○○月○○日までの原因に基づいて生じた債務（次のものを除く。）の弁済及び担保の提供

　租税その他の国税徴収法の例により徴収される債務

　再生債務者とその従業員との雇用関係により生じた債務

第2部 各　論

```
    再生債務者の事業所の賃料，水道光熱費，通信にかかる債務
    再生債務者の事業所の備品のリース料


    令和○年○○月○○日
         ○○地方裁判所民事部
              裁判長裁判官　○　○　　○　○

              裁判官　　　　○　○　　○　○

              裁判官　　　　○　○　　○　○

    これは正本である。
         同日同庁
              裁判所書記官　○○　　○○    ┌──────┐
                                            │裁 ○  │
                                            │記判 ○ │
                                            │官所 地│
                                            │印書 方│
                                            └──────┘
```

④　**債権者説明会**

　実務上、民事再生申立後数日の間に債務者主催の債権者説明会が開催されています。選任された監督委員も同席することが一般です。債権者説明会では、再生手続の一般的な説明に加え、再生手続申立てに至った経緯、どのような方法で再建を図る考えであるのか、取引継続の場合の申立後の支払方法などを説明します。また、債権者からの質問等にも答えます。債権者説明会の状況は再生裁判所に報告され、再生裁判所は再生手続開始決定を行うか否かの判断資料とします。

⑤　**再生手続開始決定**

　裁判所が再生手続開始原因の疎明があると判断すると、再生手続申立てから1週間程度で再生手続開始決定がなされます（民事再生法33条1項）。再生手続開始決定時に、同時処分として、債権届出期間や債権調査期間が定められます（同法34条1項）。また、実務上、開始決定時に財産評定書（同法124条）や報告書（同法125条）の提出期限も定められます。

　債権届出とその調査は、再生債権の内容や額を確定して、再生計画により弁済する再生債権を明確にするものであり、財産評定は、再生債務者の再生手続開始決定時の、財産の内容と評価額を明らかにして、再生計画による弁済率を定める1つの基準となり、報告書は、倒産原因を明確にして、倒産原因を除去して再建できるか否かの判断資料となるものです。

⑥　**再生計画案の作成と提出**

　倒産原因の解明、再生債権の確定、財産評定等を前提に、どのように倒産原因

第6章 事業再生

を除去し、再生債権について、何割の額を、どのような期間で支払うのかを定めるのが再生計画案です。再生債務者は再生手続申立から約3か月をかけて、前記の作業を行い、再生計画案を作成して、裁判所に提出します。再生計画案は、再生債権の減額と支払期間の猶予を主たる内容とするので、再生債務者としては、債権者の同意が得られれば、増大した負債の圧縮と実際の収益力に応じた弁済繰延べを実現できることとなります。

【事業譲渡し通常清算する例】

令和〇年(再)第〇〇号　再生手続開始申立事件
再生債務者　〇〇株式会社

再 生 計 画 案

令和〇年〇〇月〇〇日

〇〇地方裁判所民事第20部御中

再生債務者　〇〇株式会社
申立人代理人　弁護士　〇〇　〇〇

第1　基本方針
1　再生債務者は、〇〇株式会社が運用するファンドが出資する△△株式会社（本店所在地：〇〇県〇〇市△△二丁目8番2号・代表取締役：△△△△）に対し、令和〇年12月25日、再生裁判所の事業譲渡許可及び株主総会決議代替許可を得て、翌12月26日午前零時をもって、再生債務者の事業譲渡（☆☆部門の一部、☆☆輸入製品部門、☆☆貿易部門、☆☆洋品部門）を実施した。

　再生債務者は、令和〇年2月20日までに△△株式会社より事業譲渡代金の全額の支払いを受ける。

　再生債務者は、再生債権の早期弁済を実施するため、再生計画認可決定確定後、清算手続に入り、事業譲渡対象外資産の処分を進める。

　事業譲渡代金等により再生計画認可決定確定後1ヶ月以内に民事再生手続開始決定日の前日までに発生した確定再生債権のうち20万円までの部分については全額を、その余の部分については、5％の弁済を実施する。また、事業譲渡対象外資産の処分終了後、清算業務に必要な費用を控除した全ての金額を再生債権者に弁済し、その余の債務については全額免除を受ける。最終弁済時期は、令和〇年8月を目処としており、最終弁済率は、〇％程度を予定している。

第2部　各　論

　2　○○株式会社の概要
　　(1)　本店所在地
　　　　○○県○○市○○一丁目10番2号
　　(2)　代表者
　　　　××××
　　(3)　事業内容
　　　　LBOファンドの運用・管理
　　(4)　設立年月日
　　　　令和○年○○月○○日
　　(5)　資本金
　　　　○○○円
　　(6)　株主
　　　　○○株式会社（東証及び大証1部上場）100％

　3　△△株式会社の概要
　　(1)　本店所在地
　　　　△△県△△市△△二丁目8番12号
　　(2)　代表者
　　　　××××
　　(3)　事業内容
　　　　既製服・アパレル製品・服装飾品・衣料用繊維製品・繊維原料等の売買、輸出入業、問屋業、仲立業並びにこれらに関する代理業その他
　　(4)　設立年月日
　　　　令和○年○○月○○日
　　(5)　資本金
　　　　○○○円
　　(6)　株主
　　　　□□投資事業有限責任組合
　　　　△△△△投資事業有限責任組合
　　　　○○○・○○○・ファンド1号

　4　再生計画の概要
　　(1)　再生債権の扱い
　　　　民事再生手続開始決定日の前日までに発生した再生債権のうち20万円までの部分は全額、その余の再生債権についてはその5％を再生計画認可決定確定後1ヶ月以内に弁済し、事業譲渡外資産の処分終了後、再生手続及び清算手続に必要な費用を控除した全ての財産を再生債権額に応じて按分弁済し、再生債務者清算結了時に残債権について免除を受ける。
　　　　但し、再生債務者との賃貸借契約による保証金返還請求権の再生債権

第6章　事業再生

については、新賃貸人において保証金返還請求権を承継しない場合に限り、後記第2の2⑴による権利変更後の再生債権額について、賃貸借契約終了、明け渡し後、各賃貸借契約による控除を行い、控除後の残債権額について、後記第2の2⑵により弁済する。
　第1回弁済時期は、令和〇年〇〇月中旬を予定しており、最終弁済は、令和〇年〇〇月を目処としている。再生債権の最終弁済率は〇パーセント程度となる予定である。
⑵　別除権付再生権者の扱い
　①　受戻を予定している物件については、各担保権者と別除権協定を締結し、別除権の目的物を受け戻す。
　②　受戻を予定しない物件については、別除権者の随時処分に委ねる。
　③　別除権目的物の受戻及び別除権の実行により、別除権不足額が確定した場合、その確定の通知及び証憑を再生債務者において確認後、再生計画に従い弁済を実施する。

第2　再生債権の権利の変更と弁済方法
１　再生債権
　再生債権者総数、確定再生債権総額及び未確定の再生債権総額は、次のとおりである。
　再生債権者総数　　　　　　　　　　　×××件
　確定再生債権総額　　　〇〇,〇〇〇,〇〇〇,〇〇〇円及び額未定
　未確定再生債権総額（届出額）　　〇〇,〇〇〇,〇〇〇円

２　一般条項
⑴　権利の変更
　①　再生手続開始決定日以降の利息・遅延損害金については、再生計画認可決定が確定したときに全額の免除を受ける。
　②　前①による免除後の確定再生債権（以下「弁済対象確定再生債権」という）の20万円を超える部分については、後記⑵弁済の方法記載の弁済終了後、再生債務者の清算結了時に残額につき全額免除を受ける。
⑵　弁済の方法
　①　弁済対象確定再生債権のうち20万円までの部分については、再生計画認可決定確定後1ヶ月以内に全額を支払う。
　②　弁済対象確定再生債権のうち20万円を超える部分については、次のとおり分割して支払う。
　　ⅰ　再生計画認可決定確定後1ヶ月以内にその5％に相当する額
　　ⅱ　再生債務者の残余財産を換価したうえ、共益債権及び一般優先債権を弁済した残額を弁済対象確定再生債権の額に按分して支払う。
　③　別表Ⅰ－2の再生債務者との賃貸借契約による保証金返還請求権を

第2部　各　論

再生債権とする確定再生債権については、新賃貸人において保証金返還請求権を承継しない場合又は賃借人が賃貸物件を明け渡した場合、確定再生債権について、各賃貸借契約に基づく保証金の償却を行ったうえ、前(1)の権利変更の対象となり、各賃貸借契約による控除を行い、控除後の残債権額について、前①及び②の規定により弁済する。
　　　　但し、上記残債権額が、再生計画による弁済期後に確定したときには、確定後2週間以内に弁済する。
　　④　別除権付再生債権について、再生計画による弁済期後に再生債務者が、後記5(1)による不足額確定の通知及びその証明資料の提示を受けた場合、再生債務者において、その不足額及び証明資料を確認した後、2週間以内に前記①及び②の規定により弁済する。

3　別除権付再生債権についての定め
　(1)　別除権付再生債権の概要
　　　別除権付再生債権者と別除権の目的物は、別表Ⅱ－1ないし3別除権付再生債権者一覧表及び別表Ⅲ別除権の目的物の一覧表（リース物件）記載のとおりである。
　(2)　別除権の処分等による不足額の確定
　　　別除権の行使によって、弁済を受けることができない債権の部分（以下「不足額」という。）が、別除権の実行又は再生債務者との受戻協定により確定したときは、権利の変更の対象となり、不足額についての権利変更と変更後の権利に対する弁済は前記2の定めを適用する。
　(3)　受戻を予定している別除権の処理
　　①　受戻を予定している別除権の目的物は別表Ⅲ別除権の目的物一覧表（リース物件）備考欄記載のとおりである。
　　　　再生債務者が別表Ⅲ記載の別除権付再生債権者と協議し、合意に至ったときは、再生計画認可決定前においては、監督委員の同意を得て、受戻予定物件についての別除権評価額を別除権協定に基づく方法により支払い、当該別除権の目的物を受け戻す。
　　②　別表Ⅲ記載の別除権付再生債権者と再生債務者間において、別除権の目的物の受戻について合意に至った場合には、確定再生債権額から受戻額を控除した残額について、不足額が確定したものとして、前記2の定めを適用する。但し、当該債権者が、受戻を予定している別除権の目的物以外の物件についても別除権を有している場合を除く。
　(4)　受戻を予定していない別除権の処理
　　①　受戻を予定していない別除権の目的物は別表Ⅲ別除権の目的物一覧表（リース物件）備考欄記載のとおりである。
　　②　受戻を予定していない別除権の目的物は、別除権者による別除権実行としての処分後、不足額につき、その権利変更と変更後の権利に対

する弁済は前記2の定めを適用する。

4　弁済に関するその他の事項
  (1)　再生計画による弁済は、再生債権者が指定した金融機関の預金口座へ振込む方法によって行う。再生債権の弁済のために必要な費用は、再生債務者の負担とする。
  (2)　再生債権の弁済額算定によって生じる1円未満の端数は切り捨てる。

5　再生債権額が確定していない再生債権に関する措置
  (1)　別除権付再生債権は、不足額が確定したときに、前記2の定めを適用する。
    　不足額が確定した場合、別除権付再生債権者は、再生債務者に対し、不足額確定の通知をし、かつ、その証明資料を再生債務者に提示しなければならない。
  (2)　異議等のある債権
    　特別調査の対象となる再生債権のうち、異議等のある再生債権につき査定の申立が行われ、または、査定の申立に対する異議の訴えが提起された場合において、再生債権が確定したときは前記2の定めを適用する。

第3　共益債権の弁済方法
　　令和○年○○月末日現在における未払共益債権○,○○○,○○○,○○○円及び令和○年○○月○○日以降に発生する共益債権は随時支払う。

第4　一般優先債権の表示及び弁済方法
1　公租公課
　　令和○年○○月末日現在における未払公租公課合計○○,○○○,○○○円及びその後に発生する公租公課は随時支払う。

2　労働債権
　　令和○年○○月○○日現在における未払労働債権は○○,○○○,○○○円であり、令和○年○○月末日までに支払い、その後に発生する労働債権は随時支払う。

3　□□厚生年金拠出金
　　再生債務者が加入する□□厚生年金基金脱退に伴い発生する一括拠出金○○○,○○○,○○○円は、令和○年○○月末日までに支払う。

以上

＊別表は省略

⑦ 再生計画案決議のための債権者集会

再生債務者が作成した再生計画案について、債権者の賛否を問うのが債権者集会です。再生計画案について、債権者の賛否を問う手続には、債権者集会を開催して行う方法、書面等投票による方法、債権者集会は開催するが、債権者は債権者集会に出席して権利を行使するか、書面等投票によるか選択できる方法の3種類があります（民事再生法169条2項）。

再生計画案の可決要件は、①議決権者（債権者集会に出席し、または書面投票した者）の過半数の同意があり、かつ、②議決権者の議決権総額の2分の1以上の同意です（民事再生法172条の3第1項）。最初の債権者集会で可決要件を満たした同意がえられない場合でも、前記①または②のいずれかの同意がある場合、あるいは出席した議決権者の過半数と出席議決権者の議決権総額の2分の1以上が期日続行につき同意すれば、債権者集会を続行し、2か月以内に債権者集会を招集して、再度、再生計画案について、債権者の賛否を問う機会が与えられます（同法172条の5）。

実務上、裁判所主催の債権者集会に先立ち、再生債務者主催の再生計画案の説明会が開催されています。これは再生債務者から再生計画案の内容やその内容に至った理由などを債権者に説明し、質疑応答を行うことにより、再生計画案に対する再生債権者の理解と協力を得ることが目的です。また、大口債権者に対しては、再生債務者が個別に訪問して説明を行うなど再生計画案への協力を要請します。

⑧ 再生計画認可決定等

再生計画案が可決された場合には、裁判所は再生計画不認可事由がない限り、再生計画認可決定を行います（民事再生法174条）。再生計画認可決定が確定すると（同法176条）、再生債権は再生計画の定めに従って、減免され（同法178条・179条）、再生債務者は再生計画の定めに従って、弁済を履行します（同法186条）。

また、再生計画案が債権者集会で否決された場合や再生計画不認可決定が確定した場合、裁判所は、職権で再生手続廃止決定を行います（民事再生法191条3号）。東京地裁においては、再生債務者が法人の場合、再生手続廃止決定がされると、職権で破産手続開始決定がされています（同法250条1項）。

⑨ 再生手続の終結

監督委員や管財人が選任されていない再生手続は、再生計画認可決定が確定すると、再生手続終結決定がされます（民事再生法188条1項）。ただし、実務上、ほとんどの事案で監督委員が選任されているので、再生計画による弁済が完了したとき、または、再生計画認可決定確定から3年経過したときに再生手続終結決定がされています（同条2項）。法人の場合、再生計画認可決定確定により、再

生手続申立てによって低下した信用回復をある程度図ることができますが、新規取引先の開拓や金融機関からの新規融資などには、再生手続の終結が条件となる場合もありますから、再生計画はできる限り短期の弁済として、早期の再生手続終結を得ることが望ましいといえます。

(3) **再生計画のスキーム**
① **概要**

再生計画案の作成の方法としては、大きく分けてスポンサー型と自主再建型があります。いずれの方法によるかは、申立当初より方針が決まっている場合（特に、申立当初より、スポンサーがほぼ決まっている場合をプレ・パッケージ型と呼んでいる）もあれば、再生計画作成途上で方針が定まる場合もあります。

② **スポンサー型の再生計画案の類型**

スポンサー型の再生計画案とは、主として、再生債務者の法人格を残すかどうかにより、次のように区分けできます。

(ⅰ) **法人存続型**

再生債務者の法人格はそのまま残し、スポンサーが再生債務者に対して、出資や融資をして、役員を入れ替えて、新たな経営陣の下で再建を図る方法です。株式会社の再生手続においては、再生債務者がすべての株式を取得して100％減資し（民事再生法154条3項）、かつ、新たに株式を募集して、スポンサーに株式を割り当てる方法があります。

この場合、スポンサーからの出資や融資金により、再生債権者に対する弁済を一括で行ったり、一括でなくとも早期の弁済がされます。

法人存続型による場合、再生債務者の事業を別の法主体に移行することがないので、再生債務者の事業継続に必要な許認可がある場合、この型をよることが安全であり簡易迅速です。

(ⅱ) **法人消滅型**

再生債務者の事業を事業譲渡や会社分割などの企業再編手続を用いて、他の法人に譲渡して、その対価や事業譲渡等の対象とならなかった再生債務者の残余財産をもって再生債権者に対する弁済を行う再生計画案を作成します。

また、事業譲渡等を実施した後の再生債務者は清算しますので、再生計画案において、再生計画による弁済をした後の残債務はすべて免除を受ける旨定めます。再生債権者は通常清算手続により清算します。

③ **自主再建型の再生計画案**

(ⅰ) **収益弁済**

自主再建型の再生計画案とは、第三者であるスポンサーの支援を受けずに、再生債務者が自ら事業を継続することにより、将来得ることができる利益をもっ

て、再生債権者に対する弁済を行うことを内容とするものです。再生債務者の将来の収益を弁済原資とし、再生計画による弁済は、財産評定を基に算定した破産配当率を上回るものでなければなりませんから、自主再建型の再生計画案における弁済計画は、ある程度長期分割弁済にならざるを得ません。なお、再生計画案における分割弁済は特別の事情がある場合を除き、再生計画認可決定の確定から10年が限度です（民事再生法155条3項）。

(ⅱ) 事業に必要な不動産等の確保（別除権協定）

自主再建の場合、事業継続に必要な店舗や工場などの不動産の使用継続をどのように図るかが問題となります。これらの不動産には金融機関などが抵当権等の担保権を設定しており、担保権は民事再生法上、別除権として、権利行使が可能であり、担保権が実行され、不動産が競売されてしまうとすれば、再生債務者の再建はできなくなるからです。

民事再生法上、再生債務者の事業の継続に必要不可欠な財産の確保の手段として、担保権消滅請求制度があります（民事再生法148条〜153条）。しかし、同制度により、担保権を消滅させるには、担保物件の価額相当額の一括納付が必要ですから、自主再建型の場合、資金を用意することは難しいので利用困難です。そこで、事業継続に必要な不動産の使用を継続する方法として、別除権者と別除権協定の締結を行います（同法41条1項9号）。

再生債務者は、再建に必要な不動産については、当該不動産に担保権を設定している金融機関等の担保権者と当該不動産の価額相当額の金銭を将来の収益から分割して支払うことを約し、担保権者は、競売の申立てなどの担保権実行は行わないことおよび別除権協定による分割弁済が完了したときには、抵当権等の担保権を抹消する旨約するのが、別除権協定の基本事項です。この合意を取りつけることにより、不動産が競売されることを防ぎ、その継続使用が可能になるのです。

別除権協定を行う場合、最も問題となるのが、別除権評価額である不動産の価額です。不動産鑑定評価書を取得して、担保権者の担保権の権利の実現と一般債権者との公平の観点から、適正な評価額で協定を締結します。なお、監督命令において、別除権協定の締結は監督委員の同意事項とされています。

(4) 再生計画の条項

① はじめに

スポンサー型で再建を図る場合には、事業譲渡代金や出資金や融資金で、再生債権の一定割合の金額を一括弁済したり、あるいは、一括弁済に近い短期の弁済の実施を内容とする再生計画案となります。自主再建型においては、再生債務者の将来の収益を弁済原資としたある程度の長期分割弁済を内容とする再生計画案が作成されます。ここでは、再生計画で定める条項について解説します。

② 絶対的必要的記載事項（民事再生法154条1項）

絶対的必要的記載事項とは、再生計画において、その事項の定めをしなければ再生計画が不適法なものとして、不認可決定を受け得る事由（民事再生法174条2項1号）であり、次の事項です。

(i) **全部または一部の再生債権者の権利の変更（民事再生法154条1項1号）**

具体的には、再生債権の全部または一部の免除、支払期限の猶予などです。100万円の再生債権について、70％の免除を受け、残りを5年で分割弁済するなどの内容の定めであり、再生計画案の条項の中核となる事項です。

(ii) **共益債権および一般優先債権の弁済（民事再生法154条1項2号）**

共益債権および一般優先債権は、再生計画によらないで、随時、弁済されるものですが（民事再生法121条1項・122条2項）、再生債務者が支払うべき共益債権および一般優先債権がいくらあるのかは、再生計画の履行の可能性を判断する上で重要な事項であるために、再生計画に定めることとされています。再生計画に定めるべき共益債権および一般優先債権については、将来弁済すべきものを明示するとされています（民事再生規則83条）。再生計画案に定める共益債権とは、再生手続申立後の取引によって生じた債権などであり、また、一般優先債権としては、未払給与・退職金や公租公課などがあります。

(iii) **知れている開始後債権があるときは、その内容（民事再生法154条1項3号）**

開始後債権とは、再生手続開始後の原因に基づいて生じた財産上の請求権であり、共益債権、一般優先債権または再生債権以外のものをいいます（民事再生法123条）。この条項を設ける趣旨は、破産手続への移行などに備えて再生債権者への情報開示をするためであるとされています（伊藤眞『破産法・民事再生法〔第5版〕』〔有斐閣、2022〕1084頁）。なお、実例で、知れている開始後債権はあまりないようです。

③ 相対的必要的記載事項

相対的必要的記載事項とは、再生計画案中、当該事項を設けなくとも再生計画が不適法となることはありませんが、その事項について効力を生じさせるためには、再生計画で定める必要のある事項をいいます。

(i) **債務の負担および担保の提供に関する定め（民事再生法158条）**

再生債務者以外の者が債務を引き受けたり、または保証人となる等再生のために債務を負担するときは、再生計画において、その者を明示し、かつ、その債務の内容を定めなければなりません（民事再生法158条1項）。

再生債務者または再生債務者以外の者が、再生のために担保を提供するときは、再生計画において、担保を提供する者を明示し、かつ、担保権の内容を定めなければなりません（民事再生法158条2項）。

(ii) 未確定再生債権に関する定め（民事再生法159条）

異議等のある再生債権で、その確定手続が終了していないものがあるときは、再生計画において、その権利確定の可能性を考慮し、これに対する適確な措置を定めなければなりません。異議等のある再生債権で、その確定手続が終了していないものとは、債権届出に対して異議が述べられ、査定手続あるいは債権確定訴訟中であるものや、債権届出期間中に届出がされなかった債権について、特別調査期日が設けられたが、まだ、債権確定に至っていないものをいいます。

これらの債権についてもその存在および額が確定した場合は、他の再生債権と同様に再生計画による弁済を行うことになるので、その取扱い、具体的には、権利の変更の方法と弁済の方法に関する定めを設けます。

(iii) 別除権の権利行使に関する定め（民事再生法160条）

別除権者は、別除権の行使により、弁済を受けることができない債権の部分についてのみ、再生債権者として、権利を行うことができます（民事再生法88条本文）。すなわち、別除権者は、その有する担保権によって、回収できない部分を再生債権として、再生計画による権利の変更を受けて、弁済を受けます。

よって、再生計画作成時・提出時において、別除権の行使が完了していない場合には、再生債権者として、権利行使をすべき債権があるのか、その額はいくらかが判明しない場合があります。そこで、将来再生債権が確定した場合、その再生債権をどのように弁済するのかを定めておく必要があります。

④ 任意的記載事項

任意的記載事項とは、再生計画外で定めることもできますが、再生計画に記載した場合には、その効力が認められるものです。下記(i)と(ii)は、株式会社の減増資を行う場合に定める条項です。

(i) 株式の取得に関わる条項、資本金の額の減少に関する条項（民事再生法154条3項）

再生債務者が株式会社である場合、100％減資して、従前の株主の権利を剥奪し、スポンサーから増資を受ける場合に定める条項です。

既存の株式をすべて減資するには、再生債務者が既存の株式をすべて取得する条項（民事再生法162条1項）と資本金の額をすべて減少させる条項（同法161条3項、会社法447条1項各号）を設けます。また、減資と併せて行う増資（新株発行）のために発行可能株式総数について定款変更を行う必要がある場合にはその定款変更の内容を定める条項（民事再生法161条4項）を設けます。

これらの条項を定める再生計画案を提出する場合には、あらかじめ裁判所の許可が必要であり、裁判所は再生債務者が債務超過の場合に許可をすることができます（民事再生法166条1項・2項）。

(ii) **募集株式を引き受ける者の募集に関する定め（民事再生法154条4項）**

100％減資と併せてスポンサーから増資を受ける場合の条項です。この場合の募集株式は譲渡制限株式に限定されます。募集株式の数、募集株式の払込金額、金銭以外の財産を出資の目的とするときはその旨ならびに当該財産の内容および価額、募集株式と引換えにする金銭の払込みまたは財産給付の期日またはその期間、株式を発行するときは、増加する資本金および資本準備金に関する事項（会社法199条1項）を定めます。

これらの条項を定める再生計画案を提出する場合にも、あらかじめ裁判所の許可が必要であり、裁判所は再生債務者が債務超過の場合であり、かつ当該募集株式の募集が事業の継続に不可欠な場合に許可をすることができます。募集株式に必要な事項を定めることや譲渡制限株式の割当ては、本来株主総会の特別決議事項ですが（会社法309条2項5号・199条2項・204条2項）、裁判所の許可を得た場合には株主総会決議は不要です（民事再生法183条の2第1項）。

(iii) **根抵当権の極度額超過額の仮払に関する定め（民事再生法160条2項）**

別除権が根抵当権の場合、その元本が確定しているときは、極度額を超える債権部分については、別除権不足額が確定していなくても、再生計画による仮払をすることができる旨の定めを設けることができます。極度額を超える部分の債権は別除権不足額となる蓋然性が高いので、債権者に早期に弁済を実施できるようにするものです。しかし、これはあくまでも仮払ですから、最終的に別除権不足額が確定した場合、精算を行うこととなります。

なお、再生計画でかような定めを行わない場合でも、別除権協定により、同様の定めを行うことも可能です。

(5) **監督委員による履行の可能性の検証**

法定の手続ではありませんが、監督委員が選任されている場合、再生債務者が作成・提出した再生計画案について、監督委員が法律上の要件の充足の有無、履行の可能性の有無等を調査して、調査結果の意見を述べることが実務上行われています。

その監督委員の意見は書面にまとめられ、債権者に配布されます。個別の債権者は、再生計画案の適法性やその履行の可能性を調査するのは困難ですから、監督委員の意見により、再生計画案の適法性や履行の可能性を判断して、再生計画案に対する同意・不同意のいずれかを選択します。

(6) **再生手続におけるM&A**

再生手続におけるM&Aは、再生債務者の事業の再生の手段として行われます。株式会社の再生手続におけるM&Aの手法としては、事業譲渡、会社分割、減増資があります。

第 2 部　各　論

①　再生計画によらない事業譲渡と会社分割

再生手続において、事業譲渡や会社分割を行う方法としては、再生計画によらない場合と再生計画による場合があります。再生計画による場合とは、事業譲渡や会社分割の内容を再生計画案の条項として盛り込むものです。会社更生法とは異なり（会社更生法167条 2 項）、民事再生法上、再生計画案に定める条項として、事業譲渡や会社分割に関する条項を再生計画案に定める旨の規定はありませんが、再生計画による事業譲渡や会社分割も当然に認められると考えられています。ここでは、再生計画案提出前に行う事業譲渡と会社分割について解説します。

②　事業譲渡（再生計画によらない事業譲渡）

(i)　事業譲渡についての裁判所の許可（民事再生法42条）

再生手続開始後においては、再生債務者等が再生債務者の営業または事業の全部または重要な一部を譲渡する場合、裁判所の許可を得なければならないとし、裁判所は、当該再生債務者の事業の再生のために必要であると認める場合に限り、許可をすることができると規定しています（民事再生法42条 1 項）。そこで、再生手続で事業譲渡を行う場合、事業譲渡の許可申請を行います。

裁判所は、事業譲渡の許可をするかどうかの判断を行うために、知れている再生債権者の意見を聴かなければなりません（民事再生法42条 2 項）。また、労働組合がある場合には、その意見を聴かなければなりません（同条 3 項）。

裁判所は、この再生債権者の意見を聴く方法として、債権者意見聴取のための期日を設けており、あらかじめ事業譲渡の概要を記載した書面とともに、知れている再生債権者等に同期日を通知して、同期日で意見を聴く機会を設けています。

裁判所の許可なく行われた事業譲渡は無効ですが、善意の第三者に対抗することはできません（民事再生法42条 4 項・41条 2 項）。

(ii)　事業譲渡に関する株主総会の決議による承認に代わる裁判所の許可（民事再生法43条）

株式会社においては、事業譲渡を行う場合、株主総会の決議が必要です（会社法467条 1 項 2 号）。しかし、再生手続中の株式会社が、債務超過であり、かつ、事業の継続のために必要である場合には、この株主総会の決議による承認を裁判所の許可で代替することができます（民事再生法43条 1 項）。債務超過の場合には、株主権の実質的な価値が失われていることから、株主総会における決議よりも事業譲渡による事業継続の必要性を優先したものです。

③　会社分割（民事再生によらない会社分割）

(i)　裁判所の要許可事項の指定（民事再生法41条 1 項10号）

民事再生法上、会社分割については事業譲渡に関する前記のような規定はありません。しかし、民事再生における会社分割は、再生債務者の事業に関する権利

第6章 事業再生

義務の全部または一部を設立会社または承継会社に承継させ、その対価として得た株式を再生債務者はスポンサーに譲渡し、再生債務者はその譲渡代金と分割対象外の残余財産を処分した対価をもって再生債権者に対する弁済原資とする再生計画案を作成するものです。そして、これは、事業譲渡と実質的に異ならないことから、東京地方裁判所においては、事業譲渡を裁判所の許可を要するものとしているのと同様、会社分割も裁判所の許可を要するものとしています。具体的には、再生手続開始決定において、民事再生法41条1項10号に基づき、会社分割（再生計画による場合を除く）を裁判所の要許可事項と指定しています。

(ii) **具体的手続**

会社分割を裁判所の許可事項とした東京地裁においては、以下の手続により許可を行うか否かを判断しています。

① 新設分割の場合は、新設分割計画の内容とスポンサーに対する新設分割設立会社の株式の譲渡契約書の内容について、吸収分割の場合は、スポンサーとの吸収分割契約書の内容について監督委員の同意を得る。
② 裁判所の許可を停止条件として、各契約を締結。
③ 再生債務者が監督委員同席で債権者説明会を開催し、詳細な説明と監督委員による再生債権者の意見聴取を行い、監督委員は当否について意見書を提出。
④ 再生債務者作成の債権者説明会報告書と監督委員の意見書に基づき裁判所は会社分割の許否を判断。

事業譲渡と異なり、会社分割について、民事再生法には特別な規定はありません。したがって、会社分割手続は、会社法の規定に則って行うことになります。しかし、会社分割が、分割会社の事業に関する権利義務の全部または一部を設立会社または承継会社に承継するもので、事業譲渡と同様の影響を債権者に及ぼすので、再生債務者もこれを行う場合には裁判所の許可を要することと指定しているのです（民事再生法41条1項10号）。

④ **増減資**

増減資は、再生計画に基づき、再生債務者がその全株式を取得して、100％減資して、従前の株主の権利を剥奪し、スポンサーから増資を受ける方法です。再生債務者の事業活動に必要な許認可などがあるために、法人格をそのままを残す必要がある場合に行われます。

(i) **再生計画の条項**

増減資を行うには、再生計画案において、再生債務者が発行済株式すべてを強制取得し、100％減資する旨の条項を定めます（民事再生法154条3項）。また、スポンサーの増資が行われた日の翌日に減資の効力が生じるように規定します。

また、スポンサーから増資を受けるために募集株式を引き受ける者の募集に関する条項を定め（民事再生法162条）、スポンサーから同条項による新株式の払込みを受け、スポンサーが再生債務者の株主となります。

(ii) **裁判所の許可（民事再生法166条・166条の2）**

再生債務者による株式の強制取得と資本の減少を定める再生計画案を提出しようとする場合は、あらかじめ裁判所の許可を得ることが必要です（民事再生法166条1項）。裁判所は再生債務者が債務超過の場合に限り許可をすることができます（同条2項）。

募集株式を引き受ける者の募集に関する条項を定めた再生計画案を提出できるのは再生債務者だけです（民事再生法166条の2第1項）。裁判所は、再生債務者が債務超過であり、かつ、募集株式を引き受ける者の募集が再生債務者の事業に欠くことができないものと認める場合に限り、許可をすることができます（同条3項）。

【減増資に関する再生計画案の条項例】

第○　再生債務者の株式取得に関する定め
　1　再生債務者が取得する株式の数
　　　○○○○株
　2　再生債務者が上記株式を取得する日
　　　本再生計画認可決定確定日
　3　裁判所による許可
　　　前各項の定めに関し、令和○年○月○日付けにて民事再生法第166条1項による許可を得た。
第○　資本金の減少に関する定め
　1　減少する資本金の額
　　　資本金○○○○万円の全額
　2　資本金の額の減少が効力を生じる日
　　　資本減少の効力は、本再生計画認可決定が確定した後において募集株式の払込期日に払込があったときにおいて当該払込期日をもって発生する
　3　裁判所による許可
　　　前各項の定めに関し、令和○年○月○日付けにて民事再生法第166条の2第2項による許可を得た。
第○　募集株式を引き受ける者の募集に関する定め
　1　募集株式の数
　　　○○○○株
　2　募集株式の払込金額
　　　1株につき○万円

> 3　募集株式と引換えにする金銭の払込み期日
> 　　本再生計画の認可決定確定日から1か月以内の別途定めた日
> 4　増加する資本金及び資本準備金に関する事項
> 　　資本金増加額〇〇〇〇万円

③　私的整理

(1)　私的整理とは

①　事業再生のための私的整理

　私的整理とは、債務者が債権者の全部または一部との間における協議により、集団的に債務の期限延長や一部免除の合意を得ることによって、または債務者と債権者から委託を受けた第三者（私的整理の機関）が両者の間の権利義務を調整し、債務の期限延長や一部免除の合意成立を実現することによって、債務者の事業の再生または円滑な清算を実現しようとする手続です。対象とする債権者については金融機関に限る場合がほとんどであり、その他の債権者については通常通りの取引を実施する（弁済を実施する）ことになります。

　そして、債務者と債権者らとの相対の交渉によって私的整理を行う場合（純粋私的整理）と、手続の準則や第三者が介在する私的整理（準則型私的整理）に分けられますが、ここでは、後者の私的整理を取り扱います。

②　準則型私的整理

　準則型私的整理には、私的整理GLに基づく手続、事業再生実務家協会による事業再生ADR、REVIC、活性化協議会（従前の「中小企業再生支援協議会」が2022年4月に改組したもの）、特定調停手続による私的整理のほか、2022年4月から運用が開始された中小企業版私的整理GLがあります。これらの準則型私的整理により債権放棄等が行われた場合、基本的には、債権者は債権放棄等による損失を損金算入することができる（同基本通達9-4-2）とされており、また、債務者側としては期限切れ欠損金の控除が可能とされています。さらに、事業再生ADRや活性化協議会の一部スキームにおいては、企業再生税制（資産の評価損の損金算入〔法人税法25条3項・33条4項〕）、期限切れ欠損金の青色欠損金に優先しての控除（同法59条2項）や期限切れ欠損金の損金算入（同法施行令117条、法人税基本通達12-3-1(3)・9-6-1(3)・9-4-1・9-4-2）の適用が可能とされています。

　いずれの私的整理手続を選択するかについて、中小企業センター編『中小企業再生のための特定調停手続の新運用の実務——経営者保証に関するガイドライン対応』（商事法務、2015）において一応の目安として整理された表の中に、新しい制度である中小企業版私的整理GLを当てはめると以下の通りとなります。

負債総額	年間売上	主な私的整理再生手法	主な法的再生手法
50億円以上	100億円以上	・事業再生ADR ・地域経済活性化支援機構 ・私的整理ガイドライン	・会社更生手続 ・民事再生手続
10億円〜50億円	20億円〜100億円	・活性化協議会 ・地域経済活性化支援機構 ・中小企業版私的整理GL	・民事再生手続
1億円〜10億円	3億円〜20億円	・活性化協議会 ・特定調停スキーム ・中小企業版私的整理GL	・民事再生手続
1億円以下	3億円以下	・特定調停スキーム ・中小企業版私的整理GL	・民事再生手続

　本書は中小企業支援を対象としているため、ここでは、活性化協議会と新しい制度である中小企業版私的整理GLによる再生を取り扱います［特定調停スキームは→第6章④］。

(2) 活性化協議会における再生手続

① 活性化協議会

　活性化協議会は、中小企業再生支援業務（産強法134条2項各号）を行う者として経済産業大臣により認定された認定支援機関に置かれる組織であり、47都道府県ごとの認定支援機関である、商工会議所、県中小企業支援センター、県商工会連合会に設置されています。

② 対象企業

　産強法2条22項の中小企業者と常時使用する従業員数が300人以下の医療法人です。

③ 活性化協議会の再生手続の概要

(i) 活性化協議会の手続

　中小企業再生支援業務は、「中小企業活性化協議会事業実施基本要項」（以下、「基本要項」という）に則り行われます。活性化協議会の手続には、企業再生税制の対象となる厳格な手続たる「中小企業再生支援スキーム」と、従来型の手続である「協議会スキーム」があります。協議会スキームにおいては、中小企業者の債務について、リスケジュールやDDSによる条件変更、直接債権放棄、第2会社方式、DESにより債務の一部免除を受ける方法があります。

(ii) 協議会スキーム

　協議会スキームの利用の仕方としては、活性化協議会委嘱の外部専門家による

デューデリジェンス（以下、「DD」という）の実施から事業計画案・再生計画案の作成支援を受ける場合と（通常型スキーム）、これらは中小企業者側で実施した上で、活性化協議会にそれらの内容の検証を受けるもの（検証型スキーム）があります。なお、外部専門家によるDDは行わず、主要金融機関の自己査定資料による簡易な財務・事業分析をもとに債務者と再生計画案を作成した上で、再生支援協議会に支援を申込み、活性化協議会の統括責任者がその内容を検証するものがありましたが（簡易型）、こちらは2022月4月の改組の際に廃止されています。

(iii) **保証債務の整理（一体型と単独型）**

また、中小企業者のみならず、その保証人たる経営者等についても、活性化協議会の私的整理手続により、経営者保証GLに基づいて、保証債務の整理をすることができます。保証債務の整理については、主債務者の整理についての協議会スキームと並行して行う場合（一体型）と主債務者については法的整理手続や協議会スキーム以外の準則型私的整理手続を利用しながら保証債務の整理を行う場合や主債務者の債務整理について協議会スキームが終結した後に、保証債務の整理のみを行う場合（単独型）があります。

④ **活性化協議会の再生支援の流れ**

(i) **窓口対応（第1次対応）**

中小企業者からの申出を受けて、支援業務部門に属する統括責任者と総括責任者補佐が相談を受けます。中小企業者は事業再生に向け、統括責任者が、問題点や具体的な課題を抽出し、課題の解決に向けた適切な助言を行うことができるよう、必要な資料を準備して提出します。この段階で、統括責任者らが把握する事項は以下の事項です。

・企業の概要
・直近3年間の財務状況（財務諸表、資金繰り表、税務申告書）
・株主、債権債務関係の状況（取引金融機関等）
・事業形態、構造（主要取引先等）
・会社の体制、人材等の経営資源
・現状に至った経緯
・改善に向けたこれまでの努力およびその結果
・取引金融機関との関係
・収益力改善、経営改善、事業再生、再チャレンジに向けて活用できる会社の資源
・収益力改善、経営改善、事業再生、再チャレンジに向けた要望、社内体制の準備の可能性

この段階において、事業の再生が極めて困難であると判断された場合、統括責

第2部 各 論

任者らから相談企業にその旨を伝え、協議会所属の弁護士が必要に応じて円滑な廃業に向けての相談を実施することもあります（再チャレンジ支援）。

(ⅱ) **再生計画策定支援（第2次対応）**

(ア) **再生計画支援決定**

窓口相談を経て、再生計画策定支援を行うには、基本的に次の要件を充足することが必要です（基本要項別紙2）。

> ① 収益力の低下、過剰債務等による財務内容の悪化、資金繰りの悪化等が生じることで経営困難な状況に陥っており、自助努力のみによる事業再生が困難であること。
> ② 中小企業者が、対象債権者（相談企業の取引金融機関等の債権者であって再生計画が成立した場合に金融支援の要請を受けることが予定されている債権者）に対して、中小企業者の経営状況や財産状況に関する経営情報等を適時適切かつ誠実に開示していること。
> ③ 中小企業者および中小企業者の主たる債務を保証する保証人が反社会的勢力またはそれと関係のある者ではなく、そのおそれもないこと。
> ④ 法的整理を申し立てることにより相談企業の信用力が低下し、事業価値が著しく毀損するなど、再生に支障が生じるおそれがあること。

また、前述の再生計画策定支援を行うための要件の充足に疑問がある相談企業については、原則3年以内のプレ再生支援を行い、その間に事業や財務の再構築を行い、その後本格的な再生計画策定支援を行う場合があります。

(イ) **再生計画案の作成**

統括責任者らにより、再生計画策定支援が適当と判断された場合、相談企業の承諾を得て、主要債権者の意向を確認します。そして、統括責任者は、主要債権者の意向を踏まえ、認定支援機関の長と協議の上、再生計画の策定を支援することを決定します。

再生計画支援決定がなされると、統括責任者や統括責任者補佐で構成される個別支援チームを編成し、再生計画案の作成を支援します。この個別支援チームには、必要に応じて弁護士、公認会計士、税理士等の外部専門家を含めることもできます。債権放棄等の要請を含む再生計画の策定を支援することが見込まれる場合には、弁護士および公認会計士を含めることとされています。

相談企業は、再生に向けて核となる事業の選定とその事業の将来の発展に必要な対策を立案します。この財務および事業の状況把握や再生計画案作成については、相談企業、主要債権者および個別支援チームが適宜会議を行うことによって進めていきます。再生計画案作成について、必要な場合には、主要債権者以外の対象債権者やスポンサー候補者等も会議に参加することができます。

第6章　事業再生

(ｳ)　再生計画案の内容

再生計画は、相談企業の自助努力が十分に反映されたものであるとともに、以下の内容を含むことが必要です（基本要項6(5)）。

- 企業の概況
- 財務状況（資産・負債・純資産・損益）の推移
- 実態貸借対照表
- 経営が困難になった原因
- 事業再構築計画の具体的内容
- 今後の事業見通し
- 財務状況の今後の見通し
- 資金繰り計画
- 債務弁済計画
- 金融支援（リスケジュール、追加融資、債権放棄等など）を要請する場合はその内容
- 実質的に債務超過である場合は、再生計画成立後最初に到来する事業年度開始の日から5年以内を目途に実質的な債務超過を解消する内容とする（企業の業種特性や固有の事情等に応じた合理的な理由がある場合には、これを超える期間を要する計画を排除しない）。
- 経常利益が赤字である場合は、再生計画成立後最初に到来する事業年度開始の日からおおむね3年以内を目処に黒字に転換する内容とする（企業の業種特性や固有の事情等に応じた合理的な理由がある場合には、これを超える期間を要する計画を排除しない）。
- 再生計画の終了年度（原則として実質的な債務超過を解消する年度）における有利子負債の対キャッシュフロー比率がおおむね10倍以下となる内容とする（企業の業種特性や固有の事業等に応じた合理的な理由がある場合には、これを超える比率となる計画を排除しない）。
- 経営者責任の明確化
- 株主責任の明確化（債権放棄等を要請する場合）
- 債権者平等
- 破産手続による回収よりも多くの回収を得られる見込みが確実である
- 必要に応じて、地域経済の発展や地方創生への貢献、取引先の連鎖等による地域経済への影響も鑑みた内容とする。
- 上記にかかわらず、小規模な事業者で債権放棄等の要請を含む案を作成する場合には、別途の内容とすることもできるとする。
- 保証人がいる場合はその資産と負債の状況（債権放棄等を要

(ｴ)　再生計画の成立

相談企業により立案された再生計画案について、対象……べてが同意し、その旨を文書等で確認したときに再生計画は成立しま……

第2部　各論

で、対象債権者に再生計画案の理解と協力を得るため、以下の情報提供や意見交換等がなされます。

対象債権者に判断資料を提供するため、統括責任者が、当該再生計画案の相当性と実行可能性について調査し、調査報告書を作成して対象債権者に提出します。調査報告書には、次の事項が記載されます（基本要項別紙2）。

- 再生計画案の内容の相当性
- 再生計画案の実行可能性
- 破産手続で保障されるべき清算価値と比較した場合の経済合理性（私的整理を行うことの経済合理性）
- 金融支援の必要性
- 金融支援の内容の相当性と衡平性
- 地域経済への影響

次に、相談企業、主要債権者および個別支援チームが協力の上、すべての対象債権者による債権者集会を開催し、ここで、再生計画案の調査結果の報告、再生計画案の説明、質疑応答、意見交換を行います。対象債権者がいつまでに再生計画案に対する同意・不同意の意見を表明するかの期限を定めます。なお、債権者集会は必須のものではなく、対象債権者に対し個別に説明を行うことも可能です（基本要項別紙2）。

再生計画の成立には、対象債権者すべての合意が必要ですが、一部の対象債権者の同意が得られない場合に、当該対象債権者を除外しても再生計画の実行上影響がない場合には、当該対象債権者を除外した変更計画を作成して、同意する対象債権者との間で変更後の再生計画の成立とすることができます（基本要項別紙2）。

(3) 再生計画策定支援改良案件のフォローアップ

① 計画遂行状況等のモニタリング

援業務部門は、相談企業の再生計画の達成状況について、モニタリングを行います。モニタリングは、主要債権者と連携し、必要に応じて、外部専門家の協力を得て行います。モニタリングの期間は、再生計画が成立してからおおむね3事業年度（再生計画成立年度を含む）です（基本要項別紙2）。

② 再生計画の変更

モニタリングの結果、再生計画を変更する必要がある場合には、支援業務部門は必要な支援を行うことになります。特に、借入金の返済条件の変更や関係金融機関等の損失の変更など、再生計画の重要な修正または追加が必要となる場合には、再度、再生計画策定支援（第2次対応）を準用した支援を行います（基本要項別紙2）。

第6章　事業再生

(4) 中小企業版私的整理GL

① 中小企業版私的整理GLとは

中小企業版私的整理GLとは、2020年から流行している新型コロナウイルス禍における中小企業支援を目的とし、ただし、コロナ禍のみならず恒久的な金融機関と中小企業の関係性を規律した指針であり、全国銀行協会が事務局となって設置された「中小企業の事業再生等に関する研究会」により、2022年3月に公表され、同年4月から適用が開始されています。対象となる中小企業については、中基法2条1項に定められている「中小企業者」や同条5項に定められている小規模企業者や個人事業主も含まれますが、これに限られず、学校法人や社会福祉法人などの会社法上の会社でない法人についても実態に照らし適切と考えられる限りにおいて準用されることは妨げられないとされています（中小企業版私的整理GLQ&A・Q3のA）。

3部構成となっており、第1部においては、このGLが2021年6月に公表された政府の「成長戦略実行計画」に基づくものであることや、中小企業の「平時」、「有事」、「事業再生計画成立後のフォローアップ」等のおのおのの段階において、中小企業と金融機関が果たすべき役割を明確化し、中小企業の事業再生・廃業に関する基本的な考え方を示し、さらに、新たな準則型私的整理手続を定めたこと（以上は第3部に規定）を目的としていることが明記されています。

第2部は平時および有事における中小企業者と金融機関の対応について規定されています。準則型私的整理手続としての中小企業版私的整理GLは第3部に該当する部分となり、中小企業が再生する場合と廃業・清算する場合の手続が規定されています。その特徴は、常設の手続機関の関与はなく、中小企業を支援する弁護士等の外部専門家が中心となって私的整理手続きを進め、また、第三者性を有する第三者支援専門家を選任して、第三者的立場から調査を行う点にあります。

② 中小企業版私的整理GLによる再生手続

(i) 概要

この中小企業版私的整理GLによって、中小企業を再生しようとする場合、活性化協議会などのような第三者機関があるわけではなく、弁護士や税理士・公認会計士などの専門家の支援を受けた中小企業が中心となって、主要債権者と協議をしながら進めていくことになります。中小企業経営者にとっては不慣れな手続ですので、必然的に弁護士が中心となって手続を進めていくことになります。対象債権者は、原則として、銀行、信用金庫、信用組合、労働金庫、農協協同組合、漁業協同組合、政府系金融機関、信用保証協会、代位弁済を実施した保証会社、サービサー等とされています（事業再生GL第1部3）。

ただし、特に債務免除を求める場合においては、金融機関においては、第三者性を有する専門家の意見を必要とするため、債務者側で手続を主体的に進める弁護士とは別に、第三者性を有する事業再生の専門家（弁護士等）を選任し、再生計画案の内容などを調査し、調査報告書を作成して金融機関に提出することとされています。この第三者性を有する専門家を第三者支援専門家といいます。

このように第三者支援専門家が介在するものの、基本的には債務者側が対象債権者たる金融機関に対して協議を行って進めていく手続であり、柔軟性を有する手続といえます。

(ii) 中小企業版私的整理GLによる再生手続の流れ

具体的には、以下の手順によって手続を進めることとされています。

(ア) 外部専門家との委任契約（中小企業版私的整理GL4項(1)①）

弁護士や税理士・公認会計士など事業再生を実施するために必要な専門家と中小企業は契約を締結し、債務者側のチームを結成します。

(イ) 第三者支援専門家の選定（中小企業版私的整理GL4項(1)②）

中小企業活性化全国本部か、事業再生実務家協会の候補リストから選定し、主要取引金融機関全員からの同意を得ます。

なお、上記候補リスト以外からでも、対象債権者全員から同意を得れば、第三者支援専門家を選任することができます。

(ウ) 一時停止要請（中小企業版私的整理GL4項(2)）

書面にて、全対象債権者に同時に要請を行います。

中小企業は、経営状況・財務状況の開示等に誠実対応を行い、債務免除方針の場合は、基本方針を示すことが必要とされています。

対象債権者は、一時停止の要請に対し、誠実に対応するものとされています。

(エ) デューデリジェンス（DD）（中小企業版私的整理GL4項(3)②）

中小企業は、経営・財務および事業の状況に関する調査分析を外部専門家、第三者支援専門家、主要債権者との間で実施します。

(オ) 事業再生計画案の作成（中小企業版私的整理GL4項(3)(4)）

中小企業は、以下の内容を含む事業再生計画案を作成します。

・企業の概況、財務状況、保証人の状況、実態貸借対照表、経営困難原因、事業再生具体策、今後の事業・財務状況見通し、資金繰り計画、債務返済猶予・債務免除等の内容

・実質的に債務超過である場合は、事業再生計画成立後最初に到来する事業年度開始の日から5年以内を目途に実質的な債務超過を解消する内容（企業の業種特性や固有の事情等に応じた合理的な理由がある場合には、これを超える期間を要する計画を排除しない）

第6章　事業再生

- 経常利益が赤字である場合は、事業再生計画成立後最初に到来する事業年度開始の日からおおむね3年以内を目途に黒字に転換する内容とする（企業の業種特性や固有の事情等に応じた合理的な理由がある場合には、これを超える期間を要する計画を排除しない）
- 事業再生計画の終了年度（原則として実質的な債務超過を解消する年度）における有利子負債の対キャッシュ・フロー比率がおおむね10倍以下となる内容とする（企業の業種特性や固有の事情等に応じた合理的な理由がある場合には、これを超える比率となる計画を排除しない）
- 経営責任・株主責任の明確化（ただし、「中小企業者自身が事業再生のための自助努力を行うことはもとより、自然災害や感染症の世界的流行等にも配慮しつつ、その経営責任を明確にすること、また、債務減免等を求める場合は、株主もその責任を明確にすることを予定している」（中小企業版私的整理GL2項(3)））
- 債権者間で平等であること
- 破産手続で保障されるべき清算価値よりも多くの回収を得られる見込みがある等、経済合理性があること
- 必要に応じて、地域経済の発展や地域創生への貢献、取引先への連鎖倒産回避等による地域経済への影響も鑑みた内容とする

なお、小規模企業者の場合には、上記数値基準が緩和されています（中小企業版私的整理GL4項(4)②）。

　(カ)　**調査報告書**

第三者支援専門家は事業再生計画案の内容の相当性、実行可能性等について調査し、原則として、調査報告書を作成して対象債権者に提出し報告します。

債務減免を内容とする事業再生計画案においては、調査報告書の作成は必須であり、第三者支援専門家には弁護士が必ず含まれます。

　(キ)　**債権者会議における事業再生計画の成立**

すべての対象債権者が、事業再生計画について同意し、第三者支援専門家がその旨を確認した時点で事業再生計画は成立します（中小企業版私的整理GL4項(6)）。

　(ク)　**保証債務の整理**

原則として、経営者保証GLを活用します（中小企業版私的整理GL4項(7)）。

　(ケ)　**モニタリング**

外部専門家や主要債権者は定期的にモニタリングを行います（中小企業版私的整理GL4項(8)）。

なお、第三者支援専門家は事業再生計画成立までの関与となるため、第三者支援専門家がモニタリングを行うことは必須とはされていません。

以上の通り、活性化協議会の手続と類似した手続構成となっています。その手

続は中小企業版私的整理GLのほか、「『中小企業の事業再生等に関するガイドライン』Q&A」に詳細に記載されており、一時停止の通知書のひな形の書式も掲載されていますので、実際の手続を行う場合には事前にこれらの内容を確認しておく必要があります。

また、この中小企業版私的整理GLは、他の準則型私的整理手続において具体的な定めがない場合に参照とすべき拠りどころとして活用されることが期待されています（中小企業版私的整理GL1項(2)）。

(5) 中小企業再生における私的整理の利用方法（メリット・デメリット）

① 私的整理利用のメリット

(i) 商取引債権の保護と信用棄損の回避

私的整理は、対象債権者を金融機関等に限定し、商取引債権は支払を継続しながら債務整理を行う手続です。

また、法的手続のように手続が公表されないため、信用毀損が回避されます。大企業に比べ中小企業の経営基盤は脆弱であるため、法的手続による信用棄損が事業価値の低下に与える影響は大きく、非公表で行えるメリットは大きいといえます。

(ii) 専門的知見による支援と費用負担

活性化協議会や中小企業版私的整理GLの手続を利用する場合、専門的な知見による再生支援を受けることができ、かつ費用負担も一部補助金を利用することが可能であり、比較的安価です。

(iii) 経営者等保証人の一体的整理

中小企業の経営者はその債務について連帯保証をしていることがほとんどですが、経営者保証GLを使って一体的整理を図ることができ、破産における自由財産を超える残存資産を残す可能性と信用情報登録機関にも登録されないなどのメリットがあり、再チャレンジが容易となります。

② デメリット

(i) 対象債権者の全員の同意が必要

私的整理の法的性質は和解であるので、対象債権者の全員一致が必要であり、法的整理のように法定多数による決議で効力を生じさせることはできません。なお近年、私的整理に多数決制度を導入する法改正の動きがあります。

(ii) 再生計画案の内容の制約

準則型私的整理手続の再生計画案には、原則として数値基準を充足することが必要という制約があります。

第6章 事業再生

4 特定調停

(1) 日弁連策定の新しい特定調停スキーム
① 日弁連の新しい特定調停スキームが運用されるに至った経緯

2013年4月末の金融円滑化法終了後も、倒産の危機に瀕している中規模以下の中小企業は多数存在しており、私的整理による事業再生のニーズは高まっていました。他の準則型私的整理では、再生計画の策定手順や再生計画の内容の数値基準があらかじめ決められており、事業価値の乏しい中規模以下の中小企業が利用しにくいケースもありました。

そこで、最高裁判所、日弁連、中企庁等の関係団体の調整を経て、2013年12月、中規模以下の中小企業の再生を図るプラットフォームとして、特定調停の新しい運用（以下、「新しい特定調停スキーム」という）が開始され、何度か改定されています。2020年2月の改訂の際に「事業者の事業再生を支援する手法としての特定調停スキーム利用の手引」（手引1）と改称されました。

② 民事調停の特例であること

特定調停は、民事調停の特例として、支払不能に陥るおそれのある債務者の経済的再生に資するため、金銭債権に係る利害関係の調整を促進することを目的としています（特定債務等の調整の促進のための特定調停に関する法律〔以下、「特定調停法」という〕1条）。通常の民事調停と異なり、①「財産の状況を示すべき明細書その他特定債務者であることを明らかにする資料及び関係権利者の一覧表」を提出することが義務付けられ（同法3条3項）、②調停委員は「事案の性質に応じて必要な法律、税務、金融、企業の財務、資産の評価等に関する専門的な知識経験を有する者」となっており（同法8条）、③調停の内容は「公正かつ妥当で経済的合理性を有する内容のもの」という要件を満たさなければならず（同法15条・17条2項・18条・20条）、④民事執行手続を停止する措置が民事調停の場合より広く認められており（同法7条）、⑤調停委員会が作成した調停条項をもって当事者が合意したものとみなすことができるとされており（同法16条・17条）、⑥同一申立人に係る複数の債権者の事件はできるだけ併合して行うこととされ（同法6条）、⑥土地管轄がなくても他の管轄裁判所へ移送し、または自ら処理することができる（同法4条）などの特徴があります。

③ 新しい特定調停スキームの特徴・意義
(i) 事業価値の毀損が生じにくい私的整理であること

中規模以下の中小企業は、事業規模、事業価値がいずれも小さいことから、ひとたび風評被害が生じると、事業再生を進めるどころか、事業継続すら困難になってしまいます。そのため、中規模以下の中小企業のための事業再生のための

第2部　各　論

手続としては、金融機関のみを相手とし、事業価値の毀損が生じにくい私的整理が望ましいといえます。

新しい特定調停スキームは、金融機関のみを対象とする準則型私的整理の１つといえますので、事業価値の毀損が生じにくいといえます。

(ii)　**調停委員の関与があること、公正かつ妥当な解決を図り得ること**

私的整理の計画が成立するためには、全金融機関の同意を得なければなりませんが、新しい特定調停スキームは、比較的金融機関の納得感を得やすい手続といえます。なぜなら、新しい特定調停スキームは、裁判官や事業再生の専門的知識経験を有する調停委員（特定調停法８条）という公正中立の第三者の仲介を受けること、代理人弁護士との事前協議を前提としていることから、金融機関側の意向を反映させることが可能といえるからです。

しかも、調停の内容は公正かつ妥当で経済的合理性を有するものでなくてはならないとされており（特定調停法15条・17条２項・18条）、その意味でも金融機関の納得感を得やすいといえます。

(iii)　**いわゆる17条決定**

民事調停法17条の規定に基づく決定（いわゆる「17条決定」）を得ることは、他の私的整理にはない特徴といえます。民事調停法17条は、裁判所が、民事調停委員の意見を聴き、当事者双方のための公平に考慮し、一切の事情をみて、職権にて、当事者双方の申立ての趣旨に反しない程度で事件の解決のために必要な決定をすることができると規定しています。この決定の告知から２週間以内に異議がなければ当該調停条項は裁判上の和解と同一の効力を生ずることから（民事調停法18条５項）、調停条項に対して積極的な賛成もできないが、積極的に反対をするつもりもないという債権者がいる場合に大きな威力を発揮することが期待されます。

(iv)　**明確な数値基準がなく、要件が緩やかである分、間口が広いこと**

活性化協議会や事業再生GL等他の準則型私的整理手続の場合には、一定期間内の経常利益黒字化、債務超過解消、債務償還年数の倍率などの数値基準が定められています。確実な事業再生を図り、将来的に金融取引を正常化させるという観点では合理的で意味のある基準といえますが、他方で、中規模以下の中小企業の場合、当該基準を満たすことが困難な場合も珍しくありません。

新しい特定調停スキームは、比較的小規模な企業を想定していることから、前記のような数値基準は定められておらず、以下のような比較的緩やかな要件を設定しています。

① 経営改善により、約定金利以上は継続して支払える程度の収益力を確保できる見込みがあること（一定の事業価値があること）
② 主たる債務者である事業者が、過大な債務を負い、すでに発生している債務を弁済することができないことまたは近い将来において既存債務を弁済することができないことが確実と見込まれること
③ ②の状況にある主たる債務者である事業者が自助努力のみではその状況の解決が困難であり、次のとおり一定の金融支援が必要と合理的に予想されること
　ⅰ　再生計画案の内容として、既存債務につき、金融機関による全部もしくは一部の免除、弁済期限や利息の変更（リスケジュール）または、資本性借入金への転換（DDS）が必要と予想されるものであること
　ⅱ　その他再生計画案に対する対象債権者の同意を得るために特定調停手続が必要と見込まれること

(ⅴ) **手続コストも低く、さらに認定支援機関も活用し得ること**

特定調停スキームの場合、印紙代等の手続コストは生じますが、その費用は低いものです。公認会計士や税理士に依頼するDD・計画策定費用については、必要になりますが、経営革新等支援機関による経営改善計画策定支援事業では、経営改善計画策定支援を行った場合、活性化協議会に申請することにより、その費用（計画の策定費用、財務・事業DD費用）のうち、3分の2を上限とする補助金の支払を受けることができます。事業再生GLを活用するか否かにより、補助額は変動します。

(ⅵ) **債務名義となること**

調停条項は債務名義になりますので、返済を怠った場合には、金融機関は裁判所の判決を得ずに強制執行できます。債務者側にとっては、心理的プレッシャーとなりますので、債権者にとっては、履行確実性が高まるメリットがあります。

(ⅶ) **個人事業主の過剰債務の処理としても有用であること**

事業者が法人であれば、いわゆる「第二会社方式」を活用し、事業を会社分割または事業譲渡により新会社に承継させ、過剰な金融債務は旧会社に残した上で特別清算手続等により債務免除を受け、過剰債務の整理を図ることが多いといえます。

これに対し、個人事業主の場合、事業譲渡を行うことは可能ですが、残された過剰な金融債務について特別清算手続を活用することができません。また、債務免除を受けると、債務免除益の処理が問題となるところ、新しい特定調停スキームにより債務免除を受けた場合は、「その他資力を喪失して債務を弁済することが著しく困難である場合にその有する債務の免除を受けたとき」（所得税法44条の2第1項）に該当すると考えられ、債務免除益課税の問題が解決できるとされて

第2部 各　論

います。

　(viii)　**税務メリットも認められること**

　一定の条件を満たせば、債務免除について債権者側にて無税償却が認められています。債務者側においても期限切れ欠損金を免除益に充当することが認められています（日弁連と日本税理士会連合会が共同で国税庁に照会を行い、2014年6月27日付けで回答を得ている）。

　④　**新しい特定調停スキームの手続**

　(i)　**利用の手引き**

　日本弁護士連合会において、新しい特定調停スキームの手続について、「事業者の事業再生を支援する手法としての特定調停スキーム利用の手引」（以下、「利用の手引き」という）を策定し、申立書や添付資料・調停条項案などの書式とともに公表しています（日弁連ウェブサイトおよび事業再生と債権管理143号〔2014〕153頁以下参照）。

　(ii)　**事前準備**

　弁護士が税理士・公認会計士等と協力し、調停申立前に、財務・事業に関するDDを実施するなどして経営改善計画を策定し、金融機関と調整して、同意の見込みを得ることが必要とされており、一般的には、次のような手順で進められるものとされています。

　①　債務者から受任の後、経営改善計画策定のため、税理士、公認会計士などの協力を依頼
　②　メインバンクへの現状と方針説明、再生への協力、リスケジュールの要請
　③　それ以外の金融機関（信用保証協会含む）への説明、協力要請
　④　経営改善計画案と清算貸借対照表の作成
　⑤　メインバンクへの経営改善計画案の説明、修正と同意の見込みの取得
　⑥　それ以外の金融機関に対する経営改善計画案の提示、説明（必要に応じてバンクミーティングの開催）
　⑦　調停条項案の作成、各金融機関に対する特定調停についての説明と調停条項案に対する同意の見込みの取得

　(iii)　**調停申立て**

　申立人を債務者、相手方を金融機関とし、金融機関は複数でも、原則として1件の申立て（申立書も1通）とすることが可能とされています。信用保証協会の保証付債権がある場合は、信用保証協会を利害関係人として参加してもらうことになります。

　管轄裁判所は、相手方金融機関の住所、居所、営業所もしくは事務所の所在地を管轄する簡易裁判所または当事者が合意で定める簡易裁判所であり、かつ、地

方裁判所本庁に併置されるものをいいます。専門性のある調停員を速やかに選任してもらう必要があることから、地方裁判所本庁の併置された簡易裁判所が望ましいとされています。

提出資料は、調停申立書、委任状、資格証明書、関係権利者一覧表、経営改善計画案、特定債務者の資料等、調停条項案、経過報告書とされ、いずれも日弁連のホームページにて公開されています。

新しい特定調停スキームは、1～2回の調停期日で終結することを想定しています。第1回期日では、調停委員による各金融機関の意向確認、(場合によっては)調停成立、民事調停法17条決定がなされます。続行する場合には、期日間に代理人弁護士が各金融機関との間で協議、調整を行い、第2回期日にて、調停成立ないし民事調停法17条決定がなされることになります。

(iv) **経営者保証GL**

経営者保証GLに基づく保証債務の整理には、主たる債務と保証債務の一体整理を図るケース(一体型)と、保証債務のみを整理するケース(単独型)の2つがありますが、主たる債務の整理につき特定調停の申立てをするか継続中である場合には、保証債務の整理についても、一緒の申立て「一体型」を原則とすべきです(経営者保証GL 7項(2)イ)。

これに対し、主たる債務の整理として特定調停が終結した後で、保証債務の整理のために特定調停の申立てをすることは、単独型の一類型として考えられますが、残存資産の範囲が自由財産に限られ、インセンティブ資産を残す余地がなくなってしまうことに留意が必要です(経営者保証GL・QA【B各論】7-23)。ちなみに保証人の保証債務のみを単独で、特定調停で経営者保証GLで処理する場合のために、日弁連は、「経営者保証に関するガイドラインに基づく保証債務整理の手法としての特定調停スキーム利用の手引」(手引2)(日本弁護士連合会ウェブサイト参照)を策定しています。

⑤ **新しい特定調停スキームが利用された実例**

新しい特定調停スキームが利用され、事業再生を図った事例は、相当数公表されています。以下にみるように、個人事業主、小規模零細事業者であっても、代理人弁護士が主体となり、新しい特定調停スキームを活用することで、過剰債務の整理を図り、早期かつ柔軟に事業再生や保証債務の整理を図ることができます。

(i) **個人事業主が営むホテル事業を第三者に譲渡した事例(法人、保証人一体型)**

個人事業主が営むホテル事業をスポンサーに事業譲渡することにより事業再生を図るとともに、保証人については経営者保証GLを活用し、保証解除を行った事例(大宮立＝増田薫則「ホテル事業を営む個人事業主について中小企業版特定調停スキームを利用して事業の再建を行った事例」事業再生と債権管理152号〔2016〕128頁参照)。

第2部　各　論

(ii) **老舗の温泉旅館事業を第三者に譲渡した事例（法人、保証人一体型）**

地元の再生支援協議会関与の下でいわゆる「暫定リスケ」を行っていたものの、計画未達となり、資金繰りが逼迫したことから、再生支援協議会の利用は時間的に困難であったという事情の下で、老舗の温泉旅館事業をスポンサーに譲渡することにより早期に事業再生を図るとともに、保証人については経営者保証GLを活用し、保証解除を行った事例（若槻良宏ほか「地元の金融機関が主導し、特定調停手続を利用して、地方の老舗旅館を第二会社方式により再生させ、代表者の保証債務を『経営者保証に関するガイドライン』に基づき整理した事例」事業再生と債権管理154号〔2016〕119頁参照）。

(iii) **従業員への事業承継型の第二会社方式（収益弁済型）の事例（法人、保証人一体型）**

従業員が設立した会社（新会社）に事業を承継させ、事業承継と事業再生を図り、保証人については経営者保証GLを活用し、保証解除を行った事例（堂野達之＝桑先佑介「特定調停手続に基づき、事業を承継した新会社が債務の一部を引き受けて旧会社は債務免除を受け、経営者保証人は『経営者保証GL』により所有不動産を残しつつ保証債務の免除を受け、主債務と保証債務を一体的に整理した事例」事業再生と債権管理154号〔2016〕103頁）。

(iv) **自主再建型の第二会社方式（収益弁済型）で再生した事例（法人単独型）**

役職員数名で年商1億円未満の地方の清酒メーカー（酒蔵）が収益弁済型の第二会社方式により自主再建を図った事例（法人単独型）（宮原一東ほか『社長・税理士・弁護士のための私的再建の手引き〔第2版〕』〔税務経理協会、2016〕第13章参照）。

(2) **自然災害GL（コロナ特則）**

2015年12月、自然災害GLが策定・公表され、翌2016年4月1日に適用が開始されました。

東日本大震災に関して策定された「個人債務者の私的整理に関するガイドライン」を踏まえ、災害救助法の適用を受けた自然災害の影響により既往債務を弁済できなくなった個人債務者について、主として金融機関にかかわる債権者と債務者の合意に基づいて、債務の全部または一部を減免することを内容とする債務整理を行うための準則を定めたものです。対象債権者から同意の見込みが得られた後、特定調停を申し立てることが必要とされています。

2020年10月、同研究会により「『自然災害による被災者の債務整理に関するガイドライン』を新型コロナウイルス感染症に適用する場合の特則」が公表され、同年12月から適用が開始されています。これにより、新型コロナウイルスの影響を受けて既往債務の弁済ができなくなった個人債務者を対象に追加して再建を支援することが可能とされています。コロナ特則の基本的な枠組みは、自然災害ガ

イドラインと同様とされていますが、2020年11月1日以降に発生した債務については、原則として、債務整理の対象とならない、自由財産の範囲が法的整理時における自由財産の考え方に基づくとの運用がなされている点などが異なります。

(3) 東京地方裁判所での特定調停の新運用

2020年4月より、東京地方裁判所民事20部において、特定調停を扱うこととなりました。従来の特定調停は、主に簡易裁判所で行われるものですが、これと異なり、多数の実績をもつ事業再生専門部である民事20部が扱うことが最大の特徴です。

東京地方裁判所の新運用では、原則として、事業再生ADRや活性化協議会等の準則型私的整理手続から移行した案件を主な対象としています。他の準則型私的整理手続において、同意取得に難航する事案において活用することが考えられます。

すでに資産評定またはスポンサー選定を経ているのであれば、迅速な進行が可能であると考えられることから、3回程度の期日で調停の成立を目指すものとされています。また、新運用においては、倒産事件の処理に精通した弁護士に対する調査嘱託の実施を、特定調停の中心的なスキームとして位置付けています。必要があれば、調停にかわる決定（17条決定）を積極的に行うとされています。

5 経営者の保証債務

(1) 事業再生において経営者の保証債務を整理する意義・必要性

これまで経営者が多額の保証債務を負っていた場合は破産手続を利用して保証債務を整理することが一般的でしたが、破産手続では原則として自由財産（99万円までの現金と差押禁止財産）を除いてすべての資産を換価することとされており、特に自宅（不動産）を保持することは困難でした。

また、破産手続が開始されたことは官報に掲載され、信用情報機関にも登録されるために再チャレンジが難しいという問題があり、さらに、保証人が保証履行を迫られること（破産）を避けるために、経営者が無理に事業を継続し、事業再生への決断が遅れて、結果として負債を増大させてしまうという問題も指摘されていました。

(2) 経営者保証GLの策定

経営者による個人保証は、経営への規律付けや信用補完としての資金調達に寄与する面がある一方で、早期の事業再生を阻害する要因となっているなどさまざまな課題が指摘されていました。これらの課題に対する解決策の方向性を具体化するために、日本商工会議所と全国銀行協会が共同で設置した「経営者保証に関するガイドライン研究会」において、2013年12月5日に経営者保証GLと具体的

な実務において留意すべきポイントをまとめた「経営者保証GLQ&A」を策定・公表しています。

経営者の保証債務を整理する場合は、代理人弁護として、まずは、経営者保証GLが使えないのかを検討します。

(3) 経営者保証GLを利用した保証債務の整理

① 経営者保証GLの概要

経営者保証GLは、保証契約締結時と保証債務整理時における中小企業側、金融機関側の自主的自立的な準則を定めたものです。法的拘束力はありませんが、主たる債務者・保証人・対象債権者が自主的に尊重し、遵守することが期待されていますし、実際に多くの金融機関において尊重されています。

経営者保証GLでは対象となる債権者は「中小企業に対する金融債権を有する金融機関等であって、現に経営者に対して保証債権を有するもの、あるいは、将来これを有する可能性のあるもの」（経営者保証GL1項）とされています。対象債権者は原則として金融機関や信用保証協会、サービサー等に限られることになりますが、逆に保証債務のすべてがこれらの対象債権者に対する保証債務である場合は、代理人弁護士は経営者保証GLの利用ができないか検討します。

② 保証債務の整理手順

主たる債務の整理と同じ準則型私的整理手続の中で保証債務の整理を行うことが原則です（以下、「一体型」と呼ぶ）。主たる債務について法的整理手続を利用する場合、主たる債務の整理について準則型私的整理手続を利用する場合でも主たる債務と保証債務の一体整理が困難な場合は、保証債務のみを適切な準則型私的整理手続を利用して整理します（以下、「単独型」と呼ぶ）。

なお、一体型を選択しても、単独型を選択しても、経営者保証GLにおける経済合理性は、主たる債務の整理と保証債務の整理とを一体で判断します。したがって、主たる債務の整理を放置したままでは経営者保証GLを利用した保証債務の整理は認められないことには注意が必要です。

③ 残存資産の範囲

(i) 破産法上の自由財産

経営者保証GLの残存資産については、当該保証人に破産手続が係属した場合の自由財産がこれに含まれることは争いがありません。また、この場合の自由財産には本来的自由財産だけではなく、破産法34条4項の自由財産拡張により、拡張された財産も含まれます。

(ii) インセンティブの付与

経営者保証GLでは、保証債務の履行に際して、保証人の手元に残すことができる残存資産の範囲について、対象債権者は、経済合理性の範囲内において、必

要に応じ支援専門家とも連携しつつ、決定するとされており、その際に考慮すべき事項については経営者保証GL 7項(3)②に記載されています。

このような観点から、対象債権者の経済合理性の範囲内で、早期の事業再生等の着手の決断に対するインセンティブとして前記(i)の自由財産の範囲を超えた残存資産（いわゆるインセンティブ資産）を認めることができます。これが経営者保証GLの大きな特徴の１つです。インセンティブの付与が認められる上限は、破産手続を選択した場合の回収見込額と経営者保証GLを利用して整理した場合の回収見込額とを比較して、弁済額が増加した範囲となります。なお、主たる債務の整理が終わっている場合はインセンティブは認められないことに注意が必要です（経営者保証GL 7(3)③参照）。

インセンティブの付与の範囲について、経営者保証GLでは経済合理性の範囲内で、破産法の自由財産に加えて、一定期間の生計費に相当する額等を残存資産に含めることを検討するとしています。この「一定期間」については雇用保険の給付期間を参考に、「生計費」については１か月当たりの「標準的な世帯の必要生計費」として、民事執行法施行令で定める額（33万円）を参考にしています。

(iii) **華美でない自宅**

前記の一定期間の生計費に相当する現預金に加えて、華美でない自宅については、回収見込額の増加額を上限として残存資産に含めることを検討できます。また、残存資産に該当しない場合でも、華美でない自宅を処分・換価する代わりに、華美でない自宅の公正な価額を評価して、当該金額から担保権者やその他優先権を有する債権者に対する優先弁済額を控除した金額の分割弁済を行うことも検討できます。

(iv) **保証債務の弁済計画**

保証人が、対象債権者に対して保証債務の減免を要請する場合の弁済計画には、財産評定の基準時において保有するすべての資産（経営者保証GL 7項(3)③に即して算定される残存資産を除く）を処分・換価して、得られた金銭をもって、担保権者その他の優先権を有する債権者に対する優先弁済の後に、すべての対象債権者に対して、それぞれの債権額の割合に応じて弁済を行い、その余の保証債務について免除を受ける内容を記載します。

(v) **経済合理性の判断基準**

保証債務の弁済計画の内容は対象債権者にとって経済合理性の認められる必要があります（経営者保証GL 7項(1)ハ）。この場合の経済合理性とは主たる債務および保証債務について破産手続がとられた場合の配当見込額よりも多くの弁済が得られることを意味します。以下の(ア)から(ウ)の場合において①の額が②の額を上回る場合は経済合理性が認められることになります。経営者保証GLにおける経済

第2部 各 論

合理性の判断は主たる債務の整理と保証債務の整理とを一体として判断します。早期に事業再生に着手して主たる債務の整理手続における回収見込額が増加すれば、経営者保証GLを利用した保証債務の整理で残せる資産が増加するという関係になります。

　㋐　**主たる債務者が再生型の手続の場合**
①　主たる債務および保証債務の弁済計画（案）に基づく回収見込額の合計金額
②　現時点において主たる債務者および保証人が破産手続を行った場合の回収見込みの合計金額

〈主たる債務者が再生型の手続を選択した場合〉

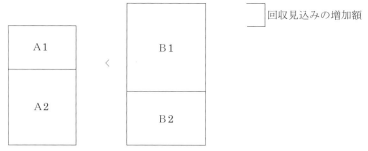

A1　現時点で主たる債務者が破産した場合の配当見込額
A2　現時点で保証人が破産した場合の配当見込額
B1　主たる債務者の弁済計画案に基づく回収見込額
B2　保証人の弁済計画案に基づく回収見込額
　A1＋A2　＜　B1＋B2　の場合に経済合理性が認められる。

　㋑　**主たる債務者が第二会社方式により再生を図る場合**
①　会社分割（事業譲渡を含む）後の承継会社からの回収見込額および清算会社からの回収見込額ならびに保証債務の弁済計画（案）に基づく回収見込額の合計金額
②　現時点において主たる債務者および保証人が破産手続を行った場合の回収見込額の合計金額

第6章　事業再生

〈主たる債務者が第二会社方式により再生を図る場合〉

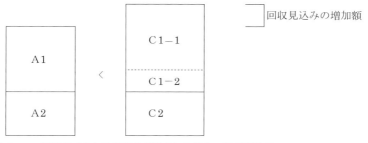

A1　現時点で主たる債務者が破産した場合の配当見込額
A2　現時点で保証人が破産した場合の配当見込額
C1-1　承継会社からの回収見込額
C1-2　清算会社からの回収見込額
C2　保証債務の弁済計画からの回収見込額
　A1＋A2　＜　C1-1＋C1-2＋C2　の場合に経済合理性が認められる。

(ウ)　**主たる債務者が清算型手続の場合**
①　現時点において清算した場合における主たる債務および保証債務の弁済計画（案）に基づく回収見込額の合計金額
②　過去の営業成績等を参考としつつ、清算手続が遅延した場合の将来時点（将来の見通しが合理的に推計できる期間として最大3年程度を想定）における主たる債務および保証債務の回収見込額の合計金額

〈主たる債務者が清算型の手続を選択した場合〉

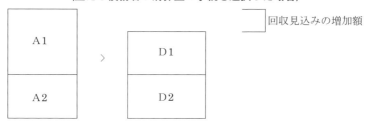

A1　現時点で主たる債務者が破産した場合の配当見込額
A2　現時点で保証人が破産した場合の配当見込額
D1　将来時点（最大で3年後）において主たる債務者が清算（破産等）した場合の配当見込額
D2　将来時点（最大で3年後）において保証人が清算（破産等）した場合の配当見込額
　A1＋A2　＞　D1＋D2　の場合に経済合理性が認められる。

343

第2部　各　論

前記いずれの場合においても、保証人に保持が認められるインセンティブは回収見込みの増加額の範囲内です。

　(エ)　**経済合理性を判断するための資料**

経済合理性を判断するための資料については「経営者保証に関するガイドラインに基づく保証債務整理の手法としての特定調停スキーム利用の手引き」（日弁連のウェブサイトからダウンロードできる）に記載されていますので、参考にしてください。

実務上問題となるのは、主たる債務が清算型の場合において清算手続が遅延した場合の回収見込額の合計金額を示す資料だと思われます。

経営者保証GLでは「過去の営業成績等を参考としつつ、清算手続が遅延した場合の将来時点（将来の見通しが合理的に推計できる期間として最大3年程度を想定）における主たる債務及び保証債務の回収見込額の合計金額」（経営者保証GL・Q&A7-16）とされていますが、3年後の回収見込額は過去の営業成績が継続的に赤字であれば比較的容易に算出できますが、そうではない場合は対象債権者を説得することは難しい問題があります。さまざまなシミュレーションを行うなどして対象債権者の納得を得られるような工夫が必要となります。

　(4)　**特定調停スキームにおける経営者保証GLの活用**

経営者保証GLを利用して保証債務を整理する場合、主たる債務の整理で準則型私的整理手続（特定調停手続、活性化協議会による再生支援スキーム、事業再生ADR等）を利用する場合は、保証債務の整理も原則として当該準則型私的整理手続を利用して、主たる債務と一体整理を図るよう努めるものとされています（経営者保証GL7項(2)イ）。

主たる債務の整理について特定調停手続の申立てをするかすでに係属中である場合には保証債務の整理についても特定調停手続を利用すべきことになります（一体型）。

他方で、保証債務のみを整理する場合には、特定調停手続は経営者保証GLにいう「適切な準則型私的整理手続」に該当するため（経営者保証GL7項(2)ロ）、特定調停手続を利用することができます（単独型）。

日弁連は、最高裁判所民事局と協議の上、経営者保証GLによる保証債務の整理を円滑に進めるために「金融円滑化法終了への対応策としての特定調停スキーム利用の手引」、「経営者保証に関するガイドラインに基づく保証債務整理の手法としての特定調停スキーム利用の手引」、「事業者の廃業・清算を支援する手法としての特定調停スキーム利用の手引」を制定しています。

特定調停スキームには他の準則型手続にはない利点があり［→4(3)］、一体型、単独型、いずれでも積極的な活用を検討してください。

　(5)　**その他の準則型手続における経営者保証GLの利用**

すでに述べたように経営者保証GLは適切な準則型私的整理手続で行うことと

されており、また、保証債務の整理は主たる債務の整理と一体で行うのが原則です。

したがって、主たる債務の整理を特定調停手続以外の準則型私的整理手続を選択した場合は保証債務の整理も原則として、当該準則型私的整理手続を選択することになりますが、特定調停手続以外の準則型私的整理としてよく利用されているものとしては、活性化協議会やREVICがあります。

活性化協議会では「中小企業活性化協議会等の支援による経営者保証に関するガイドラインに基づく保証債務の整理手順」と本件整理手順に関するQ&Aが公表されています。これまで一体型では経営者保証GLは積極的に活用されていましたが、近時は再チャレンジ支援として単独型の取扱いも増えています。

REVICでも一体型においては経営者保証GLを利用した保証債務の整理はこれまでも行われていましたが、さらに法改正により、個人保証付債権買取手続（特定支援）が新たに認められて、この手続においても経営者保証GLが活用されています。さらに2022年3月に事業再生GLが公表され、同年4月15日から適用されています。この事業再生GLは中小企業の事業再生等に関する基本的な考え方と中小企業の事業再生等のための私的整理手続を定めています。私的整理手続は、再生型私的整理手続と廃業型私的整理手続に分かれていますが、いずれの手続においても保証人が保証債務の整理を図る場合は経営者保証GLを活用して、本件事業再生GLの中で主債務と保証債務の一体整理を図ることが求められています。今後は事業再生GLにおいても経営者保証GLの積極的な活用が期待されます。

(6) 経営者保証GLによらない保証債務の整理手段

経営者保証GLでは対象債権者が金融機関等に限られます。

対象債権者以外でも、弁済計画の履行に重大な影響を及ぼすおそれのある債権者については対象債権者に含めることができるとされていますが、対象債権者の同意が必要となりますので、金融債務以外の債務（取引債務の保証債務や保証人自身の借入債務）が多額に存在する場合は経営者保証GLを使った保証債務の整理は困難です（ただし、リース債務の保証については、公益社団法人リース事業協会が「中小企業向けのリース契約に関する経営者保証ガイドライン」〔以下、「リースGL」という〕を公表し、2020年1月1日から適用されています。このリースGLは経営者保証GLとは別のGLですが、リースGLの趣旨に照らして、経営者保証GLの中に対象債権者として取り込み整理している事案も相当数ある）。その場合、経営者保証GLによらずに保証債務を整理する必要があります。

清算型としては破産手続、再生型手続としては個人の通常再生手続や個人再生手続があります。また、経営者保証GLを使わない特定調停手続や債務弁済調停を検討することもできます。

第2部　各　論

第7章　廃業支援・第二創業支援

1　総論——今なぜ廃業支援が必要か

(1)　本章の概説

　日本の経営者の平均年齢は、2020年の調査で62.5歳となり、2015年の59.2歳から3歳あまり上昇しています。また、2021年度の休廃業・解散件数は、4万4377件となり、2020年、2018年に次ぐ高水準となっています。そして、このような休廃業件数増加の背景には、高齢化が一因になっていると考えられ、こうした状況への対応は喫緊の課題とされています（中小企業白書〔2022年版〕第1章第7節Ⅰ85頁）。このような経営者の高齢化が進むなか、後継者により事業が引き継がれる事業承継の実現が最善ではあるものの、残念ながら承継が困難で廃業を余儀なくされる企業や個人事業主も不可避的に存在します。

　本章では、まず、廃業に関する中小企業の現状と課題を検討し、課題克服に向けて早期の取組みと専門家による支援の重要性を総論において論じます。その上で、中小企業の廃業支援、第二創業支援に向けた具体的な検討プロセスや有効な手続を紹介し、最後に、大多数の中小企業の廃業時において検討しなければならないと思われる経営者の保証債務の整理手続について論じていきます。

(2)　中小企業の廃業状況

①　廃業件数の推移

　近年の日本の廃業状況についてみると、2020年まで増加傾向にあり、2021年に減少に転じていますが、これは新型コロナウイルス感染症の影響による一時的なものと考えられ、全体の傾向としては、経営者の平均年齢の増加に伴い廃業件数も増加しているものと考えられます。

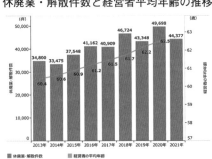

休廃業・解散件数と経営者平均年齢の推移

資料：東京商工リサーチ「2021年『休廃業・解散企業』動向調査」、「全国社長の年齢調査」。

自主廃業した企業の過半数は、黒字企業となっていますが、2021年は黒字企業の割合が前年から低下しています（中小企業白書〔2021年版〕第1-1-81図）。

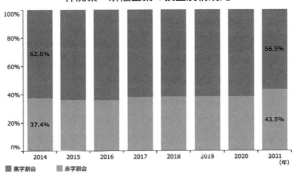

休廃業・解散企業の損益別構成比

資料：㈱東京商工リサーチ「2021年『休廃業・解散企業』動向調査」。

② 事業承継等の検討状況

次に、経営者が廃業の可能性を感じてから行った取組みについて、特に対策はとらなかったとする企業が39.2％に上り、経営者が廃業を検討している企業（廃業予定企業）においても、廃業を決断する前に事業承継の検討をしていない企業が中規模企業で64.6％、小規模事業者で68.3％に上っています（中企庁委託「中小企業者・小規模事業者の経営実態及び事業承継に関するアンケート調査〔2013年12月㈱帝国データバンク〕）。

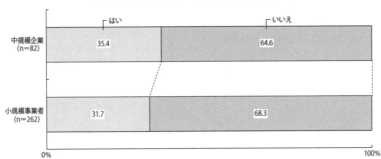

廃業を決断する前の事業承継の検討状況

資料：中企庁委託「中小企業者・小規模企業者の経営実態及び事業承継に関するアンケート調査」（2013年12月、㈱帝国データバンク）。
（注）「自分の代で廃業することもやむを得ない」と回答した者を集計している。

第2部　各　論

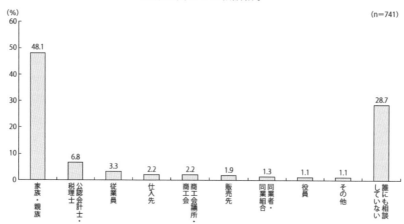

廃業に関しての相談相手

資料：中企庁委託「中小企業者・小規模企業者の廃業に関するアンケート調査」（2013年12月、㈱帝国データバンク）。
（注）1．相談相手として上位1～3位を挙げてもらい、1位の者を集計している。
　　　2．回答割合が1％を以下の選択肢については表示していない。

③　専門家への相談状況

また、廃業した企業のうち、専門家に相談した比率は10％にも満たず、9割以上の企業が士業や経営相談員等の専門家に相談していなかったことがわかります。

(3)　廃業における課題

このようにしてみると、廃業における課題は、次のように考えられます。

①　早期の着手

経営者の高齢化が進み、かつ自社の今後の業績の低迷を経営者が予測している状況です。そして、廃業を検討している企業の多くはすでに経常損益が赤字に陥っていることから、抜本的な検討を行わず、従来のままの体制で事業を継続していけば、さらに資産が減少するリスクが高いといえます。

したがって、まずは経営者において、自社の事業の承継または廃業に向けた検討を早期に着手することが重要です。

②　専門家への相談

ただ、事業承継や廃業に向けた検討の早期着手といっても、廃業の検討に際しては、従業員や取引先、金融機関等、株主などさまざまな利害関係者との関係を考えなければならず、経営者1人では容易に判断することはできません。そのため、経営者に適切な判断材料を提供し、早期の決断を促すとともに、決断した手続を円滑に進めていくために、弁護士や税理士、公認会計士等の専門家の関与が

不可欠といえます。

　また、経営者において事業承継や廃業支援に対応できる専門家を知らない場合も多いので、初期相談窓口として商工会議所や商工会、よろず支援センター等の経営支援団体での積極的な働きかけや、それらの団体と専門家団体が連携して、経営者に相談を促すことが重要といえます。

③　債務超過企業への支援

　また、新型コロナウイルス感染症の影響を受けて、多くの中小企業が政府系金融機関等の緊急融資を利用したり、公租公課の納付猶予の特例等を利用することにより資金繰りを維持する一方、財務状態としては負債が増加し、債務超過となっている企業は増加しているものと思われます。

　債務超過企業の廃業は、債務の全額弁済ができないことを意味しますので、金融機関等の債権者や経営者保証をしている経営者自身に痛みを伴います。

　しかし、キャッシュ・フローが恒常的に赤字である場合、早期の取組みが結果として利害関係者全員の利益につながることから、経営者においても債権者においても、この点を理解して課題を先送りすることなく取り組むことが重要です。

(4)　廃業手続の多様化

　以上のような社会情勢の中で、近時、従来からある破産や特別清算といった法的手続に加えて、一定の準則の下、金融機関を中心とする債権者と債務者との協議により債務を整理する私的整理手続を用いた廃業支援のための手続も整備されています。

　具体的には、事業者について、REVICが扱う特定支援業務（廃業支援）、債務者と債権者との事前協議を前提としながら最終的に裁判所の特定調停手続を用いる廃業支援スキーム、中小企業版私的整理ガイドラインの廃業型私的整理手続の運用が始まりました。

　また、経営者の個人保証についても、一定の要件の下、経営者保証GLを活用し、破産手続ではなく、私的整理手続によって債務を整理することが可能となっています。

　そして、2022年4月からは、事業再生GL（中小企業版私的整理ガイドライン）が策定され、中小企業の廃業支援と経営者である保証人の保証債務を一体として整理する手続がさらに増えました。

② 廃業のための手法

(1)　廃業への流れ

　廃業へのプロセスは、①廃業の決断、②過大な負債処理の要否に関する判断、③事業承継の可否に関する判断、④廃業手続という4つのフェーズに分けられます。

(2) 廃業の決断

　まず、経営者の廃業への思いの強さや廃業を決断するに至った要因等を確認する必要があります。廃業へのプロセスは、長期にわたることもあり、経営者が真に廃業を望んでいなければ、途中で計画が頓挫してしまいます。また、廃業の要因を分析することにより、既存の経営資源を活かした第二創業の可能性を探索することも可能となります。

①　要因の分析──外部的要因と内部的要因

　経営者が廃業を決断する要因（もしくは廃業を視野に入れるきっかけ）は、事業の将来性不安や後継者不足といった外部的な要因と、経営へのモチベーションの低下や現段階で廃業した場合に残存資産が多くあること等の内部的な要因に分けることができます。

　経営者が主たる廃業の要因として外部的要因を挙げている場合には、それが真に事業継続の障害となるかを検証し、その解決策の有無について検討する必要があります。一方で、経営者が主たる廃業の要因として内部的要因を挙げている場合には、その気持ちの強さや経営者の思い、利害衝突があり得る利害関係人（従業員・取引先等）との調整が必要か、調整可能な見込みがあるかについて検討する必要があります。

②　第二創業支援

　第二創業とは、既存事業の見直し・底上げから一歩踏み込んで、既存事業の経営資源を活かしながら、新規創業のごとく新事業分野に挑んでいくことをいいます。

　廃業すれば、従業員は職を失い、取引先は仕入先ないし販売先を失うだけでなく、活用可能な資産を廃棄せざるを得なくなったり、取引先との契約や工場・店舗等の賃貸借契約等に基づく違約金処理が問題となり、高額な廃業コストが廃業への障害となることも考えられます。

　そこで、資源を有効活用し、廃業コストを抑えるために、廃業の要因（廃業を視野に入れるきっかけ）を分析し、既存事業の廃業を決断せざるを得ない場合には、既存の経営資源を活かして他の事業を行うことができないか（第二創業の可能性）を探索すべきです。

　しかし、廃業を検討している経営者は、既存事業に行き詰まり感を抱いており、すでに事業継続へのモチベーションを失っていることがほとんどです。また、現経営者において第二創業を検討しても、既存事業の成功体験に縛られてしまい、他の事業へ活かす方法をもちあわせていない傾向にあります。

　そこで、事業承継による世代交代を機に後継者が第二創業を行うことが可能となれば、資源を有効利用することができるとともに、現経営者は廃業コストを抑

えて廃業を成功させることが可能となり、後継者は既存の経営基盤を活かして新規ビジネスを立ち上げることが可能となります。

このように、現経営者だけでなく、後継者による第二創業をも視野に入れた第二創業支援も、廃業支援の一貫として重要なものといえます。

(3) 過大な負債処理の要否に関する判断

以上のような検証・検討の結果、廃業を決断せざるをえない場合、廃業手法を選択します。この廃業手法の選択に当たっては、資産超過か否か、過大な負債処理が必要かを判断することが重要となります。

資産超過か否かは、含み益、簿外債務や廃業に必要な処理コストを反映した清算貸借対照表を作成し、見極めます。その際、決算書に記載のない従業員の退職金、関連会社等の借入れに対する保証債務、工場の土壌汚染を理由とする損害賠償、工場・事務所等の原状回復費用、違約金等事業を継続しているときには発生せず、廃業する場合にのみ発生が見込まれる債務の有無について綿密に確認する必要があります。仮に、直近の決算書で資産超過となっていた場合でも、思いがけない廃業コストにより債務超過となってしまう場合もありますし、直近の決算書で債務超過となっていた場合でも、何十年も前に取得した不動産の価格を時価に引き直し、含み益を計上したことにより、清算貸借対照表上では資産超過になったという場合もあります。

(4) 事業承継の可否の判断

清算に入る前に事業承継の可否の検討も行っておく必要があります。

資産超過会社であり、黒字の事業であれば、従業員・什器備品・取引先が揃っていることにより付加価値を生み出し、資産を個々に譲渡した場合より、高い金額で譲渡できる可能性があり、利害関係人の最大満足を図ることが可能となります。なお、この場合は、株式譲渡という選択もあり得ます。

また、損益計算書上赤字の事業であっても、無駄なコストを省いたり、譲受先に共通して発生しているコストを削減することにより、黒字化が可能な場合には、事業譲渡が可能となる場合もあります。

親族や従業員への事業承継が難しい場合でも、取引先や事業引継支援センター等の機関を活用し、第三者承継ができないか検討する必要があります。

(5) 負債処理が不要な場合（資産超過の場合）

以上の通り、慎重な試算を行った結果、資産超過であることが見込まれ、廃業支援対象の事業者が株式会社である場合には、通常清算により廃業手続を行います。株式会社が株主総会で解散決議をすると、通常清算が始まります（会社法475条）。取締役などが清算人に就任し（同法478条1項）、債権者に対し、一定期間内（2か月以上）に債権を申し出るように官報にて公告し、知れたる債権者に

第2部　各　論

は個別に催告する必要があります（同法499条）。この官報公告期間内は債務の弁済が制限され、少額債務等一定の条件を備えるもののみ裁判所の許可を得て弁済をすることができます（同法500条）。

　清算人は、会社に資産があれば換価処分し、売掛金などの債権を取り立て、買掛金等の債務を弁済し、その後に残余財産があれば、清算人の決定により株主へ分配することで清算事務を終了します（会社法504条）。清算事務終了後、清算人は、遅滞なく決算報告書を作成し、株主総会での承認を得て、清算が結了することになります（同法507条）。

　清算人には、清算株式会社の帳簿資料を清算結了登記の時から10年間保存する義務があります。

(6)　過大な負債処理が必要な場合

　過大な負債処理が必要な場合の廃業手法としては、特別清算（株式会社の場合のみ）、破産、私的整理（裁判所の特定調停手続を用いる廃業支援スキーム、中小企業版私的整理GLの廃業型私的整理手続等）の3つが挙げられます。

①　特別清算と破産の比較

(i)　手続のイメージ

　特別清算と破産はどちらも債務超過会社を廃業して清算する手段には違いないのですが、「会社法上の清算」と「破産」という言葉からくるイメージが違います。経営者にとって倒産というレッテルを貼る「破産」を回避する意義は大きいと思います。

(ii)　管理処分権の有無

　また、破産の場合、会社財産の管理処分権は破産管財人に帰属し、特別清算は、DIP型手続であるため、裁判所の管理下に置かれるものの、会社が選任した清算人（通常は代表取締役が就任）がイニシアティブをもって手続を進めていくことができます。

(iii)　手続コスト

　このほか、特別清算は、破産と比較して手続費用を低く抑えることができます。裁判所に納める予納金は、各地の裁判所や負債総額によって異なりますが、東京地裁では、法人破産の場合最低でも20万円からであり、特別清算では、協定型の場合で5万円、和解型の場合で8598円であり（2016年8月時点）、これに官報公告費用等の諸費用を加えても、手続費用を破産の場合より安価に抑えることができます。

(iv)　小括

　特別清算は、開始原因が「債務超過の疑い」で足り、破産より早期に（一定の弁済資金が残されている段階で）廃業を決断した事例が多いと考えられます。実

際、債権者は、協定で一定金額の弁済を受ける例がほとんどです。これに対し、破産の場合、2014年度の法人破産既済事件8683件のうち、配当に至った事案は2345件と3割にも満たず（最高裁判所「平成26年度司法統計年報第108表 破産既済事件数―破産者及び終局区分別―全地方裁判所」）、債権者が配当を受け取れる事例はかなり少なくなっています。したがって、特別清算は経営者にも債権者にもメリットがある手続といえます。

② 特別清算が活用可能な事案の条件

では、どのような場合に特別清算を活用すべきでしょうか。

まず、特別清算の場合、公租公課や労働債権等の優先性を有する債権が完済できることが条件となります。

次に、協定（債務免除等の弁済計画が記載されたもの）が可決されるためには、債権者集会に出席した議決権者の過半数の同意および議決権者の議決権の総額の3分の2以上の議決権を有する者の同意が必要となります（会社法567条）。そのため、特別清算では、事前に債権者と調整し、協定について債権者の同意が得られる確かな見込みがあることも条件となります。債権者の同意が得られる見込みについては、個別の案件において判断していくものではありますが、主に以下の3つの要素を勘案して見極めることになると思います。

第1に、会社への一定の信頼があるかという点です。粉飾決算等、会社の会計に偽りがあったり、債務超過会社であるにもかかわらず役員報酬が異常に高かったり、弁護士に相談する直前に会社の資産を妻や親族に譲渡する等、債権者が会社に対して不信感を抱いているようなケースでは、債権者の理解を得ることは困難です。

第2に、経理の内容を正確に把握している人の協力が得られるかという点です。特別清算は、DIP型の手続なので、直近から手続中の入出金の動きについて、その内容を債権者や裁判所に報告する必要があります。その説明が不十分であったり、不透明であれば、債権者からの理解を得ることは難しくなってしまいます。

第3に、破産と比較して債権者により多くの弁済をすることが可能かという点です。債権者（特に金融機関）は、清算価値を算出し、破産と比較してより多くの配当を受けられるのであれば、協定に理解を示してくれます。親族の債権者から同意を得て弁済を受けないといった調整をしたり、できる限り会社財産を高額で換価するように努めます。

弁済資金がいくら確保できるかの見込みは、代表者や経理担当者から換価状況や支払状況を確認して随時算出しておきますが、思いがけない清算費用がかかることもあるため、余裕をもった計画を立てておく必要があります。また、債務免

除益課税等のタックスプランニングも必要になりますので、早めに税理士とも打合せをしておくことが望ましいです。

③ 特定調停スキーム（廃業支援）の概要

(i) 特定調停スキーム（廃業支援）の策定経緯

　2017（平成29）年、日弁連では、最高裁や中企庁等との意見交換を経て、廃業支援を目的とした「事業者の廃業・清算を支援する手法としての特定調停スキーム利用の手引き」（廃業支援型）を作成し公表いたしました。

　特定調停スキーム（廃業支援型）は、金融機関等に過大な債務を負っている事業者の債務および当該事業者の経営者またはこれに準じる者（以下、「経営者等」という）の保証債務を一体として、準則型私的整理手続の1つである特定調停手続および保証債務につき経営者保証GLを利用して、債務免除を含めた債務の抜本的な整理を図るものであり、事業の継続が困難な事業者を円滑に廃業・清算させて、債権者の不良債権の早期処理と経営者の生活の早期再建を図る制度です。

(ii) 特定調停スキーム（廃業支援）のメリット

　特別清算（協定型）の場合、解散後2か月間の弁済禁止期間を経てからの手続になり、事前に各債権者との協議を尽くしている場合であっても、協定成立まで5〜6か月程度の期間が必要となります。また、特別清算は、株式会社にしか適用がないため、有限会社の場合は、株式会社に変更した後に解散し、申立てを行わなければならず、そのための費用と時間を要します。

　これに対し、特定調停の場合、約2〜3か月程度での終結を見込むことができ、利用主体も株式会社に限定されません。

　また、特別清算では、債権者が債務免除について定めた協定案に対する賛否の意思表示をする必要があるのに対し、特定調停では、調停に代わる決定（特定調停法20条・22条、民事調停法17条）が可能であることから、積極的に賛成はしないものの、異議を述べるつもりもないという立場の債権者にも説明・説得が可能です。

　以上より、事前に各債権者との協議を尽くし、各債権者からの協力を得られる場合には、特定調停により一体的に早期解決を図ることが可能であり、今後、活用の幅が広がっていくことが期待されています（特定調停により主債務と保証債務を一体的に処理した事例として、髙井章光＝犬塚暁比古「経営者保証GLへの実務対応」事業再生と債権管理153号〔2016〕99〜106頁参照）。

④ REVICの特定支援制度の概要

　REVICの特定支援とは、REVICが過大な債務を負っている事業者に係る金融機関の経営者保証付債権を買い取る等して債務整理を行うと同時に、代表者等保証人の保証債務について経営者保証GLに沿って一体整理を行うもので、事業の

第7章　廃業支援・第二創業支援

継続が困難な事業者を円滑に整理し、経営者の再チャレンジを通じた地域経済の活性化を図る制度です。

(i) **REVIC特定支援のメリット**

特定支援について、事業者、代表者等保証人には次のメリットがあります。

① 事業者は金融機関に対する債務以外の債務（公租公課や商取引債務、労働債務等）を支払うことができること。

② 代表者等保証人は破産せずに経営者保証GLに基づき債務を整理することができること。

③ REVICが積極的に関与して金融機関との調整を行うこと。

(ii) **特定支援の要件概要**

特定支援制度を活用するには、大要、次の要件が必要となります。

① 事業者、代表者等保証人、持込金融機関の3者連名での申込み

② 過大な債務を負っている事業主の存在（個人事業主も可能）

③ 代表者等保証人の存在（事業者と保証人との一体整理が前提）

④ 金融機関からの債権買取申込み（最低1金融機関）

⑤ 一般債務（公租公課、労働債務、商取引債務等）は全額支払可能であること

⑥ 弁済計画における弁済原資は事業者および保証人の保有する資産に限られること（将来キャッシュ・フローによる弁済は想定外）

なお、日弁連の特定調停スキーム（廃業支援型）においても、基本的に同様の要件が規定されています。

⑤ **中小企業版私的整理GLの廃業型私的整理手続の概要**

(i) **中小企業版私的整理GLの廃業型私的整理手続の策定経緯**

2021年6月に公表された政府の「成長戦略実行計画」において「中小企業の事業再構築・事業再生の環境整備」として、中小企業の実態を踏まえた事業再生のための私的整理等のGLの策定について検討することが盛り込まれました。これを受けて「中小企業の事業再生等に関する研究会」が発足され、ポストコロナを見据えて、中小企業と金融機関の双方の立場を踏まえたコンセンサスの指針として本GLが策定されました。そのため、法的拘束力はないものの、債務者である中小企業、対象債権者である金融機関等およびその他の利害関係人により、自発的に尊重され、遵守されることが期待されています（事業再生GL第1部2項・第3部2項(1)）。

事業再生GLは3部構成であり、中小企業版私的整理手続は第3部に定められています。廃業型の債務整理手続は、これまで準則型の私的整理手続がありませんでしたが、法的整理に至る前に私的整理手続で債務整理を行うことができれば、法的整理の場合と比較して取引先や従業員への影響が抑えられ、金融機関に

とっても経済合理性があり、経営者の円滑な再スタートにも資するため、中小企業、金融機関、地域経済にとっても望ましいということから、策定されました。

(ⅱ) 中小企業版私的整理GLの廃業型私的整理手続の特徴

本手続では、「第三者支援専門家」の関与を必須としている点に大きな特徴があります。「第三者支援専門家」とは、「弁護士、公認会計士等の専門家であって、再生型私的整理手続及び廃業型私的整理手続を遂行する適格性を有し、その適格認定を得たもの」をいい（中小企業版私的整理GL4項(1)①）、中立的第三者の立場から中小企業者の策定する計画案の調査報告等を行う役割を担っています。

第三者支援専門家候補者のリストは、中小企業活性化全国本部および一般社団法人事業再生実務家協会のウェブサイトにて公表されています。債務者は、主要債権者の同意のもと、原則としてこの候補者リストから第三者支援専門家を選任します。

廃業型は、再生型と比較してその手続が簡素化されており、手続の検討申出の段階で選んでおく必要はなく、弁済計画案の調査から関与を始めることになります（中小企業版私的整理GL5項(1)①②）。

⑥ REVIC特定支援、特定調停スキームおよび中小企業版私的整理GLの廃業型私的整理手続の使い分け

いずれの手続も事業者の廃業（債務整理）と経営者等保証人の債務の整理を行い、経営者等保証人の再チャレンジを促すもので、制度趣旨を共通にするものです。

一方、主たる適用場面としては、REVIC特定支援が、事業を第三者に譲渡する事案や（事業譲渡型）、代表者等保証人の親族（別会社）に承継する事案など、事業の一部または全部を存続させる事案を想定していると考えられます。他方、特定調停スキームおよび中小企業版私的整理GLの廃業型私的整理手続（活性化協議会または特定調停を利用する）は、事業譲渡や事業承継、第二創業だけでなく、これらが実現できない場合の活用も想定しています。

また、REVIC特定支援および中小企業版私的整理GLの廃業型私的整理手続は、外部専門家たる弁護士による保証人の私財調査や、税理士・公認会計士による事業者の財務調査、不動産鑑定士による不動産評価などが想定されており、これらの費用は債務者負担となります（補助が受けられる場合もある）。また、REVICに対する手数料は原則20万円ですが、事業譲渡等のM&Aを前提としたスキームは除外されます。

これらを考えると、比較的規模の大きい事業者で資産内容や事業内容が複雑である場合や、多数の金融機関が関与しており意見の集約が容易でない場合など、REVICによる積極的な関与・金融機関調整の必要性が高く、一般債権および外

部専門家等の費用が支払える事案はREVIC特定支援または中小企業版私的整理GLの廃業型私的整理手続が積極的に検討されるべきと思われます。

　他方、比較的事業規模が小さく、廃業や保証人の債務整理に向けた処理方針がシンプルで、事業の換価や金融機関調整に際して特別な検討・配慮が必要ない事案などでは、幅広く特定調停スキームの活用が見込まれます。

　ただし、中小企業版私的整理GLと特定調停スキームの適用場面は重なることも多く、かかる中小企業版私的整理GLを活性化協議会で取り扱うか、特定調停スキームに取り込むか等については、対象債権者（特に主要債権者）の意見を踏まえて中小企業者が決定することになります。

③　過大な負債処理を行う場合の経営者の保証債務

(1)　経営者保証GL

　主債務において過大な負債処理が必要な場合、経営者個人の連帯保証債務も整理する必要があります。

　今まで廃業の場面では、民事再生や破産の法的手続でしかできなかった大幅な債権カットを伴う保証債務の整理を可能にすると同時に、インセンティブ資産を手元に残すことを認めることにより廃業を促すという点で、債務超過会社（主債務者）清算型（特別清算・破産等）における経営者保証GLの意義は大きく、廃業支援においてこの手続を活用しない手はありません。

　筆者は、主債務者が清算型手続（特別清算）を利用し、経営者保証債務を経営者保証GL（特定調停）により整理した案件等を取り扱っています（主な事案の詳細は、山田尚武＝尾田知亜記「経営者保証ガイドラインへの実務対応」事業再生と債権管理150号〔2015〕126～135頁、152号〔2016〕117～127頁を参照）。本稿では、両案件で問題となった経済的合理性とインセンティブ資産の算定という２つの論点を中心にご紹介します。

　なお、基本的な進め方および書式については、日本弁護士連合会「経営者保証に関するガイドラインに基づく保証債務整理の手法としての特定調停スキーム利用の手引き」（2014年12月12日）が参考となります。

(2)　清算型の場合の経済合理性の有無

①　シミュレーション作成のプロセス

　経営者保証GLによる債務整理を行うためには、対象債権者にとって経済合理性があることが前提となります（経営者保証GL７項(3)③）。主たる債務者が清算型の場合、以下の①の額が②の額を上回る場合に、経営者保証GLに基づく債務整理により、破産手続による配当よりも多くの回収を得られる見込みがあるため、一定の経済合理性が認められるとされています。

第 2 部　各　論

> ①　現時点において清算した場合における主たる債務の回収見込額および保証債務の弁済計画（案）に基づく回収見込額の合計金額
> ②　過去の営業成績等を参考としつつ、清算手続が遅延した場合の将来時点（将来見通しが合理的に推計できる期間として最大3年程度を想定）における主たる債務および保証債務の回収見込額の合計金額

　①については、実際の回収見込額ないし回収額を算定すればよく、評価額が問題となり得る財産がなければ、問題なく算定することが可能だと思います。一方、②の算定は予想以上に難しく、以下のような流れでシミュレーションの作成を行いました。

　まず、過去の営業成績を勘案して平均的な売上高を算出し、実態に合わせて1年後を目途に均等な割合で売上高を徐々に減少させていきました。2年後、3年後の売上高に関しては、新規顧客となり得た会社との間でどの程度の取引が予想されたかを聴き取り、その取引量をもとに売上高を算出しました。

　次に、経費については、売上高が減少しているにもかかわらず同額計上することは不自然であるため、役員報酬を減額し、仕入・外注加工費のような変動費は売上比率を乗じて再計算したほか、人件費等の固定費については、減少後の売上高を上げるために必要な生産ラインの人数を聴き取り、減少後の売上高を上げるために必要な従業員数が半数となった段階で、従業員の半数が退職したとして、その人数分減らして計算しました。

　また、一定期間が経過した段階で銀行への返済をやめ、保険契約の解約による資金投入等も行ったことを前提として、1年後、2年後、3年後の貸借対照表、損益計算書およびキャッシュ・フロー計算書を作成しました。

　以上のシミュレーションを行った結果、①が②を上回ったため、経済合理性があることを説明する資料として、貸借対照表、損益計算書、キャッシュ・フロー計算書のほか、①と②の比較表を作成し、対象債権者に説明しました。

　なお、経営者保証GLでいう経済合理性は、破産手続と比較して回収見込み額が下回っていないことを意味しており、2022年3月に公表された「廃業時における『経営者保証に関するガイドライン』の基本的考え方」にも示された通り、保証人が対象債権者に対し、弁済する金額がない弁済計画（いわゆるゼロ円弁済）もかかる要件を満たせばガイドライン上、許容され得ることに留意が必要です。

②　インセンティブ資産の確保

　経営者保証GLを利用すれば、回収見込額の増加額を上限として（対象債権者に経済合理性がある限りにおいて）、自由財産だけでなく、一定期間の生計費に相当する現預金、華美でない自宅等を残存資産に含めることが可能です。

　インセンティブ資産の算定基準は雇用保険の給付期間を目安とします（以下、

「第1基準」という）が、個別に考慮すべき事情がある場合には回収見込額の増加額を上限として当該目安を超える資産を残存資産とする（以下、「第2基準」といいう）こととなります。これらの基準にはいまだ不明確な点が残っています。

　インセンティブ資産は、対象債権者および経営者個人にとって最も利害を有する部分であり、この算定基準が不明確で適用が困難であれば、経営者の早期の事業再生等の着手の決断に影響を与え、対象債権者にはインセンティブ資産を残す弁済計画（案）への賛否の判断を困難とさせ、その結果、経営者保証GLの手続に対する透明性と信頼性が損なわれることから、経営者保証GLの活用の妨げになりかねません。

　そこで、1つの考え方として、第1基準を原則的に雇用保険の給付期間の最高日数とし、経営者保証GL7項(3)③のイ・ロ・ハ・ニ・ホの事情（経営者たる保証人の経営資質、信頼性、帰責性等）において問題がある場合にのみ日数の削減を検討し、個別の事情（増減含む）は第2基準で考慮、検討すればよいと考えます。以上のような事案の集積がなされれば、経営者にも対象債権者にとっても、経営者保証GLの手続の安定性が確保され、より使いやすく意義のある活用が可能となると思います。

④　特定調停スキーム（廃業支援型）の概要

(1) 特定調停スキーム廃業支援型のメリット

　特定調停スキーム（廃業支援型）には次のメリットがあると考えられます。

---

① 　債務者および保証人のメリット
　ⅰ　取引先を巻き込まないことが可能であること
　ⅱ　実質的債権者平等の計画など柔軟な計画策定が可能であること
　ⅲ　手続コストが比較的低廉であること
　ⅳ　一体的に保証債務の整理を行えること
　ⅴ　対象債権者の理解を得て柔軟に残存資産の範囲を決定できる点や信用情報機関に登録されない点で保証人の経済的更生を図りやすいこと
　ⅵ　特別清算と異なり、事業者は株式会社以外の法人も対象とするなど対象範囲が広いこと
② 　債務者および保証人のメリット
　ⅰ　経済合理性が確保されていること
　ⅱ　裁判所が関与すること
　ⅲ　資産調査や事前協議が実施されること
　ⅳ　債権放棄額を貸倒損失として損金算入が可能であること

(2) 特定調停スキーム（廃業支援型）の活用事例

事業者については、①特定調停の中で債務免除を行い、法人債務については通常清算により整理する事例、②特定調停の中で弁済計画の同意と保証債務の整理を行い、法人債務については特別清算により整理する事例がある。

なお、親族や第三者が別会社を設立し、事業を承継させて事業を継続する場合は、いわゆる第二会社方式の再生型手続として位置付け、本手引きの対象とはしません。

経営者等保証人の自宅については、①オーバーローン（被担保債権が担保価値を上回る）を前提として、担保権者と協議して経営者等保証人の資産として残し、住宅ローンの返済を継続しつつ自宅に居住し続ける事例、②金融機関に経済合理性が認められることを前提として、自宅を保証人の資産（いわゆるインセンティブ資産）として残し、自宅に居住し続ける事例、③事業者の金融機関に対する担保設定済の自宅について、近親者等の第三者が適正価格にて購入し、当該第三者の理解を得て自宅に居住し続ける事例があります。

経営者等保証人のその他資産については、①金融機関の経済合理性を踏まえて、当該経済合理性の範囲内で一定の資産を残す事例、②保証人の状況（介護費用、医療費等）を踏まえて、一定の生計費を残す事例があります。

なお、その他経営者等の保有する資産に応じてさまざまなケースがあります。

(3) 特定調停スキーム（廃業支援型）の要件

特定調停スキーム（廃業支援型）の利用に当たっては、次の要件を満たす必要があります。

> ① 対象事業者および保証人について
>   ⅰ 事業者　主たる債務者である事業者（法人、個人を問わない）が、過大な債務を負い、すでに発生している債務（既存債務）を弁済することができないことまたは近い将来において既存債務を弁済することができないことが確実と見込まれること。
>   ⅱ 保証人　事業者の債務と一体で保証人に係る保証債務を整理する場合、保証人が経営者等であること。
>   ⅲ 誠実性　事業者およびその経営者等が弁済について誠実であり、対象債権者に対して、それぞれの財産状況を適時適切に開示していること。
>   ⅳ 免責不許可事由の不存在　経営者等に破産法252条各号（10号を除く）に掲げる事由が生じておらず、またはそのおそれもないこと。
> ② 対象債権者について　対象債権者は、事業者に対して金融債権を有する金融機関等（リース会社を含む）および保証人に対して保証債権を有する金融機関等とします。ただし、事業者または経営者等の弁済計画の履行に重大な影響を及ぼすおそれのある債権者については、金融債権を有する債権者以

外でも対象債権者に含めることができます。
③ 債務整理の目的　事業者の早期清算により経済合理性を図り、もって社会経済の新陳代謝を促進させるとともに、経営者または当該事業者の保証人による新たな事業の創出その他の地域経済の活性化に資する事業活動の実施等に寄与するために、当該事業者およびその保証人の債務（経営者等の債務にあっては、当該事業者の債務の保証に係るものに限る）の整理を行う場合であること。
④ 経済合理性　事業者の主たる債務および保証人の保証債務について、破産手続による場合の配当よりも多くの回収を得られる見込みがあるなど、対象債権者にとって経済的な合理性が期待できること。

なお、経営者保証GLが適用される場合では、以下の⒤の額が⒤の額を上回る場合には、破産手続による配当よりも多くの回収を得られる見込みがあると考えられます。
　⒤　現時点において清算した場合における事業者の主たる債務の弁済計画案に基づく回収見込額および保証債務の弁済計画（案）に基づく回収見込額の合計金額
　ⅱ　過去の営業成績等を参考としつつ、破産手続が遅延した場合の将来時点（将来見通しが合理的に推計できる期間として最大3年程度を想定）における事業者の主たる債務および保証債務の回収見込額の合計額
⑤ 優先債権等の弁済　事業者および保証人に対する優先債務（公租公課、労働債権）が全額支払可能であり、特定調停の対象としない一般商取引債権が金融機関の理解を得て全額支払可能であること。
⑥ 事業者の弁済計画　事業者の弁済計画が次の⒤からⅳまでのすべての事項が記載された内容であること。
　⒤　財産の状況
　ⅱ　主たる債務の弁済計画
　ⅲ　資産の換価および処分の方針
　ⅳ　対象債権者に対して要請する主たる債務の減免、期限の猶予その他の権利変更の内容
⑦ 保証人の弁済計画　保証人の弁済計画が次の⒤からⅳまでのすべての事項が記載された内容であること。
　⒤　財産の状況
　ⅱ　保証債務の弁済計画（原則として、調停成立時から5年以内に保証債務の弁済を終えるものに限る）
　ⅲ　資産の換価および処分の方針
　ⅳ　対象債権者に対して要請する保証債務の減免、期限の猶予その他の権利変更の内容
⑧ 事前協議および同意の見込み　対象債権者との間で弁済計画案の提示、説明、意見交換等の事前協議を行い、各対象債権者から調停条項案に対する

第 2 部　各　論

　　　同意を得られる見込みがあること。
⑨　労働組合等との協議　　事業者が、労働組合等と弁済計画の内容等について話合いを行ったまたは行う予定であること。

(4) 自然災害GLの特則

　法人および保証人たる経営者の廃業支援手続は以上のとおりですが、個人事業主が負担する債務のうち、新型コロナウイルス感染症の影響によって廃業を余儀なくされた事業者の債務整理については、2020年10月から『「自然災害による被災者の債務整理に関するガイドライン」を新型コロナウイルス感染症に適用する場合の特則』(自然災害GLの特則)により、特定調停を利用して債務整理を行うことが可能となりました。

　対象となる債務者は、次の要件を満たす必要があります。

①　新型コロナウイルス感染症の影響による収入や売上等が減少したことによって、住宅ローン、住宅のリフォームローンや事業性ローンその他の本特則における対象債務を弁済することができない、または近い将来において本特則における対象債務を弁済することができないと確実に見込まれること
②　弁済について誠実であり、その財産状況(負債の状況を含む)を対象債権者に対して適正に開示していること
③　基準日以前に、対象債務について、期限の利益喪失事由に該当する行為がなかったこと。ただし、当該対象債権者の同意がある場合はこの限りでない。
④　本特則に基づく債務整理を行った場合に、破産手続や民事再生手続と同等額以上の回収を得られる見込みがあるなど、対象債権者にとっても経済的な合理性が期待できること
⑤　債務者が事業の再建・継続を図ろうとする事業者の場合は、その事業に価値があり、対象債権者の支援により再建の可能性があること
⑥　反社会的勢力ではなく、そのおそれもないこと
⑦　破産法252条1項(10号を除く)に規定する免責不許可事由がないこと

　また、債務整理の対象となる債務は次のとおりです。

①　2020年2月1日以前に負担していた既往債務
②　2020年2月2日以降、本特則制定日(2020年10月30日)までに新型コロナウイルス感染症の影響による収入や売上等の減少に対応することを主な目的として以下のような貸付等を受けたことに起因する債務
　ⅰ　政府系金融機関の新型コロナウイルス感染症特別貸付
　ⅱ　民間金融機関における実質無利子・無担保融資
　ⅲ　民間金融機関における個人向け貸付
　対象債権者の範囲は、金融機関等とされ、銀行、信用金庫、信用組合、農業

協同組合、漁業協同組合、政府系金融機関、貸金業者、リース会社、クレジット会社および債権回収会社、ならびに信用保証協会、農業信用基金協会等およびその他の保証会社が対象となります。

　そして、自然災害GLの特則において、債務者は、住宅を手放すことなく生活や事業の再建を希望する場合、住宅資金貸付債権について約定弁済等の方法により弁済を継続しながら、対象債権者に対する債務の整理を行うことが可能となります。また、債務者は、住宅資金特別条項を含む調停条項案の作成を検討する場合、すべての対象債権者に住宅資金貸付債権への約定弁済を継続する旨を通知することにより、住宅資金貸付債権の約定弁済を継続することができます。

●編者紹介● （50音順・敬称略）

井澤　秀昭（いざわ　ひであき）　担当：第1部第1章（初版）
〈主な著書・論文等〉横浜弁護士会会社法研究会編『実務論点会社法』（民事法研究会、2013）（執筆担当）
〈事務所〉井澤・黒井・阿部法律事務所（神奈川県弁護士会）

乾　とも（いぬい　とも）　担当：第1部第2章・第2部第1章
〈事務所〉三浦法律事務所（金沢弁護士会）

杉浦　智彦（すぎうら　ともひこ）　担当：第2部第2章・第5章
〈主な著書・論文等〉日本弁護士連合会・日弁連中小企業法律支援センター編『事業承継法務のすべて〔第2版〕』（きんざい、2021）（共著）
〈事務所〉弁護士法人横浜パートナー法律事務所（神奈川県弁護士会）

髙井　章光（たかい　あきみつ）　担当：第1部第1章・第2部第2章・第6章
〈主な著書・論文等〉『継続的取引における担保の利用法』（商事法務、2020）、「『中小企業の事業再生等に関するガイドライン』と今後の実務対応」法律のひろばVol.75/No.10（2022）、「コロナ禍の中小企業支援と弁護士の役割」『コロナ禍の中小企業と法変化』（神戸大学出版会、2022）
〈事務所〉髙井総合法律事務所（第二東京弁護士会）

樽本　哲（たるもと　さとし）　担当：第1部第2章・第2部第1章
〈主な著書・論文等〉「非営利法人との取引の際に気を付けるべき法的ポイント」銀行法務21 806号（2016）、「新会社法A2Z　非公開会社の実務」（第一法規株式会社、加除式）（共著）、「遺贈寄付ハンドブック改訂第2版」（2022）（共著）
〈事務所〉樽本法律事務所（第一東京弁護士会）

土森　俊秀（つちもり　としひで）　担当：第2部第3章・第4章
〈主な著書・論文等〉「フロー＆チェック　企業法務コンプライアンスの手引き」（新日本法規、2016）（編集代表）、東京弁護士会弁護士研修センター運営委員会編『弁護士専門研修講座──中小企業法務の実務』（ぎょうせい、2015）（共著）、鈴木修一監修・應本昌樹ほか編集『中小企業海外展開支援法務アドバイス』（経済法令研究会、2013）（共著）
〈事務所〉奥・片山・佐藤法律事務所（東京弁護士会）

八掛　順子（やつがけ　じゅんこ）　担当：第2部第1章・第2章・第5章
〈主な著書・論文等〉日本弁護士連合会・日弁連中小企業法律支援センター編『中小企業の事業再生の手引』（商事法務、2012）（共著）、東京弁護士会中小企業法律支援センター編『Q&A中小企業支援ハンドブック──創業期から成長期、成熟・衰退期までの法務──』（創耕舎、2020）（共著）、「食品表示に関する法──最近の改正法を中心に」LIBRA2016年4月号（共著）
〈事務所〉八掛法律事務所（東京弁護士会）

渡邉　敦子（わたなべ　あつこ）　担当：第2部第3章・第6章・第7章
〈主な著書・論文等〉日本弁護士連合会・日弁連中小企業法律支援センター編『事業承継法務のすべて〔第2版〕』（きんざい、2021）（共著）、「弁護士専門研修

講座　働き方改革実現のための企業労務の重要ポイント〜労働時間管理・ハラスメント・同一労働同一賃金〜」（ぎょうせい、2020）共著、「M&Aにおける労働法務DDのポイント〔第2版〕（商事法務、2020）（共著）
〈事務所〉渡邉綜合法律事務所（東京弁護士会）

●執筆者紹介●

安部　史郎（あべ　しろう）　　　担当：第2部第5章
〈主な著書・論文等〉日本弁護士連合会・日弁連中小企業法律支援センター編『事業承継法務のすべて〔第2版〕』（きんざい、2021）（共著）
〈事務所〉馬場・澤田法律事務所（東京弁護士会）

池田　耕一郎（いけだ　こういちろう）　　　担当：第2部第2章・第5章
〈主な著書・論文等〉日本弁護士連合会・日弁連中小企業法律支援センター編『中小企業事業再生の手引き』（商事法務、2012）（共著）、日本弁護士連合会・日弁連中小企業法律支援センター編『中小企業のための金融円滑化法出口対応の手引き』（商事法務、2013）（共著）、日本弁護士連合会・日弁連中小企業法律支援センター編『事業承継法務のすべて〔第2版〕』（きんざい、2021）（共著）
〈事務所〉池田耕一郎法律事務所（福岡県弁護士会）

池田　曜生（いけだ　てるお）　　　担当：第2部第2章
〈主な著書・論文等〉「預金債権の差押えの特定――最高裁平成23年9月20日決定の検討」銀行法務21 745号、「中小企業等の事業承継と民事信託の活用」銀行法務21 814号、日本弁護士連合会日弁連中小企業法律支援センター編『事業承継法務のすべて』（金融財政事情研究会、2021）（共著）
〈事務所〉おかやま番町法律事務所（岡山弁護士会）

石川　貴康（いしかわ　たかやす）　　　担当：第2部第6章
〈主な著書・論文〉『破産管財実践マニュアル〔第2版〕』（青林書院、2013）（共著）、『実践経営者保証ガイドライン』（青林書院、2020）（共著）
〈事務所〉コンパサーレ法律事務所（千葉県弁護士会）

市丸　信敏（いちまる　のぶとし）　　　担当：第1部第1章
〈事務所〉不二法律事務所（福岡県弁護士会）

井上　晴夫（いのうえ　はるお）　　　担当：第1部第1章（初版）
〈主な著書・論文等〉日本弁護士連合会・日弁連中小企業法律支援センター編『中小企業事業再生の手引き』（商事法務、2012）（共著）、日本弁護士連合会・日弁連中小企業法律支援センター編『中小企業のための金融円滑化法出口対応の手引き』（商事法務、2013）（共著）
〈事務所〉弁護士法人井上晴夫法律事務所（島根県弁護士会）

今井　丈雄（いまい　たけお）　　　担当：第2部第2章
〈主な著書・論文等〉日本弁護士連合会・日弁連中小企業法律支援センター編『事業承継法務のすべて〔第2版〕』（金融財政事情研究会、2021）（共著）、野村剛司監修『ストーリー法人破産申立て』（金融財政事情研究会、2022）（共著）、「中小企業のポストM&AをにらんだDD」事業再生と債権管理175号（2022）

執筆者紹介

〈事務所〉今井法律事務所（千葉県弁護士会）

大澤　康泰（おおさわ　やすひろ）　　　担当：第1部第2章（初版）※1
〈主な著書・論文等〉東京弁護士会会社法部編『新・取締役会ガイドライン〔第2版〕』（商事法務、2016）（編集・執筆担当）、東京弁護士会税務特別委員会編『〔新訂第2版〕法律家のための税法〔会社法編〕』（第一法規、2017）、同『〔新訂第8版〕法律家のための税法〔民法編〕』（第一法規、2022）
〈事務所〉NeOパートナーズ法律事務所（東京弁護士会）

大宅　達郎（おおや　たつろう）　　　担当：第2部第2章・第7章
〈主な著書・論文等〉アンダーソン・毛利・友常法律事務所・柴田義人ほか編『M&A実務の基礎』（商事法務、2015）（共著）、日弁連中小企業法律支援センター『事業承継法務のすべて（第2版）』（きんざい、2021）（共著）、「特定調停を用いた経営者保証ガイドラインの成立事例報告」NBL1030号（共著）
〈事務所〉大江・田中・大宅法律事務所（東京弁護士会）

尾田　知亜記（おだ　ちあき）　　　担当：第2部第7章
〈主な著書・論文等〉「経営者保証ガイドラインの概要・出口対応における意義――廃業支援における積極的活用を期待して」銀行法務21 805号（2016）（共著）、『実践　経営者保証ガイドライン―保証債務の整理』（青林書院、2020）（共著）、『次世代ビジネス対応　契約審査手続マニュアル―「新しい資本主義」を踏まえた契約類型―』（新日本法規出版、2022）（共著）
〈事務所〉弁護士法人しょうぶ法律事務所（愛知県弁護士会）

加藤　文人（かとう　ふみひと）　　　担当：第2部第4章
〈主な著書・論文等〉鈴木修一監修・應本昌樹ほか編集『中小企業海外展開支援法務アドバイス』（経済法令研究会、2013）（共著）、「中国企業との交渉中止と損害賠償責任」JCエコノミックジャーナル2016年5月号、2020年5月号」（一般財団法人日中経済協会、2016、2020）
〈事務所〉高の原法律事務所（奈良弁護士会）

金山　卓晴（かなやま　たかはる）　　　担当：第1部第2章・第2部第5章
〈主な著書・論文等〉「地域金融機関における中小企業の法律問題対策Q&A⑥――創業支援」銀行法務21 790号（2015）（共著）、日本弁護士連合会・日弁連中小企業法律支援センター編『事業承継法務のすべて〔第2版〕』（きんざい、2021）（共著）
〈事務所〉あさひ法律事務所（第一東京弁護士会）

久野　実（くの　みのる）　　　担当：第2部第5章
〈主な著書・論文等〉名古屋中小企業支援研究会・日本公認会計士協会東海会・全国倒産処理弁護士ネットワーク編『中小企業再生・支援の新たなスキーム』（中央経済社、2016）（共著）、日本弁護士連合会・日弁連中小企業法律支援センター編『事業承継法務のすべて〔第2版〕』（きんざい、2021）（共著）、『中小企業のための解散・倒産・事業承継の法律と税務』（株式会社三修社、2015）（監修）
〈事務所〉弁護士法人東海総合（愛知県弁護士会）

後藤　登（ごとう　のぼる）　　　担当：第2部第5章（初版）
〈主な著書・論文等〉日本弁護士連合会日弁連中小企業法律支援センター編『中

小企業のための金融円滑化法出口対応の手引き』（商事法務、2013）（共著）
〈事務所〉日比谷通り後藤法律会計事務所（第二東京弁護士会）、後藤登公認会計士事務所

酒井　俊晧（さかい　としつぐ）　　担当：第1部第1章（初版）
〈主な著書・論文等〉『詳解スポーツ基本法』日本スポーツ法学会編（成文堂）（共著）、『スポーツ事故の法務』（創耕舎、2013）（編集・共著）、『スポーツガバナンス実践ガイドブック』（民事法研究会）（共著）
〈事務所〉酒井法律事務所（愛知県弁護士会）

佐藤　三郎[※2]（さとう　さぶろう）　　担当：第2部第5章
〈主な著書・論文等〉「地域金融機関における中小企業の法律問題対策Q&A」銀行法務21 785号（2015）、第一東京弁護士会総合法律研究所倒産法研究部会編「中小企業のための民事再生手続活用ハンドブック」（きんざい、2021）（編集）
〈事務所〉佐藤三郎法律事務所（第一東京弁護士会）

生野　裕一（しょうの　ゆういち）　　担当：第1部第2章
〈事務所〉弁護士法人アゴラ（大分県弁護士会）

杉田　昌平[※3]（すぎた　しょうへい）　　担当：第2部第4章
〈主な著書・論文等〉『改正入管法対応　外国人材受入れガイドブック』（ぎょうせい、2019）、『改正入管法関連完全対応　法務・労務のプロのための外国人雇用実務ポイント』（ぎょうせい、2019）、『「技能実習」「特定技能」対応!!外国人材受入れサポートブック』（ぎょうせい、2020）
〈事務所〉弁護士法人Global HR Strategy　GHRS法律事務所（東京弁護士会）

堂野　達之（どうの　たつゆき）　　担当：第2部第3章
〈主な著書・論文等〉「フロー＆チェック　企業法務コンプライアンスの手引き」（新日本法規、2016）（編集代表）
〈事務所〉堂野法律事務所（東京弁護士会）

中澤　未生子（なかざわ　みおこ）　　担当：第2部第1章
〈主な著書・論文等〉日本弁護士連合会日弁連中小企業法律支援センター編『事業承継法務のすべて（第2版）』（商事法務、2021）（共著）、『リスク回避のための事業承継実務の進め方』（同友館、2018）（共著）、『なぜあの会社の女性はイキイキ働いているのか』（同友館、2018）（共著）
〈事務所〉エマーブル経営法律事務所（大阪弁護士会）

中村　崇（なかむら　たかし）　　担当：第2部第2章
〈主な著書・論文等〉「労働災害の法律実務」（新潟県弁護士会、2022年）（共著）、「新潟県弁護士会による中小企業支援」（自由と正義2021年6月号（共著）、「破産実務Q&A220問」（金融財政事情研究会、2019）（共著）
〈事務所〉弁護士法人中村・大城国際法律事務所（新潟県弁護士会）

林　一樹（はやし　かずき）　　担当：第2部第2章・第5章
〈主な著書・論文等〉長野県弁護士会編『不動産登記訴訟の実務』（第一法規、1995）（共著）、日本弁護士連合会・日弁連中小企業法律支援センター編『事業承継法務のすべて〔第2版〕』（きんざい、2021）（共著）

執筆者紹介

〈事務所〉林一樹法律事務所（長野県弁護士会）

樋口　一磨（ひぐち　かずま）※4　　担当：第2部第4章
〈主な著書・論文等〉鈴木修一監修・應本昌樹ほか編集『中小企業海外展開支援法務アドバイス』（経済法令研究会、2013）（共著）、『International Commercial Agency and Distribution Agreement』（Wolters Kluwer、2017）（共著）、『ポイントがわかる！国際ビジネス契約の基本・文例・交渉』（日本加除出版、2019）
〈事務所〉弁護士法人樋口国際法律事務所（東京弁護士会）

平田　えり（ひらた　えり）　　担当：第1部第1章・第2章・第2部第2章・第5章
〈主な著書・論文等〉「金融円滑化法終了への対応策としての特定調停スキームの活用について」北浜法律事務所／倒産・事業再生・ニューズレター3号（2014）、「会社法改正とエクイティ・ファイナンス」（北浜法律事務所／ファイナンス・ロー・ニューズレター8号（2014）、「秘密保持契約の見直しポイント」（Business Law Journal 2017年11月号）
〈事務所〉西村あさひ法律事務所福岡事務所（福岡県弁護士会）

藤田　善六（ふじた　ぜんろく）　　担当：第1部第1章
〈主な著書・論文等〉新潟県弁護士会編『保証の実務』（1993）（共著）、同『Q&A相殺の実務』（2003）（共著）
〈事務所〉藤田善六法律事務所（新潟県弁護士会）

藤本　一郎（ふじもと　いちろう）※4　　担当：第2部第4章
〈主な著書・論文等〉「中小企業海外展開への弁護士による法的支援業務（特集　中小企業の海外展開への法的支援：その意義と具体的な取り組み方）」（共著）自由と正義2015年2月号15頁、「中国独禁法　合弁会社の設立と企業結合規制：商法函［2016］175号の衝撃」JCAジャーナル第63巻7号（2016年7月号）39頁、「会社法司法解釈㈤について」JCAジャーナル第66巻11号（2019年11月号）64頁
〈事務所〉弁護士法人創知法律事務所大阪オフィス（大阪弁護士会）

松田　隆太郎（まつだ　りゅうたろう）　　担当：第1部第2章
〈事務所〉松田法律事務所（第二東京弁護士会）

松林　司（まつばやし　つかさ）　　担当：第2部第2章
〈主な著書・論文等〉日本弁護士連合会・日弁連中小企業法律支援センター編『中小企業のための金融円滑化法出口対応の手引き』（商事法務、2013）（共著）、会社実務研究会編『こんなときどうする会社の法務Q&A』（第一法規、1993）（共著）
〈事務所〉市ヶ谷フォレスト法律事務所（第二東京弁護士会）

松比良　剛（まつひら　ごう）　　担当：第2部第2章・第5章
〈事務所〉法律事務所薩摩（鹿児島県弁護士会）

三村　藤明（みむら　ふじあき）　　担当：第2部第6章
〈主な著書・論文等〉『ケースでわかる実践中小企業の事業再生に関するガイドライン』（中央経済社、2022）（共著）、小林信明＝山本和彦『実務に効く事業再生判例精選』（ジュリスト増刊）（2014）（共著）、富永浩明＝三森仁編『ゴルフ場の事業再生』（商事法務、2012）（共著）

〈事務所〉アンダーソン・毛利・友常法律事務所外国法共同事業（東京弁護士会）

宮原　一東（みやはら　いっとう）　　担当：第2部第6章
〈主な著書・論文等〉「中小企業の事業再生等ガイドライン」対応　事業再生・廃業支援の手引き（清文社、2022）（共著）、『社長・税理士・弁護士のための私的再建の手引き〔第2版〕──経営者保証に関するガイドライン対応』（税務経理協会、2016）（共著）
〈事務所〉桜通り法律事務所（東京弁護士会）

武藤　佳昭※4（むとう　よしあき）　　担当：第2部第4章
〈主な著書・論文等〉「中小企業の海外展開への法的サポート──弁護士による支援の意義」法の支配181号（2016）、「契約事件の国際裁判管轄」道垣内正人＝古田啓昌編『実務に効く国際ビジネス判例精選』（ジュリスト増刊）（2015）
〈事務所〉ベーカー＆マッケンジー法律事務所外国法共同事業（東京弁護士会）

山田　尚武（やまだ　ひさたけ）　　担当：第2部第3章
〈主な著書・論文等〉日本弁護士連合会日弁連中小企業法律支援センター編『事業承継法務のすべて【第2版】』（金融財政事情研究会、2021）（共著）、契約審査実務研究会代表山田尚武編『次世代ビジネス対応　契約審査手続マニュアル──「新しい資本主義」を踏まえた契約類型─』（新日本法規出版、2022）、滝川宜信・弁護士法人しょうぶ法律事務所編『業務委託契約書の作成と審査の実務（全訂版）』（民事法務研究会、2022）
〈事務所〉弁護士法人しょうぶ法律事務所（愛知県弁護士会）

横田　亮（よこた　りょう）　　担当：第2部第1章・第5章
〈主な著書・論文等〉日本弁護士連合会・日弁連中小企業法律支援センター編『事業承継法務のすべて〔第2版〕』（きんざい、2021）（共著）
〈事務所〉弁護士法人横田法律事務所（岡山弁護士会）

吉崎　猛（よしざき　たけし）　　担当：第2部第4章
〈主な著書・論文等〉鈴木修一監修・應本昌樹ほか編集『中小企業海外展開支援法務アドバイス』（経済法令研究会、2013）（共著）、『中国ビジネスのための法律入門』（中央経済社、2012）（共著）
〈事務所〉弁護士法人桜橋総合大阪事務所（大阪弁護士会）

和田　圭介※4（わだ　けいすけ）　　担当：第2部第4章
〈主な著書・論文等〉『図説金融商品取引法』（学陽書房、2006年）（共著）
〈事務所〉オリンピア法律事務所（愛知県弁護士会）

　下記の※1から※4は、日弁連中小企業法律支援センター委員ではない。
※1　日弁連税制委員会委員
※2　日弁連リーガル・アクセスセンター副委員長
※3　多文化共生社会の実現に関するワーキンググループ委員
※4　中小企業の国際業務の法的支援に関するワーキンググループ委員

◆事項索引◆

---------- 欧 文 ----------

ABL ・・・・・・・・・・・・・・・・・・・・・*132*
DBJ　→株式会社日本政策投資銀行
DD　→デューデリジェンス
EBITDA（エビットディーエー）・・・*299*
EBO（エンプロイ・バイ・アウト）
　・・・・・・・・・・・・・・・・・・・・・・・・・・・*268*
GDPR ・・・・・・・・・・・・・・・・・・・・*234*
JETRO
　→独立行政法人日本貿易振興機構
M&A ・・・・・・・・・・・・・・・*172, 246, 274*
M&A仲介業者 ・・・・・・・・・・・・・・・*172*
MBO（マネジメント・バイ・アウト）
　・・・・・・・・・・・・・・・・・・・・・・・・・・・*268*
NDA　→秘密保持契約
PMI（POST MERGER INTEGRATION）
　・・・・・・・・・・・・・・・・・・・・・・・・・・・*288*
REVIC
　→株式会社地域活性化支援機構
SDGs ・・・・・・・・・・・・・・・・・・・・・・*19*
SWOT分析 ・・・・・・・・・・・・・・・・・*53*

---------- あ 行 ----------

悪質クレーム ・・・・・・・・・・・・・・・*156*
悪徳商法 ・・・・・・・・・・・・・・・・・・・*159*
後継ぎ遺贈型受益者連続信託
　・・・・・・・・・・・・・・・・・・・・・*257, 293*
アドバイザリー契約書 ・・・・・・・・・*278*
安全衛生管理 ・・・・・・・・・・・・・・・*120*
安全配慮義務 ・・・・・・・・・・・・・・・*120*
育児介護休業法 ・・・・・・・・・・・・・*124*
遺産分割 ・・・・・・・・・・・・・・・・・・・*260*
意匠権 ・・・・・・・・・・・・・・・・・・・・*125*
一般社団法人全国信用金庫協会
　（全国信用金庫協会） ・・・・・・・・・*36*
一般社団法人全国信用組合中央協会
　（全国信用組合中央協会） ・・・・・・*36*
一般社団法人日本商事仲裁協会 ・・・*222*
インセンティブ資産 ・・・・・・・・・・・*341*
インターネットトラブル ・・・・・・・・*164*
営業キャッシュ・フロー ・・・・・・・・*298*
営業秘密 ・・・・・・・・・・・・・*125, 145, 227*
英国贈収賄法（UK Bribery Act / UKBA）
　・・・・・・・・・・・・・・・・・・・・・・・・・・・*236*
エクイティ・ファイナンス ・・・・・・・*134*
越境EC ・・・・・・・・・・・・・・・・・・・*231*
エンジェル税制 ・・・・・・・・・・・・・・・*69*

---------- か 行 ----------

カーボンニュートラル ・・・・・・・・・・*19*
解雇 ・・・・・・・・・・・・・・・・・・・・・・・*122*
　整理——— ・・・・・・・・・・・・・・・・・*122*
　懲戒——— ・・・・・・・・・・・・・・・・・*122*
外国公務員贈賄 ・・・・・・・・・・・・・*236*
外国人労働者 ・・・・・・・・・・・・・・・*237*
外国仲裁判断の承認及び執行に関する
　条約（ニューヨーク条約）・・・*222*
会社分割 ・・・・・・・・・・・・・・・*174, 287*
開廃業率 ・・・・・・・・・・・・・・・・・・・・*27*
カスタマーハラスメント ・・・・・・・・*157*
合併 ・・・・・・・・・・・・・・・・・・・・・・・*287*
株券発行会社 ・・・・・・・・・・・・・・・*107*
株式会社商工組合中央金庫（商工中金）
　・・・・・・・・・・・・・・・・・・・・・・・・・・・・*37*
株式会社地域活性化支援機構（REVIC）
　・・・・・・・・・・・*34, 298, 302, 323, 345, 349*
株式会社日本政策投資銀行（DBJ）
　（日本公庫）・・・・・・・・*36, 37, 47, 132*
　———の特定支援制度 ・・・・・・・・・・*354*
株式交換 ・・・・・・・・・・・・・・・・・・・*288*
株式上場（IPO）・・・・・・・・・・・・・・・*74*
株式譲渡 ・・・・・・・・・・・・・*173, 285, 287*
株主総会 ・・・・・・・・・・・・・・・*106, 108*
　———決議取消しの訴え ・・・・・・・・*205*
　———決議無効確認の訴え ・・・・・・*206*
　———議事録 ・・・・・・・・・・・・・・・・*114*
　———招集許可申立て ・・・・・・・・・*201*

事項索引

——招集通知・・・・・・・・・・・・・・108
間接進出・・・・・・・・・・・・・・・・・・・222
監督委員・・・・・・・・・・・・・・・・・・・305
企業活力強化貸付け・・・・・・・・132
企業等不祥事における第三者委員会
  ガイドライン・・・・・・・・・・・・・170
企業内承継・・・・・・・・・・・・245, 268
議決権制限株式・・・・・・・・・・・・289
期限の利益喪失条項・・・・・・・・140
技術提携・・・・・・・・・・・・・・・・・・・183
偽装請負・・・・・・・・・・・・・・・・・・・123
競業避止義務・・・・・・・・・・・・・・・149
行政書士・・・・・・・・・・・・・・・・・・・・38
行政取消訴訟・・・・・・・・・・・・・・・125
共同行動宣言（共同コミュニケ）・・・・12
拒否権付株式（黄金株）・・・・・・290
クラウドファンディング・・・・・・・68
クレーム・・・・・・・・・・・・・・・・・・・156
クロスボーダー・・・・・・・・・・・・・298
経営者保証に関するガイドライン
  （経営者保証GL）・・・・・133, 248, 272,
    286, 296, 325, 337, 339, 344, 357
経営者保証に関するガイドラインに基
  づく保証債務整理の手法としての特
  定調停スキーム利用の手引き（特定
  調停利用の手引き（保証債務））
    ・・・・・・・・・・・・・・・・・・・・337, 344
経済合理性・・・・・・・・・・・・・299, 341
経済産業局・・・・・・・・・・・・・・・・・・33
継続的契約・・・・・・・・・・・・・・・・・190
契約書・・・・・・・・97, 139, 176, 184, 216
現地法人・・・・・・・・・・・・・・・224, 226
——の解散・清算・・・・・・・・229
合意管轄・・・・・・・・・・・・・・・・・・・141
公益社団・財団法人・・・・・・・・・・64
後継者人材バンク・・・・・・・・・・・283
公正証書・・・・・・・・・・・・・・・・・・・143
公認会計士・・・・・・・・・・・・・・・・・・38
合弁会社・・・・・・・・・・・・・・・・・・・225
合弁契約・・・・・・・・・・・・・・・184, 225
コーポレートガバナンス・コード
  ・・・・・・・・・・・・・・・・・・・・・・・・・167

顧客情報（個人情報）の漏洩・・・・・・168
国際業務支援・・・・・・・・・・・・・・・213
国際裁判管轄・・・・・・・・・・・・・・・218
国際取引・・・・・・・・・・・・・・・・・・・216
国際物品売買契約に関する国際連合
  条約（ウィーン売買条約）・・・・・・218
個人情報・・・・・・・・・・・・・・・・・・・150
個人情報の保護に関する法律
  （個人情報保護法）・・・・・・・・・150
顧問弁護士・・・・・・・・・・・・・・・・・169
雇用の分野における男女の均等な機会
  及び待遇の確保等に関する法律
  （雇用機会均等法）・・・・・・120, 124
コンサルティング機能・・・・・・・302
コンプライアンス・・・・・・・・・・・167

――――――― さ　行 ―――――――

債権回収・・・・・・・・・・・・・・・137, 143
債権者説明会・・・・・・・・・・・・・・・308
債権譲渡担保・・・・・・・・・・・・・・・142
債権譲渡登記・・・・・・・・・・・・・・・132
裁判管轄規程・・・・・・・・・・・・・・・・98
三六協定・・・・・・・・・・・・・・・・・・・119
産業競争力強化法（産強法）
  ・・・・・・・・・・・・・・・・・・23, 43, 47
３Ｃ分析・・・・・・・・・・・・・・・・・・・・53
時間外労働・・・・・・・・・・・・・・・・・121
事業再生・・・・・・・・・・・・・・・・・・・295
事業再生ADR・・・・・・・・・・・302, 323
事業者の事業再生を支援する手法とし
  ての特定調停スキーム利用の手引
    ・・・・・・・・・・・・・・・・・・・・・・・336
事業者の消費者被害・・・・・・・・・159
事業承継・・・・・・・・・・・・・・・・・・・241
事業承継ガイドライン・・・247, 268, 289
事業承継計画書・・・・・・・・・・・・・251
事業承継スキーム・・・・・・・・・・・289
事業承継・引継ぎ支援センター（引継
  ぎ支援センター）・・・・34, 246, 277, 280
事業譲渡・・・・・・・・・・・・174, 285, 287
事業引継ぎガイドライン・・・・・247, 277
事業引継ぎハンドブック・・・・・247, 277

事項索引

自然災害·····················20
自然災害による被災者の債務整理に関
　するガイドライン（自然災害GL）
　··················303, 338, 362
実用新案権··················125
私的整理····················323
　　純粋——················323
　　準則型——··········297, 323
　　廃業型——··············355
私的整理ガイドライン···298, 302, 323
司法書士·····················38
社会福祉法人·················64
社会保険····················123
社会保険労務士···············38
社外役員（社外取締役，社外監査役）
　························169
就業規則····················119
　　——の不利益変更··········119
集合物譲渡担保···············142
自由財産····················340
17条決定················301, 334
種類株式············67, 135, 289
準拠法······················217
小規模企業振興基本法（小規模振興法）
　·······················21, 23
商工会······················35
商工会議所··················35
商取引債権保護···············301
少人数私募債·················68
商標権······················125
職務代行者選任の仮処分········206
職務発明規程·················126
所有権留保条項···············141
新型コロナウイルス禍··········20
新株発行差止仮処分············209
新株発行無効の訴え············210
新企業育成貸付け·············132
信金中央金庫（信金中金）·······37
親族内承継··············245, 252
信託························257
信用状（Letter of Credit）·····222
信用調査····················137

信用保証協会·················37
生産提携····················183
清算人······················351
生前贈与····················255
制度融資····················133
税理士······················38
セーフティネット貸付け·······132
全国銀行協会（全銀協）·········36
創業計画····················48
創業支援····················42
創業相談····················47
相殺予約条項················140
相続·······················258
属人的株式··················291

――――― た　行 ―――――

第1回ニーズ調査············2, 16
第三者委員会················170
第三者割当増資··············174
第三者承継··········245, 274, 286
第2回ニーズ調査··············2
第二創業支援············346, 350
第二地方銀行協会·············36
多数決原理··················301
短時間労働者················120
団体交渉···················123
担保権······················141
地域中小企業応援ファンド······135
地域ファンド················131
知的財産基本法···············125
知的財産権···········125, 219, 226
地方銀行協会·················36
中央労働委員会··············124
仲裁······················221
仲裁合意···················221
中小企業基本法（中基法）····21, 43
中小企業庁（中企庁）··········32
中小M&Aガイドライン
　··················277, 283, 284
中小企業活性化協議会
　··············33, 323, 324, 345
中小企業活性化協議会事業実施基本

要項‥‥‥‥‥‥‥‥‥‥‥‥324
中小企業再生支援協議会
　（再生支援協議会）‥‥‥‥298, 302
中小企業支援に関する意見交換会
　（キャラバン）‥‥‥‥‥‥‥16, 17
中小企業支援法‥‥‥‥‥‥‥‥‥23
中小企業事業引継ぎ支援全国本部
　‥‥‥‥‥‥‥‥‥‥‥‥‥‥246
中小企業信用保険法‥‥‥‥‥‥‥23
中小企業診断士‥‥‥‥‥‥‥‥‥38
中小企業団体中央会‥‥‥‥‥‥‥36
中小企業等経営強化法‥‥‥22, 23, 70
中小企業倒産防止共済法‥‥‥‥‥23
中小企業投資育成株式会社‥‥‥135
中小企業等支援に関する覚書
　‥‥‥‥‥‥‥‥‥‥‥9, 13, 36
中小企業等に対する金融の円滑化を図
　るための臨時措置に関する法律
　（金融円滑化法）‥‥‥‥‥302, 333
中小企業における経営の承継の円滑化
　に関する法律（経営承継円滑化法）
　‥‥‥‥‥‥‥23, 246, 261, 271
中小企業の事業再生等に関する
　ガイドライン（事業再生GL）
　‥‥‥‥‥‥20, 303, 304, 349, 355
中小企業のものづくり基盤技術の
　高度化に関する法律‥‥‥‥‥‥23
中小企業白書‥‥‥‥‥‥‥‥‥‥19
中小企業版私的整理GL（中小企業の事
　業再生等に関するガイドライン第3部）
　‥‥‥‥‥‥303, 323, 329, 355
中小PMIガイドライン‥‥‥181, 288
懲戒権の行使‥‥‥‥‥‥‥‥‥122
挑戦支援資本強化特別貸付‥‥‥133
直接進出‥‥‥‥‥‥‥‥‥‥‥223
著作権‥‥‥‥‥‥‥‥‥‥‥‥125
賃金減額‥‥‥‥‥‥‥‥‥‥‥121
通常清算‥‥‥‥‥‥‥‥‥‥‥351
提携契約‥‥‥‥‥‥‥‥‥‥‥183
提携の解消‥‥‥‥‥‥‥‥‥‥185
デジタルトランスフォーメーションを
　推進するためのガイドライン

（DX推進ガイドライン）‥‥‥‥19
デューデリジェンス（DD）‥173, 274
　法務――‥‥‥‥‥‥‥‥‥‥178
電子商取引（eコマース）‥‥‥102
電子商取引及び情報財取引等に関する
　準則（電子商取引GL）‥‥‥‥102
動産譲渡登記‥‥‥‥‥‥‥‥‥132
動産売買の先取特権‥‥‥‥‥‥142
投資育成会社‥‥‥‥‥‥‥‥‥‥37
独占的販売権‥‥‥‥‥‥‥‥‥101
特定支援業務（廃業支援）‥‥‥349
特定商取引法‥‥‥‥‥‥‥‥‥104
特定調停‥‥‥‥‥‥‥302, 333, 349
特定調停スキーム‥‥‥‥‥344, 359
　新しい――‥‥‥‥‥‥‥333, 336
特定調停スキーム（廃業支援）
　‥‥‥‥‥‥‥‥‥‥‥354, 359
特定非営利活動法人‥‥‥‥‥‥‥64
特別清算‥‥‥‥‥‥‥‥‥349, 352
独立行政法人中小企業基盤整備機構
　（中小機構）‥‥‥‥‥‥‥33, 246
独立行政法人日本貿易振興機構
　（JETRO）‥‥‥‥‥‥‥‥‥‥34
特例有限会社‥‥‥‥‥‥‥‥‥105
特許権‥‥‥‥‥‥‥‥‥‥‥‥125
特許情報プラットフォーム（J-PlatPat）
　‥‥‥‥‥‥‥‥‥‥‥‥‥‥128
取締役・監査役選任権付種類株式
　‥‥‥‥‥‥‥‥‥‥‥‥‥‥290
取締役会‥‥‥‥‥‥‥‥‥‥‥114
　――議事録‥‥‥‥‥‥‥‥‥116
取締役会設置会社‥‥‥‥‥‥‥104
取締役会非設置会社‥‥‥‥‥‥104
取締役の職務執行停止‥‥‥‥‥206
取引デジタルプラットフォームを利用
　する消費者の利益の保護に関する法
　律‥‥‥‥‥‥‥‥‥‥‥‥‥‥19

―――― な 行 ――――

内部通報制度‥‥‥‥‥‥‥‥‥169
日弁連中小企業国際業務支援弁護士紹
　介制度‥‥‥‥‥‥‥‥‥‥‥215

事項索引

日弁連中小企業法律支援センター
　（中小企業センター）‥‥‥‥‥11
日弁連ひまわり中小企業センター
　‥‥‥‥‥‥‥‥‥‥‥‥‥‥16
認定支援機関‥‥‥‥‥‥‥‥‥36
ノウハウ‥‥‥‥‥‥‥‥‥‥125

──────── は 行 ────────

パートタイム労働法‥‥‥‥‥124
廃業‥‥‥‥‥‥‥‥‥‥‥‥349
廃業支援‥‥‥‥‥‥‥‥‥‥346
派遣労働者‥‥‥‥‥‥‥‥‥120
破産‥‥‥‥‥‥‥‥‥‥349, 352
働き手不足‥‥‥‥‥‥‥‥‥‥19
発信者情報‥‥‥‥‥‥‥‥‥165
ハラスメント防止‥‥‥‥‥‥120
反社会的勢力‥‥‥‥‥‥‥‥162
伴走支援‥‥‥‥‥‥‥‥‥‥‥19
販売提携‥‥‥‥‥‥‥‥183, 186
東日本大震災に対処するための特別の
　財政援助及び助成に関する法律
　‥‥‥‥‥‥‥‥‥‥‥‥‥‥23
非公開会社‥‥‥‥‥‥‥‥‥104
非正規雇用労働者‥‥‥‥‥‥120
ひまわりほっとダイヤル‥‥6, 14, 284
秘密保持契約（NDA）
　‥‥‥‥‥100, 147, 172, 175, 274
秘密保持誓約書‥‥‥‥‥‥‥150
表明保証‥‥‥‥‥‥‥‥‥‥177
不正企業会計‥‥‥‥‥‥‥‥168
不正競争防止法‥‥‥‥‥125, 146
不当要求‥‥‥‥‥‥‥‥157, 163
不当労働行為‥‥‥‥‥‥123, 124
フリーランス‥‥‥‥‥‥‥‥‥19
プロバイダ責任制限法‥‥‥‥165
紛争調整委員会‥‥‥‥‥‥‥124
米国海外腐敗行為防止法
　（The Foreign Corrupt Practices Act /
　FCPA）‥‥‥‥‥‥‥‥‥236
弁護士会における中小企業支援活動の
　実情調査及び活動事例収集のための
　アンケート‥‥‥‥‥‥‥‥‥9

ベンチャーキャピタル‥‥131, 135
貿易取引‥‥‥‥‥‥‥‥‥‥218
法の適用に関する通則法‥‥‥218
暴力団排除条項‥‥‥‥‥‥‥162
保証債務の整理手順‥‥‥‥‥340
保証人‥‥‥‥‥‥‥‥‥‥‥143
補助金‥‥‥‥‥‥‥‥‥‥‥136
保全処分‥‥‥‥‥‥‥‥‥‥305

──────── ま 行 ────────

マーケティングの４Ｐ‥‥‥‥52
民事再生‥‥‥‥‥‥‥‥‥‥304
民法上の遺留分制度に対する制約に
　関する特例‥‥‥‥‥‥‥‥246
無議決権株式‥‥‥‥‥‥‥‥66
無催告解除条項‥‥‥‥‥‥‥140
持分会社‥‥‥‥‥‥‥‥‥‥105

──────── や 行 ────────

雇止め‥‥‥‥‥‥‥‥‥‥‥122
遺言書‥‥‥‥‥‥‥‥‥‥‥256
遺言代用信託‥‥‥‥‥‥257, 292
有期雇用労働者‥‥‥‥‥‥‥120
よろず支援拠点‥‥‥‥‥‥‥33

──────── ら 行 ────────

ライセンス契約‥‥‥‥‥126, 129
利用規約‥‥‥‥‥‥‥‥‥‥103
労災事故‥‥‥‥‥‥‥‥‥‥120
労災保険‥‥‥‥‥‥‥‥120, 123
労使協定‥‥‥‥‥‥‥‥‥‥119
労働安全衛生法‥‥‥‥‥‥‥120
労働委員会‥‥‥‥‥‥‥‥‥124
労働基準監督署‥‥‥‥‥‥‥124
労働基準法‥‥‥‥‥‥‥‥‥118
労働協約‥‥‥‥‥‥‥‥‥‥119
労働契約法‥‥‥‥‥‥‥‥‥119
労働組合‥‥‥‥‥‥‥‥‥‥119
労働組合法‥‥‥‥‥‥‥119, 123
労働時間管理‥‥‥‥‥‥‥‥120
労働者派遣法‥‥‥‥‥‥‥‥122
労働条件‥‥‥‥‥‥‥‥‥‥118

労働審判・・・・・・・・・・・・・・・・・・・・・・・・*123*　労務管理・・・・・・・・・・・・・・・・・・・・・*118, 228*
労働審判法・・・・・・・・・・・・・・・・・・・・・*124*　労働保険・・・・・・・・・・・・・・・・・・・・・・・・*123*

中小企業法務のすべて〔第2版〕

2017年3月1日	初　版第1刷発行
2023年2月15日	第2版第1刷発行
2023年5月30日	第2版第2刷発行

編　者　日本弁護士連合会
　　　　日弁連中小企業法律支援センター

発行者　石　川　雅　規

発行所　株式会社　商　事　法　務
　　　　〒103-0027　東京都中央区日本橋3-6-2
　　　　TEL 03-6262-6756・FAX 03-6262-6804〔営業〕
　　　　TEL 03-6262-6769〔編集〕
　　　　https://www.shojihomu.co.jp/

落丁・乱丁本はお取り替えいたします。　印刷／そうめいコミュニケーションプリンティング
©2023 日本弁護士連合会　　　　　　　　　　　　　　　Printed in Japan
Shojihomu Co., Ltd.
ISBN978-4-7857-3014-7
＊定価はカバーに表示してあります。

JCOPY＜出版者著作権管理機構　委託出版物＞
本書の無断複製は著作権法上での例外を除き禁じられています。
複製される場合は、そのつど事前に、出版者著作権管理機構
（電話03-5244-5088、FAX 03-5244-5089、e-mail: info@jcopy.or.jp）
の許諾を得てください。